Delius Klasing
EDITION MOBY DICK

24. Dez. 2002

Viel „Spaß“ beim
Lesen, lieber Katzer(?),
wünscht Dir Dein

Bärche.

Greg Moody

DER MILLIONEN-DOLLAR-DOWNHILL

Delius Klasing
EDITION MOBY DICK

Wiederum gilt mein herzlicher Dank den Mitarbeitern des Verlages VeloPress, vor allem Amy Sorrells, und der Zeitschrift VeloNews für verlässliche Unterstützung und ansteckenden Humor. Ich bedanke mich ebenfalls bei Steve Youngerman, Stephen White sowie Jim und Rhonda Hoyt für freigiebige Ermunterung und hilfreiche Tritte in den Allerwertesten.
Wie immer gilt mein größter Dank Becky, Devon und Brynn, die mir jeden einzelnen Tag Freude und Lachen schenken. Dieses Buch widme ich Becky – mit einem Dank an alle, die lesen.

Die Originalausgabe erschien unter dem Titel »Derailleur«
beim Verlag VeloPress in Boulder/Colorado, USA.

Die Deutsche Bibliothek – CIP-Einheitsaufnahme

Moody, Greg:
Der Millionen-Dollar-Downhill:
(der Thriller aus der Mountainbike-Szene)/Greg Moody.
(Übers.: Änne Troester). – 1. Aufl. –
Kiel: Moby Dick Verlag, 2001
(Delius Klasing – Edition Moby Dick)
ISBN 3-89595-164-1

1. Auflage
ISBN 3-89595-164-1

Übersetzung: Änne Troester
Umschlaggestaltung: Buchholz/Hinsch/Hensinger, Hamburg
unter Verwendung einer Grafik von Matt Brownson
Druck: Westermann Druck Zwickau
Printed in Germany 2001

Vertrieb: Delius Klasing Verlag, Siekerwall 21, D-33 602 Bielefeld
Tel.: 0521/559-0, Fax: 0521/559-113
e-mail: info@delius-klasing.de
http://www.delius-klasing.de

Inhalt

Prolog

September – vor vierzig Jahren

Es war wie ein Tanz in einem gläsernen Schnellkochtopf.

Der September war im nördlichen Ohio normalerweise schon eine Ankündigung des kommenden Herbstes. Kühle Tage und trockene, kalte Nächte, nur gelegentlich ein warmer Tag, an dem man sein Gesicht unwillkürlich der Sonne und dem Himmel und dem Geruch von glimmendem Eichenlaub zuwandte, der irgendwo in der Ferne aufstieg und vom Tod kündete und von der freien Natur, ein kostbarer Geruch, wie sonst kein anderer auf der Welt. Aber das hier war kein normaler September in Ohio. Die August-Hitze hatte sich hinübergerettet, und der Herbst war in eine nicht absehbare Ferne gerückt. Dieser Teil der Welt war in einer Hitzewelle gefangen, von der einem die Augen brannten und das Gesicht schwitzte und die einem ganz schön die Laune verdarb.

Zu dieser Zeit war Marjorie Stump dabei, ein Kind zu bekommen, und das war wohl eins der schlimmsten Dinge, die man in dieser Hitze machen konnte, besonders in einem Krankenhaus ohne Klimaanlage. Ihr Timing war noch nie besonders gut gewesen, und jetzt zahlte sie den Preis für einen Augenblick fleischlicher Schwäche und Sünde im vergangenen Dezember.

Die Wehen dauerten jetzt schon dreißig Stunden lang. Marjorie Stump tat noch nicht einmal die Dinge, die sie gern mochte, dreißig Stunden lang.

Durch die Schmerzen und den Schweiß hindurch konzentrierte sie sich auf die schwere Fabrikuhr mit dem schwarzen Rand, die auf dem dreckigen grauen Putz über der Tür zu ihrer Rechten hing. An einer Stelle waren Glas und Zifferblatt zerbrochen – offensichtlich hatte jemand einmal etwas darauf geworfen, aus Wut oder in Panik. In der Uhr saß trotzig eine Bremse und ritt auf dem Sekundenzeiger wie ein kleiner Rodeo-Cowboy. Von Zeit zu Zeit ruckte die Uhr sprunghaft, als ob ein Zahnrädchen im Inneren irgendwo hakte, kämpfte, und dann plötzlich angewidert den Kampf aufgab. Jedes Mal, wenn die Uhr ruckte, hätte Marjorie Stump schwören können, dass der abgenutzte, wasserfleckige Putz beinahe unmerklich nachgab, als ob die Wand bald zusammenbrechen und mit ihr die Uhr auf dem Boden landen würde, ein letzter, spektakulärer Sturzflug für die Bremse.

Sie wandte den Blick ab, während sie sich auf die Lippen biss und versuchte, etwas Neues zu finden, auf das sie sich konzentrieren konnte, um ihrer Erschöpfung und den Schmerzen zu entkommen.

Die Krankenschwester steckte ihren Kopf durch die Tür.

»Ist was?«

»Arrrggghhck.«

»Gut, also, na ja, ich komme später wieder.«

»Nein, nein«, wimmerte Marjorie, und ihr stummer Schrei verfolgte die Frau mit dem gestärkten weißen Kleid durch den gekachelten Flur. »Ich brauche Sie. Ich kann meine Füße nicht mehr spüren. Sie müssen die Schmerzen stoppen. Kommen Sie zurück. Kommen Sie zurück.«

Sie atmete tief durch und verfluchte sich selbst für ihre Schwäche. Sie brauchte die Hilfe der Schwester nicht. Sie brauchte niemandes Hilfe. Sie war allein, und sie würde die ganze Sache alleine durchstehen. Sie hob den Kopf vom Kissen und spürte, wie ein Schweißtropfen ihren Nacken hinabkullerte.

Das kleine, einst weiß gestrichene und mittlerweile grau gewordene Zimmer war drückend heiß. Die könnten wenigstens ein Fenster aufmachen. Ah, aber nein. Was, wenn eine der werdenden Mütter unter der Geburt schrie? Was, wenn ein Stück Realität nach außen drang, ein Stück Schmutz und Leid? Was würde aus der sittsamen Tugendhaftigkeit von Youngstown, Ohio, wenn die Leute aus den Fenstern des örtlichen Krankenhauses herausbrüllten? Du musst stark sein. Du musst still sein. Du musst es erdulden, wie es all diese Generationen tapferer kleiner Frauen vor dir erduldet haben.

Es darf nicht peinlich für das Krankenhaus werden.

Oh mein Gott. Oh mein Gott. Oh mein Gott.

Sie sank auf ihr durchnässtes Kissen zurück.

Oh mein Gott.

Sie presste wieder, um alles zu beenden, um alles zu Ende zu bringen ebenso sehr, wie um das Kind zu bekommen. Plötzlich war es ihr egal, was aus allem werden würde. Sie hasste das Kind, sie hasste das Krankenhaus, und mehr als alle oder alles hasste sie den Mann, der ihr das angetan hatte und der jetzt auf der anderen Seite des Zimmers saß, das Ohr an einem braunen Bakelit-Radio, und sie ignorierte. Er konzentrierte sich ganz und gar auf ein zum Ende der Saison völlig bedeutungsloses Baseball-Spiel zwischen den Cleveland Indians und den Detroit Tigers.

Ihr Kopf begann zu pendeln, hin und her, hin und her, während sie wieder und immer wieder sagte, »Ich hasse dich. Ich hasse euch alle. Ich hasse dich. Ich hasse euch alle. Ich hasse dich. Ich hasse euch alle.«

Marjorie Stump murmelte ihr Mantra zum Fenster und zur Tür, und wieder zurück. Allein die Wiederholung brachte die Zeit wieder in Gang und die Bremse dazu, den Sekundenzeiger zu verlassen und durch das Loch im Glas und die Tür aus dem Zimmer hinauszufliegen. Durch das Fensterglas sah Marjorie die Bewegung in den Bäumen. Mutter Natur hatte Erbarmen mit ihrer Dienerin Marjorie und schickte ihr eine Brise mit kühler Luft vom nach Petroleum stinkenden Lake Erie herüber. Wenn jetzt nur noch das Fenster offen wäre.

»Elmo«, flüsterte sie heiser durch trockene Lippen hindurch. »Elmo?«

Er beachtete sie nicht.

»Elmo.«

Elmo rührte sich neben dem Radio nicht.

Marjorie Stump drehte sich zur Seite und ihr Blick fiel auf eine kleine silberne Schale, die auf der Kante des Tisches neben ihrem Bett stand. Sie griff danach, nahm sie und ließ sie vor Erschöpfung beinahe fallen.

Sie nahm ihre ganze Kraft zusammen und umfasste den Rand der Schale. Dann begann sie fest zu drücken. Ihre Kraft, eben noch beinahe verschwunden, brandete jetzt durch sie hindurch. Immer fester umfasste sie die Metallschale und spürte, wie ein heißer Keim glühender Wut in ihr zu wachsen begann.

»Elmo«, sagte sie mit festerer Stimme.

Nichts.

»Elmo?«, rief sie, und die Wut und die Härte in ihrer Stimme durchbrachen seinen geistigen Nebel, wenn auch nur einen Augenblick lang, und er machte eine abschätzige Bewegung in ihre Richtung.

»EL-MO!«, rief sie mit voller Stimme, warf sich auf die Seite und schleuderte die Schale in Richtung Fenster.

Er reagierte auf ihren Schrei und auf das Zersplittern des Fensters. Instinktiv versuchte er, sich vor dem herumfliegenden Glas zu schützen, das nicht einmal andeutungsweise in seine Nähe kam. Dann starrte er mit großen Augen auf das Fenster und wandte sich wieder dem Radio zu. Er hatte keine Zeit für ihre Verrücktheiten. Das Spiel war im neunten Inning. Es würde knapp werden.

Als sich die Brise durch die Glasreste drückte und Marjorie Stump erreichte, fiel die Temperatur im Zimmer plötzlich um einige Grad. Als der erste Windhauch über ihre Stirn strich, spürte sie die nächste Wehe herannahen und tief in sich eine Bewegung des Babys, das den Eindruck erweckte, jetzt doch endlich aus ihrem Bauch herauszuwollen.

»Wird langsam Zeit«, dachte sie.

Die Brise umhüllte sie weiter, streichelte sie, erfüllte sie mit einer neuen Kraft, die sie noch nie im Leben erfahren hatte. Mutter Natur, dachte sie, den Blick starr auf einen Spalt in einem Baum direkt vor ihrem Fenster gewandt, Mutter Natur war die Einzige, die sich um sie kümmerte, die Einzige, die ihr zu Hilfe gekommen war.

Einen Augenblick lang schloss sie ihre Augen und genoss die kühle Brise, ein Gefühl, das ihr für einen Moment die Schmerzen nahm – das erste Mal seit mehr als dreißig Stunden.

Die propere Krankenschwester trat in die Tür und schob mit dem Finger am Steg ihre Brille hoch, während ihre Augen sich ob der offensichtlichen Abwesenheit von Respekt vor Krankenhauseigentum weiteten.

»Warum ist dieses Fenster offen?«, bellte sie und richtete ihre Frage direkt an Elmo Stump.

Elmo riss sich nur einen Augenblick lang von der Übertragung los, trotz der Tatsache, dass gerade sein Lieblingsbier angepriesen wurde, und zeigte mit dem Daumen in Richtung Bett.

»Fragen Sie sie. Sie hat es kaputt gemacht.«

Er wandte sich wieder dem Radio zu. Die Krankenschwester trat in das Zimmer und marschierte direkt auf die Bettkante zu, im Kopf bereits eine Rede darüber, wie man sich zu benehmen habe, wenn man ein Baby bekam, als sie bemerkte, dass Marjorie nicht nur in einer Art entrücktem Zustand zu sein schien, sondern auch, dass die Laken von ihrer Hüfte abwärts mit Fruchtwasser getränkt waren.

»Oh mein Gott! Wir müssen sie in den Kreißsaal bringen.«

Sie rannte zur Tür und brüllte den Gang hinunter, in eine Welt, die sich außerhalb von Marjorie Stumps Bewusstsein befand. Marjorie selbst spürte nur ein dumpfes Gefühl von Bewegung in ihrem Bauch, während ihre Gedanken auf einem spätsommerlichen Lufthauch davonschwebten.

Jetzt standen Menschen um sie herum, ein Arzt auf einer Seite, dessen Stimme klang, als käme sie vom Ende eines Tunnels, und mehrere Krankenschwestern, die versuchten, sie aus dem Bett zu heben. Als das nicht klappte, begannen sie mit der Arbeit, denn jetzt war der Moment gekommen.

Eine Krankenschwester trat auf die linke Seite des Bettes und versperrte Marjorie Stumps Sicht auf das Paradies vor dem Fenster. Ohne ihre Konzentration zu unterbrechen, hob Marjorie die Hand und schob sie zur Seite. Die Schwester landete auf dem Boden am Fußende des Bettes.

»Festhalten. Jemand muss sie festhalten!«, rief der Arzt. Eine Krankenschwester trat vor, versperrte den Blick zum Fenster und wurde ebenfalls zur Seite geschubst. Der Arzt drehte sich zu Elmo Stump um, dessen Spiel sich jetzt in der Verlängerung befand. Der Zuhörer saß zufrieden in seinem Stuhl zurückgelehnt und rauchte lässig eine Lucky. Die Indians hatten jetzt doch noch eine Chance auf den Sieg.

»Wir brauchen Ihre Hilfe.«

Elmo Stump nahm einen Zug und zuckte mit den Schultern. »Ich hab' meinen Teil getan. Das ist jetzt Ihr Job.«

Irgendetwas floss dem Arzt über die Hand und er musste sich wieder seiner Arbeit zuwenden. Über die Schulter zurück rief er: »Das hier ist ein Notfall. Sie müssen sich an das Kopfende des Bettes stellen und Ihre Frau beruhigen.«

Elmo blies den Rauch durch die Nase und machte dann einen Rauchkringel.

»Ich seh' nicht ein, warum.« Er warf einen Blick herüber. »Ich finde, sie sieht ziemlich ruhig aus. Außerdem bezahle ich dafür schließlich Sie.«

»Helfen Sie uns, BITTE.«

Elmo Stump rollte den Stummel seiner Lucky zwischen den Fingern hin und her und dachte über die Bitte nach.

»Fünfzig Dollar.«

»Was?«

»Fünfzig Dollar. Fünfzig Dollar von der Rechnung abgezogen, keine Rechnung für das Fenster, und ich helfe.«

Jetzt war der Kopf des Babys zu sehen. Marjorie setzte sich im Bett auf und begann, sich zum Fenster hin zu strecken.

»Drücken Sie sie runter. Drücken Sie sie runter!«, schrie der Arzt. Er hielt den Schädel des Babys einen Augenblick lang in den Händen und rief dann: »Ja, ja, in Ordnung. Fünfzig Dollar. Fünfzig Dollar.«

Elmo Stump lächelte und stand auf. Bedächtig schlenderte er am Fußende des Bettes vorbei, wo der Arzt den Kopf seines Kindes hielt, und stellte sich neben Marjories Schulter.

Sie schob ihn nicht weg, aber nicht etwa, weil er Elmo war, sondern nur, weil er nicht zwischen ihr und dem Fenster stand wie die beiden Krankenschwestern vor ihm.

Elmo nahm einen letzten, tiefen, genussvollen Zug von seiner Lucky und blies den Rauch auf Marjorie hinunter.

»Werfen Sie dieses gottverdammte Ding weg!«, rief der Arzt. Das Baby war jetzt mit dem Kopf ganz draußen und noch mit den Schultern im Geburtskanal.

Elmo zuckte mit den Schultern und schnippte den noch glühenden Zigarettenstummel aus dem Fenster. Die Zigarette hinterließ eine Rauchspur quer durch Marjorie Stumps Blickfeld.

Dieser Angriff auf ihren kleinen Korridor zur Welt da draußen, auf das Einzige, was ihr während all ihrer Schmerzen und Strapazen Trost gegeben hatte, ließ ein Schaudern durch Marjorie Stumps Körper schießen.

Der Arzt am Fußende des Bettes hielt ein sich windendes, schreiendes Baby in den Händen, das wie eine Kanonenkugel aus ihrem Leib herausgeschossen war. Zum gleichen Zeitpunkt stieg am Kopfende des Bettes Elmo Stump auf die Zehenspitzen, als plötzlich etwas seine

Hoden wie mit einer Zange packte. Elmo versuchte, sich herauszuwinden, versuchte zu schreien, aber die überraschende Gemeinheit der Attacke auf seine Männlichkeit hatte ihm völlig den Atem verschlagen.

Er sah hinunter zu Marjorie, die in einem Zustand völliger Entrücktheit aus dem Fenster blickte, und schlug schwach und vergebens auf ihren Arm. Den Protest gegen die Schändung seiner heiligsten Stelle konnte er nur noch quieken. Elmo winkte in Richtung Fußende des Bettes, wo der Arzt auf dem Stuhl neben dem Radio zusammengesunken war, völlig erschöpft von den fünf Minuten Anstrengung, und wo die Krankenschwestern jetzt damit beschäftigt waren, den neuesten künftigen Steuerzahler von Youngstown, Ohio abzutrocknen.

»Er ist riesig«, flüsterte eine von ihnen.

»Das muss sich angefühlt haben, als hätte man eine Wassermelone geschissen.«

Marjorie Stump ignorierte sie alle und starrte zum Fenser hinaus. Mit jeder Luftbewegung kehrte ihre Kraft in Wellen zurück und der Druck in ihrer linken Hand stieg und stieg. Die Macht der Natur draußen wuchs in ihrem Inneren, bis sie zwei kleine »Plopps« spürte und ihre Hand nur noch Stoff hielt.

Elmo fiel zu Boden. Er konnte nicht atmen, konnte nicht sprechen, konnte sich nicht bewegen. Seine Hände griffen in seine Hose, in der sich nur noch ein undefinierbarer Matsch befand. Sein Gehirn schrie um Hilfe, während seine Stimme stumm blieb, abgesehen von einem schwachen Wimmern und dem leisen Geräusch des Erbrechens unter dem Bett, einsam und ungehört.

Die Indians wurden mit einem Homerun im elften Inning besiegt. Der Arzt schüttelte den Kopf und seufzte, als er sich aus dem Stuhl erhob und an die Bettkante trat. Das Bett war blutgetränkt und die Nachgeburt lag unbeachtet zwischen Marjorie Stumps Beinen.

Er lehnte sich vor und tätschelte ihren Oberschenkel.

»Gut gemacht, Mrs. …« Er lehnte sich zurück, um den Namen auf dem Schild am Fußende des Bettes zu lesen. »… Stump. Gut gemacht. Sie waren schnell. Wir hatten ja nicht einmal die Zeit, Sie in den Kreißsaal zu bringen.«

Er lehnte sich wieder zurück und brummelte zu den Krankenschwestern: »Um Gottes Willen, machen Sie das sauber, ja? Wofür bezahlen wir Sie denn?«

Die beiden Krankenschwestern lächelten gleichgültig und wandten ihre Aufmerksamkeit wieder dem Baby zu.

Der Arzt drehte sich wieder zu Marjorie um.

»Gut gemacht. Gut gemacht, ...« Wieder schaute er auf die Tafel. »... Marjorie. Gut gemacht, Marge. Sie haben ein entzückendes Baby bekommen.« Noch einmal drehte er sich um. »Einen Jungen. Einen entzückenden kleinen Jungen.«

Er lehnte sich vor, um wieder ihren Oberschenkel zu tätscheln und bemerkte dabei zwei Füße, die unter dem Bett hervorlugten.

»Was zum ... Oh mein Gott«, war alles, was er sagen konnte. Langsam, wie in Trance, schwang der Arzt den Arm nach rückwärts zu den Schwestern, um die Aufmerksamkeit der beiden Frauen zu erregen und sie wissen zu lassen, dass da unter dem Kopfende des Bettes in der Entbindungsstation ein Mann lag, der sich verzweifelt den Schritt hielt, und der, nach dem starren, schmerzverzerrten Ausdruck seines Gesichtes zu schließen, offensichtlich tot war.

Der erneute Ausbruch von Lärm und Aktivität im Zimmer ging an Marjorie Stumps Bewusstsein vorbei, ohne einen Eindruck zu hinterlassen. Frischluft streifte sie, und zum ersten Mal in neun Monaten fühlte sich Marjorie nicht nur gut, sondern plötzlich wieder als Herrin über ihr Leben, als Herrin über das, was sie war und was sie tun würde.

Sie würde nach draußen gehen.

September – heute

Langsam und mit großer Sorgfalt zog Fred Manfra die Linie über den unteren Rand des Entwurfs.

Nach 25 Jahren als Architekt zog er es immer noch vor, die letzten Striche auf dem Ausdruck von Hand zu zeichnen. Er kannte sich mit Computern aus, er kannte die CAD-Programme von den ersten bis zu den neuesten, aber für ihn gab es nichts, was sich damit vergleichen ließ, eine Spur des eigenen Talentes, der eigenen Kreativität und der eigenen zeichnerischen Fähigkeiten auf dem endgültigen Entwurf für ein neues Projekt zu hinterlassen.

Er lehnte sich in seinem Stuhl zurück und langte zur Seite nach seiner Tasse, die er vorsichtig aus einem Wald von Drehbleistiften herausfischte. Er nahm einen Schluck des schnell erkaltenden Tees und dachte über seine neueste Schöpfung nach.

Vail Mountain Terrace. Was für ein Name. Was für eine Lage.

Manfra konnte die Broschüre von Manfra/Skell Construction schon sehen, mit ihrem Slogan »Ins Tal gebettet«. Er musste schon sagen, das hier würde sehr schön – schön und teuer. Es gab nicht viel in dieser Höhe, in dieser Lage, mit diesen Vorzügen oder zu diesem Preis. Das hier war eine ganz neue Anlage direkt an dem Hang, der zum Zentrum von Vail hinaufführte. Selbst für die Superreichen gab es so etwas nicht mehr, außer, natürlich, sie fuhren die Straße hinunter nach Aspen und ließen ihr Konto ordentlich bluten.

»Also, dann können sie doch gleich für mich bluten«, flüsterte er.

Aber der Gedanke an Geld weckte böse Erinnerungen: an versäumte Kreditrückzahlungen und verspätete Raten und durcheinander geratene Bautermine. Wenn in Vail jemand Schnupfen hat, verschwindet gleich die ganze Mannschaft. Das Ding wird nie rechtzeitig fertig.

Das Projekt innerhalb des Budgets zu schaffen konnte er jetzt schon vergessen.

Manfra tippte eine Weile lang mit dem Drehbleistift gegen den Tisch und fragte sich, wann er Skell diesmal wiedersehen würde. Sein Partner, der Finanzmann, hatte anscheinend einen ähnlichen Rhythmus wie die Bauarbeiter. Einen Tag hier, ein Mittagessen da, und dann wieder tagelang verschwunden.

Jetzt, da die Firma ihm und Skell gehörte, wurde alles kompliziert und teuer. Alles, was er besaß, steckte in diesem Projekt, jeder Cent, den er je verdient hatte.

Es würde nicht reichen.

Aber es war trotzdem ein verdammt geiles Projekt. Er warf einen letzten Blick auf das Zeichenbrett und lächelte, dann beugte er sich über sein Werk und signierte es in einer Ecke mit dem wackeligen Haken, den er seit der Schulzeit als Unterschrift benutzte.

»Fertig«, sagte er laut in den leeren Raum hinein. »Fix und fertig.«

Manfra lehnte sich zurück, schlürfte den Rest des Tees, der jetzt nur noch lauwarm war, und setzte die leere Tasse neben der Kanne ganz am anderen Ende seines Tisches ab, der nichts als ein Brett auf zwei

Böcken war. Damit, dachte er und tippte eine Ecke des Entwurfs mit dem Finger an, damit würde er sich richtige Möbel leisten können. Wurde auch Zeit, verdammt. Er stand auf und bog in Imitation seiner Katze den Rücken.

»Verdammt«, sagte er laut in den leeren Raum hinein.

Er trat hinüber ans Fenster und blickte über das dunkle und stille Bonnie-Brae-Viertel von Denver. Es war ungewöhnlich ruhig, besonders für eine Gegend, die so nahe am University Boulevard lag.

Er stand da und starrte sein Spiegelbild in der Fensterscheibe an. Sein Blick wanderte zu der Verdickung um seine Taille herum, die er nicht hatte aufhalten können, trotz einer ernsthaften Diät über die letzten drei Jahre und einer scheinbar endlosen Zahl von Sit-Ups im Fitness-Raum seines Kellers. Als Nächstes, dachte er, kommt das Fettabsaugen.

Fred Manfra lächelte.

Auch das würde er sich leisten können.

Sein Blick ging wieder nach oben, am gespiegelten Umriss seines Körpers entlang, zu seiner Brust, die ebenfalls langsam fett wurde. Vielleicht lasse ich da auch was machen, dachte er. Wieso nicht. Alles in einem Aufwasch.

Während er sein eigenes Spiegelbild anstarrte, bemerkte Fred Manfra eine seltsame Lichterscheinung, als ob er in einem schlecht eingestellten Fernseher ein Spiegelbild seiner selbst sehen würde. Das Seltsamste daran war, dass das Spiegelbild andere Kleider trug.

Er legte den Kopf zur Seite, als ob er das Spiegelbild verschieben wollte, aber es blieb genau innerhalb seines eigenen Umrisses.

Dann bemerkte Manfra, wie mit einem »Pop-Pop, Dink-Dink« ziemlich genau in Brusthöhe seines Spiegelbildes zwei kleine Löcher im Glas erschienen. Er schaute an seinem Hemd hinunter und bemerkte, dass die beiden Löcher ziemlich genau zu den beiden Löchern passten, die sich plötzlich in seinem khakifarbenen Hemd befanden, knapp unterhalb seiner linken Brustwarze. Er betrachtete sie einen Moment lang, dann hob er mit einer unnatürlich-wackeligen Bewegung den Kopf. Er schaute auf die Löcher im Fenster, dann wandte sich sein Blick wieder auf die Löcher in seinem Hemd, die sich langsam mit Blut füllten.

Immer noch darauf starrend, kippte er einfach nach hinten um. Sein Hinterkopf schlug mit solcher Wucht auf die Kante der lose aufgelegten Tischplatte, dass sie hochklappte und einen Hagel von Kulis und Bleistifen, Zetteln und Notizblöcken durch den Raum schickte und eine Teekanne, die in Richtung Fenster flog.

Das letzte Geräusch, das Fred Manfra hörte, war das Geräusch einer Teekanne, die ein Fenster zerschmetterte, das zwei Einschusslöcher enthielt und somit wichtige Beweismittel für die Polizei von Denver.

»Scheiße«, dachte er und ließ einen letzten Atemzug fahren, »ich hab' ein Fenster zerdeppert.«

Die Wurzel tauchte plötzlich und unerwartet im schwindenden Licht am Vail Mountain auf.

Harold Beaton, Schöpfer des Beaton-Bomber, Leiter der BBB's, der Beaton-Bomber-Bunch, und Kultfigur im Mountainbiking (je nachdem, wen man fragte), ließ sein Hinterrad driften und schrammte hart an der Kante der Wurzel vorbei. Mit einer Gewichtsverlagerung brachte er das Rad wieder in die Mitte des tückischen Single Trail.

Dieser Abschnitt der Strecke war nach der Mountainbike-Weltmeisterschaft von 1994 aufgegeben worden und wurde nicht mehr instand gehalten, aber Beaton fuhr ihn immer noch, wann immer er konnte. Die Herausforderung, den Berg und das Schlachtfeld eines Meisterschaftskurses zu überleben, gaben seinem alternden und klapprigen Körper neues Leben.

Gott, war das lächerlich, dachte er, fett, fünfundvierzig und am Auseinanderkrachen.

Beaton fuhr einen Kamm hinunter auf eine Wirtschaftsstraße und trat hart an, um mit wachsender Geschwindigkeit in die Serpentinen zu gehen, die sich den Hang von Vail Mountain entlang schlängelten. Er querte die Straße, sprang sauber über den Straßengraben und landete, ohne Tempo zu verlieren, wieder auf dem Kurs, kurz vor der ersten Haarnadelkurve. Er hatte seinen abendlichen Ausflug etwas abgeändert und die Fahrt oberhalb von Mid-Vail begonnen, um ein etwas härteres Training durchzuziehen, bevor er in sein Apartment in der Nähe des Christiana Hotels zurückkehren würde. Nächstes Jahr um diese Zeit würde er noch höher hinauf müssen, um ein anständiges Training absolvieren zu können, bevor er in seiner neuen Wohnung in Vail Mountain Terrace absteigen konnte.

Höher in der Nahrungskette, höher am Berg, dachte er. Das ist der Preis des Ruhmes, das Privileg des Geldes.

Die Beaton-Elektronik reagierte wunderbar, eine neue Entwicklung von R & D, Lichtjahre von der alten Zap!-Technologie entfernt. Kombiniert mit dem neuesten Bomber-Rahmen aus Titan war das der Gipfel von drei Jahrzehnten Rad-Entwicklung und würde die Sensation am Beaton-Stand auf der Messe sein, die dieses Wochenende anlässlich des Ishmael-Coffee-Rennens in der Dobson-Ice-Arena stattfand.

Beaton lächelte. Das hatte er auch letztes Jahr beim Beaton-Carbon-Bomber gedacht. Es war der Messehit gewesen und hatte große Beachtung in der Fachpresse gefunden. Es hatte sogar einen Artikel in der Denver Post gegeben, der von vielen anderen Zeitungen landesweit aufgegriffen worden war. Er hatte eine Menge Räder verkauft. Schade, dass der Hinterbau nichts getaugt hatte. Einige Crashs bei hohen Geschwindigkeiten hatten zu ein paar hässlichen Prozessen geführt, die nur durch Geld gestoppt werden konnten, bevor die Medien oder eine neugierige Behörde davon Wind bekommen konnten.

Die dichter werdenden Wolken beschleunigten die Dämmerung. Im schwindenden Tageslicht starrte Beaton den Kurs entlang und versuchte, den Punkt zu finden, wo er mit dem Bremsmanöver anfangen musste, um die nächste Haarnadelkurve sicher zu treffen. Er sah ihn nicht, aber er spürte, wie der Baum vorbeischoss, knapp an seinem rechten Augenlid vorbei. Als er mit dem Bremsen begann, suchte er vor sich nach der Kurve und bemerkte erst in letzter Minute einen Haufen Steine und Holzstämme, die sie blockierten. Er war immer noch zu schnell, um deswegen wirklich etwas unternehmen zu können, und fand sich schon damit ab, den Kurs zu verlassen und ein paar Meter durch die örtliche Flora zu segeln.

So war das Leben, das war die Schönheit, das war die Realität des Mountainbikens. Er war schon zu lange dabei, um jetzt in Panik zu geraten.

Trotzdem bemerkte er in dem Sekundenbruchteil, in dem er aus der Kurve flog, hoch rechts über ihm am Berg eine kleine, rundliche Figur, die einen Stock in der Hand hielt, einen Stock, der in der stillen Dämmerung des Abends blitzte und donnerte, und Harold Beaton bekam einen Wahnsinns-Schreck.

Einem prähistorischen Instinkt folgend, raste Beaton direkt den Vail Mountain hinunter, völlig außer Kontrolle und kopflos vor Angst. In blinder Panik brach er durch die Bäume und schoss über zwei Haarnadelkurven hinweg zu Tal.

Hektisch bremste er, sämtliche schmerzhaft erlernten Regeln über Kontrolle bei hoher Geschwindigkeit auf unebenem Terrain ignorierend. Seine Arme schmerzten von den Schlägen gegen seine Federgabel, ein billiges Sonderangebot, von dem Beaton gerade feststellte, dass es niemals halten und ihm später noch mehr juristischen Ärger einbringen würde.

Er warf noch einen Blick den Berg hinauf, und wie als Antwort hörte er ein weiteres Knallen. Er vergaß das Bremsen und trat wieder hart an. Der Blick nach hinten hatte ihn nach rechts auf eine Linie gezogen, die direkt auf eine weitere Ansammlung von Bäumen, Wurzeln und Steinen und in den sicheren Tod führte.

Eine Sekunde lang dachte Beaton daran aufzugeben, aber er verwarf diese Idee gleich wieder. Er hatte noch nie im Leben aufgegeben. So etwas gehörte eben dazu, das wusste er seit dem allerersten Tag am Mount Tamalpais, der von San Francisco aus kurz hinter der Golden Gate Bridge lag, wo er zusammen mit Susie Frenetti in seinem Sportwagen hinaufgefahren war und zum ersten Mal diese Räder gesehen hatte. Er hatte sie angestarrt, sie geistig vermessen und ihre Konstruktion im Gedächtnis gespeichert, bevor er wieder in die Stadt zurückgerast war und die Idee auf Papier gezeichnet, und den Grundstein zu einem Vermögen gelegt hatte.

Es war nicht seine Idee gewesen. Oder vielleicht doch? Das waren nur Radfahrer gewesen, dachte er. Irgend jemand musste doch Kapital aus dieser Idee schlagen, sagte er sich.

Und jetzt war er mitten drin.

Harold Beaton duckte sich auf dem Rad und versuchte, eine Linie durch den Blätterwald zu finden. Ein letztes Aufblitzen des Sonnenlichts durch eine Lücke in den Wolken gab ihm eine Ahnung und er warf das Rad hart nach links auf eine Lücke zwischen einem Baum und einem Felsen zu. Mit der Kante eines Pedals erwischte er den Felsen, aber trotzdem machte er mit voller Kraft weiter auf Kurs und beinahe kontrolliert. Plötzlich war er in hohem Gras und spürte, wie er langsamer wurde. Er würde es packen. Harold Beaton würde überleben und weiterfahren.

In seiner Erleichterung bemerkte er den Abhang nicht, der vor ihm fünf Fuß steil nach unten führte und in einer Kuhle endete. Immer schneller raste Beaton abwärts und flog aus der Kuhle wieder hoch in die Luft, zwischen zwei Bäumen hindurch und in ein über zwei Stockwerke gehendes Panorama-Fenster hinein, das in Millionen kleiner Kristalle zersplitterte, die erst auf das Vorderrad und dann auf ihn herabregneten, als das Rad auf den Boden des großen Raumes krachte und über den Teppich in einen großen Stein-Kamin rutschte.

Beaton knallte mit dem Gesicht in den Kaminsims und spürte, wie sich seine Nase in eine Masse aus Blut und Knorpel verwandelte. Dann fiel er hart auf den Boden zurück und hielt sich das Gesicht, während der Regen der Glassplitter um ihn herum langsam aufhörte.

Sehr vorsichtig nahm er seinen Arm von den Augen. Ein- oder zweimal zuckte er zusammen, als irgendwo in der Nähe noch weitere Glasstücke zerbrachen. Er blinzelte zweimal, dann nahm er langsam Bestand über seinen körperlichen Zustand auf.

Seine Zehen konnte er noch bewegen. Seine Beine taten weh, aber sie fühlten sich nicht gebrochen an. Sein Rücken – er verschob seine Hüfte – schien intakt. Langsam und unter Schmerzen setzte er sich auf und versuchte, sich zu beruhigen. Er schüttelte den Kopf und spürte, wie seine Nase lose zur Seite schlackerte. Er atmete tief durch, blinzelte noch einmal und machte dann die Augen weit auf, um klar zu sehen.

Eine gebrochene Nase. Keine weiteren Probleme feststellbar. Harold Beaton lächelte.

Fünfundzwanzig Jahre lang hatte er jedes Mal sein Leben riskiert, wenn er auf ein Fahrrad stieg, und er hatte das Schlimmste überlebt, was Gott ihm in den Weg werfen konnte.

Verdammt, er war gut.

Bedächtig rollte Harold Beaton sich auf die Seite und kam, vorsichtig die Balance haltend, auf die Knie. Er überprüfte ein letztes Mal seinen inneren Zustand und stand dann auf.

Einen Moment lang schwankte er, dann hielt er sich an einer Kante des Kamins fest. Er atmete ein, dann hob er die Arme triumphierend über den Kopf. Er hatte wieder einmal überlebt.

»Beaton-Bombers sind unschlagbar!«, rief er. Das letzte Wort hallte wild durch die Dachbalken des zerstörten Raumes.

Die Arme in Siegerpose erhoben sah Harold Beaton den Mann mit dem US-Army-Colt Kaliber .45 ACP nicht, der aus dem dunklen Flur »Stirb, du mieser Schweinehund!« rief und sechs Schüsse dicht zusammen direkt auf das »T« im Wort »Beaton« auf seinem Trikot feuerte. Der Stoff über seiner Brust tat wenig dazu, den Weg der Geschosse aufzuhalten oder auch nur zu verlangsamen, und auch nichts dazu, das Blut zu stoppen.

Es war eine rasende Fahrt in die Dunkelheit, ein Sturz auf eine Mauer aus Fasern und Stoff, die direkt vor seinem Gesicht lag, umgeben von einem Raum, dessen Highlight ein farbenfrohes, in Plastik eingerahmtes Ski-Poster war, gleich oberhalb einer karamelfarbenen Ledercouch, die knapp außerhalb seiner Reichweite stand.

Harold Beaton wurde ruhig. Er zwang seine Augen auf, sein Blickfeld zog sich immer enger um seinen zerschundenen Körper zu, und die letzten paar Sekunden seines Lebens starrte er auf ein Stück Glas, das in die charakteristische Form des Staates Idaho zerbrochen war.

Idaho, dachte er.

Idaho fand ich schon immer schön.

Donnerstag

1

Tief im Westen

Seine Hand brannte vom Rückstoß der Schüsse aus dem 45er und er bemerkte gleichzeitig, dass er nichts als ein hohes »Zing« hörte. Leonard Romanowski starrte auf den Fußboden, auf dem jetzt Glas und Blut, Fahrrad und Leiche verteilt lagen. Er versuchte verzweifelt zu verstehen, wer da eben auf dem Teppich verblichen war, während er genauso verzweifelt versuchte, seine Gedärme unter Kontrolle zu halten.

Wen hatte Bloody Angelo wohl geschickt?

Er sah nicht aus wie einer der üblichen Mafia-Brutalos, die Angelo sonst immer ins Büro schickte. Das waren nichts als Schlägertypen, Knochenbrecher, Männer ohne Gewissen und ohne das kleinste bisschen Stil, die einem ohne nachzudenken die Finger brachen und danach auf dem Heimweg genüsslich einen Hot Dog verspeisten.

Nein, wer jetzt hinter ihm her war, musste ein Top-Mann sein, ein Mensch, der sich unerkannt unter eine Gruppe Volksschullehrer mischen könnte, um plötzlich herauszutreten, einem zweimal hinters Ohr zu tippen und dann wieder in der Menge zu verschwinden, ohne dass jemand etwas bemerkt hatte.

Abgesehen natürlich von demjenigen, der dann auf dem Straßenpflaster verendete, weil ihm das Gehirn von einem Stück Blei gequirlt worden war, das kleiner war als ein Radiergummi am Ende eines Bleistifts.

Das war einer von denen, ganz sicher, dachte Romanowski: Ein Kühler und Gewandter, einer, der am Wochenende eines großen Radrennens in Vail, diesem Tummelplatz der Reichen, nicht auffallen würde und doch mutig genug war, ihn frontal durch ein Panoramafenster hindurch anzugreifen.

Leonard kippte rückwärts gegen die Wand und versuchte, seine Atmung zu kontrollieren. Sie waren ihm auf den Fersen. Verdammt. Und er hatte doch seine Spuren so gut verwischt.

Wie zum Teufel – Scheiße. Etwas im Büro. Etwas, das er in der Eile, aus der Stadt zu kommen, nicht bedacht hatte.

Was? Was war es?

Egal. Egal. Er war hier. Sie waren hier. Er musste verschwinden.

Wohin? Wohin jetzt? Er wusste, es waren noch Weitere auf dem Weg.

Leonards Gedanken rasten ziellos, aber in dem Wirbelsturm in seinem Gehirn war noch genug Verstand, um zu erkennen, dass er aus diesem Haus verschwinden musste. Er musste irgendwohin gelangen, wo er für ein paar Stunden in Sicherheit sein würde und die ganze Sache überdenken könnte.

Er hätte gern gekotzt, aber es gab zu viel zu tun. Leonard drehte sich zur Seite und stolperte den Flur entlang in Richtung des einzigen Schlafzimmers in der Wohnung, das keine Fenster hatte. Er hielt sich kurz am Türrahmen des kleinen weiß-blauen Zimmers fest, dann ging er zu den Stockbetten, deren Matratzen noch in ihre Schutzhüllen aus Plastik eingewickelt waren, und zog den Reißverschluss der blauen Sporttasche zu. Damit hatte er fertig gepackt und war bereit zur Abreise.

Man musste immer auf dem Sprung sein, dachte er, wenn man versuchte, der New Yorker Mafia beinahe fünf Millionen Dollar abzuknöpfen.

Er nahm das Magazin aus dem Colt und lud erneut durch.

Nimm dein Metall mit, erinnerte er sich. Nimm dein Metall mit. Eine letzte Erinnerung. Halt' die Polizei auf. Nimm dein Metall mit.

Er schob das Magazin in die Waffe.

Leonard nahm die Tasche und eilte zurück in den großen Raum. Vier Geschosshülsen fand er sofort, genau an der Stelle, an der er gestanden hatte, dann eine unter der Couch und die sechste am Rand des Kamins. Er lachte, irre und unkontrolliert – es klang wie Homer Simpson auf Sauftour. Dann nahm er seine Tasche und schritt schnell zu der Tür zur Garage.

Das Wichtigste zuerst, dachte er. Finde eine neue, sichere Behausung. Verschwinde aus Dodge oder Vail oder wie immer das auch hieß, wo er sich gerade befand.

Er drückte auf einen Knopf, der das Garagentor öffnete, während er vorsichtig über den lehmigen Boden zu dem Auto ging, das er erst letzte Nacht auf den Stellplatz gefahren hatte. Dann startete er den geliehenen Chevrolet und entfernte sich von der im Bau befindlichen Eigentumswohnung. Hektisch beäugte er die Umgebung nach Zeugen, während er fuhr. Gut. Eine Septembernacht mitten in der Woche in den Bergen, die Urlauber und Hausbesitzer waren immer noch unten in Denver und warteten auf das Wochenende. Niemand hatte etwas bemerkt, trotz der kristallklaren Luft, die das Geräusch meilenweit übertragen haben musste.

Während er über die Rillen in der baumgesäumten Zufahrtsstraße ratterte und wackelte, spielte er ungeschickt mit Gangschaltung und Gaspedal, bis er auf dem billigen Sitz herumhopste wie eine Puppe in einem Wäschetrockner.

Er atmete tief durch und versuchte, sich zu beruhigen.

Keine Sorge, dachte er, du hast deine Spuren verwischt. Es gibt keine Fingerabdrücke im Haus. Du hast keine Beweise hinterlassen, mit denen diese Berg-Polizisten dich festnageln könnten. Außerdem, in zwei Stunden, nach einem Drink, kannst du dir ja überlegen, wohin du jetzt gehst, und einfach immer Abstand zu deinen Verfolgern halten.

»Du hast alles unter Kontrolle«, sagte er laut.

»Du hast alles unter Kontrolle.«

Die doppelten Scheinwerfer machten wilde Sprünge quer über die Straße, in die dichten Kiefern und wieder zurück, wie ein Betrunkener, der nachts verzweifelt eine holperige Gasse entlangstolperte.

In der Zwischenzeit lag der 45er US-Army-Colt auf seinem Ausguck auf dem Kamin und zeigte über einen langweilig-cremefarbenen Teppich, der jetzt mit Glas und Blut gesprenkelt war, auf die Leiche seines letzten Opfers.

Die Waffe sagte gar nichts, sondern blickte mit einem Ausdruck von Zufriedenheit auf ihr Werk.

»Sind wir endlich da?«

Der Mann, der das fragte, starrte aus dem Fenster, während die letzten Sonnenstrahlen langsam aus dem westlichen Himmel hinter einem endlosen Meer von Bergen verschwanden. Von Hügel zu Bergkamm, zu Felsenspitze, und jede Spitze war der Vorbote eines neuen Gipfels. Dieses Muster wiederholte sich aus seiner Perspektive bis zu einer seltsamen Art von Unendlichkeit. Der Himmel verdunkelte sich schnell, von goldgestreiftem Blau zu Rot und Magenta, zu Schwarz, mit mehr Sternen übersät, als er seit seinem letzten Ausflug in die Felder Hollands gesehen hatte.

Gott, dachte er, das war vor Jahren. Mit Marie. Und sie hatte eine Decke gehabt. Er hatte noch nie zuvor so viele Sterne am Himmel gesehen, obwohl er um ihren auf und ab hopsenden Kopf herumschauen musste, um sie zu sehen.

Er wandte sich zur Fahrerin um und fragte noch einmal.

»Sind wir endlich da?«

»Du bist schlimmer als ein Vierjähriger, weißt du das?«, antwortete sie mit gespieltem Ärger. »Nein, wir sind noch nicht da, und wenn du mich noch einmal fragst, halte ich am Straßenrand an und schmeiß' dich raus. Kapiert?«

»Ich muss mal.«

Sie lachte.

»Warum bist du nicht in Copper Mountain gegangen?«

»Weil du nicht anhalten wolltest.«

»Wir müssen heute Abend noch ankommen.«

»Herrgott. Wir müssen ja keinen Supertanker löschen. Ich muss mal pinkeln. Dreißig Sekunden, maximal.«

»Die Zeit kann ich uns nicht geben. Wir müssen einen Terminplan einhalten.«

»Du solltest hoffen, dass ich eine extra Hose eingepackt habe. Die Lage wird langsam ernst.«

»Ich habe dir nicht gesagt, dass du auf dem Weg aus Denver raus diese Riesen-Cola kaufen sollst.«

»Der Flug von Michigan hatte mich dehydriert«, jammerte er.

»Nein, die zwei Stunden, die du mit offenem Mund geschlafen hast, haben dich dehydriert. Nebenbei«, sagte sie, wandte sich zu ihm um und piekste ihm mit dem Finger in die Backe, »deine linke Gesichtshälfte ist immer noch von dem Fenster platt. Du solltest mal was dagegen unternehmen.«

Will Ross rubbelte sich die Backe. Das Gefühl war während des langen Weges zum Terminal in sein Gesicht zurückgekehrt, und er hatte tatsächlich gespürt, wie sein Augapfel auf der kurzen Bahnfahrt zur Gepäckabholung wieder an seine angestammte Position zurückgekehrt war. Er wusste, dass alles in Ordnung war, aber trotzdem streckte er sein Gesicht noch einmal.

Cheryl Crane lenkte den gemieteten Ford an den Rand der Schnellstraße und hielt bei einer kleinen Baumgruppe an.

»Okay. Das hier ist ein Zeichen meiner Gnade: Dreißig Sekunden ab – jetzt. Mach' dich besser auf den Weg. Die Zeit läuft.« Sie starrte auf ihre Uhr.

»Hoffentlich klemme ich mir nichts im Reißverschluss ein«, brummelte er und kämpfte erst mit dem Gurt, dann mit dem Türschloss und schließlich mit dem Türgriff. Er manövrierte seine Beinschiene in die klare Bergluft hinaus und stolperte einen kurzen Abhang hinab zu einer Gruppe wie mutiert aussehender Kiefern.

Es wäre ja typisch für mich, dachte er, wenn ich zu pinkeln anfange und die Kiefern plötzlich voller Undercover-Agenten von der Drogenbehörde sind, und ich verhaftet werde, weil ich mir die Blase entleeren muss. Er lächelte.

»Zehn Sekunden!«, hörte er sie vom Auto aus rufen.

Schon der erste Moment des Loslassens war eine Erleichterung. Nach dem unbequemen, wenn auch nicht schmerzhaften Gefühl, wie sich die Wassermassen hinter dem Damm sammelten, war es jetzt eine schiere Freude, ihn brechen zu lassen.

»Okay, das war's. Wir müssen los.«

Sie ließ den Motor zweimal aufheulen. Der kleine Vierzylinder röchelte in der dünnen Luft, dann begann er langsam vorwärts zu rollen.

Fahr' doch, dachte er. Na los, fahr' doch. Das hier musste er beenden. Das hier wollte er genießen. Er hörte das Knirschen des Kieses an der Schnellstraße und das Brummen des Motors, das jetzt schon tiefer klang.

Der Strom flaute zu einem Tröpfeln ab, und er spannte seine unteren Bauchmuskeln an, um die letzten Tropfen herauszupressen.

Danke. Danke. Danke, Gott.

Er ließ seinen Kopf zurückfallen und seufzte.

Plötzlich leuchtete der dunkle Bereich neben der Schnellstraße abwechselnd rot und blau auf, und Will spürte, wie sein Penis zu einem kleinen Knopf zusammenschrumpfte, der Schutz suchend in seine Hose zurücksprang. Ich wünschte, ich könnte mich mit dir zusammen da drin verstecken, dachte er. Er zog schnell den Reißverschluss zu und wandte sich wieder zurück zur Straße.

Der Polizist war bereits aus dem Streifenwagen der Colorado State Patrol ausgestiegen und ging zu Cheryls Wagen, als Will von seinem Baumgrüppchen heranhoppelte. Er stolperte über einen Stein, murmelte »Scheiße« und wurde von einem scharfen Lichtstrahl geblendet.

»Also gut.« Der Tonfall war ernst und streng. »Was ist hier los? Was für ein Problem gibt es hier?«

Will verspürte das dringende Bedürfnis, wieder zu pinkeln.

»Nichts. Gar nichts, Officer. Ich musste nur mal kurz anhalten.«

Der Polizist stand ein wenig steif an der hinteren Ecke des Ford und seine Taschenlampe schnellte zurück zu Cheryl und dann wieder zu Will, der jetzt mit erhobenen Händen und unsicherem Schritt den Abhang hinaufkrabbelte.

»In die Büsche pinkeln? Das sehen wir hier gar nicht gerne.«

»Es tut mir Leid. Ich hatte eine von diesen Riesen-Colas.«

»Er hatte eine von diesen Riesen-Colas«, sekundierte Cheryl vom Fahrersitz aus.

»Sie hätten in Copper anhalten sollen – das ist ungefähr fünfzehn Meilen hinter uns.«

»Sie wollte nicht anhalten.«

Der Polizist leuchtete wieder in Richtung Steuerrad. »Sie hätten anhalten sollen.«

»Ja, Sir. Nächstes Mal mache ich das auch.«

»Wohin wollen Sie?«

»Vail.«

Er klappte ein Strafzettelbuch auf und machte in schneller Folge eine Reihe von Notizen. Während er das tat, trat er an das offene Fenster auf Cheryls Seite des Wagens.

Er blickte zu Will hinüber.

»Steigen Sie wieder ein.«

Er schaute Cheryl an.

»Führerschein und Mietwagen-Unterlagen, bitte.«

Sie warf Will einen finsteren Blick zu, während sie in ihrer Handtasche herumwühlte.

»Das ist alles deine Schuld«, zischte sie.

»Nein, es ist die Schuld der Firma Seven-Eleven und ihrer Konzessionäre, die ein Getränk erfunden haben, das größer ist als die menschliche Blase.«

Cheryl wandte sich ab und bot dem Polizisten ihren Führerschein an, gefolgt von einem zerknitterten gelben Blatt Papier.

Er schaute kurz auf beides und gab es ihr zurück. Dann klappte er sein Strafzettelbuch zu.

Er leuchtete mit der Taschenlampe in Wills Augen.

»Sie – sollten sich Ihre Pinkelpausen besser einteilen. Vail ist nur ein paar Meilen entfernt und Sie hätten es locker zur nächsten Tankstelle geschafft.«

Er milderte seine Stimme merklich, als er sich Cheryl zuwandte.

»Und Sie – hätten ihm einen Stopp in Copper zugestehen sollen, Miss Crane.«

Er lächelte wissend und fügte dann hinzu: »Viel Glück dieses Wochenende. Es wird ein tolles Rennen.«

Sie schüttelte den Kopf, als würde sie gerade aus einer Trance erwachen und starrte ihn an.

Dann fragte sie vorsichtig: »Kenne ich Sie?«

»Nein, Ma'am«, antwortete er und wandte sich zu seinem Streifenwagen um. »Sie kennen mich nicht, aber ich kenne Sie.«

Im Gehen hakte er die neuesten Punkte auf ihrem Lebenslauf ab.

»Cheryl Crane, 28 Jahre alt, Mannschaftsführerin des HavenTWRennteams, neu gegründet, auf neuen Colnago-Mountainbike-Rahmen mit Manitou-Gabeln und Campagnolo-Rapid-Fire-Schaltung.

Er hielt an und wandte sich wieder ihrem Wagen zu.

»Warum haben Sie keine Drehgriffschaltung genommen?«

»Ich mag Daumenschaltungen lieber.«

»Auch noch altmodisch. Das gefällt mir.« Er lächelte und wandte sich wieder seinem Streifenwagen zu.

»Viel Glück dieses Wochenende. Das Ishmael kann ein echter Killer sein.«

Cheryl und Will saßen still im Wagen, bis die Blinklichter des Streifenwagens erloschen und der Polizist wieder auf die Schnellstraße in Richtung Vail fuhr und winkte.

»Geht's dir jetzt besser?«, fragte sie im gezwungen-sarkastischen Tonfall.

»Ja. Doch«, antwortete er ruhig.

»Fein.« Sie ließ den Motor aufheulen und mit durchdrehenden Reifen fuhr sie auf die Schnellstraße zurück. Kiesel spritzten nach hinten weg, dann gab es ein kurzes Quietschen, als die Reifen auf dem Asphalt Halt fanden.

Während der Wagen beschleunigte, gab sie ein scharfes »Ha« von sich.

Will wandte sich zu ihr um und brummelte: »Ich weiß nicht, warum du so empfindlich bist. Zumindest hat er dich erkannt.«

»Na ja«, sagte sie und wuchs in ihrem Sitz, während ihr Stolz sich in einem Lächeln Bann brach. »Was heißt hier zumindest? Ich fand das ziemlich dufte, du nicht?«

»Dufte?«, sagte er. »Er hat dich nicht nur erkannt. Er hat deine Daten heruntergerattert, als ob du an der zweiten Base für die 56er Phillies gespielt hättest.«

»Ja, das hat er getan, nicht wahr?«

»Na ja, aber, ich meine, weswegen?« Er suchte verzweifelt nach einer Pointe, wo doch nur angeschlagenes Ego war. »Du hast noch gar nichts getan«

Der Ton in seiner Stimme ließ sie zusammensinken und wieder in das durchgesessene Polster des kleinen gemieteten Ford zurückfallen. Das köstliche Gefühl glühenden Stolzes, das sie eben noch durchflutet hatte, begann zu schwinden, als ihr klar wurde, dass sein Kommentar, so beißend und wenig sensibel er im Moment auch gewesen war, doch der Wahrheit entsprach. Sie hatte gar nichts getan, außer ihren Lebenslauf zu schreiben und sich in dem bunten gelb-blau-weißen Haven-TW-Trikot fotografieren zu lassen. Cheryl spürte, wie sie die plötzliche und überraschende, vielleicht unberechtigte Anerkennung, die ihr eben zuerkannt worden war, zusammen mit den wunderbaren Gefühlen, die sie ausgelöst hatte, von sich schob.

Sie seufzte.

Sie schaute in den Rückspiegel, wechselte die Spur und gab dem kleinen Motor mehr Gas, um den langsameren Verkehr zu überholen.

Im Klang ihrer Stimme und in der nachfolgenden Stille hatte er den Wechsel ihrer Stimmung von strahlender Wärme zu beißendem Frost nicht bemerkt. Im Absacken ihrer eigenen Stimmung hatte sie die Bitterkeit und die Identitätskrise nicht gespürt, die den Platz der Freude einnahm, die er einmal darin gefunden hatte, Rad zu fahren und mit ihr zusammen zu sein.

»Er hatte nicht die geringste verdammte Ahnung wer ich bin«, murmelte Will und starrte aus dem Fenster. Irgendwo da draußen suchte er nach einer Antwort auf die Fage, was aus ihm werden sollte.

Seine Stimme verlor sich, und sie fuhren stumm weiter. Die einzigen Geräusche im Wagen waren das Brausen des Verkehrs und das Pfeifen des überarbeiteten kleinen Heizventilators, der versuchte, die Temperatur angenehm zu halten.

Leonard Romanowski starrte auf den Haufen Geld, der jetzt auf seinem Bett verstreut lag. Die einzelnen Stapel sahen aus, als hätte ein Achtklässler versucht, aus grünem Pappmaché die Dolomiten zu modellieren.

Vier Millionen Dollar ergaben eine Menge Pappmaché.

Um sie nach oben zu schleppen, hatte er sechsmal den Weg über die Treppe zu seinem Zimmer im ersten Stock des Hotels nehmen müssen. Die Einrichtung der Lobby aus Alpenkitsch und der Teenager am Empfang hatten seine Laune nicht gerade verbessert.

Auf der andern Seite konnte er von Glück reden, dass es ein Teenager war. Von seinem anscheinend unglaublich wichtigen Telefonat gefesselt, hatte der Junge Leonard eingecheckt, bemerkt, was für ein Glück er habe, trotz des verdammten Radrennens noch ein Zimmer zu bekommen, und war dann wieder zu seinem Gespräch zurückkehrt, in dem er alle Probleme der Welt gleichzeitig zu lösen hatte. Die Nervosität, die Leonard wie ein Nebel umgab, und die Schweißtropfen auf seiner Stirn hatte er gar nicht gesehen.

Glück war es auch gewesen, dass das Zimmer im ersten Stock lag, hoch genug, um spontane Besuche von draußen zu verhindern. Es gab keinen Balkon, den man hätte erklettern können, aber es war nicht zu hoch, um mit einem schnellen Sprung in die Nacht zu fliehen.

Endlich hatte er auch einmal Glück, dachte Romanowski, während er sich in einen gepolsterten Stuhl in einer Ecke des Zimmers sacken ließ. Er hatte einen Killer abgewehrt und war unentdeckt verschwunden, hatte ein neues Versteck gefunden, im ersten Stock, mitten im Rummel einer Großveranstaltung, und nun wusste er auch, wo er das Geld unterbringen sollte.

Das Radrennen war eine perfekte Deckung für so viel Geld.

»Das hatte ich nicht erwartet.«

»Was?«

»Ich dachte, Kreisverkehr gäbe es nur in Europa«, sagte Cheryl, während sie neben der Zapfsäule am Wagen lehnte.

Will unterbrach seinen verzauberten Blick auf den herrlichen Vail Mountain, dessen obere Regionen in der herabsinkenden Dämmerung verschwanden, und schaute über die linke Schulter zu der Auffahrt auf die Schnellstraße und zu dem neuen Kreisel europäischer Bauart, der den Verkehr an der Kreuzung regelte.

»So was sollte dich doch wirklich nicht überraschen. In Europa bist du ständig durch solche Dinger gefahren.«

»Na ja, ich weiß. Ich hätte nur niemals einen in Amerika erwartet.«

»Vielleicht nimmt Amerika endlich etwas mitteleuropäisches Flair an«, sagte er wehmütig. »Wenn es jetzt nur noch das metrische System übernehmen würde.«

»Oh, nur das nicht. Das ist das Werkzeug des Teufels«, lachte sie. »Außerdem, wie würde das denn klingen, ›Willkommen in Denver, der Stadt auf Eins-Komma-Sechs-Kilometer Höhe‹?«

Will lächelte. »Mile-high city« klang doch etwas runder.

Die Zapfsäule machte »Ding« und der Griff riegelte ab. Cheryl Crane zog den Zapfhahn aus dem Tank und hängte ihn an der Säule ein.

»Willst du nicht bis oben auffüllen?«

»Was?« Sie wandte sich zurück und schaute Will über die Motorhaube des Wagens hinweg an.

»Na ja, das könnte ich wohl tun, aber wir wollen ja nicht den Atlantik überqueren. Es gibt noch andere Tankstellen in diesem Land, der Wagen wird das Wochenende über herumstehen, und im Augenblick habe ich nicht mehr allzuviel Bargeld. Und außerdem würde ich lieber was zum Essen kaufen können als zu fahren.«

»Ich mache den Tank immer bis zum Rand voll«, sagte er schnippisch.

Cheryl seufzte.

»Wenn du das tun willst, dann mach' es selbst. Dann kannst du auch gleich fahren. Komm' hier rüber und quetsch' deine Schiene und deinen Gips in diese Konservenbüchse von einem Sitz und bring' mich dorthin, wo ich will. Aber im Augenblick bin ich noch die Fahrerin und tue die Dinge auf meine Art. Ich tanke sowieso immer schon bei halbleer, deswegen ist es für mich nicht überlebenswichtig, noch ein paar Tröpflein reinzuquetschen. Ich habe nie kapiert, warum sich die Leute Benzin über die Schuhe schütten, nur, um noch ein paar extra Tropfen in den Tank zu bekommen.«

Bei etwa der Hälfte ihres Ausbruchs, als ihre Stimme immer lauter wurde und etwas von der Schärfe der kalten Bergluft annahm, hob Will die Hände in einer Geste der Kapitulation. Sein Gehirn sagte ihm, er sollte es gut sein lassen und Frieden mit ihr schließen.

»Entschuldigung, Entschuldigung. Ich weiß nicht, was da über mich gekommen ist. Du fährst.«

»Verdammt richtig, Kumpel, ich fahre.«

»Hey, immer langsam. Ich bin ein Freund, erinnerst du dich noch?«

»Ich versuche es zumindest.«

Ihr Sarkasmus ließ ihn aufhorchen. Er lehnte sich auf das Autodach und schaute sie bohrend an.

»Was soll denn das heißen?«, fragte er böse.

»Schau mal«, sagte sie versöhnlich, »wir sind beide müde. Wir sind den ganzen Tag geflogen, hatten diese Verspätung wegen der Bauarbeiten in Denver, hatten kein Abendessen und fahren jetzt seit zweieinhalb Stunden.«

»Vergiss' nicht deinen Freund, den Bullen.«

»Herrgott, Will, jetzt lass' mal gut sein, okay? Ich habe den Kerl nicht gekannt. Ich gehe nicht mit ihm aus. Er war nur ein Fan, um Himmels Willen.«

»Ist auch egal.«

»Mann. Jetzt schau mal. Wir sind hier. Wir sind müde. Lass' uns ausruhen und morgen zur Mannschaft stoßen. Dann werden wir uns beide besser fühlen. Lass' uns einen Waffenstillstand schließen, ja?«

Sie starrte ihn einen Augenblick lang an und hoffte, dass er lächeln und dass sich die schlechte Laune lichten würde, die sich auf sein Gemüt gelegt hatte, seit er in Michigan den Brief von seiner Mannschaft in Europa bekommen hatte. Darin stand, dass seine Dienste nicht mehr benötigt würden, egal in welcher Form. Der versprochene Job als Trainer, als Manager, die Chance, wieder Rad zu fahren, das waren jetzt alles nur noch Luftschlösser, die sich wie Rauchwölkchen in einer sanften Brise um ihn herum auflösten. Sie verstand seine Wut und seine Bitterkeit und sein Bedürfnis, schlecht gelaunt zu sein, aber ehrlich gesagt, sie hatte jetzt keine Zeit dafür. Sie übernahm an diesem Wochenende selbst eine Mannschaft, als Fahrerin und Mannschaftskapitän. Als Kapitän einer Mannschaft, die keinen Kapitän brauchte, in einem Sport, wo es keine Kapitäne gab. Aber hier war viel europäisches Geld im Spiel, und die Investoren wollten einen Aufpasser haben. Ob es ihr gefiel oder nicht, sie war dieser Aufpasser.

Sie würde wieder Mountainbike-Rennen fahren, nachdem sie vor zwei Jahren den Mut verloren hatte. Sie hatte sich damals auf einem Single-Trail verheddert und ihre linke Kopfseite hatte in einer winzigen Lücke zwischen zwei Felsen aufgesetzt. Der Fels hatte ihre Kopfhaut aufgeschlitzt, und sie hatte das Bewusstsein verloren, aber die Lücke hatte ihr das Leben gerettet. Zehn Tage lang hatte sie nicht gewusst, wer sie war.

Die Erinnerung ließ sie erschauern, aber sie drückte sie weg.

Sie hatte dafür keine Zeit.

»Schau mal, ich gehe bezahlen und lasse mir den Weg zum Mannschaftshotel erklären. Warum fängst du nicht deine Laune ein und schiebst dich wieder auf den Beifahrersitz? Wir sind fast da.«

»Danke, Mama.«

»Herrgott. Steig' einfach in den verdammten Wagen ein.«

Sie wandte ihm den Rücken zu und ging zu dem hell erleuchteten Kassenhäuschen der Tankstelle. Sie wühlte in ihren Taschen herum und fand einen Klumpen zusammengeknüllter Scheine. Im Gehen überlegte sie kurz, wie viele französische Francs auf einen Dollar kamen und wie viel sie wirklich für das Benzin bezahlte.

Cheryl lachte und glättete die Falten in Abraham Lincolns Gesicht auf dem Schein.

Sie hatte zu lange in Europa gelebt.

Will beobachtete sie durch das Fenster des Kassenhäuschens hindurch. Die Leuchtstoffröhren tauchten die Transaktion zwischen ihr und dem mürrischen Mann in dem Tankstellen-Hemd in ein grünliches Licht. Will fragte sich, wie der Mann wohl hieß. Ich wette, er heißt Bob. Die heißen alle Bob, dachte er. Entweder das, oder es wurden zehn Zillionen Hemden hergestellt und gratis an alle Tankstellen im Land verteilt, auf denen in dem kleinen Oval auf der Brust »Bob« stand. Vielleicht waren es Merles und Earls, Bens und Jerrys, aber wenn es daran ging, Benzin zu verkaufen, hießen sie alle Bob.

Will starrte weiter auf das Fenster, veränderte aber die Brennweite seiner Augen, so dass das Innere des Kassenhäuschens verschwand und die Reflektion des Mietwagens erschien. Eine Sekunde lang starrte er darauf, bevor er merkte, dass er zwar das Auto sehen konnte, aber nicht mehr sich selbst.

»Elektro.«

»Hä? Was?« Will schüttelte den Kopf, während die Überraschung scharf wie ein Blitz sein Rückgrat hinabsauste. Sein Kopf schnappte nach vorn in Richtung der schweren, knarzigen Stimme. Was er sah war eine ältere, verknöcherte Frau, ungefähr so groß wie ein Hydrant.

»E-lek-tro«, sagte sie, ließ einen Knüttel auf die Kühlerhaube fallen und zog mit dem dicken Schlehdorn-Ende eine Spur auf dem Lack des billigen Mietwagens. »Wenn Sie schon einen Wagen zum persönlichen Gebrauch fahren müssen – kaufen Sie einen Elektrowagen. Ansonsten fahren Sie mit Verkehrsmitteln, die mehrere Personen transportieren.«

Ohne nachzudenken antwortete Will: »Was geht Sie das an?«

Aus dem Handgelenk heraus ließ sie den Schlehdornknüppel durch die Luft sausen und platzierte ihn mit einem scharfen »Peng« im rechten Vorderlicht. Ausgeschaltet, aber noch von der Fahrt warm, gab der Scheinwerfer in der kalten Luft ein kurzes Zischen von sich, bevor das zerbrochene Glas zu Boden fiel.

»Was geht mich das an – und was geht es G.O.T.T. an?«, antwortete sie in einem Tonfall, der gar nicht erst den Versuch machte, seine Selbstgerechtigkeit zu verbergen. »Sie würden sich Ehre machen, wenn Sie mit uns beiden im Reinen wären.«

Beinahe hätte Will gefragt, was Gott mit seinem Mietwagen zu tun hatte, aber dann überlegte er es sich. Sie mussten heute Nacht noch durch Vail fahren, und brauchten den zweiten Scheinwerfer. Er merkte, dass er schwitzte und dass diese Frau mit dem Knüppel, die ihn an seine Tante Maxine erinnerte, ihm Angst machte.

»Wissen Sie«, quietschte er und bewegte sich hektisch nach hinten zum Heck des Wagens, »ich wollte ja den Shuttle-Bus nehmen. Wirklich. Aber ich hab's nicht getan. Ich verspreche, ich mache es das nächste Mal besser.«

Mittlerweile war er um den Kofferraum des Wagens herumgeschlittert und hatte gut acht Fuß zwischen sich und ihren Knüppel gebracht.

»Das tun Sie mal, mein Junge, das tun Sie mal«, murmelte sie unheilschwanger und watschelte in die Nacht hinein, zu dem Kreisel. Will sah ihr zu, wie sie ging, und trotz seiner Erleichterung, dass sie weg war, schrie er erschrocken auf, als sie einfach in den Verkehr hineinlief. Drei Wagen hüpften aus der Fahrspur auf den Bürgersteig und den Mittelstreifen, hupten wie verrückt und versuchten verzweifelt, ihr und einander aus dem Weg zu gehen. Sie schwang ihren Stock durch die Luft und ließ ihn hart auf der Kühlerhaube eines vorbeifahrenden Wagens landen.

Will hörte ein kurzes Hupen, einen Fluch und das Quietschen der Bremse. Dann sprang der Fahrer aus seinem BMW heraus und brüllte der Figur hinterher, die entschlossenen Schrittes in die Nacht verschwand.

»Gütiger Gott«, flüsterte Will zu niemand Besonderem, »wer zum Teufel – was zum Teufel – war das denn?«

Während der Verkehr wieder um den Kreisel zu fließen begann, stolperte Will schnell zur Beifahrertür, öffnete sie, sprang auf den Sitz, zog sein geschientes Bein hinterher, machte die Tür zu und verschloss sie.

Cheryl kam lachend aus dem Tankstellenhäuschen heraus, öffnete ihre Tür und rutschte auf ihren Sitz.

»Ich hab' nachher einen Witz für dich.«

»Gut, ich kann einen gebrauchen«, sagte er und bemerkte, dass sich ein Hauch von Angst in seinen Tonfall geschlichen hatte.

»Alles klar?«

»Alles klar. Könnte nicht besser sein«, sagte er mit einem wenig überzeugenden Lächeln.

Sie beschloss, nicht weiter darauf einzugehen. Während sie den Wagen anließ, warf sie einen Blick über die Schulter zu dem Kreisel, wo der BMW immer noch am Straßenrand stand und der Fahrer in die kalte und leere Nacht brüllte. »Worum ging's denn da?«

»Keine Ahnung«, sagte Will und blickte starr nach vorn.

»Hm.« Cheryl wandte sich nach vorn. Sie legte den Gang ein und schaltete die Scheinwerfer des kleinen Ford ein, während sie vorwärts rollte. Sie bog in die Straße nach Vail ein und begann, ihren Weg zum Hotel zu suchen.

»Mist. Uns ist ein Scheinwerfer kaputt gegangen.«

Will lehnte sich vor und starrte die Straße entlang auf eine herannahende Brücke. Sein Blick fiel auf zwei Männer in der Ferne, deren farbenfrohe Hawaiihemden von dem einzelnen Lichtstrahl schwach angeleuchtet wurden und die mit ihrer unterschiedlichen Körpergröße wie zwei Orgelpfeifen aussahen.

»Ja«, sagte er abwesend, während dieses Bild das des menschlichen Auto-Zerstörers in seinem Kopf ersetzte. «Wohl wahr.«

2
Schnitzeljagd

Als der Wagen mit dem einzelnen Scheinwerfer von der Straße in einen Parkplatz einbog, stolperte Stanley Szyclinski in der zurückkehrenden Dunkelheit über eine unebene Stelle im Boden und fluchte leise. Der metallgraue Aktenkoffer schlug ihm gegen die Seite.

Sein Partner, eine kleine, runde Bowlingkugel von einem Mann, verzog den Mund zur Seite und flüsterte, ohne sich umzudrehen: »Nicht fluchen.«

Stanley bog seinen langen Körper in verschiedene Richtungen, um seine Balance wiederzugewinnen, und ging seinem Partner hinterher. So, wie das Paar in seinen buntgefärbten Hawaiihemden leise die Bergstraße entlangging, sah es wie die Symbole der New Yorker Weltausstellung von 1938 aus.

»Ich fluche, wann ich will. Es ist verdammt kalt, ich habe einen verdammten Hunger, und es ist verdammt spät. Lass' uns zum Hotel gehen.«

»Angelo hat uns nicht hierher geschickt, damit wir ins Hotel gehen, wenn uns kalt wird.«

»Dann hätte er uns doch mit Jacken losschicken sollen.«

Olverio Cangliosi – besser bekannt als »Der Gangster im Westentaschenformat«, dank eines Mistkerls von einem Polizeireporter von der Detroit News, den er später ordentlich verprügelt hatte – schaute seinen Partner an und nickte. Angelo hatte sie völlig unvorbereitet losgeschickt.

Na ja, nicht völlig. Sie hatten einen Namen, sie hatten ein Foto und sie hatten eine Adresse, aber sie hatten keine Ahnung, was sie anziehen sollten, um nicht aufzufallen, und absolut keine Vorstellung vom Klima in Colorado im September.

Abgesehen von einer Reise nach Kalifornien vor ein paar Jahren, um den »Käfer« zu erledigen, war Ollie noch nie in seinem Leben aus Detroit und Umgebung herausgekommen. Es hatte dort immer genug zu tun gegeben, und da war auch noch die Familie seines Bruders durchzubringen gewesen. Seine Liebe für beinahe alles in dieser rauen Industriestadt, dem Zentrum seiner Welt, machte das Reisen zu einer nutzlosen Tätigkeit.

Was konnte es mehr im Leben geben als die Ecke Michigan und Trumbull?

»Schau mal«, brummelte er. »Hör' auf zu jammern. Lass' uns das Haus finden, unseren Besuch abstatten und dann verschwinden. Wir können bis Mitternacht in Denver sein und morgen Mittag zu Hause.«

»Wenn es am Flughafen funktioniert.«

»Wenn es am Flughafen funktioniert.«

Sie gingen weiter durch die bittere Stille der Nacht, ab und zu über einen Stein, eine Stufe oder eine unebene Stelle im Boden stolpernd.

»Mir ist kalt.«

Ollie nickte. »Mir ist auch kalt. Aber Angelo hat es einfach nicht gewusst.«

Er log. Angelo Genna hatte genau gewusst, wohin er sie schickte. Der Kerl hatte irgendwo hier oben eine Eigentumswohnung. Ihnen die gottverdammten Hawaiihemden zu geben war nur ein blöder Witz gewesen.

»Es ist ein Ferienort. Man muss sich entsprechend kleiden«, hatte Angelo gesagt.

Na ja, es gab solche und solche Ferienorte, dachte Ollie. Und das hier war kein Hawaiihemden-Ferienort.

Und jetzt war ihr Gepäck irgendwo auf dem Weg zwischen Michigan und dem Flughafen in Denver verloren gegangen, und sie saßen in diesen bunten Hawaiihemden fest, ohne Garderobe zum Wechseln. Schlechtes Vorzeichen, dachte er.

Cattivo augurio.

Und dazu kam auch noch, dass er keine Luft bekam.

Olverio Cangliosi war nicht gerade schlank, aber unter dem, was wie ein weiches Äußeres aussah, lag ein eiserner Wille. Er war hart.

Er war böse. Und er war erstaunlich gut in Form. Und trotzdem konnte er absolut nicht atmen.

»Schnauf' nicht so«, sagte Stanley und atmete selber tief durch.

»Kann's nicht ändern«, japste Olverio. »Die haben diese Stadt wohin gebaut, wo's keine Luft gibt.«

»Mann, du bist heute Abend von sechshundert Fuß über dem Meeresspiegel auf so was wie neuntausend gekommen. Du solltest dir etwas Zeit geben, dich daran zu gewöhnen. Was der Typ auf dem Everest ›akklimatisieren‹ genannt hat.«

»Dir macht das nichts aus?«

»Ich spüre es schon. Ich schleppe nur kein überflüssiges Gewicht mit mir herum.«

Ollie blieb stehen und starrte seinen Geschäftspartner an. Sofort verlor Stanley sein Lächeln. Die Kühle der Nacht war nichts, verglichen mit der Kälte in Olverios Gesicht.

Ollie wandte sich wieder um, und sie kämpften sich weiter durch das Dorf in Richtung Vail Mountain.

Das Einzige, was ihn davon abhielt, den Job auf der Stelle abzublasen, war die Vorstellung, dass er schnell erledigt sein würde. Dieser Typ hatte eine Spur hinterlassen wie eine Nacktschnecke, und morgen Abend um diese Zeit würde Ollie gemütlich zu Hause in seinem Sessel sitzen, nur sechshundert Fuß über dem Meeresspiegel, und auf seinem eigenen Fernsehschirm sehen, wie seine eigenen Detroit Tigers wieder mal aus dem Rennen um die Meisterschaft ausschieden, während oben in Omas Truhe fünfzig brandneue Riesen lagen und darauf warteten, klug investiert zu werden.

Er stapfte weiter die dunkle Vail Road entlang, am letzten Hotel und den Skilifts von Vail Mountain vorbei. Die Dunkelheit war jetzt wie eine Decke, die das restliche Licht auslöschte, das sich noch so weit in die Wildnis vorgewagt hatte. Stanley war direkt hinter ihm und benutzte Ollies Hemd als Leuchtfeuer. Ollie konnte das dumpfe Klappern des Aktenkoffers hinter sich hören.

»Schhh«, warnte er. »Du klingst wie Antsie, der Hausierer.«

»Herrgott nochmal. Du erinnerst dich noch an den? Ich dachte, ich wäre der Einzige, der sich noch an ihn erinnern würde.«

»Ich habe auch in der Gegend gewohnt. Aber rede leise. Geräusche übertragen sich in dieser Kälte weit.«

»Ja, okay.« Stanley zögerte einen Moment. »Was wohl aus Antsie geworden ist?«

»Buster No Knuckles hat ihn sich vorgeknöpft.«

»Schade.«

»Er hätte das Geld nicht behalten dürfen, das er gefunden hat. Es hat dem Kavalier gehört.«

»Wem?«

»Tony dem Kavalier.«

»O ja. Den vergesse ich manchmal. Was ist bloß aus dem geworden?«

»Buster No Knuckles«, sagte Ollie in stiller Verzweiflung.

Stanley nickte.

»Oh ja. Die vierziger Jahre. Wie habe ich die vierziger Jahre in Detroit geliebt.«

Still lächelten beide bei diesen Erinnerungen.

Sie passierten ein Schild für die Vista Bahn, einen Sessellift auf den Berg. Plötzlich machte die Straße eine Spitzkehre in den Hang hinein, und Ollie tappte geradeaus in die Dunkelheit. Er stieg über ein orangefarbenes Schneenetz und betrat dicht bewaldetes Terrain.

»Sollten wir nicht besser auf der Straße bleiben?«, fragte Stanley leise hinter ihm. »Es klappert lauter, wenn ich hier durchlaufen muss.«

»Halt' ihn fest«, antwortete sein Partner, und Stanley drückte den Aktenkoffer eng an die Brust wie ein Baby.

»Ich sehe einen Scheiß.«

»Nicht fluchen.« In dem Augenblick, als ihm die Worte aus dem Mund kamen, trat Olverio in ein Loch und fiel leise fluchend flach ins Gestrüpp.

Stan lächelte. »Nicht fluchen.«

»Halt' die Klappe. Hilf' mir hoch und lass' uns weitergehen.«

Stan hielt einen gebeugten Arm nach unten und Ollie griff danach und zog sich in die Senkrechte. Er bürstete sich ab und blinzelte durch die Dunkelheit in die allgemeine Richtung, in der er Stanley vermutete.

»Danke, mein Freund.«

»Keine Ursache.«

»Da oben ist eine Straße. Nehmen wir die und bringen es hinter uns.«

Das Paar durchquerte den Garten eines Wohnhauses, dessen Hintertür direkt auf die Skipiste zu führen schien.

Muss schön sein, dachte Ollie. Müssen reich sein, dachte Stanley. Beide dachten an die Investitionsmöglichkeiten, während sie aus dem Garten hinaus auf den Mill Creek Circle traten.

Ollie stand einen Moment lang still, beinahe in der Bergluft schnüffelnd, und wandte sich dann bergaufwärts. »Hier entlang«, murmelte er, und das Paar fuhr mit seinem Aufstieg fort.

»Alles klar?«, fragte Stanley.

»Ja. Ich akklimatisiere mich nur«, schnaufte Ollie.

»Krieg' mir bloß jetzt keinen Herzinfarkt, okay?«

Ollie wandte sich grinsend um. »Warum, würdest du mich vermissen?«

»Nein – ich will nur nicht deinen Hintern den Berg hinunterzerren müssen.«

Das Lächeln verschwand aus Ollies Gesicht, als sei es heruntergerissen worden.

»Schau mal, Ollie, wenn du willst, das ich das hier allein erledige, dann sag's einfach. Ich schaffe das leicht allein.«

»Mach' dir um mich keine Sorgen«, sagte Olverio mürrisch. »Ich bin hier, um einen Job zu erledigen, und ich werde den Job erledigen.«

»Hey, hey«, sagte Stan und trat mit einer abwehrenden Geste zurück. »Ich hab's nicht respektlos gemeint. Ich hab's nicht respektlos gemeint.«

Eine Zeitlang gingen sie stumm weiter die Straße hinauf bis zu einer neu planierten, nicht asphaltierten Seitenstraße, die durch die Bäume in den Berg geschnitten war. Ein großes rot-weißes Schild verkündete: »Vail Mountain Terrace – ein MSC Projekt – ab $ 2,5 Millionen.«

»Wow«, sagte Stanley und fügte zur Betonung einen leisen Pfiff hinzu. »Die Luft ist nicht das Einzige, was hier dünn ist.«

Olverio blieb stehen und starrte seinen Partner eine Sekunde lang in der Dunkelheit an.

»Was soll denn das heißen?«

»Was?«

»Die Luft ist nicht das Einzige, was hier dünn ist. Was ist denn noch dünn? Der Preis? Ist es das, was du meinst? Was ist mit – der Berg ist nicht das Einzige, was hier hoch ist. Wie wär's damit?«

»Mein Spruch hat mir gefallen.«

»Dein Spruch hat keinen Sinn ergeben.«

Stanley fiel in eine bockige Stille, die nur von einem gebrummelten »Was weißt du denn schon« unterbrochen wurde.

»Ich weiß, wie meine Allegorien Sinn ergeben, das ist mal klar. Pass' auf die Spurrillen auf.«

Auf Ollies Warnung hin überprang Stanley eine tiefe Rille im Weg. Er stolperte zur Seite, zwang sein Gewicht in die andere Richtung und warf sich zurück auf die gegenüberliegende Seite des Weges und in eine weitere Rille hinein. Ollie beobachtete, wie Stanley hektisch versuchte, die Balance wiederzugewinnen, ein wenig wie Pinocchio auf Speed.

Endlich hielt Stanley am Straßenrand an, lehnte sich gegen einen Baum und schnappte qualvoll nach Bergluft.

»Danke für deine Hilfe.«

»Jederzeit.«

»Nebenbei, das ist keine Allegorie. Das ist eine Metapher.«

»Oh, um Gottes Willen«, sagte Ollie leise, aber scharf. »Ist doch scheißegal.«

»Nicht fluchen.«

Will trank einen Schluck Bier und spürte, wie die eisige Flüssigkeit seinen Hals hinunterglitt, über die obere Kante seines Magens in die Tiefe rauschte und gegen die Innenwände spritzte. Er liebte dieses Gefühl. Mit Bier war es am schönsten, denn das bedeutete das Ende eines langen, harten Reisetages.

»Ich hatte ja keine Ahnung, dass man in Flugzeugen so schlechte Filme zeigen darf.«

»Die Zuschauer können nicht weglaufen«, antwortet Cheryl mit einem Lächeln, »obwohl ich glaube, dass die Reihen siebenundzwanzig bis einunddreißig irgendwo über Iowa von Bord gegangen sind.«

»Kann sein, kann schon sein. Wie viele doofe Fernsehserien aus den sechziger Jahren wollen sie denn noch zu doofen Kinofilmen machen?«

Sie dachte eine Minute lang nach und ließ ihren Blick über die Inneneinrichtung der Pizzeria aus roh behauenem Holz schweifen, bis er bei einem dürren Mann mit wilden Dreadlocks landete, der an der Bar saß und abwesend in einem Rennprogramm blätterte. Seine Erscheinung unterbrach ihren Gedankengang einen Augenblick lang, dann zwang sie sich, an der dürren, haarigen Vision vorbeizugehen und den Gedankengang fortzusetzen.

»Wahrscheinlich so lange, wie es junge Filmstudio-Bosse gibt, die in den sechziger Jahren aufgewachsen sind und niemals im Freien gespielt haben oder sonstwie ein Leben abseits der Bildschirmröhre hatten«, antwortete sie endlich.

»Da kannst du Recht haben«, sagte er nickend. «Ziemlich traurig, was?«

»Oh, ich weiß nicht«, sagte sie zwischen zwei Schlucken. »Es gibt nur sechsunddreißig originelle Stories im Universum. Es ist Hollywoods Aufgabe, sie so gefällig wie möglich immer wieder neu zu erzählen.«

»Und diese Fernsehserien haben ein garantiertes Publikum.«

»Sicher, die ganzen Baby-Boomer, die ihre Kindheit nicht loslassen können.«

»Werden wir auch mal so sein?«, fragte er ernst.

»Ach, mach dir keine Sorgen, mein Süßer.« Sie lächelte. »Ich werde dich mit einem Kissen ersticken, bevor das passiert.«

»Du bist so lieb zu mir.«

Er hatte sich mit dem Rücken an die Wand gelehnt, um seine Beine auszustrecken und etwas von dem Krampf loszuwerden, den die Schiene an seinem linken Knie verursachte. Zum ersten Mal seit Stunden schwitzte sein linkes Bein in seinem Gips nicht mehr, und er konnte tatsächlich spüren, wie die Wade sich zu lockern begann.

Das Bier wirkte.

Und zwar so weit, dass Will seine Selbstbetrachtung abbrach, um nach vorn zu starren, als ein Mann durch die Tür der Pizzeria hereinkam. Der Gedanke hing noch kurz in der Luft und wurde dann von der eiskalten Luft weggeblasen, die von draußen hereinblies.

Obwohl es draußen trocken war, stampfte der Mann mit den Füßen auf, als wäre er gerade aus Schnee und Matsch hereingekommen. Er ging langsam weiter in den Raum hinein, aber beobachtete die Gäste gründlich, bevor er sich allzu weit von der Tür entfernte.

Will schaute genauer hin. Er war sich sicher, dass er den Mann in der neuen dunkelblauen Columbia-Jacke kannte. Er kannte ihn, aber er war irgendwie fehl am Platz, und da er fehl am Platz war, konnte Will ihn einfach nicht einordnen.

»Den kenne ich.«

Cheryl blickte zu dem Mann an der Tür.

»Wen, den?«

»Den, den«, sagte Will und nickte in Richtung Tür.

»Ja, wie ich schon sagte«, antwortete sie, »wer ist er?«

»Ich bin mir nicht sicher, weil ich es nicht für möglich gehalten hätte, dass er jemals New York City verlässt«, flüsterte Will, als ob er mit sich selber spräche, »aber ich könnte schwören, das ist mein Agent, Leonard Romanowski.«

Mit dem Wort »Romanowski« stand Will auf und ging schnell zur Tür.

Der Mann in der dicken Jacke machte einen Satz, als hätte er einen elektrischen Schlag bekommen, und wandte sich zu ihm um.

Seine Hand bewegte sich bereits zum Türknauf.

»Hey, Leonard. Mann, ich wollte dich nicht erschrecken. Ich bin's, Will. Will Ross? Will Ross. Ross. Will. Zwölfeinhalb Prozent?«

Leonard Romanowski entspannte sich, aber nur teilweise, und ließ seine Wachsamkeit für einen Moment lang schleifen, um Wills Anwesenheit zu bestätigen.

»Oh, Will. Ja, natürlich, Will. Wie geht's dir? Wie geht es dir? Fein? Gut. Gut. Gut.« Er blickte die Bar entlang, dann zu Will zurück, dann nach draußen, dann wieder zu Will.

»Was machst du denn hier, Will?«

»Na ja, dasselbe wollte ich dich gerade fragen, Leonard. Ich bin zu einem Rennen hier. Ich fahre nicht mit, also frag' gar nicht erst nach dem Scheck. Geht es dir gut? Du siehst ganz schön blass aus. Hier, komm' hier 'rüber und setz' dich. Trink' ein Bier.«

»Nein, nein. Kein Bier. Ich bleib' nicht. Nicht jetzt. Hier? Wieso? Urlaub. Urlaub, Will. Ja. Also, du bist wofür hier? Radrennen?«

»Ja«, sagte er sehr langsam. »Ich fahre nicht. Sie fährt.« Er deutete über seine Schulter auf Cheryl, die lächelte, winkte und sich dann wieder ihrem Bier zuwandte. »Cheryl Crane. Sie fährt für Haven-Two Wheels.«

»Haven? Ach ja. Bist du nicht auch für Haven gefahren?«

»Ja, natürlich bin ich das, Leonard. Du hast den Vertrag aufgesetzt. Hast die Schecks bekommen. Hast fünfzehn behalten, statt zwölfeinhalb.«

»Nein. Nein. Ich doch nicht, Will. Der kreuzehrliche Romanowski. Das bin ich. Das war ich immer.«

»Klar. Kreuzehrlich.«

»Also, wo wohnst du? Ich kann jetzt nicht bleiben, aber vielleicht können wir uns später treffen. Also, wo wohnst du?«

»Irgend ein Laden mit Namen Bayerisches Haus oder so was. Glaub' ich. Cheryl?«

Sie nickte und lächelte. »Stimmt.«

»Ja, das stimmt. Wir sind bis Sonntagabend hier, vielleicht Montag früh.«

»Okay. Okay. Wir setzen uns zusammen. Ich ruf' dich an. Würde mich liebend gern mit dir treffen. Würde mich liebend gern mit dir unterhalten.«

»Ja, ich würde mich auch liebend gern mit dir unterhalten«, sagte Will, in dessen Tonfall sich instinktives Misstrauen einzuschleichen begann.

Leonard wandte sich um, schaute nach draußen, dann wieder zurück.

»Sag', äh, sag' niemandem, dass du mich hier gesehen hast, okay?«

»Was, ja, okay, klar. Ich schweige wie ein Grab.«

»Ich werd' dir alles erklären. Wirklich. Ich werde dir alles erklären, Bill.«

»Will.«

»Will. Ich werde dir später alles erklären.«

Er nickte schnell, wandte sich um, öffnete die Tür und trat in die Kälte der Septembernacht, als ob er in einen rasenden Sturm treten würde. Er zog den Kragen der dicken Jacke eng um den Kopf und ging dann in die gleiche Richtung davon, aus der er Augenblicke zuvor gekommen war. Will konnte sehen, wie sich sein Mund hektisch bewegte, als ob er mit sich selbst diskutierte, über – über was?

War es, dass er Will gesehen hatte? Dass er erwischt worden war? Wie, erwischt, fragte sich Will.

Will schaute sich in der Kneipe nach Frauen ohne Begleitung um, die vielleicht auf das geheime Treffen ihres Lebens mit Leonard Romanowski warteten. Niemand sah danach aus. Er schüttelte den Kopf und ging zu seinem Tisch zurück.

Cheryl hatte einen Vorsprung herausgearbeitet. Er trank das noch zu einem Viertel volle Glas aus, um ihn einzuholen.

»Was sollte das denn alles?«, fragte sie mit dem Kopf zur Tür deutend.

»Weißt du was«, antwortete er langsam, »ich weiß es nicht. Das war mein Agent.«

»Der mit der kreativen Buchhaltung?«

»Genau der. Er kommt rein, sieht mich, wird weiß wie eine Wand, haut ab und redet mit sich selbst wie Opa Ross, wenn er meinte, er sei auf einer Mission für die Regierung.

»Vielleicht schuldet er dir Geld.«

Will griff in seine Tasche und holte einen Zehner heraus.

»Da gibt's kein ›vielleicht‹.«

»Na, in diesem Fall«, antwortete sie mit einem Lächeln, »würde ich auch davonlaufen.«

Will lachte herzlich. Er griff über den Tisch nach ihrer Hand.

»Du – du würdest vor gar nichts davonlaufen.«

Er tätschelte ihre Hand, und sie zog sie weg. Immer noch lächelnd legte sie beide Hände in den Schoß und faltete sie.

Sie starrte auf das Glas Bier, das ihre Nerven absolut nicht beruhigt hatte.

Es gab etwas, vor dem sie gern davonlaufen würde.

Und das war dieses Wochenende.

Ollie drehte sich um und schaute die Straße entlang zu dem einzigen fertigen Haus auf der Baustelle. »Es ist gleich da oben.« Ollie zeigte darauf und ging dann entschlossen an Stan vorbei, als wollte er sagen »Schluss jetzt mit dem Quatsch.« Er ging auf das einzeln stehende Wohnhaus zu, das etwa fünfzig Meter weiter den Berg hinauf stand.

»Woher weißt du, dass es das ist?«

»Das ist das Musterhaus. Schau' auf das Schild vorne. Damit werben sie für die anderen Häuser in der Siedlung. Du hast genug Geld in Immobilien angelegt. So was solltest du doch wissen.«

»Ja, ich hab' Geld in Immobilien angelegt. Das bedeutet aber nicht, dass ich etwas davon verstehe. Dann ist es eben das Musterhaus. Warum sollte sich unser Freund in einem Musterhaus verstecken?«

»Weil es das einzige ist, das fertig ist. Weil es das einzige mit einer Heizung ist. Weil es so aussieht, als sei da drinnen irgendwo ein Licht an, und weil das Garagentor offen ist. Weil dieses Haus in der Broschüre zu sehen ist, die Little Mike in New York bei ihm im Mülleimer gefunden hat. Weil Angelo gesagt hat, dass sich der Kerl da versteckt, weil er die Adresse auf einem Notizzettel notiert hat, bevor er das Geld genommen hat und damit abgehauen ist.«

Stanley nickte. »Gut kombiniert.«

Etwa zwanzig Meter von der Einfahrt entfernt schlüpfte das Paar in das Unterholz, das dem Haus gegenüber lag. Leise öffnete Stanley den Aktenkoffer und beide griffen gleichzeitig hinein.

»Nach Ihnen«, sagte Olverio.

»Nein, nein«, sagte Stanley, »ich bestehe darauf. Nach Ihnen.«

Beide zögerten und dann griffen sie wieder gleichzeitig hinein.

Diesmal erwischte Ollie eine kleine dreieckige Tasche aus dem Aktenkoffer, bevor sich seine Hände wieder mit Stanleys verheddern konnten.

»Da«, sagte er zufrieden, »es gehört dir.«

»Danke«, sagte Stanley, den Tonfall nicht aufnehmend.

So leise wie möglich öffnete Olverio den Reißverschluss der Tasche und nahm erst die winzige Walther TPH heraus, dann zwei Magazine und einen Schalldämpfer. Er lud die Waffe schnell, steckte das zweite Magazin in die Tasche und begann, den Schalldämpfer auf den Lauf zu schrauben. Mit seinen großen Händen hätte das in der Dunkelheit ein Problem darstellen sollen, aber Jahrzehnte der Übung mit der Waffe und ihrer Schwester PPK machten es zur Routine. Er war wie ein Chirurg, so erfahren auf seinem Spezialgebiet, dass er die Operation in der Dunkelheit durchführen konnte.

In der Zwischenzeit wühlte Stanley geräuschvoll im Aktenkoffer herum und suchte nach dem zusätzlichen Magazin, von dem er sicher war, dass er es geladen und in den Koffer getan hatte, als er die Waffe in Denver abgeholt hatte.

»Soll ich ein Licht anmachen?«

»Das würde helfen.«

»Vielleicht sollten wir auch noch ein bisschen Musik anmachen. ›Musik zur Ankündigung von Anwesenheit‹.«

»Ha«, bellte Stan. »Ha, ha.« Jedes Wort war flüsternd betont. Er zog eine MP5K-Maschinenpistole aus ihrer Halterung und lud sie so leise durch, wie er konnte. »Du weißt, ich hab' gern eins drin und eins in der Nähe.«

»Hast du je mehr als das eine Magazin gebraucht, das du in dem Ding hast?«

»Nein, aber elf ist meine Glückszahl.«

»Elf? Du meinst zwei.«

»Nein, ich meine elf«, flüsterte Stanley. »Eins und eins – elf.«

»Und warum wettest du dann nie darauf?«

»Das habe ich früher getan«, sagte Stanley, während er endlich das zusätzliche Magazin im abgestorbenen Gras fand. »Aber ich kann mich nicht dazu bringen, in der staatlichen Lotterie von Michigan mitzuspielen.«

»Warum nicht?«

»Die Regierung sollte nicht im Wettgeschäft mitmischen. Das ist unsere Sache. Das war es schon immer, und jetzt machen sich die guten Menschen von Lansing, Michigan, mit all ihrem Geschwafel von Familie und Moral über meine Lebensgrundlage her.«

»Ich stimme dir zu, aber so ist es doch überall.« Olverio hockte sich hin und drückte dann seine Körpermasse nach oben.

»Bist du so weit?«

Stanley schaute seinen Geschäftspartner der vergangenen 43 Jahre von unten an und griff dann nach dem kleinen Ast einer Pinie. Er zog sich daran hoch, und der Ast brach ab.

Ollie verdrehte die Augen. »Herrgott. Noch eine Visitenkarte. Warum gehen wir nicht einfach zur Tür und klingeln?«

Stanley lächelte. »Ja, warum denn eigentlich nicht?«

Er trat auf die Straße und ging ungefähr zwanzig Fuß zurück bergab. Dort fand er, wonach er gesucht hatte. Eine leere, weggeworfene Pizzaschachtel. Er hob sie hoch, wischte ein Stück Matsch von der Seite und hielt die Maschinenpistole darunter.

»Alles klar. Besondere Lieferung.«

»Neunundfünfzigjährige Männer liefern keine Pizza aus«, murmelte Olverio.

»Aber sicher tun sie das«, antwortete Stanley. »Ich bin arbeitslos und niemand will mich mehr haben, trotz jahrelanger Erfahrung in gehobenen Positionen. Das ist der einzige Weg, wie ich meine Luxuswohnung behalten kann.«

Er hob die Augenbrauen und schenkte Olverio ein schmallippiges starres Lächeln, das bedeutete, dass Stanley bereit war, Geschäftliches zu erledigen. Ollie nickte und ließ sich vier oder fünf Meter hinter Stanley zurückfallen, der jetzt in Richtung Tür marschierte.

Ollie durchquerte den dunklen Garten und leise, so leise, wie er konnte, suchte er seinen Weg über den Baustellenmüll zur Vorderseite des Hauses. Er stellte sich auf einen umgedrehten Eimer, entsicherte die Walther und zielte mit ihr in Kopfhöhe auf die Tür.

Stanley ging forsch zur Tür und klingelte. Die MP5K lag unter der Schachtel. Ollie war erstaunt, wie normal das alles aussah, abgesehen natürlich von den Waffen.

Stanley klingelte noch einmal und wartete. Beide Männer lauschten sorgfältig auf Geräusche von innen, auf ein Anzeichen dafür, dass jemand sich rührte oder davonlief oder sich auf ein Feuergefecht vorbereitete.

Keiner hörte etwas.

Ollie erwiederte Stans Blick und bewegte stumm die Lippen: »Garage.«

Stan nickte und Ollie ging nach links um die Ecke in die offene Garage. Er drückte sich gegen die Wand und bewegte sich wieder, als er hörte, wie Stanley klingelte und mit einer alten und müden Stimme, die gar nicht nach seiner eigenen klang, die Pizza ankündigte.

Ollie ging schnell zur Garagentür, ohne die Waffe zu senken, seine Schritte trotz seines Umfangs tänzerisch. Er zögerte eine Sekunde lang, dann griff er mit der linken Hand nach dem Türknauf. Er bewegte sich geräuschlos. Während er die Tür öffnete, senkte Olverio die Waffe auf Brusthöhe desjenigen, der vielleicht hinter der Tür stand.

Vor der Haustür fühlte Stan, wie sich die Haare in seinem Nacken aufzustellen begannen. Er hasste es, wenn er nur der Lockvogel war. Er überlegte, noch einmal zu klingeln und dann seinem Partner in die Garage zu folgen, aber er tat es nicht. Wenn dieser Kerl auch nur ein bisschen Verstand hatte, würde so alles auffliegen, und sie wollten ganz sicher kein Feuergefecht auf dem Berg. Kleinstadt-Bullen mochten das nicht, selbst wenn es ein Kampf unter Gangstern war. Das war der Unterschied zwischen Stadt und Land. Die Bullen in Detroit liebten es, wenn die Bösewichter sich gegenseitig abknallten. Das war weniger Arbeit für sie. Die Bullen auf dem Land sagten, so etwas störe ihre Ruhe.

Stanley schüttelte den Gedanken ab und wandte sich wieder der augenblicklichen Angelegenheit zu. Konzentriere dich, ermahnte er sich selbst. Konzentriere dich.

Er hörte ein Knacken im Fußboden direkt hinter der Haustür und verstärkte seinen Druck auf den Abzug der Maschinenpistole.

»Pizza!«, rief er.

»Ich bin's. Ich bin's«, sagte Ollie von der anderen Seite der Tür. »Entspann' dich.«

Die Tür ging auf.

»Komm' rein. Alles klar.« Er zögerte einen Augenblick und dachte nach. »Mehr oder weniger.«

»Er ist nicht hier?«

»Nein, unser kleiner Freund ist nicht hier.«

»Jemand anders?«

»Sozusagen.«

Stanley folgte ihm den Flur entlang zu einem hell erleuchteten Wohnzimmer, das er an seinem Partner vorbei sehen konnte. Für eine fertige Wohnung, dachte er, war es ziemlich kalt hier drin.

Olverio trat zur Seite und gab den Blick frei auf einen wunderschönen Raum, vom Mond erleuchtet, übersät mit zerbrochenem Glas, einem Fahrrad und einem Körper, der gerade lange genug tot war, um in einer ganz besonders hässlichen Stellung steif geworden zu sein.

»Wer ist das?«, fragte Stanley.

»Keine Ahnung. Aber es ist nicht Mr. Romanowski, das ist sicher.« Ollie kratzte sich mit dem Schalldämpfer der Walther an der Schläfe.

Stanley blickte auf das gähnende Loch in einem der Glasfenster an der Vorderfront des Hauses, dann zurück auf das Rad, das in die Wand gekracht war, und dann wieder zu der von Kugeln durchlöcherten Leiche, die mit einem letzten Griff nach dem Leben den Teppich festkrallte.

»Mann.« Er pfiff. »Der Typ hatte einen wirklich schlechten Abend.«

»Weißt du, wer das ist?«, fragte Ollie mit einer plötzlichen Erkenntnis.

»Nein, wer?«

»Er ist wir.«

»Herrgott. Bist du sicher?«, fragte Stanley schockiert. »Er sieht nicht aus wie wir.«

»Nein. Nein. Dieser Typ, dieser Romanowski, ist so nervös, dass er dachte, das seien wir, die da durch das Fenster auf ihn zukommen. Pech für diesen Typen. Sehr schade.«

»Schade für ihn. Schade für uns«, sagte Stanley.

»Ja«, stimmte Ollie zu. »Er weiß, dass wir kommen.«

Stanley blinzelte in die Dunkelheit und zeigte dann auf den Kamin. »Wenigstens ist er nicht bewaffnet.«

Ollie bemerkte den 45er Colt, der immer noch seine Beute bewachte. »Mann, ist der Kerl nervös«, sagte er. »Wir sollten vorsichtig vorgehen.«

»Na ja«, sagte Stanley abwesend. »Hier stören wir nur – verschwinden wir.«

»Ja. Er ist nicht hier. Ich denke, wir können davon ausgehen, dass das Geld auch nicht hier ist.«

»Wir machen morgen weiter.«

»Sollen wir ins Hotel gehen?«

»Außer, du willst im Auto schlafen.«

Die Unterhaltung ging in dieser Richtung weiter, während sie den Flur hinuntergingen, vorbei an dem Schlafzimmer, in dem immer noch eine einzelne Lampe brannte. Ollie wandte sich zurück zur Garage und wischte seine Fingerabdrücke vom Türknauf. Stanley ging den Flur hinunter und tat das Gleiche an Haustür und Klingel. An der Türschwelle nahmen sie die Unterhaltung wieder auf und überquerten dann die holperige Straße zu der Stelle, an der sie den Aktenkoffer zurückgelassen hatten. Während sie die Bergstraße hinunter, und wieder zurück in die älteren und bewohnteren Gegenden von Vail gingen, erloschen in Erwartung eines geschäftigen Wochenendes in der Stadt die letzten Lichter.

Will rutschte zwischen die kalten, frisch gewaschenen Laken. Er spürte die angenehme Veränderung in der Temperatur, als er seine bloßen Beine schnell hin und her bewegte und durch die Reibung die kleine Tasche an seinen Füßen aufwärmte.

»Wenn du schon dabei bist, wärm' meine Seite auch auf«, rief Cheryl aus dem Badezimmer.

»Kein Problem. Soll ich auch dein Kopfkissen wärmen?«

»Lass' mein Kopfkissen in Ruhe.«

»Nein, ich glaube, du brauchst ein warmes Kissen.«

»Mach' ja nicht mein Kissen warm.«

Er konnte hören, wie sie gurgelte und ausspuckte.

»Fass' ja nicht mein Kissen an.«

»Ich hab' dein Kissen hier. Ich mache es nur ein bisschen warm für dich.«

In einem langen schwarzen Campagnolo-T-Shirt kam sie aus dem Badezimmer geschossen und warf sich auf ihre Seite des großen Doppelbettes.

»Gib' mir mein Kissen, verdammt!«

»Ich wollte doch nur nett sein. Außerdem wollte ich nicht, dass du mich damit erstickst.«

»Nein, ich werde dich mit deinem ersticken.« Sie zog ihres an sich und schüttelte es auf. »Kopfkissen anwärmen. Niemand fängt gern mit einem warmen Kopfkissen an und niemand hört gern mit einem kalten auf.«

»Ich höre gern mit einem kalten Bier auf.«

»Einem kalten Kopfkissen.«

»Oh.« Einen Augenblick lang waren sie still, während sie sich im Bett zurechtlegte. Sie starrten an die Zimmerdecke.

»Du hast das Licht angelassen«, sagte Will und zeigte zum Badezimmer.

»Wer am meisten pupst, muss das Licht ausschalten.«

»Oh! Oh! Im Alter werden wir wohl grausam, was?«

»Alt! Alt! Du kleiner Mistkerl! Du hast doch noch die Zeit der Holzfahrräder miterlebt!«

»Oh verdammt, also, der Opa hier wird dir jetzt ...«

»Lass' deine Zähne auf dem Nachttisch ... ich hab dir ein bisschen ... äh ... Wasser gebracht. Stopp, stopp, stopp, stopp!«

Jetzt war es ein Ringkampf im Bett, und die glatten, steifen Laken verdrehten sich und wickelten sich um sie herum.

»Aufhören! Aufhören! Nicht kitzeln! Nicht kitzeln!«, schrie sie. Sie wand sich aus seinem Griff, drehte ihn auf den Rücken, setzte sich rittlings auf ihn und hielt seine Arme fest.

»Nicht kitzeln!«, japste sie lachend.

»Okay, nicht kitzeln«, nickte Will lächelnd.

Er gab leicht auf. Er hatte sie genau da, wo er sie haben wollte.

»Und auch keine Klamotten«, sagte sie mit einem Seufzer.

»Ah, Sherlock«, flüsterte er verführerisch und wickelte seine Beine um ihre. »Es gibt nichts Besseres gegen Nervosität.«

Sie lachte.

«Will, ich bin eigentlich nicht in der Stimmung.«

Sie versuchte, sich von ihm herunterzurollen. Er zog sie wieder hinauf.

»Was ist, wenn ich so rede?«, sagte er und ließ seine Stimme zu etwas absinken, was er für einen sexy Bass hielt, auch wenn es eher klang wie ein Frosch mit Erkältung.

Sie lachte und spürte, wie er unter ihr größer wurde. Ohne ein Wort begann sie, leise vor und zurück zu schaukeln.

Vielleicht war es wirklich gut gegen Nervosität. Und vielleicht könnte sie ihn in einer Pause zu einer Rückenmassage überreden. Und vielleicht könnten sie den Rekord angreifen. Und vielleicht könnte sie zum ersten Mal, seit sie von dieser Mannschaft, diesem Job, diesem Rennen und diesem Wochenende gehört hatte, sich selbst vergessen.

Langam, sehr langsam, griff sie nach unten, nahm den Saum ihres T-Shirts, und zog es über die Schultern und über den Kopf. Sie schaute mit einem wissenden Lächeln zu ihm herab.

»Hey – du hast ja auch nichts an.«

»Das war alles Teil meines schlauen Plans.«

»Was für ein schlauer …«

Sie warf sich mit wilder Leidenschaft auf ihn, fuhr mit ihrer Zunge in seinen Mund und schnitt so das Ende seines Satzes ab. Es machte ihm nichts aus.

Für eine Weile ruhte die Unterhaltung.

Später schliefen beide viel besser, als sie es seit Wochen getan hatten.

Freitag

3

Kräht der Hahn früh am Morgen

Hootie Bosco streckte seinen langen, sehnigen Rücken und spürte zwei beruhigende Knackser in seinem Rückgrat. Er richtete sich auf, nahm die Haare zur Seite, fasste sie mit der rechten Hand und band sie mit einem Gummiband hinter der Schulter zusammen. Dann rückte er seine zu 80 Prozent getönte ozeanblaue Sonnenbrille zurecht, während er auf den Berg schaute, der vor ihm lag und der trotz der blauen Gläser vor seinen Augen in der aufgehenden Sonne rot und gold und scharf grün leuchtete.

Er schaute auf die Uhr.

Sechs Uhr früh. Zeit, die Ankunft zu verkünden.

Trotz der wachsenden Popularität des Sports und der größer werdenden Professionalität der Mannschaften und der Mechaniker war er immer noch der Erste in Margaritaville, in dieser Ansammlung von Zelten und Wohnwagen und Transportern, in denen sich das Werkzeug, die Räder und der ganze Krimskrams all derer befanden, die am Ishmael-Coffee-Race teilnahmen. Dazu kam der ganze Krempel der verschiedenen Firmen und Läden, die alles verkauften, von Rädern und Federgabeln über eingeschweißte Energie-Gels bis hin zu heruntergesetzten T-Shirts. Er spuckte den letzten Schluck Kaffee aus, schüttete den Satz aus dem Kaffeebecher auf den Boden und sah zu, wie er in der kalten Luft dampfte und sich um den Fuß des Montageständers, den seine dämlichen Nachbarn über Nacht draußen stehen gelassen hatten, herumkringelte. Er war erstaunt, dass der noch da war. Bosco war seit dem ersten Tag in diesem Sport, und er hatte früh gelernt, alles doppelt zu verschließen und festzuzurren, auch wenn das trotzdem nicht bedeutete, dass man es am nächsten Morgen wiederfand, egal, wie viele Wachmänner sich auf dem Gelände herumtrieben.

Unglaublich, wie viel Zeug bei einem Mountainbike-Rennen verschwand. Unglaublich, wie viele Leute immer noch dachten, dass man sich alles nehmen konnte, was man wollte, ohne auch nur daran zu denken, zu fragen.

Er suchte in seiner Hosentasche herum und fand einen Satz Schlüssel, mehr Schlüssel, dachte er, als ein einzelner Mensch je brauchen konnte, und den Generalschlüssel. Er steckte ihn in das Schloss, löste den Bolzen und hockte sich nieder, um die Rolltür hochzuschieben.

Mit einem Donnern und einem Knall schnellte die Tür nach oben. Ein hohles »Bumm« rollte am Fuß des Berges entlang in Richtung Stadt und verkündete, dass der erste Renntag mit dem zeremoniellen Öffnen der Lastwagentür durch Hootie Bosco offiziell begonnen hatte.

Bosco gehörte zum Inventar des Rennzirkus, das war sicher. Er war bei den Anfängen des Sports am Mount Tam dabei, dann als zweitklassiger Fahrer, dann als Fahrradbauer, dann als Freak und frei schaffender Mechaniker für einen der Hersteller von Fahrradwerkzeugen. Hootie Bosco bot den besten unabhängigen Service am Berg an, wo immer der Berg auch war, und Hootie Bosco wusste das. Nach der freien Tätigkeit kam ein Team, nach dem Team die Arbeitslosigkeit und nach der Arbeitslosigkeit kamen Stewart Kenally und Two Wheels.

Kenally war dabei, ein Mountainbike-Team zusammenzustellen, und er brauchte technische Unterstützung. Bosco hatte gerade nichts anderes und warf sich in die Schlacht. Zuerst waren es regionale Rennen, wo sie einfach nur versuchten, gegen die großen Namen, die Teams der Fahrradhersteller zu bestehen, aber dann warf Haven Pharma, eine französische Firma, völlig überraschend einen Haufen Geld dazu, verschaffte allen eine hübsche Gehaltserhöhung und drückte das Team in die vorderen Ränge, jedenfalls, was die Publicity und die Ausrüstung anbetraf. Resultate, mit denen man hätte prahlen können, gab es allerdings noch nicht.

Mit anderen Worten, alles und alle befanden sich im Aufbau, inklusive der Tatsache, dass der neue Mannschaftskapitän heute ankommen sollte.

Und es war eine Frau. Bosco erschauerte. Er hatte kein Problem damit, aber Marshall Reed und Jeremy Jettman würden deswegen sicher mehr als einen Anfall bekommen.

Dafür, dass sie einen Sport ausübten, in dem Männer und Frauen beinahe gleichberechtigt antraten, benahmen sich die beiden wie Steinzeitmenschen.

Er zerrte eine Seite aus der Denverschen Zeitung Rocky Mountain News und riss sie in vier Teile. Mit einer Ecke anfangend, rollte er sich einen Morgen-Joint von gigantischen Ausmaßen. Während er rollte, las er die Schlagzeile: »Architekt ermord …« Der Artikel verschwand, als das Bündel Gras sich über ihn schob und dann unter einer Unterwäsche-Anzeige begrub. Er zog eine uralte Lötlampe von der Wand und zündete sie mit einem Knall und einem Zischen an. Dann drehte er die Flamme so weit herunter, dass er sich nicht die Augenbrauen absengen würde, und berührte mit ihr das Ende der Rolle. Mit der üblichen Dosis Erstaunen betrachtete er, wie die Zeitung aufloderte und sich um das Gras herum einrollte. Er saugte gierig an seinem Joint und kippte verzückt einen Schritt zurück.

Von einem Metallhaken an der Lastwagenwand zog er einen Lumpen herunter und steckte ihn in die hintere Hosentasche, während er sich in den Wagen hievte. Er schaute über die Halter mit den Rädern, hauptsächlich Diamondbacks, ein paar Colnagos, und begann, die Rahmen herauszuheben. Kleine Stückchen Zeitung fielen ihm aus dem Mundwinkel, ihre Kanten waren mit roten Feuerdiamanten gesprenkelt.

»An die Arbeit, Kinder«, sagte er zu seinen Fahrrädern. Dann schaltete er die Anlage an, drehte die Höhen herunter, so dass der Bass von Jethro Tull Geschirr und Grashalme in meilenweiter Entfernung erzittern ließ.

Siebenundvierzig, dachte er, und immer noch ein Kind der sechziger Jahre.

Er schüttelte einen Wald von schwarzen Dreadlocks aus dem Gesicht und lächelte, während er den Klangwellen zusah, wie sie durch das Tal schwebten.

Ein tief donnerndes Geräusch weckte Cheryl Crane jäh. Sie hatte eben begonnen, das Vorderrad über einen Baumstamm zu heben, der immer größer wurde und seine Form ständig veränderte, und sich vor ihr aufbäumte, wie er es schon die ganze Nacht lang getan hatte. Dieses Mal, wie die anderen Male auch, war sie sicher, dass sie ihn überwinden konnte, aber jedes Mal war sie auf ihn geprallt und wieder zurückgeworfen worden. Dann war sie wie Sisyphus wieder aufgestanden, nach einer Werbepause in einer anderen Traumlandschaft, um den Sprung ein weiteres Mal zu versuchen.

Sie hatte bei dieser außerordentlichen Anstrengung so viel Energie verbraucht, dass sie jetzt müder war, als vor dem Schlafen gehen. Will steckte seinen Kopf aus der Badezimmertür.

»Was ist das?«

»Was ist was?«

»Dieses Geräusch. Hast du was fallen lassen?«

»Nein. Ist was von draußen«, sagte sie, wandte sich von ihm ab, zog ihr Kopfkissen an die Brust und starrte aus dem Fenster auf die oberen Regionen des Vail Mountain, Schauplatz ihrer unmittelbaren Zukunft.

Will fuhr fort, sich die Zähne zu putzen, aber er beobachtete sie weiter, nicht so sehr wegen dem, was sie tat, sondern wegen der Art, wie sie es tat. Sie lag eng zusammengekauert, das Kissen eng an die Brust gepresst wie eine daunengefüllte kugelsichere Weste gegen die Munition, die das Leben geladen hatte und in ihre Richtung feuern würde.

Er spuckte die Zahnpasta aus und lehnte sich wieder ins Zimmer hinein, während er sich achtlos den Mund mit einem Handtuch abwischte.

»Alles klar bei dir?«, fragte er leise.

Sie wandte sich beinahe erschrocken um und schaute ihn an, zuerst mit Angst in den Augen, dann mit einem Lächeln.

»Ja, ja. Ich bin nur noch nicht ganz wach.«

Er nickte und wollte schon zurück ins Badezimmer gehen, als er stoppte und zu Boden blickte.

»Weißt du«, sagte er zurückhaltend, beinahe wie zu einem unsichtbaren Dritten im Zimmer, »es ist nicht schlimm, Angst zu haben, besonders nicht in der Situation, in der du dich befindest.«

»Ich weiß«, antwortete sie leise.

»Erinnerst du dich noch an deinen ersten Tag bei Haven? Der einzige weibliche Soigneur? Damals musst du auch Angst gehabt haben. Aber du hast überlebt und ihren Respekt gewonnen.«

Sie nickte, dann schüttelte sie den Kopf. »Ja. Okay. Aber damals hat sich niemand auf mich verlassen, Will.«

Sie vergrub ihr Kinn in das Kissen. Ihre Augen glänzten in einem Strahl frühmorgendlichen Sonnenscheins.

»Ich war nur Befehlsempfänger. Und – ich kannte viele von den Leuten, als ich dazukam. Hier kenne ich niemanden. Ich bin zwei Jahre lang gegen keine dieser Frauen gefahren, wenn überhaupt jemals. Ich kenne weder Mannschaftslogistik noch Personal.«

Sie wandte sich zum Fenster.

»Ich weiß«, sagte er leise. »Stewart hat dich gleich am ersten Tag ins kalte Wasser geworfen. Nutz' das für dich. Lern' die Leute kennen. Lern' die Lage kennen. Schaff' es durch den Tag. Nur einen Tag. Dann hast du einen hinter dir. Such' dir jemanden im Team, der sich auskennt. Die Mechaniker, zum Beispiel. Bei meinen Sommerjobs hat mir mein Vater immer gesagt, lern' zuerst die Leute kennen, die Sachen reparieren. Also, da du hier keinen Hausmeister hast, lern' den Mechaniker kennen. Er wird dir sagen, wie es läuft. Stewart organisiert die Reisearrangements und die Ausrüstung. Er wird schon irgendwann auftauchen. Und was die anderen Fahrer betrifft, frag' sie ganz direkt, was sie an Unterstützung brauchen, und dann lass' sie ihr Rennen fahren. Ist ja nicht so, als wärst du die Pfadfindermutti.« Er machte eine kurze Pause und beobachtete sie. »Geh' es einen Tag nach dem anderen an.«

»So wie du letzten Januar?«

Will ignorierte den Sarkasmus.

»Ich hab's überlebt. Nur knapp, das gebe ich zu.« Er lachte und tippte mit dem Zeh des Gehgipses gegen die Badezimmertür. »Aber ich hab's überlebt. Und wie habe ich das geschafft? Ich habe mich auf meine Freunde verlassen und einen Tag nach dem anderen genommen.«

»Du klingst wie eine Kummerkastentante.«

»Fragen Sie Dr. Sommer.«

Sie lächelte nicht überzeugt. Ihre Augen spiegelten ihr Furcht vor dem Tag.

»Schau mal«, sagte er, die Arme weit ausgebreitet. »Wenn alles andere schief geht, hast du mich. Ich kann keine großen Sprünge machen, und die Entscheidungen musst du selbst treffen, weil du der Boss bist und ich sowieso nicht wüsste, was zu tun ist, aber ich kann gut zuhören und ich bin ein tolles Mädchen für alles.«

Sie schaute auf den Plastik-Gips an seinem rechten Bein und die halbmondförmige Narbe an seinem linken Knie, die aus einer Schiene aus Metall und Nylon hervorlugte. Das Erste war das Resultat eines Muskelrisses am Hang eines erloschenen französischen Vulkans, das Zweite das Resultat eines spektakulären Unfalls bei einer Abfahrt.

»Ja, ich weiß«, nickte er und warf einen Blick nach unten auf seine Beine. »Ich sehe aus wie eine Kreuzung zwischen Long John Silver und dem Teufel, aber, hey … ich bin hier und am Leben.«

»Ich muss das alleine machen.«

»Nein, das ist nicht wahr«, antwortete er. »Du musst es machen, aber du musst es nicht alleine machen. Das ist der Grund, warum so viele Chefs Mist bauen. Man muss nicht alles alleine machen. Man muss sich darauf verlassen, dass die Leute, mit denen man zusammenarbeitet, das machen, was sie sollen, nämlich ihren Job. Dieses Team ist nicht allein deine Verantwortung.«

»Vielleicht nicht«, sagte sie abwesend, und ein leichtes Lächeln stahl sich über ihr Gesicht.

Will seufzte, völlig überzeugt davon, dass nichts von dem angekommen war, was er gesagt hatte. Er wischte sich einen verirrten Fussel von der Nasenspitze, trat wieder zurück ins Bad und bereitete sich auf die lange und schwierige Aufgabe vor, sie über diese erste Hürde im Rennen hinwegzubringen und sie davon zu überzeugen, dass sie die Kenntnisse und den Mut hatte, diese Mannschaft zu führen.

Er warf einen Blick in den Spiegel und seufzte tief. Viel zu tun, dachte er, viel zu viel zu tun. Und keine Zeit dafür. Der Mensch, der ihn aus dem Spiegel ansah, seufzte ebenfalls, und das Geräusch traf Will unvorbereitet. Er schaute dem Mann im Spiegel in die Augen und versuchte, dort seine Antworten zu finden. Wer bist du? Was machst du hier? Wohin willst du? Es kam keine Antwort. Die beiden Männer erkannten sich nicht.

Im Schlafzimmer drehte Cheryl sich zum Fenster und setzte sich auf die Bettkante. Sie bedeckte ihre Nacktheit mit dem Kissen und hielt es fest an sich gepresst.

Sie atmete einen tiefen Zug Bergluft ein und ließ sie langsam durch Mund und Nase herausströmen. Das machte sie noch einmal, während sie sich auf einen Punkt hoch am Berg konzentrierte, wo ein paar Skilifte den Bergkamm überquerten, als würden sie sich zu einem Ziel außerhalb ihres Blickfelds ein Rennen liefern, irgendwo weiter oben auf den bewaldeten Hängen.

Noch ein Atemzug, und sie merkte, dass sich der Knoten in ihrem Magen nicht löste.

Sie nickte mit dem Kopf, das Kinn dotzte gegen die Oberkante des Kissens.

»Gütiger Gott«, flüsterte sie. »Hab' ich Schiss.«

Das donnernde Geräusch von draußen hatte irgendwie seinen Weg in Leonard Romanowskis Traum gefunden. Es packte ihn am Hals, gerade, als er über noch einen Berg aus Geld trat, und zog ihn teilweise in die Realität zurück. Nur teilweise, so schien es, denn als seine Augen aufschnappten, geriet er in Panik. Er wusste nicht, wo er war oder wer er war oder was zum Teufel er da tat, als er erschrocken begann, durch das Zimmer zu stolpern.

Er torkelte zur Tür, dann wandte er sich mit irrem Blick zum Fenster und hastete dorthin, mit offenem Mund und wild mit den Armen fuchtelnd. Er hoffte, etwas zu sehen, irgendetwas, das seiner Erinnerung auf die Sprünge helfen würde und ihm sagen könnte wer er war, oder warum er hier war.

Am Fenster zwang er sich dazu, reglos stehen zu bleiben, während er langsam begann, die Realität zu erfassen.

Sehr langsam.

Zuerst wurde ihm klar, dass sein Name Leonard Romanowski war. Er atmete tief durch und erinnerte sich auch daran, dass er Sportagent war und dass er sich in einem Hotelzimmer in Vail, Colorado, befand.

So zähflüssig wie Rübensirup im Januar kam Kurzfristigeres zurück, zum Beispiel die Tatsache, dass sich in diesem Zimmer beinahe viereinhalb Millionen Dollar befanden, die einmal dem miesesten Abschaum gehört hatten, einem zweitklassigen Gangster aus New York, dem jetzt wohl klar werden würde, dass man Leonard Romanowski nicht einschüchtern konnte, weil Leonard Romanowski sich nicht einschüchtern ließ.

Oder dass er zumindest einen finanziellen Ausgleich dafür verlangen würde.

Er lächelte darüber, dass er die Sache erfolgreich durchgezogen hatte, dann fuhr ihm wieder ein eiskalter Schauer über den Rücken.

Er hatte letzte Nacht einen Mann ermordet. Er legte erst die Hände, dann die Stirn gegen die Doppelglasscheibe. Er hatte wirklich einen Menschen erschossen. Tot. Tot wie ein Thunfisch. Er hatte ihn erschossen.

Leonard atmete tief und rasselnd durch, richtete sich auf und versuchte, seine Nerven zu beruhigen.

Es war Notwehr gewesen, jedes Gericht der Welt würde das anerkennen. Der Kerl hatte ihn auf einem Fahrrad attackiert, entschlossen, ihn umzubringen. Außerdem war das ein Gangster gewesen, ein Kopfjäger. Das war der ultimative bezahlte Killer, dachte er. Angelo hatte einen Killer geschickt, um das Geld wiederzubekommen und ihm eine Lektion zu erteilen.

Er starrte durch das Fenster zu den Flaggen und Lastwagen und Zelten, die den Austragungsort des Ishmael-Radrennens markierten, und sah emotionslos einem Radfahrer zu, der über einen Baumstumpf sprang, einen scheinbar fast senkrechten Anstieg hinaufraste und dann hoch durch die Luft flog, und wusste plötzlich, dass es vielleicht, nur vielleicht, gar kein bezahlter Killer gewesen war.

Ein kurzer Augenblick des Zweifels drängte sich in sein vom Schlaf wie betäubtes Gehirn, ein Augenblick, in dem er nur noch zu denken brauchte »Oh mein … oh mein Gott«, und der Gedanke nahm an der Scheibe Klang an.

»Oh mein Gott«, sagte er zu sich selbst. Das Fenster warf den Gestank zu vieler Zigaretten und Sandwiches und einer Nacht des Schlafens im Sessel mit zurückgelegtem Kopf und offenem Mund zurück. Die Realität dessen, was er getan hatte, überwältigte ihn, und er begann, auf den Boden hinunterzusinken. Das Bild vor dem Fenster begann in seinem Kopf zu verwischen und in einem Nebel zu verschwinden, die Zelte, die Lastwagen, die Räder und die bunten Flaggen und die frühmorgendlichen Spaziergänger in ihren bunten Hemden. Das einzige Geräusch war das eines Seufzers und des Quietschens seiner Hände, die sich gegen das Glas pressten und langsam hinunter auf den Teppich rutschten, wo er saß. Zusammengesunken zu einem Häufchen Elend.

Sie waren immer noch da draußen. Irgendwo. Und sie suchten nach ihm.

Vor dem Hotel schützte einer der Männer, die nach oben blickten, mit hoch gehaltener Hand seine Augen vor der aufgehenden Sonne und starrte auf das Foto in der anderen Hand.

»Was meinst du?«, fragte er in lockerem Tonfall.

»Er ist klein. Er ist hässlich. Er sollte leicht zu finden sein«, antwortete sein Partner. Er wandte sich um und schaute auf die Fahrer und die Fans, jung und fit, die meisten in bunten Trikots oder Rennjacken. »Besonders hier.«

»Wir sind so stark, so hart, so gut bewaffnet – aber er ist uns trotzdem durch die Lappen gegangen, oder nicht?«

»Glaube ich nicht. Ich glaube, er ist noch in der Stadt.«

»Warum denkst du das?«

»Wenn er genug Angst hat, einen Unschuldigen abzuknallen, dann hat er auch genug Angst, um sich irgendwo in der Nähe hinzulegen, bis sein Gehirn aufhört zu klingeln.«

Der große dünne Mann nickte, während sie ihren Morgenspaziergang am Fluss entlang fortsetzten.

»Der geht nirgendwo hin. Lass' uns frühstücken.«

»Berühmte letzte Worte.«

»Was soll denn das heißen?«

»Erinnerst du dich noch an Mr. Avocado?«

»Wer war das noch?«

»Das war der, der nicht bis nach dem Frühstück warten konnte.«

»Er hat's aber getan.«

»Ja, aber es hat beinahe sechs Wochen gedauert, ihn wiederzufinden.«

»Der war kein Problem. Er hat eine Spur hinterlassen wie ein Traktor.«

»Das ist nicht das, was du damals gesagt hast.«

»Was habe ich denn damals gesagt?«

»Es war ziemlich originell, das will ich dir lassen, ausgefallener als die Farbe von deinem Hemd, das ist sicher.«

Ihre angeregte Unterhaltung plätscherte weiter dahin, während sie sich auf die Suche nach einem Frühstück machten und ihre Hawaiihemden langsam in dem bunten Treiben verschwanden.

Es war beinahe so, als würden sie dazugehören.

Marjorie Stump sah zu, wie das Ei exakt drei Minuten lang im Topf herumtanzte, nicht mehr, nicht weniger. Dann griff sie den Topf, rannte hinüber zur Spüle und ließ kaltes Wasser über ihr Frühstück laufen, um den Garprozess genau da anzuhalten, wo sie ihn anhalten wollte.

Es war jetzt seit beinahe sechzig Jahren der gleiche Ablauf, seit ihr Großvater sie mit der Schönheit und Einfachheit eines weich gekochten Eies bekannt gemacht hatte.

Sie trat hinüber an den Küchentisch und scheuchte Abbey, die Katze, von der Tischplatte. Sie setzte sich und rollte die Ärmel ihres tarngrünen gesteppten Hausmantels hoch. Zweimal strampelte sie mit den Füßen, in dem hoffnungslosen Versuch, den Fußboden zu erreichen. Dann nahm sie das Messer in die Hand und ließ es hart auf das Ei herabsausen. Die Schale zerbrach sauber in zwei Hälften und legte den Inhalt frei.

Als sie Eigelb und Eiweiß aus einer Hälfte löffelte, fiel ein Schatten über den Tisch. Sie blickte jäh hoch und sah einen blonden Riesen vor sich stehen, der die Tür der kleinen Berghütte beinahe vollständig ausfüllte. Ihre Hand flog erschrocken zum Hals, kehrte dann aber langsam wieder auf die rissige Resopal-Tischplatte zurück.

Sie legte das Ei hin und lächelte.

»Guten Morgen, Kelvin«, sagte sie stolz. »Du hast mich aber erschreckt.«

»Guten Morgen, Mama«, sagte er, und seine Stimme klang so früh am Morgen tief und verschleimt. Er schlurfte zur Anrichte hinüber. Seine rauen und vernarbten bloßen Füße kratzten über den uralten Holzfußboden, als würde er Hausschuhe aus Schmirgelpapier tragen. Er suchte nach einer Kaffeetasse.

»Ich habe dich gestern Nacht vermisst«, sagte sie mit einem Hauch Traurigkeit in der Stimme. »Wo warst du?«

Er ließ sich ihr gegenüber auf einen Stuhl fallen, der unter seiner Größe, seinem Gewicht und der Wucht des Aufpralls protestierend krachte.

»Ich habe Handzettel verteilt.«

»Welche denn?«, fragte sie mit betonter Freundlichkeit, und stippte eine Ecke Toast in das dunkle Eigelb.

»Widerstand gegen die Bebauung Nummer Zwei. Stoppt Vail Mountain Terrace.«

»Wo?«

»East Vail. Das Paradies der Baulöwen. Eins von Jerry Fords Gören hat mich angebrüllt.«

»Welches?«

»Einer von den Söhnen. Der mit dem großen Kopf.«

»Die haben alle große Köpfe.«

Er schnaubte nur.

Ein klarer Fall von »das musst du gerade sagen«, erkannte Marjorie, denn der Kopf ihres Sohnes war der größte, überproportionalste Schädel, den sie je in ihrem Leben gesehen hatte. Er saß wie ein preisverdächtiger Kürbis auf einem großen Aktenschrank. Sie starrte auf ihren Frühstücksteller, um das Bild wieder loszuwerden.

»Und du?«, fragte er und schlürfte seinen Kaffee.

»Ich? Ich hätte deine Hilfe gebrauchen können, ganz bestimmt«, sagte sie pikiert und kam zu der aktuellen Angelegenheit zurück. »Ich war auf dem Berg. Ich war im Dorf. Ich habe gepredigt.«

»Was hast du benutzt?«, fragte er in beiläufigem Tonfall, »das Speckschwartengewehr oder den Schlehdornknüppel?«

»Ich habe natürlich meinen Louisville Slugger mit dem Autogramm von Rachel Carson benutzt«, lächelte sie. »Ich bin keine Mörderin, ich weigere mich, eines von Gottes Geschöpfen zu töten.«

»Ich kapier' das nicht, Mutter«, sagte er und setzte ein weiteres Kaffeeschlürfen nach. »Du würdest einem Kerl den Schädel einschlagen, aber mit Speckschwarten zu schießen, das ist eine Todsünde.«

»Alle Geschöpfe Gottes haben einen Auftrag. Selbst du, Kelvin«, sagte sie leise. »Ich hätte gestern Nacht deine Hilfe gebraucht.«

»Ich war mit den Handzetteln beschäftigt.«

»Die Handzettel liegen immer noch im Kofferraum, Kelvin. Wo warst du gestern Nacht, Sohn?«

»Ich war in East Vail«, sagte er. Die Worte klangen gequetscht und verkatert, während seine Stimme mit steigender Wut lauter wurde. »Ich hab' deine gottverdammten Handzettel verteilt!«

Der Stock pfiff durch die Luft und donnerte auf den Tisch, sodass ihre mittlerweile leere Kaffeetasse in die Luft sprang und auf die Tischplatte zurückfiel. Der Henkel splitterte ab. Kelvin Stump spürte einen schneidenden Luftzug. Vom Aufprall des Stocks klapperten das Geschirr in der Küche und die wenigen Gehirnzellen, die sich bereits von der Nacht mit einer Flasche Scotch und einem kleinen Haufen billiger Zigarren in einer Bar in Edwards erholt hatten.

Er wandte die schmerzenden und rot geränderten Augen seiner Mutter zu.

»In diesem Haus«, spuckte sie, »wird der Name Gottes nie – niemals – missbraucht. Hörst du mich?«

Er nickte vorsichtig, bereit zum Sprung, sollte der Stock noch einmal fliegen.

»Und in diesem Haus«, sagte sie, »lebst du nach meinen Regeln und meinem Zeitplan und für mein Lebenswerk. Verstehst du das?«

Er nickte wieder. Sein Kopf wackelte wie der eines Nickdackels im Rückfenster eines Wagens mit schlechten Stoßdämpfern.

»Du warst gestern Nacht nicht mit den Handzetteln in East Vail«, sagte sie, ihre Stimme voll hasserfüllter Enttäuschung. »Du hast dich nicht mit einem von Jerry Fords Söhnen gestritten. Du warst nicht bei mir und hast nicht die Herrlichkeit des Berges gegen das nächste Mountainbike-Rennen verteidigt, das der Stadt und dem Ökosystem noch mehr Verkehr und Investitionen und schlechte Ideen bringen wird. Du hast dich«, und ihre Stimme wurde in ihrer rechtschaffenen Empörung immer lauter, »du hast dich in der Öffentlichkeit der Trunkenheit hingegeben. Ich kann es riechen.«

Sie ließ sich auf ihren Stuhl zurücksinken und wischte mit dem Stock über die Tischplatte, Besteck und einen kleinen Teller vor sich herschiebend. Kelvin schnappte den Teller, gerade, als er die Tischkante erreichte. Das Besteck fiel mit dissonantem Klingeln auf den Fußboden.

»Ich bin enttäuscht von dir, Kelvin«, sagte sie leise, und der Ärger schwand aus ihrem Gesicht wie eine vorüberziehende Wolke.

Er seufzte schwer. »Ich weiß, Mutter. Es tut mir Leid.«

»Es ist viel von deinem Vater in dir.«

Plötzlich fühlte er eine Welle der Scham in sich aufsteigen. Er zwang sie zurück wie einen Rülpser und spürte ein Brennen in der Brust, in seinen Augen, auf seinem Gesicht. Tausend kleine Gedanken füllten seinen Kopf, schlugen Funken, verwirrten ihn. Er war erwischt worden. Es stand zu viel auf dem Spiel. Es musste schnell nachdenken.

»Es tut mir Leid, Mutter«, flüsterte er.

Das steingraue Gesicht seiner Mutter blieb einen Augenblick lang noch starr, dann wurde es weicher, als hätte der Strahl der Bergsonne, der durch das Fenster kam, ihre Wut geschmolzen und die Liebe zu ihrem Sohn wiederhergestellt.

»Ich weiß«, sagte sie leise. »Ich weiß.«

»Was du auch brauchst, Mutter«, sagte er und seine Augen füllten sich mit Tränen und er deutete aus dem Fenster, »was sie auch braucht, ich werde hier sein.«

»Das hast du schon früher gesagt und du wirst es wieder sagen, vermute ich«, sagte Marjorie Stump leise. »Aber du bist mein Sohn und ich werde dir immer wieder eine Chance geben. Kämpfe gegen deine Dämonen an, Junge. Lass' sie nicht die Herrlichkeit besiegen, die deine Seele ist.«

»Den Teil von mir, der nach dir kommt.«

Sie nickte.

»Genau.«

Er lächelte und schaute sie dann mit so viel Liebe und Zuneigung an, wie er unter seinen vom Alkohol tauben Augenlidern hervor fertig brachte.

»Was ist unser Plan für das Wochenende?«, fragte er, in der Hoffnung, das Thema wechseln zu können, während er einen Porzellansplitter von der Oberfläche seines schnell abkühlenden Kaffees fischte.

»Wir werden«, sagte sie mit ruhiger Bedächtigkeit, »ein gottverdammtes Mountainbike-Rennen gründlich sabotieren.«

Sie sagte es, ohne darüber nachzudenken, wie sie das seit Jahren getan hatte. Kelvin Stump musste lächeln, während er sich wieder einmal selbst ermahnte, dass, so lange er denken konnte, die Losung in diesem Haus hieß, »Tu' das, was ich dir sage, nicht das, was ich tue.«

Er nickte zustimmend und fragte sich hinter seiner Fassade, wie er es schaffen sollte, sie zufrieden zu stellen, ihren Irrsinn mitzumachen, und trotzdem am Ende des Wochenendes frei zu sein, glücklich und stinkreich.

Leonard Romanowski hatte schon seit Jahren nicht mehr geweint, aber jetzt tat er es. Tiefe Schluchzer quälten sich durch seine Brust und seine Wangen waren von Tränen durchweicht. Das Wasser lief sein Gesicht hinunter und durchnässte seinen Hemdkragen.

Er war verloren. Zwar war er im Paradies, aber trotzdem verloren.

Seine Gedanken rasten wie ferngesteuert, ohne Richtung, ohne Sinn, ohne Verstand. Es wäre ihm jetzt schwer gefallen, jemandem den Namen seiner Mutter zu sagen.

Er war verloren. Er war tot. Es war nur eine Frage der Zeit.

Er weinte weiter.

Leonard starrte nach draußen, vom Bach zur Brücke, von der Brücke zum Hof, vom Hof zu den Menschen, die ihn überquerten, Fahrräder vor sich herschiebend, einige allein, andere in Grüppchen, alle zu einem zentralen Punkt, der außerhalb seiner Sichtweite lag, irgendwo da oben in dem tiefdunklen Grün und Gold von Vail Mountain, irgendwo hoch oben im Himmel, wo sie fahren würden und fahren und fahren …

Er setzte sich auf, drückte sich von der Wand des Hotelzimmers ab und sprang auf.

Die Fahrer. Heiliger Strohsack. Das war's. Die Fahrer.

Das hier war … er bemühte sich, den Gedanken nicht in dem Brei zu verlieren, der heute sein Gehirn zu sein schien … ein Rennen. Das Ishmael Coffee Race. Und er war mittendrin. Er wandte sich wieder zurück zum Fenster und schaute nach draußen. Beim Einchecken hatte er etwas gesehen. Etwas, das vielleicht funktionieren würde. Zwei Minuten am Fenster, und er sah wieder eins davon. Zwei Menschen mühten sich ab, es die Straße hinaufzurollen. Ja. So was wie das. So etwas wie das wäre perfekt.

Das ganze Szenario stand plötzlich.

Will. Der letzte Teil des Puzzles. War das nicht Will, den er gestern

Abend gesehen hatte? Will Ross. Einer seiner Klienten. Wo? Was hatte er gesagt, wo wohnte er? Er kämpfte gegen sein widerstrebendes Gedächtnis.

Oh, was für eine Idee.

Was für eine brillante Idee.

Er tanzte durch das Zimmer, summte vor sich hin und kehrte dann wieder zum Fenster zurück. Eine großartige Idee, die Will Ross einschloss, und eins von diesen Dingern, gefüllt mit Geld.

Eine brillante Idee.

Eine brillante Idee, die ihm das Leben retten würde.

Sie hieß Rachel. Der Name seiner Mutter war Rachel.

4
Startlinie

»Wie sehe ich aus?«

»Du siehst gut aus«, sagte Cheryl, »was kümmert dich das denn überhaupt?«

»Wir treffen deine Mannschaft. Ich will einen guten Einduck machen.« Cheryl lachte und schüttelte den Kopf, während sie durch den Eingang des Pancake-City-Restaurants trat und mit einer Hand die Tür für Will aufhielt, bevor sie zur Seite trat. Will, der sein Spiegelbild in der Scheibe betrachtet hatte, verpasste seine Chance und trat mit einem wohlklingenden »Tonk« gegen die Türkante.

»Cool, sehr cool«, sagte er, während er hinter ihr her zu dem »Freie-Platzwahl«-Schild eilte.

»Danke, vielen Dank.« Er stoppte, warf einen Blick auf die verspiegelte Wand und sagte: »Also, was denkst du? Nehme ich zu?«

»Was?« Sie stellte die Frage, während sie ihren Blick über das Restaurant schweifen ließ.

»Nehme ich zu?«, fragte er mit gespieltem Ernst. »Weißt du, wir haben so eine Tendenz dazu, zuzulegen.«

»Wer, wir?«, fragte sie.

»Meine Familie. Die Rosses.«

»Also, nein, das habe ich nicht gewusst«, sagte sie. »Deine Mutter ist dünn, deine Schwestern sind dünn, dein Bruder treibt Sport. Dein Dad hat einen kleinen Bierbauch, aber …«

»Siehst du? Es ist genetisch bedingt.«

»Es ist das Frühstück.«

»Was?«

»Du isst immer noch so, als hättest du am Nachmittag 250 Kilometer zu absolvieren. Alles, was du heute und gestern und morgen zu tun hast, ist, die Füße hoch zu legen und den Rennen zuzuschauen. Ein Bier zu trinken. Ein paar Erdnüsse zu knabbern. Natürlich wirst du ein bisschen drauflegen.«

Ihr Blick blieb an einer blassen Wolke blau-weißen Rauchs in der Ecke des Raumes hängen. Sie ging darauf zu, irgendwie sicher, dass das ihre Mannschaft war.

Will folgte still. Der zerrissene Muskel in seiner rechten Wade zwitscherte leicht verkrampft in der Kühle des Morgens. Er hätte ihn dehnen sollen. Das würde er später nachholen.

»Weißt du was«, sagte er und stieß einer alten Dame aus Versehen mit dem Ellbogen in die Rückseite ihrer aufgetürmten Frisur, »man kann allein durch's bloße Sitzen schon Kalorien verbrennen. Und je größer der Bildschirm, desto mehr Kalorien werden verbrannt.«

Ohne anzuhalten, sich weiter ihren Weg durch die Menge bahnend, flüsterte Cheryl über die Schulter nach hinten: »Red' dir das nur ein, okay?«

Will zuckte mit den Schultern. Es hatte nicht funktioniert. Bei ihm funktionierte es immer, einfach über irgendetwas zu reden, irgend etwas anderes, ob ernst oder albern, es lenkte seine Gedanken immer von dem vor ihm liegenden Problem ab, gab ihm eine Atempause und erlaubte ihm, sich der Sache dann wieder mit wenigstens einem bisschen Abstand zu widmen. Bei Cheryl funktionierte es nicht. Sie konzentrierte sich auf ihren Job, auf den Tag und die Mannschaft, ganz zu schweigen von den Rennen dieses Wochenendes. Blödsinn über seine schlanke Linie würde das nicht ändern.

Er fuhr mit der Hand am Bund seiner Jeans entlang.

Wurde er wirklich dicker? Da war keine Rolle, aber die Haut schien schwerer zu sein, als hätte jemand eine billige Unterlage unter den Teppich des Lebens gelegt.

Er kniff kurz hinein. Besser, du setzt dich wieder auf's Rad, dachte er.

»Hi«, sagte Cheryl und trat an den Tisch. Vier Augenpaare wandten sich langsam von ihren Unterhaltungen ab und starrten sie an. Die Augen gehörten zu zwei Männern, beide in Radklamotten, einer sehr jungen Frau in einem Trainingsanzug aus Fallschirmseide und einem Mann undefinierbaren Alters mit einem Kopf wilder Dreadlocks. Der Mann an der Bar von gestern Abend. Sie alle drehten sich um und blinzelten Cheryl und Will durch eine Rauchwolke hindurch an.

»Ja?«

»Brauchen Sie was?«

Die beiden männlichen Fahrer arbeiteten wie auf dem Tandem. Sofort errichteten sie eine Mauer zwischen sich und den Störenfrieden. Die junge Frau zog sich sichtbar zurück, da die Unterbrechung ein störendes Abfallen der Aufmerksamkeit ausgelöst hatte. Der Rastafari mit den trüben Augen zeigte überhaupt keine Reaktion, sondern starrte sie nur an. Er blickte langsam von Cheryls Gesicht zu ihrer Brust und ihren Hüften, dann hinüber zu Wills Knie, das immer noch in einer abnehmbaren Schiene steckte, dann hoch zu Wills schwarzroter Team-Haven-Windjacke und in sein Gesicht, wo er versuchte, durch Wills dunkle Sonnenbrille zu schauen.

»Ja, in der Tat, ich brauche wirklich etwas. Ich bin Cheryl Crane, und ich brauche meine Mannschaft.«

Der Tisch war einen Moment lang still, abgesehen von einer weiteren Wolke blauen Rauchs, die von dem Mann mit den Dreadlocks in der Ecke nach oben in Richtung Abzug gepustet wurde.

Will konnte spüren, wie sich die Männer am Tisch langsam auf eine defensive Position zurückzogen, während sich die Frau fast unmerklich aufsetzte. Der menschliche Schornstein lächelte und wedelte einen kleinen Rülpser davon, bevor er mit einem Lachen sagte: »Na hallo, Cheryl Crane, Big Momma. Wir sind deine Mannschaft, gleich hier. Echt.«

Will lächelte zurück. Es war ihm sofort klar, dass die anderen schwer zu knacken sein würden, und dass nur der Humor des Mannes mit den ölverschmierten Händen die Sache etwas erleichtern könnte.

Ohne eingeladen worden zu sein, wandte Cheryl sich um, griff hinter sich und zog einen Stuhl an die Kante des halbmondförmigen Tisches. Will tat das Gleiche, seinen Stuhl in einem ungewöhnlichen Winkel um die Beinschiene unterzubekommen.

Die sechs saßen schweigend um den Tisch herum und starrten sich an. Nach einer Zeit, die ihm wie die Halbwertzeit von Radium vorkam, brach Will das Schweigen, richtete sich an die junge Frau und bot ihr seine Hand an.

»Hi, Will Ross. Ich bin Straßenfahrer, gerade aus Europa angekommen.«

»Hi«, sagte sie und bot keine weitere Information an.

Wills Augenbrauen hoben sich überrascht, bevor er weitermachte. »Schau mal, ich kann raten, wer du bist, aber dann sind wir noch den ganzen Tag hier.« Er wartete kurz und dann bot er wieder seine Hand an. »Frannie?«

Sie fasste sich und blickte von der Karte hoch, auf die sie sich so gründlich konzentriert hatte.

»Äh, ja. Frannie. Ich bin Frannie Draa.«

»D-R-A-Y?«

»Nein. D-R-A-A. Englisch. Kurzform von Drake.«

»Wirklich? Englische Namen werden normalerweise nicht zusammengezogen.« Will lehnte sich vor und schaute ihr in die Augen. Die Aufmerksamkeit erwärmte sie sofort.

»Keine Ahnung warum. Sie haben es einfach getan. Jedenfalls die letzten hundert Jahre lang.«

»Wirklich? Faszinierend«, sagte Will ruhig und vertrauensvoll. »Irgendwie mit Sir Francis Drake verwandt?«

»Entschuldigung«, sagte der dunkelhaarige Mann neben Frannie mit beißendem Tonfall. »Ich bin nicht hier, um Genealogie zu diskutieren. Ich bin hier, um Rennen zu fahren und zu gewinnen. Also, du bist der Mannschaftskapitän?«

Der Tonfall war kritisch, aber nicht abfällig, und an Cheryl gerichtet.

»Genau. Ich bin Cheryl Crane. Ich habe die letzten zwei Jahre für Haven gearbeitet und die letzten vierzehn für Stewart Kenally.«

»Dein Lebenslauf interessiert mich nicht«, stichelte der dunkelhaarige Mann. »Mich interessiert deine Rennerfahrung, und mich interessiert diese Idee von einem Mannschaftskapitän.« Der dünne blonde Mann neben ihm nickte und schaute dann ebenfalls Cheryl an.

Sie atmete tief durch. Das würde schlimmer werden, als sie gedacht hatte.

»Zwei Jahre bei Rapido Consegna in Italien, Downhill und Support für Paola Melzi beim Cross-Country. Vier Jahre bei TW in Michigan. Zwei Jahre an der University of Michigan mit dem Versuch, die Uni dazu zu bringen, eine Mannschaft aufzubauen.«

»Und wie lange ist es her, dass du das letzte Mal auf einem Rad gesessen hast?«

»Zwei Jahre. Unfall.«

»Das ist beruhigend.«

»Ich glaube, wir kennen uns noch nicht«, sagte sie und streckte ihre Hand aus.

Er reagierte nicht. Ihre Hand hing einen Augenblick lang in der Luft, bevor sie sie langsam zurückzog.

»Ich glaube nicht, dass du mich je kennen lernen wirst«, sagte er schließlich. »Zweite Frage: Was ist denn das für ein Scheiß mit einem Mannschaftskapitän? Mountainbike-Teams haben keine Mannschaftskapitäne.«

Cheryl starrte ihn an, ohne Wut, obwohl der Tonfall des Mannes Will dazu brachte, sich nach vorn zu beugen. Unter dem Tisch kniff Cheryl ihn. Langsam lehnte er sich zurück. Das hier war ihr Spiel.

Sie ignorierte die Beleidigung und sagte einfach: »Havens Geld. Havens Modell. Ist 'ne französische Eigenart. Die wollen, dass jemand den Laden im Blick behält.« Sie lächelte wieder und wandte sich dann an den blonden Fahrer, der neben dem Zwischenrufer saß. »Hi. Cheryl Crane.«

Er zögerte einen Augenblick, dann streckte er die Hand aus. »Hi. Jeremy Jettman. Sag' einfach Jettman. Downhill und Slalom.«

»Cool«, sagte sie mit einem Lächeln. »Wie lange bist du denn schon dabei?«

»Dritte Saison als Profi. Eine arbeitslos. Bin als Kind viel BMX gefahren.«

»Cool. Da kann man viel Erfahrung sammeln. Woher kommst du?«

»Wyoming. Aus der Nähe von Jackson.«

»Cool. Da gibt's tolle Strecken.«

»Ja, in der Tat«, fuhr die Stimme hart dazwischen. »Du meine Güte. Ist das nicht alles cool? Einfach verdammt cool.« Das Gift tropfte schwer aus seinem Tonfall.

Alle Augen am Tisch wandten sich ihm zu.

»Ich heiße Reed. Marshall Reed.« Seine Stimme kletterte langsam zu einem kindischen Falsett empor. »Also, ich komme aus Tennessee, Frau Lehrerin, und ich fahre jeden Tag mit dem Fahrrad, das mache ich jetzt schon seit zehn Jahren. Profi? Das bin ich seit drei Jahren, aber für den Posten als Mannschaftskapitän hat man mich übergangen, weil das Management eine Tussi mit ›Connections‹ haben wollte. Oh. Aber ich bin bereit zu fahren. Und ich fahre Downhill und Cross Country. Bleib' mir einfach aus dem Weg, und dann klappt schon alles prima.«

Cheryl versuchte es, aber sie konnte nicht verhindern, dass sie angesichts dieser Unverschämtheiten rot wurde. Frannie Draa senkte den Blick und betrachtete ihre Handflächen.

»Toll, Reed.«

»Ja, das ist es, es ist toll, nicht wahr?«, sagte er sarkastisch. Er drehte sich um und schaute Will an. »Und wenn du auch nur daran denkst, mir eine Lektion erteilen zu wollen, weil ich deine Tussi hier beleidigt habe, dann lass' dir was sagen, edler Ritter.« Er zeigte mit einem krummen, offensichtlich einmal gebrochenen Finger auf Will. »Ich trete dir liebend gern in deinen Tour-de-France-Arsch, wann immer du willst.«

Er lächelte, aber es sah eher nach einer Grimasse aus. Dann zog er sich in seine eigene Welt zurück und trank weiter seinen Kaffee.

Cheryl schluckte langsam ihr Verlangen herunter, die Kaffeekanne zu nehmen und sie gegen Marshall Reeds Schläfe zu donnern. Sie wandte sich langsam um und schaute den Kettenraucher am Ende des Tisches an, der ruhig, ohne Eile, eine kleine Flamme ausdrückte, die das Ende einer Locke bedrohte.

»Und du, denke ich mal, bist Hootie.«

»Ja, Ma'am. Hootie Bosco, zu Ihren Diensten.«

Will legte den Kopf schief und starrte Hootie an. »Deine Mutter hatte wohl prophetische Gaben, was? Woher hat sie gewusst, dass Hootie gerade angesagt sein würde?«

»Sie hat es nicht gewusst«, erklärte Bosco und rieb das Ende des fest geflochtenen Zopfes zwischen seinen Fingern. »Sie hat mich George genannt. George Taylor.«

»Also ist Bosco ein Spitzname?«

»Nein. Bosco ist mein amtlicher Name. Hab' ihn ändern lassen.«

»Zusammen mit Hootie?«

»Nein. Der Vorname kommt und geht. Bosco ist für immer.«

»Warum änderst du deinen Vornamen?«

»Ich tue das zu Ehren der Band, die mir gerade gefällt, Mann. Eine

Zeitlang war ich REM Bosco. Eine Zeitlang war ich Dead Bosco. Es gab sogar eine traurige Zeit in meinem Leben, da war ich Bonnie Bosco. Aber jetzt, zur Zeit jedenfalls, bin ich Hootie.«

»Die haben schon eine Weile lang keine CD rausgebracht. Ist es nicht langsam Zeit, wieder zu wechseln?«

»Ja, das würde ich auch machen, Kumpel, aber es gibt einfach keine Bands, die länger als ein oder zwei Songs lang gut sind. Ich brauche Langstrecken-Bands. So eine Namensänderung ist nicht billig, wenn erstmal ein Anwalt im Spiel ist.«

»Keine Frage.«

Obwohl sie von all dem fasziniert war, unterbrach Cheryl die beiden, um Hootie nach seinem Hintergrund und seiner Ausbildung zu fragen.

»Ich mach' alles, hab' ich schon immer getan. Seit 1970 und ein paar Zerquetschten. Kann alles reparieren. Egal was.«

»Wo und wann?«

»Wo ist egal. Überall. Wann – wann immer es nötig ist, Ma'am.«

Cheryl begann zu spüren, wie sich der Knoten in ihrem Magen löste. Endlich, dachte sie, jemand, mit dem ich zusammenarbeiten kann. Er ist vielleicht ein seltsamer Typ, aber es war bereits ein gewisses Vertrauen da, als ob das, was er sagte, auch das war, woran er glaubte, und das, was er abliefern würde.

Sie lächelte und nickte.

»Und … Frannie?« Sie fragte beinahe vorsichtig, als ob es dieses kleine, vielleicht verängstigte Tierchen verschrecken könnte, wenn sie zu hart oder zu direkt fragen würde. »Wo kommst du her? Wie bist du hierher gekommen?«

Sie lächelte verlegen und warf erst einen Blick auf Marshall Reed, dann auf Jettman und schließlich auf Will. Dann, und erst dann, wandte sie sich an Cheryl.

»Ich bin eine Menge Amateur-Rennen in Colorado gefahren. Außerdem war ich zwei Jahre im Straßenteam der Colorado University in Boulder, bevor ich Profi geworden bin.«

»Wie lange?«

»Wie lange was?«

»Wie lange bist du jetzt Profi?«, fragte Cheryl ruhig, mit so viel Sanftheit, wie sie aufbringen konnte. Diese ganze Gruppe war wie ein

Haufen Zahnarzt-Patienten, die auf eine Wurzelbehandlung warten.

Frannie hielt inne und blickte auf ihren Teller herunter. Die Eier waren kalt geworden. Sie starrte einen Augenblick darauf, von ihrer Antwort scheinbar peinlich berührt.

»Wie lange, Frannie?«, bellte Marshall Reed. »Wie lange? Sag's unserer furchtlosen Anführerin.«

»Zwei Wochen«, murmelte sie. »Erst zwei Wochen.«

Cheryl lächelte. Ein Kind.

»Mach' dir keine Sorgen, Frannie«, sagte sie beruhigend. »Zwei Wochen werden ein Monat, daraus wird eine Saison und daraus wird ein Jahr. Irgendwo muss man ja anfangen. Bleib' einfach nur dran. Ich helfe dir, wo ich kann. Genauso wie Will hier.« Will nickte und erwiderte Frannies Lächeln. »Genauso wie – Hootie – und Jeremy und sogar Marshall.«

Reed blökte sarkastisch: »Darauf kannst du wetten, Schnuckelchen. Was immer du brauchst, wir werden uns dranmachen, wir kümmern uns um einander wie die Waltons.«

Damit war die Stimmung sofort und unwiderruflich ruiniert. Frannie Draa zog sich wieder in ihr Schneckenhaus zurück, während Marshall Reed einen großen Schluck Kaffee schlürfte und dann aufzustehen begann.

»Beweg' dich, Jeremy, ein paar von uns müssen Rad fahren.«

»Setz' dich hin«, sagte Cheryl kaum hörbar.

Jeremy Jettman hörte sie, genauso wie Will, Frannie und Hootie. Alle stoppten und beobachteten Reeds Reaktion. Es war offensichtlich, dass er entweder nichts gehört hatte oder dass es ihm einfach egal war.

»Beweg' dich schon, Mann, ich muss noch den Kurs abgehen, bevor das Training …«

»Setz' dich hin, Marshall.«

»… anfängt, und dann muss ich ein paar Runden abreißen, bevor die Scheiß-Amateure den Boden versauen.«

Er schubste Jettman bei dem Versuch, sich einen Ausgang zu verschaffen. Wenn er erst vom Tisch aufgestanden war, das wusste Cheryl, dann war er weg, egal, was sie sagte.

Sie stand auf, langte quer über den Tisch, packte Reeds Ohrläppchen zwischen Daumen und Zeigefinger und drückte fest zu. Er jaulte und versuchte, mit einem Sprung auf den gepolsterten Lederimitat-Sitz davonzukommen. Obwohl sie das in eine recht merkwürdige Position brachte, hielt sich Cheryl Crane fest, als ob dieses Ohrläppchen ihr Rettungsring wäre.

Schließlich fand Reed seine Stimme wieder. »Ack. Ack. Ack. Arrrrrck.«

»Setzen Sie sich, Mr. Reed, wir sind noch nicht fertig.« Sie ließ sein Ohr los und sah zu, wie er schwer auf den Sitz zurückfiel. Er blickte sie wütend an und versuchte, den Tisch zu verlassen, indem er sich an Jeremy Jettman drückte.

Jettman bewegte sich nicht. Er war wie festgenagelt von dem, was er gerade gesehen hatte.

»Jeremy, lass' mich raus, verdammt nochmal«, zischte Reed.

»Scheißdreck, Jettman«, zischte Cheryl zurück. »Du rührst dich nicht von der Stelle.«

Marshall Reed schubste noch ein letztes Mal und fiel dann auf seinen Sitz zurück.

»Was ist mit dem Training, furchtlose Führerin«, knurrte er. »Darf ich nicht trainieren wie alle braven Jungen und Mädchen?«

»In zehn Minuten kannst du so viel trainieren, wie du willst, wenn die Mannschaftsbesprechung vorbei ist. Wir werden einen Zeitplan aufstellen, und dann können wir alle trainieren. Aber wag' es ja nicht, mich noch einmal zu ignorieren oder zu beleidigen, du mieser Scheißkerl. Ich habe zwei Jahre lang mit europäischen Profis zusammengearbeitet. Ich wurde eingeschüchtert, geschlagen, betatscht, beleidigt, ignoriert, und herumgeschubst, und das nicht zu knapp. Zweimal hat man versucht, mich umzubringen, und Gott weiß wie oft hat man mir in den Hintern gekniffen. Ich habe die größten Arschlöcher auf dem Kontinent ausgehalten, und gegen die meisten siehst du aus wie ein kleiner Junge. Also, wenn du nicht willst, dass ich dir die Beine rausreiße, und dich damit zu Brei haue während ich mit meinem Hintern »Night Train« pfeife, reißt du dich jetzt besser zusammen und hörst auf, ein dermaßen egoistisches Arschloch zu sein!«

Langsam war ihre Stimme während dieser Rede immer lauter geworden, bis das gesamte Restaurant Zeuge der Vorstellung war. Mit ihrem letzten Wort herrschte beeindrucktes Schweigen. Will bemerkte, dass an einem der Nebentische eine Kaffeetasse jetzt ungefähr das zweieinhalbfache ihres eigentlichen Fassungsvermögens enthielt.

Will spürte den kaum kontrollierbaren Drang zu lachen. Diese Rede und der Tonfall passten so gar nicht zu Cheryls Persönlichkeit. Sie hatte eine Spannung geschaffen, die wie eine Feuerschutzwand aus Asbest über dem Raum hing. Er wandte sein Pokerface wieder zu Marshall Reed und wartete auf seine Reaktion. Die würde sehr aufschlussreich sein. Cheryl war hier ein großes Risiko eingegangen, um die Mannschaft zusammenzuhalten und herauszufinden, was für eine Art von Großmaul Marshall Reed wirklich war: Einer von denen, die den Schwanz einzogen, sobald man sie herausforderte, oder einer von denen, die aufstehen und dem Herausforderer ins Gesicht spucken würden.

Reeds Gesicht, weiß vor Wut, zeigte keine Reaktion. Er rutschte in der Sitzecke zusammen und starrte böse auf Cheryl.

Wills Augen lächelten. Einer, der den Schwanz einzog. Auf die musste man aufpassen, weil sie einen mit Lügen und Gerüchten und allgemeiner Niedertracht hinterrücks angreifen, sobald sie auch nur die geringste Chance sehen.

»In Ordnung«, sagte Cheryl. »Frühstückt fertig und wir treffen uns dann am Team-Transporter. Ich muss mich noch einschreiben. In einer Stunde. Wir haben doch einen Transporter, richtig, Hootie?«

»Ja, Ma'am. Ein großer Transporter mit einem riesigen Haven-TW-Logo auf der Seite. Wenn du mich fragst, er sieht aus wie ein Möbelwagen. Und du brauchst dich nicht einzuschreiben. Ich hab' das für die gesamte Mannschaft gemacht. Ich wusste, dass du spät dran sein würdest.«

»Klasse. Danke. Wir werden da eine zweite Besprechung abhalten, am Wagen. Dann könnt ihr Trainieren gehen. Ich schreibe euch nichts vor. Ihr kennt euch selbst am besten. Ihr wisst, was ihr zu tun habt.«

Ein dünner, etwa vierzigjähriger Mann mit grauem, sich bereits auf dem Rückzug befindlichem Haar, stellte sich neben Cheryl.

»Haben wir hier ein Problem?«, fragte er wichtig.

»Na, schauen wir mal. Haben wir hier ein Problem, Marshall?« Sie wandte sich um und schaute Marshall Reed direkt ins Gesicht. »Und?«

Zwischen fest zusammengepressten weißen Lippen quetschte er heraus: »Nein, kein Problem.«

»Nein.« Cheryl drehte sich wieder zu dem Restaurant-Manager um und klang wie die Pfarrersfrau beim Sonntagnachmittagskaffee. »Nicht das geringste.«

»Also, dann belassen wir es auch dabei, in Ordnung, Miss? Ich werde in meinem Restaurant kein störendes Benehmen und kein Fluchen dulden.«

»Verstanden. Und ich stimme Ihnen einhundertprozentig zu.«

Etwas verwirrt von ihrer Ruhe und Willigkeit schüttelte der Manager den Kopf und trat zurück.

»Also, sehen Sie zu, dass es so bleibt.«

»Natürlich, Sir, entschuldigen Sie die Störung«, sagte sie in ihrem unterwürfigsten Tonfall.

»Also dann, in Ordnung«, murmelte er. Schon im Umdrehen stoppte er noch einmal und starrte Hootie Bosco an. »Hier ist Rauchen verboten.«

»Wo?«

»Hier. In diesem Restaurant.«

»Das ist nicht ausgehängt. Vom Gesetz her müsste hier ein Schild hängen.«

»Am Eingang hängt eins. Das hier ist ein Nichtraucher-Restaurant.«

»Seit wann?«

»Seit ungefähr sieben Jahren, mein Freund.«

»Also, mein Freund, ich war nicht hier, als Sie das Gesetz erfunden haben, und auch nicht, als Sie beschlossen haben, dass ein kleines Schildchen am Eingang ausreichen würde, das Problem zu lösen. Mein Fehler und ich entschuldige mich.«

Blitzschnell, so schnell, dass Will sich nicht sicher sein konnte, was passiert war, hatte sich Hooties Arm bewegt und die brennende Zigarette war in seinem Mund verschwunden. Eine kleine, letzte Rauchwolke entwich aus seiner Nase.

»Den Trick kenne ich«, schnaubte der Manager. »Sie ist in Ihrem Mund, und Sie werden sie wieder herausholen, sobald ich weg bin.«

Hootie Bosco lächelte und öffnete seinen Mund weit. Was auch da drin gewesen war, es war verschwunden.

Der Manager starrte eine Sekunde lang auf Hootie, dann schüttelte er den Kopf und ging weg. Über die Schulter rief er zurück: »Ihre Rechnung kommt gleich.«

Alle Augen wandten sich wieder zurück zu Hootie Bosco.

Er lächelte, zog die Hand unter dem Tisch hervor, und steckte die brennende Marlboro zurück in seinen grinsenden Mund.

»Eine Stunde. Am Transporter.« Die Rechnung kam, und Cheryl nahm sie der Kellnerin aus der Hand. »Ich mach' das.« Sie schaute auf die Rechnung und gab der Kellnerin dreißig Dollar. »Der Rest ist für Sie.«

»Danke. Danke. Einen schönen Tag noch. Nebenbei, hier ist Rauchen verboten.«

Hootie lächelte und drückte die Zigarette in seinen Rühreiern aus, was bei allen am Tisch eine leichte Übelkeit verursachte. »Danke. 'Tschuldigung. Eine dieser grässlichen Angewohnheiten, die wir alle haben.«

»Ach, Schätzchen, Schwamm drüber. Ich werd' Sie ja nicht der Polizei melden. Ich will nur nicht, dass Sie noch mal Hooper ertragen müssen.«

»Danke sehr, meine Liebe«, sagte Hootie lächelnd.

Die Kellnerin ging, wandte sich um und kam zurück.

»Nebenbei, sehr schöne Haare.«

»Danke. Das versüßt mir den Tag, ehrlich.

Marjorie Stump bahnte sich ihren Weg durch die Ansammlung von Rädern und Radausrüstungen und Radsportfans, die sich am Fuß ihres geliebten Berges versammelt hatten.

Tag für Tag wurde die klare Luft noch ein bisschen mehr verschmutzt durch Qualm und Abgase, das Land zugestellt mit Neubauten und verschandelt von hässlicher Architektur. Ihr Berg, ihr eigener Berg wurde entwürdigt mit einem weiteren Skilift, einem weiteren Großereignis, immer weiteren Attacken durch die Menschheit.

Sie hat keine Zeit, sich zu erholen, dachte Marjorie. Die Natur hat keine Zeit, sich zu erholen.

Während sie sich durch die Menge wühlte, zeigte sie nichts von ihrer wachsenden Trauer und Wut. Sie lächelte und hatte ein freundliches Wort für jeden, an dem sie vorbeikam. Sie ermutigte die Fahrer, hieß die Zuschauer willkommen und wünschte den Verkäufern einen erfolgreichen Tag. In ihrem Kielwasser durchschnitt Kelvin Radspeichen, mit einer Profi-Drahtschere, die sich aus seinem Ärmel herausschlich, ihre Arbeit tat und dann mit einer einzigen, fließenden Bewegung wieder im Ärmel verschwand.

»Willkommen in Vail, alle miteinander, herzlich willkommen in Vail«, rief sie. Die Fahrer, immer noch groggy von den Rennvorbereitungen am Abend zuvor, offizieller wie inoffizieller Natur, warfen ihr tranige Blicke zu, bevor sie sich wieder ihrer Aufgabe zuwandten, die da war, aufzuwachen und wettbewerbstauglich auszusehen an diesem ersten Trainingstag.

Marjorie Stump schlenderte zum Haven-Wagen hinüber und schlug mit ihrem Stock laut gegen die Seite.

»Herrgott!«, kam ein Ruf von drinnen.

»Nein, es ist jemand anders.«

Hootie Bosco trat aus den Tiefen des Transporters in die Sonne und schüttelte den Kopf. Einen kurzen, eindrucksvollen Moment lang hätte Marjorie Stump schwören können, dass aus den Dreadlocks dieses Mannes Rauch aufstieg.

»Ähm. Oh. Sie – Sie kommen aus Europa, nicht wahr?«, fragte sie und deutete mit dem knorzigen Ende des Schlehdornknüppels auf das blau-gelb-weiße Logo von Haven-TW.

»Hä? Nein, Ma'am«, sagte Hootie und rieb sich mit einem Lappen einen unsichtbaren Fleck von der Hand. »Ich komme aus Oregon.«

»Nein«, sagte sie leicht entnervt. »Nein … Ihre Leute, Ihre Leute hier.«

»Nein, Ma'am«, sagte Hootie so höflich, wie es ging, obwohl er in den nächsten zwanzig Minuten noch zwei Räder fertig machen musste. »Meine Leute kommen aus Hawaii und Indianapolis, Indiana. Von ihren Vorfahren weiß ich's nicht.«

»Nein, nein, nein!«, rief sie und versuchte, diese Unterhaltung zu beenden, indem sie mit dem Stock einen Wirbel gegen die Seite des Transporters trommelte. »Ihre Firma. Ihr Sponsor. Die kommen aus Europa. Das ist keine Frage, das ist eine Feststellung. Haven. Das ist eine europäische Firma. Sie sind ein europäisches Team.«

»Nein, Ma'am«, sagte Hootie in großzügigem Tonfall. Er beugte sich um die Ecke des Wagens herum und deutete auf das Logo, während er unauffällig nach Lackschäden Ausschau hielt. »TW, sehen Sie das TW? Two Wheels. Das ist ein Fahrradladen in Detroit. Oder irgendwo in der Nähe von Detroit. Irgendwo in Michigan jedenfalls. Wir sind ein amerikanisches Team.«

»Haven ist eine riesige Firma«, intonierte Marjorie Stump nun. »Eine so große Firma würde niemals neben einem Fahrradladen aus Detroit die zweite Geige spielen.«

»Nicht aus Detroit. In der Nähe von Detroit. Romeolopolis oder so was.«

»Haven ist Ihr Sponsor. Das hier ist ein europäisches Team.«

»Also, das wird die ganzen Amerikaner sicher überraschen, die in der Mannschaft sind. Selbst der Kapitän ist eine Amerikanerin. Aber sie ist gerade erst aus Europa hierhergekommen, wenn Sie das beruhigt.«

Ohne jede Vorwarnung hopste die Frau plötzlich in den Transporter und rüttelte das ganze Ding, dass es wie eine Rassel klapperte.

»Herrgott nochmal, Lady!«

»Nein!«, brüllte sie. »Missbrauchen Sie nicht den Namen des Herrn!« Sie hob den Prügel hoch und schlug ihn mit einem Knall auf den Boden. »Sie sind ein europäisch gesponsertes Team«, sagte sie langsam, um endlich diesem Hawaiianer aus Indiana begreiflich zu machen, was sie sagen wollte. »Deswegen sollten Sie wissen, dass die Bewegung der Grünen in Europa begonnen und sich in dieses Land ausgedehnt hat. Als eine Mannschaft mit Verbindungen nach Europa sollten Sie sich an europäische Vorstellungen von Naturschutz halten und sich weigern, einen Sport auszuüben, der die empfindlichen Schichten des Ökosystems ruiniert und das Erosionsrisiko der Berghänge verstärkt – meiner Berghänge – Gottes Berghänge.«

Sie hielt inne und atmete tief durch. Sie hatte für heute früh keinen Vortrag geplant gehabt, aber die Gelegenheit, diesem ungewaschenen Typen hier die Meinung zu geigen, war einfach zu gut gewesen, um sie ungenutzt vorbeiziehen zu lassen.

Sie richtete sich zu ihren vollen und herrlichen anderthalb Metern auf.

»Europäische Vorstellungen von Naturschutz?«, fragte Hootie und hob die Augenbrauen. »Wie der Naturschutz all der ostdeutschen und polnischen und rumänischen und russischen Firmen, die wahllos Schwermetalle und Giftmüll und Quecksilber verbuddelt und somit riesige Landstriche für die nächsten zehntausend Jahre in Todeszonen verwandelt haben?«

Jetzt war es an Marjorie Stump, die Augenbrauen zu heben. Sie rutschte ein kleines Stück in sich zusammen.

»Äh, ja«, stotterte sie, »aber das waren Verirrungen privater Firmen.« Sie war es nicht gewohnt, dass man an ihren Aussagen zweifelte oder mit ihr diskutierte.

»Verirrungen, so ein Blödsinn«, sagte Hootie grinsend. »Das waren von der Regierung subventionierte Firmen. Von der Regierung kontrolliert. Der Wille des Volkes, der ganze kommunistische Unfug. Erzählen Sie mir nichts von Verirrungen. Die Grünen haben 'rumgemeckert, aber sie haben nie etwas dagegen getan. Das ist das Problem. Sie wollten ja trotzdem ihre Radios und Batterien und Autos und Elektrizität. Genau wie alle anderen auch.«

»Regierungen, nicht die Grünen.«

»Nein, aber natürlich nicht. Nicht die Grünen«, sagte Hootie mit wachsendem Sarkasmus. »Und was ist das mit Gott? Gottes Berg? Wenn er nicht gewollt hätte, dass wir auf ihm herumfahren, hätte er diese zweirädrige Erfindung zugelassen?«

Marjorie Stump schwang ihren Gehstock gegen Hooties Oberschenkel. Er sah ihn kommen und sprang gekonnt zur Seite.

»Passen Sie mit dem Stock auf«, war alles, was er sagte.

Sie starrten sich gegenseitig an. Als Hootie wegschaute, glaubte Marjorie schon fälschlicherweise an einen Sieg ihrer überlegenen Willenskraft. Hootie blickte an dem Riesen vorbei, der schräg hinter dieser Frau neben einer Reihe von Fahrrädern stand, und sah, wie Cheryl und Will herankamen.

»Wenn Sie mit jemandem darüber reden wollen«, sagte er, »dann reden Sie mit ihr. Sie ist Mannschaftskapitän, Manager, die große Nummer hier. Sie ist diejenige, mit der Sie diskutieren müssen. Ich hab' Arbeit zu erledigen.« Er wollte schon in den Transporter zurückgehen, aber zuvor schaute er noch einmal diesem Golem, der Kelvin Stump war, in die Augen und sagte entschlossen: »Hey, Freundchen, ich sehe die Zange aus deinem Ärmel lugen. Wenn bei mir oder meinen Nachbarn hier in den nächsten paar Stunden irgendetwas Zerschnittenes auftaucht, dann schwöre ich dir: Ich werde dich finden, dich fesseln und dir die Eier durch die Augen rausholen. Verstanden?«

Marjorie wandte sich um und starrte Kelvin an. Dann schlug sie durch seine langärmelige Windjacke auf die Knöchel seiner rechten Hand. Er schrie auf und ließ die Drahtschere fallen. Sich auf ihren Stock stützend, bückte Marjorie sich, hob die Schere hoch und warf sie in den Transporter.

»Ich entschuldige mich für meinen Sohn.«

»Ich finde es nett, dass Sie das tun, Ma'am, auch wenn Sie ablehnen, was wir hier machen. Wenn er anfängt, Kabel oder Speichen zu zerschneiden, dann könnte jemand ernsthaft verletzt werden.«

Marjorie nickte und wandte sich dann zu der Frau in dem Haven-Team-Trikot um, die auf den Transporter zukam. Es störte Marjorie nicht, dass Kabel zerschnitten wurden. Es störte sie, dass Kelvin erwischt worden war.

Sie seufzte schwer. So ungeschickt wie sein Vater, dachte sie.

»Hi. Was gibt's?«

Cheryl trat zu der seltsamen Gruppe beim Haven-TW-Transporter, dankbar für etwas, das sie von ihrer schnell herannahenden ersten Fahrt des Tages ablenken könnte.

»Sind Sie hier der Boss?«, fragte Marjorie Stump in scharfem, eindringlichen Tonfall.

Cheryl warf Hootie Bosco einen schnellen Blick zu. Der erhob einfach beide Hände in einer Geste der Resignation und verschwand in den Transporter, aber nicht, ohne Kelvin Stump einen letzten warnenden Blick zuzuwerfen.

»Ja«, antwortete Cheryl. »Ich denke, das bin ich.«

»Nun, denn«, sagte Marjorie, in deren Stimme langsam das Selbstvertrauen zurückkehrte. »Dann sollten Sie nicht hier sein.«

Sofort spürte Cheryl, wie sich ihre Nackenhaare sträubten. »Ach wirklich? Gibt's dafür einen speziellen Grund?«

»Eine ganze Reihe von Gründen, junge Dame. Sie leiten ein europäisches Team. Europa ist führend in grüner Politik und grünen Ideen.«

»Seit wann?«

»Seit den siebziger Jahren, Herzchen. Außerdem sind Sie eine Frau. Sie sollten sich mehr Gedanken darum machen, eine andere Frau zu retten. Ihre Mutter.«

»Wollen Sie etwa meine Mutter bedrohen?«

»Nein. Sie tun es.«

»Ich bedrohe meine Mutter?«

»Ja.«

»Wie meinen Sie das?«

»Sie bedrohen sie, indem Sie gedankenlos auf ihr herumfahren.«

»Womit … warten Sie. Wir reden hier von verschiedenen Müttern, richtig? Sie reden nicht von Rose Cangliosi aus Detroit, Michigan, Sie reden von …«

»Mutter Erde.«

Marjorie Stump langte quer über ein Rad, packte Cheryl mit einer blassen, von Leberflecken bedeckten, schraubstockgleichen Hand am Arm und zog sie dicht heran. Cheryl versuchte, sich zurückzulehnen und ihren linken Arm loszubekommen, aber sie erreichte damit nur, dass ihr Bein an eine Kette geriet und mit Öl verschmiert wurde.

»Verdammt nochmal.«

Marjorie Stump zog sie hart an sich heran. »Niemals sollten Sie den Namen des Herrn missbrauchen.«

Cheryl bog ihren Arm nach unten, gegen Marjories Daumen, und entkam dem Griff. Als sie ihren Arm wegzog, bemerkte sie den blassroten Abdruck einer kleinen, schwieligen Hand auf ihrer Haut.

»Entschuldigung«, sagte sie und rieb den Abdruck kräftig. »Ich werde aufpassen, was ich sage.«

»Ihre Mutter würde es wollen.«

»Die hier?«, fragte Cheryl und zeigte auf den Berg.

»Nein«, antwortete Marjorie.

»Die in Michigan«, sagten sie zusammen; Cheryl mit tief resignierendem Tonfall.

»Also, es tut mir Leid, Mrs. …« Sie machte eine Hilfe suchende Pause.

»Stump. Marjorie Stump.«

»Mrs. Stump. Aber das ist es, wovon ich lebe. Ich fahre Rad. Ich fahre ausschließlich auf markierten Wegen. Ich fahre nur auf Privatbesitz, wenn ich die Erlaubnis dazu habe, und ich versuche, alles wieder zu reparieren, was ich vielleicht kaputtgemacht habe. Die meisten von uns hier tun das«, sagte sie und beschrieb mit ihrem Arm eine wackelige Kurve hinter sich. »Ich finde, das ist ziemlich gut. Es entspricht vielleicht nicht Ihrem umweltschützerischen Standard, aber es geht einen Schritt über das hinaus, was andere Sportarten machen.«

»Sie sollten nicht auf Ihrer Mutter fahren.«

»Hey, tut mir Leid.«

»Also, ich denke …«

»Es tut mir Leid, Mrs. Stump, ich will nicht unhöflich sein, aber das hier könnte ewig weitergehen, und ich muss an die Arbeit. Ich brauche noch mehr Training als ein alter Zirkusbär. Tut mir Leid. Vielleicht können wir das später fortsetzen oder zu einem anderen Zeitpunkt, oder vielleicht wollen Sie mit den Sponsoren des Rennens sprechen – sie sind in dem Zelt da drüben.« Sie deutete in die Ferne. »Das ist das Ishmael-Coffee-Zelt. Oder Sie könnten vielleicht mit den Baufirmen und Planern von Vail selber reden, die haben sicher hier irgendwo ein Büro …«

»Haben sie, und sie hören nicht mehr zu.«

»Ah, sehen Sie, Sie haben schon ein paar von meinen Ideen ausprobiert«, sagte Cheryl mit einem Lächeln, das eine Kombination aus Verständnis und »ist mir scheißegal« war. »Also, das tut mir Leid. Aber – so sind die Dinge eben. Man muss gleich zu den wichtigen Leuten gehen. Mit Fußsoldaten wie mir zu reden bewirkt absolut gar nichts.«

»Machen Sie sich nicht unwichtiger, als Sie sind«, schnaubte Marjorie Stump, »Sie wären überrascht, was an der Basis passieren kann, zwischen Ihnen, Ihrer Mutter und Gott.«

»Da bin ich sicher. Aber nicht an dieser Basis hier. Ich habe zu viel zu tun.«

Marjorie Stump nickte, als ob sie zustimmen würde, aber es war eher ein Mittel, die Unterhaltung zu beenden. Cheryl war dankbar, als der kleine Michelin-Mann von einer Frau sich abwandte und über die rechts und links von Zelten und Wagen flankierte Rasen-Gasse zu dem Hauptzelt der Veranstaltung blickte.

»Da sind die Bosse?«, fragte sie.

»Scheiße, ja«, antwortete Cheryl. »Vielleicht sogar der alte Mr. Ishmael selbst, oder wie immer der heißt.«

Marjorie Stump drehte sich um und schaute die junge Frau einen ungemütlichen Augenblick lang an.

»Sie sollten nicht fluchen. Das macht Sie hässlich.«

»Entschuldigung.«

»Und dabei sind Sie eine so attraktive junge Frau.«

»Danke.«

»Was würde Ihre Mutter denken?«

»Sie würde denken, dass Sie das nichts angeht, selbst wenn sie Ihrer Meinung wäre, aber so ist sie eben, meine Mutter.«

Die beiden Frauen starrten sich einen weiteren ungemütlichen Augenblick lang an, bevor Marjorie Stump sich abwandte.

»Kelvin!«, rief sie hinter sich, ohne sich umzudrehen. »Komm jetzt.«

Und Kelvin tat es. Er ging schwerfällig davon und gab damit den Blick auf Will Ross frei, der zwischen einem schweren dreibeinigen Montageständer und drei daran aufgehängten Fahrrädern gefangen war.

Cheryl schaute einen Moment lang vor sich hin, nachdem der Schatten von Kelvin Stump über sie hinweggegangen war wie die Sonnenfinsternis im letzten Frühjahr, und lächelte dann.

»Du warst ja eine große Hilfe.«

Will nickte beinahe sarkastisch, und dann hatte er es endlich geschafft, die äußere Stange seiner Beinschiene aus einem der Rahmen zu lösen.

»Entschuldigung. Außerdem konnte ich sowieso nicht an deine Seite springen und dir helfen, das da zu besiegen, was auch immer das war«, sagte er und schaute Marjorie Stump und ihrem riesigen Nachkommen hinterher, die eben um eine Ecke herum hinter dem Ishmael-Coffee-Zelt verschwanden. »Ich war hinter dieser menschlichen Maginot-Linie gefangen. Jedes Mal, wenn ich mich bewegt habe, hat er sich bewegt. Jedes Mal, wenn ich mich gerührt habe, hat er sich gerührt. Deswegen habe ich mich schließlich in dem Rad hier verheddert.«

»Ich will's gar nicht wissen.«

»Stimmt. Da hast du vielleicht Recht. Du willst es nicht wissen.«

Sie lächelte und schüttelte in gespielter Verzweiflung den Kopf. Dann wandte sie sich dem Mechaniker zu, der an die Ladekante des Haven-Transporters gekommen war.

»Ist es weg?«

»Ja, sie ist weg«, sagte Cheryl. »Was sollte das denn alles, Hootie?«

»Fragen Sie mich nicht, Ma'am. Sie ist einfach hergekommen und hat angefangen, mir irgendwas davon zu erzählen, Vail Mountain für Gott zu retten, und dass wir Grüne sein sollten, weil wir eine europäische Mannschaft sind. Aber sie wusste nicht besonders viel über den Einfluss der euopäischen Umweltbewegung.«

»Und du schon?«

»Ja, Ma'am. Ich verwalte eine wahre Schatzkammer von vollkommen nutzlosen Informationen.«

»Faszinierend.«

Hootie lächelte und wischte sich die Hände ab.

»Ja, es ist eine erstaunliche Begabung«, sagte er und ging wieder in den dunklen Transporter zurück, wo seine Stimme zu einem Murmeln abflaute. »Ich kann mich an allen möglichen wertlosen Scheiß erinnern, aber ich habe keine Ahnung mehr, wo ich die Schlüssel für den Transporter hingetan habe ...«

»Oh, übrigens«, sagte er, plötzlich wieder auftauchend. »Du solltest das den anderen Mannschaftsführern oder Fahrern sagen – ich werde mit den Mechanikern sprechen. Dieses Riesenbaby, das mit ihr zusammen hier war, hat Speichen durchgeschnitten.«

»Was?« Will richtete sich erschrocken zu beinahe seiner vollen Länge auf. Die Anstrengung in der Höhe machte ihm zu schaffen.

»Was ... Entschuldigung«, sagte Cheryl, »was hat der gemacht?«

»Er hat Speichen durchgeschnitten«, antwortete Will. »Die meisten werden das sowieso gleich merken bei dem Krach, den das macht, aber es nervt wirklich. Das ist genau das, was man vor einer Trainingsfahrt oder einem Rennen braucht. Es ist ein Ärgernis. Versaut einem den Vorbereitungsrhythmus. Verdammte Plage für alle.«

Cheryl wandte sich wieder zu Hootie, der jetzt an der Kante des Transporters saß und sich den letzten Rest des Morgens aus den Haaren schüttelte.

»Woher weißt du das?«

»Hab' ihn erwischt. Auf frischer Tat.« Er lehnte sich zur Seite, nahm die Drahtschere und warf sie zu Cheryl hinüber, die sie lässig auffing und Will damit wieder einmal mit der Vielseitigkeit ihres Bewegungstalents beeindruckte. Bei ihm wäre sie an der Stirn gelandet.

»Er hat die aus seinem Ärmel geholt und wollte auf das Colnago los.« Er nickte in Richtung eines knallgelben Rades mit neuen Haven-TW-Logos. »Dein Rad, genau gesagt.«

Sie ging schnell zu ihrem Rad hinüber und fuhr mit der Hand liebkosend über das Oberrohr, dann hockte sie sich neben die Gabel.

»Irgendwas kaputt?«

»Glaube ich nicht«, antwortete Hootie. »Ich werde später nachsehen, aber ich glaube, ich habe ihn rechtzeitig erwischt, bevor er losschnippeln konnte.« Er blickte über die Reihe von Lastwagen hinweg in Richtung Stadt. »Die Sache ist die, der hat so verdammt selbstsicher ausgesehen, so wie Leute aussehen, die glauben, dass sie sich alles erlauben können, also sollte ich besser mal 'rumgehen und sicherstellen, dass keine anderen Teams betroffen sind.«

Er rutschte von der Ladekante und stand auf. Seine Haare bewegten sich unabhängig von seinem Kopf. Sie wurden von der kühlen Brise erfasst und wehten erst entgegen der, dann in die Richtung, in die Hootie gehen wollte. Will beobachtete fasziniert, wie die beiden zusammen weggingen. Es war, als würde Hootie Bosco mit einem Tier auf seinem Kopf leben.

»Bist du noch da?«, fragte Cheryl und tippte ihm auf die Schulter.

»Hä? Oh ja«, antwortete Will. »Es ist nur … wo hast du den denn her?« Er deutete in die Richtung, wo Hootie Bosco und seine Haare gerade in den Mannschaftsbereich weiter unten in der Gasse gingen.

»Ich? Ich habe ihn nicht geholt. Stewart hat ihn geholt. Du kannst dich am Montag bei ihm beschweren, wenn du willst.«

»Nein. Keine Beschwerden. Stewart heuert nur Leute an, die ihren Job beherrschen. Ich habe mich nur gewundert.«

Cheryl lächelte, während sie Hootie in der Ferne beobachtete.

»Was für ein Typ.«

»Aber hallo.«

Will lachte. »Und er gehört ganz allein uns.«

Cheryl wandte sich um und schenkte ihm ein teuflisches Lächeln.

»Was meinst du mit ›uns‹, Wasserträger?«

Will erstarrte, als hätte er gerade einen Schlag bekommen.

»Oh. Oh. Das … das … das war gemein. Das war gemein.«

Sie lachte. Das Geräusch befreite Will endlich von der nervösen Spannung des Morgens und dem Treffen mit Reed und Jettman.

Marjorie Stump marschierte an der Rückseite der Mannschafts- und Sponsorenzelte entlang. Ihre Wut wuchs wie eine sommerliche Gewitterfront an der ersten Bergkette der Rocky Mountains. Sie konnte hören, wie Kelvin hinter ihr herstapfte. Er versuchte gar nicht erst, leise zu sein.

Wie eine Furie drehte sie sich um, und mit einer Bewegung, die so schnell war, dass ihr kurzer Arm und der schwere Schlehdornknüppel wie eine verschwommene Linie aussahen, schlug sie Kelvin hart gegen die Seite seines rechten Knies.

Er schrie vor Schmerzen auf und fiel gegen eine Zeltwand, dann auf den Boden.

Er krümmte sich zusammen, den Mund in stiller Qual geöffnet. Sein Gehirn versuchte verzweifelt, einen Ausdruck dafür zu finden. Er bellte zweimal kurz, dann holte er tief Luft und schaute seine Mutter mit Tränen in den Augen an. Sein Mund bewegte sich, aber er blieb stumm. Ein Wort formte sich, wurde aber nicht ausgesprochen.

Warum?

»Weil«, antwortete sie der stummen Frage, »weil es eine Sache ist, Dinge nicht zu tun, aber eine andere, sich erwischen zu lassen. Wir sind die Grüne Organisation der Treuhänder des Tales, Kelvin. G.O.T.T. wird niemals, niemals erwischt. Und jetzt komm' mit. Wir müssen uns um ein paar Reifen kümmern.«

Sie machte auf dem Absatz kehrt, stampfte davon und ließ Kelvin allein mit seinem Schmerz zurück. Das Einwickelpapier von Müsliriegeln und eine leere Energie-Drink-Büchse dekorierten seinen Kopf in dem hohen Gras.

Kelvin sagte nichts.

Sein Mund blieb offen, aber der Schmerz steckte tief in seiner Kehle fest, hinter einem glühend heißen Ball aus Scham und Wut.

5
Ein Sprung ins kalte Wasser

Der Vista-Bahn-Sessellift surrte und klapperte. Bei jeder Erschütterung pfiff Will durch die Zähne.

So hoch war es eigentlich nicht. Die Leute unten sahen gar nicht aus wie die Figuren in einer Modelleisenbahn. Jedenfalls noch nicht. Es schien nur alles ein wenig riskant – das Gewicht all dieser offenen Sessel, getragen von einer Reihe von Masten und einem altehrwürdigen Stahlkabel.

Will suchte unauffällig, aber sehr sorgfältig, nach Schäden: Etwas Abgesplittertes, kleine Risse, lose Verbindungen, aber er konnte nichts finden. Also richtete er sich darauf ein, bis zu einem Ort namens Mid-Vail die Zähne zusammenzubeißen.

Im Gegensatz zu ihm genoss Cheryl das alles. Die Offenheit, das Gefühl, als würden sie fliegen. Eine leise innere Stimme tief in ihr sagte ihr, dass sie selbst Peter Pan zeigen könnte, was Sache ist. Sie blickte über die riesigen Ausmaße des White River Forest, der sich vor ihr ausbreitete, beinahe wie ein Geschenk Gottes, und lächelte voller Begeisterung und Ehrfurcht. Sie drehte sich nach hinten um und sah den Berg hinunter. Das Dorf lag bereits wie eine Postkartenansicht des Paradieses da unten, winzig, fein, friedlich.

Sie schaute zwischen ihren Füßen hindurch und beobachtete, wie gigantische Kiefern stumm unter ihr hinwegglitten, während sie von der Größe der Steine beeindruckt war, die an den Seiten der angelegten Skipisten lagen.

Kein Wunder, dass sich das hier Rocky Mountains nennt, dachte sie. Wäre wirklich kein Spaß, hier auf die Nase zu fliegen und in einem von denen zu landen.

Alles war so prächtig. Alles war so grün. Alles war so groß und frei und ewig. Alles daran schrie Colorado. Selbst John Denver hatte das nicht annähernd zum Ausdruck bringen können.

Hier könnte ich leben, dachte sie.

Sie drehte ihr Gesicht zur Sonne und spürte, wie die Wärme sich einen Weg durch die dünne kühle Schicht bahnte, die sanft auf ihrer Haut lag.

Hier könnte ich leben. Hier könnte ich für immer leben.

Sie wusste nicht, wie lange sie die Augen geschlossen hatte. Sie öffnete sie, als der Sessel am letzten Mast vor der Endstation über eine Rolle ratterte und Will wieder quietschte.

»Alles klar bei dir?«, fragte sie, erschrocken über seine fahle Gesichtsfarbe.

»Ja, prima.« Er schaute nach vorn zur Endstation. »Wie kommt man denn aus diesem Ding wieder raus?«

»Der Bügel hebt sich und man geht raus. So einfach ist das, Junge. Sie kicherte. »Du hast so was noch nie gemacht, oder? Hast du mir nicht erzählt, dass du in Michigan Ski gefahren bist?«

»Bin ich auch. Aber das waren Schlepp-Lifte.«

»Also, wirklich, die sind viel gefährlicher als so einer hier. Die Leute fallen raus, rutschen weg, bleiben hängen.«

»Ja, okay, stimmt«, keuchte er und spürte jeden zusätzlichen Höhenmeter, »hab' auch mal bei einem von denen einen hübschen Purzelbaum geschlagen. Aber wenigstens war das am Boden.«

»Klingt wie Daffy Duck auf Skiern.«

»Na ja, elegant war's vielleicht nicht, aber ich hatte Spaß.«

»Warum machst du's dann nicht mehr?«

»Ich hab' an einem Tag zwei Bäume geküsst und habe beschlossen, dass Gott mir damit etwas sagen wollte.«

»Zwei Bäume? Mann.« Sie schüttelte den Kopf. »Also, was denkst du, wollte der große Boss dir damit sagen?«

»Natürlich: Lebe weniger gefährlich. Fahr' mit dem Fahrrad.«

Sie schaute ausdruckslos in sein Gesicht, das mit den Narben von einer Begegnung mit dem Rückfenster eines Peugeot bedeckt war, dann blickte sie auf sein linkes Bein, nach dem Unfall auf einer Bergetappe der Tour de France geschient, dann hoch zu seinem linken Arm, der immer noch von den Kieseln und Betonstückchen verfärbt war, die sich bei dem gleichen Unfall in seine Haut gegraben hatten, und dann schließlich auf sein rechtes Bein hinunter, dessen Wade auf dem Abhang eines erloschenen Vulkans vom Knie zur Ferse gerissen war, als er einen zusammengebrochenen Mannschaftskameraden in Sicherheit getragen hatte.

Sie nickte.

»Bist du sicher, dass es Gott war?«

Bevor er antworten konnte, gab es ein Klonk und ein Surren, und sie waren da. Der Bügel sprang vor ihnen hoch. Cheryl stand auf und trat beiseite, Will sprang ab und verlor auf der schiefen Plattform die Balance. Der Absatz seiner Beinschiene verfing sich in einer Lücke im Holz, er stürzte und rollte die leichte Schräge hinunter. Cheryl trat neben ihn. Während er im Dreck lag, betrachtete er gründlich ihre neuen Rennschuhe, um ihr nicht ins Gesicht sehen zu müssen.

»Das hier ist nicht Fallschirmspringen, weißt du. Du musst dich nicht fallen lassen und abrollen.«

»Danke.«

»Hier.«

Sie bot ihm eine Hand an, aber er nahm sie nicht an. Er drehte sich um und setzte sich auf. Jetzt, da er im wörtlichen Sinne wieder festen Boden unter dem Hintern hatte, konnte er die Aussicht genießen.

»Hübsch hier oben, meine Hübsche.«

»Geht es dir gut?«, fragte sie, plötzlich besorgt, »oder hast du dir wieder den Kopf angeschlagen?«

»Ich, nein, ich doch nicht«, sagte er. Er quälte sich in den Stand, während sie ihr Rad von dem Mann entgegennahm, der es von dem Vista-Bahn-Lift heruntergehoben hatte.

»Das ist Fliegen erster Klasse«, sagte sie, als sie das Rad an ihm vorbeischob.

Er wischte das Hinterteil seiner Jeans ab.

»Erste Klasse – Air Sparta.«

»Du meckerst zu viel.«

»Ja, das tue ich vielleicht. Aber ich lebe noch.«

Sie hielt inne und betrachtete ihn gründlich.

»Aber gerade so eben.«

»Geb' ich zu. Aber wie war das mit Messer, Gabel, Schere, Licht?«

»In deinem Fall, halte dich von allen fern.«

Er blieb stehen und schaute nach oben zu einer kleinen Hütte, die auf einer Lichtung stand. Vom ersten Stock der Hütte führte eine lange Rampe hinunter zu einer Wirtschaftsstraße.

»Was ist das?«

»Die Startrampe, nehme ich an«, antwortete sie und spürte, wie ihre Hände in den Handschuhen feucht wurden.

»Echt? Für welchen Kurs?«

Sie starrte ihn einen Augenblick mit völliger Verzweiflung an.

»Für den Downhill«, sagte sie langsam, als spräche sie mit einem Dreijährigen. »Der Downhill fängt oben an und führt nach unten. Der Cross Country fängt unten an und geht nach oben.«

»Ach so, ja. Das weiß ich schon. Ich bin ja kein kompletter Vollidiot«, sagte er, und plötzlich wurde ihm klar, wie bescheuert die Frage gewesen war. »Du … äh … willst da lang fahren?«

»Darauf kannst du wetten.« Sie versuchte, den Knoten in ihrem Magen zu ignorieren.

»Das ist eng.«

»Ist alles eine Frage der Technik. Ist nichts dabei.«

»Aber wie viel Fahrtechnik hast du in den letzten paar Monaten beziehungsweise den letzten Jahren trainiert, Kleines? Du hast anderen Leuten dabei zugesehen, aber du bist nicht selbst gefahren.«

»Danke für dein Vertrauen.«

»Herrgott. Das meine ich doch nicht, es ist nur … verdammt, ich mache mir nur Sorgen.«

»Brauchst du nicht«, sagte sie leise. »Es ist genauso wie Fahrrad fahren.«

Er starrte sie einen langen Augenblick an und dann hob er einfach die Schultern.

»Ich seh' dich dann unten.«

»Wie kommst du da hin?«, fragte sie und deutete mit dem Kopf in Richtung Vista-Bahn.

Er sah die Bewegung und machte eine übertriebene Bewegung in die entgegengesetzte Richtung. »Ich dachte, ich laufe.«

Sie nickte lächelnd.

»Ich dachte, ich fahre.«

Sie starrte die dreißig Meter lange Rampe aus dem ersten Stock des Starterhäuschens hinunter. Das Band aus Sperrholz sah plötzlich schmal und gefährlich aus. Das braune fleckige Holz führte in die Ferne und ging am Ende in einen anderen braunen Streifen über, eine Schotterstraße, die sehr viel breiter war, aber genauso gefährlich. Eine etwas trockenere Version vom Sprung ins kalte Wasser, das wurde ihr wieder einmal klar, und sie hoffte nur, dass es stimmte, dass man das Radfahren nie wirklich verlernt.

Aber das hier verhielt sich zu Rad fahren ungefähr so wie Herzchirurgie zu Frösche sezieren.

Oh, Mutter, Vater, und alle anderen Erwachsenen, wenn ihr mich all die Jahre angelogen habt, werde ich jeden von euch einzeln aufsuchen und einen schrecklichen Tod sterben lassen, dachte sie, in dem Versuch, an alles andere außer dem vor ihr liegenden Problem zu denken.

»Willst du 'ne Zeit haben?«, fragte der Typ am Start.

Sie atmete tief durch. Nein. Um Zeit ging es hier nicht. Die Strecke kennen zu lernen, darum ging es hier. Um's Überleben, darum.

»Nein. Keine Zeit. Danke.«

Ihre kommunikativen Fähigkeiten waren auf Ein-Wort-Antworten reduziert.

»Okay«, nickte er. »Bitte sehr.«

Er machte eine Bewegung mit der Hand wie ein Oberkellner in einem schlechten William-Powell-Film, der das rote Samtband zur Seite nehmen und die Haupstdarsteller zu ihrem Tisch geleiten würde.

Cheryl verschob ihr Gewicht im Sattel, stellte sich auf die Pedale.

Jetzt oder nie.

Der erste Tritt war der schlimmste, denn als sie ihren rechten Fuß nach unten brachte, auf ihrer stärkeren Seite, spürte sie, wie das Rad ein bisschen nach links zog, als ob sie mit dem Vorderrad ausgleichen würde.

Cheryl richtete sich auf und sah, wie gefährlich nahe sie der Kante der Sperrholzrampe gekommen war und wie schnell sie Tempo aufnahm. Wenn sie bremste oder in Panik geriet, würde sie über die Kante gehen. Es gab nur eine Möglichkeit, den Übergang in den Wirtschaftsweg zu überleben.

Sie fuhr schneller.

Sie rauschte mit einem Satz nach vorn über den Übergang und spürte ihren Kopf hoch schnappen. Die Manitou-Gabel vorne dämpfte den Schlag, aber sie war so untrainiert, dass ihr Gewicht schlecht auf dem Rad verteilt war. Sie spürte, wie die Erschütterung vom Hintern aus nach oben und unten durch ihren Körper hindurchzitterte.

Instinktiv begann sie, scharf auf die erste Abzweigung von der Schotterstraße zuzufahren, vielleicht 180 Meter vor ihr. Linkskurve. Steile Abfahrt. Die Amateure würden ihre Räder die sechs Fuß den Abhang hinunterschieben. Profis taten das natürlich nicht.

Was war sie, fragte sie sich, während der orangefarbene Begrenzungszaun auf sie zuraste. Was war sie, Amateur oder Profi?

Sie bremste hart, fuhr nach links und nahm den Abhang in Angriff, der unten in eine scharfe Rechtskurve mündete. Das war der Test, der entscheidende Moment für sie, ihr Rad, ihr Wochenende. Wenn sie hier herunterfahren konnte, ließ sich Zeit gutmachen, dachte sie. Wenn sie schieben musste, würde sie verlieren. Das Hinterrad rutschte nach links, und sie schlitterte, fuhr, stürzte sich den Erddamm hinunter, kam unten an, schnappte nach Luft und fuhr weiter.

Cheryl lächelte und trieb sich voran. Die Erinnerung an eine beinahe tödliche Erfahrung auf einer italienischen Strecke blieb schnell hinter ihr zurück, während sie fuhr.

Sie trieb sich weiter das schmale Band durch die Bäume entlang, überzeugt, dass sie das Dump-Dump-Dump der Bäume hören konnte, die sie passierte. Ihr Sinne waren so geschärft, dass die Farben beinahe hypnotisierend wirkten, als sie plötzlich im unteren Drittel ihres Gesichtsfeldes eine große und unangenehme Wurzel auftauchen sah, die erst an der Seite der Spur entlang, dann in einem schwierigen Winkel quer über den Kurs führte. Sie bremste scharf, warf ihr Hinterrad nach links, dann trat sie wieder hart an und traf das Ding frontal.

Dieses Mal hatte sie den Aufprall richtig berechnet. Der hintere Dämpfer des Colnago-Rahmens und die Manitou-Gabel vorne schluckten den Stoß, während ihre Ellbogen und Knie das aufnahmen, was davon noch übrig blieb.

Sie spürte ihn kaum.

Sie musste lächeln.

Es war wirklich so leicht wie Rad fahren.

Plötzlich tauchte ein wolliger Sack vor ihr auf, der eine Kurve im Kurs markierte. Sie begann zu bremsen und bemerkte, dass die Schwerkraft und ihre eigene Begeisterung eine Menge Tempo aufgebaut hatten. Der Wollsack sollte verhindern, dass diejenigen, die ihr Tempo nicht kontrollieren konnten, durch die Bäume segelten und über den Graben und die Klippe auf eine Schotterstraße weiter unten stürzten.

Eine von der Versicherung angeordnete Maßnahme, dachte sie.

Sie verlangsamte das Tempo und nahm die scharfe Rechtskurve, dann schaltete sie für den folgenden Anstieg herunter. Auf der Kuppe trat sie an und spürte, wie ihr Vorderrad etwas nach links zog.

Schlechte Idee, dachte sie, zog das Rad wieder gerade und raste den Single Trail auf die Kuhle in dem Graben und auf die Schotterstraße zu. In der Bar hatte man sich gestern Abend die Geschichte von irgend so einem bescheuerten Fernsehjournalisten erzählt, dem am Mittwoch am gleichen Kamm etwas Ähnliches passiert war. Er war über die Klippe gegangen, fünf Meter auf den darunter liegenden Wirtschaftsweg heruntergeflogen und hatte sich beim Aufprall ein paar Rippen gebrochen. Das war der Aufmacher seiner Fernsehreportage am nächsten Tag.

So was nennt man Einsatz.

Offiziell hieß diese Stelle in der Szene »Latte-Grande-Sprung«, aber inoffiziell trug sie jetzt zu Ehren des Journalisten den Namen »Brodys Sprung«. Es hieß, dass es ihm so peinlich war, dass er drüber nicht lachen konnte.

Cheryl lächelte, als sie daran dachte, dann schloss sie die Lippen. Ein vorbeifahrender Lastwagen auf der Schotterstraße wirbelte eine Wolke aus Staub und Kieselsteinen auf, durch die eine jahrelange Anwendung von Clearasil und eine kiefernorthopädische Behandlung drohte. Trotzdem war diese unbefestigte Straße nach der Abfahrt durch die Bäume eine Selbstvertrauen bildende Maßnahme. Vor ihr führte eine weitere orangefarbene Plastik-Barrikade erst zurück in die Bäume und dann über die schrägen Skipisten.

Sie raste durch die Bäume, dann zack, quer über die Piste, eine Spur entlang, die gefährlich in den Hang geschnitten zu sein schien, dann zack, wieder in den Wald, auf beiden Seiten etwas mehr Spielraum, aber quer über Massen von Wurzeln und Steinen, die vom Bau der

Skipiste übrig geblieben waren. Eine Abfahrt, eine Haarnadelkurve, und sie fuhr in die entgegengesetzte Richtung zurück. Aus dem Augenwinkel sah sie, dass ihr ein anderer Fahrer dichtauf folgte.

Hatte sie wirklich so viel Zeit gebraucht? War sie wirklich so langsam gewesen? Was würde morgen passieren, wenn es ernst wurde?

Ihre gedanklichen Ausflüge hatten sie von ihrem Vorsatz abgelenkt, kontrolliert zu fahren und sich auf das Band des Single Trail zu konzentrieren. Wieder im Wald kam sie zu einer scharfen Linkskurve, gefolgt von einer scharfen Rechtskurve, und einem Abhang, etwa eineinhalb Meter, nicht hoch, aber sehr steil. Die Kurven hatte sie antizipiert, aber der Abhang überraschte sie. Ihr Vorderrad ging in die Luft und schlug dann auf dem harten Lehm des Berghanges auf. Die Stoßdämpfer nahmen einen großen Teil des Schlages auf, aber wieder spürte sie, wie es ihr durch die Arme und dann herunter ins Kreuz schoss und wie ihr Steißbein auf den Gelsattel schlug. Das würde sie morgen spüren, ganz sicher.

Sie richtete sich auf und begann, mit aller Kraft reinzutreten, um das wieder aufzuholen, was sie durch ihre Unachtsamkeit verloren hatte. Sie überquerte die Riva-Ridge-Skipiste und dann schoss sie wieder in den Wald, in eine Kurve an einer Böschung, die sie unerwartet auf die Seite warf, und dann in eine »Autobahn«.

Hier konnte sie verlorene Zeit wieder gutmachen, also schaltete Cheryl in die hohen Gänge und fuhr auf der breiten Spur mindestens 70 Stundenkilometer schnell, vielleicht sogar 80. Das, wusste sie, war so nah am Paradies, wie sie je kommen würde, und sie genoss dieses Gefühl, das Erlebnis, die pure Freude.

Dann wurde sie wieder von der Realität eingeholt.

Sie bremste scharf, drehte das Rad in die erste Haarnadelkurve und spürte den ersten richtigen Schlag auf der Strecke. Der vordere Teil des Colnago sprang unnatürlich über das Waschbrett. Der regenarme Sommer in Vail hatte den Kurs auch noch ausgetrocknet, und ihr Hinterrad versuchte vergeblich, Haftung aufzunehmen.

Sie rutschte durch eine weitere Kurve und sauste durch eine weitere Hochgeschwindigkeitszone quer über den Golden Peak. Sie überwand den Gipfel und hatte jetzt nur noch ungefähr einen Kilometer vor sich, fünf Haarnadelkurven und einen Sprung am Ende der Strecke, den sie überstehen musste, um zu überleben.

Gedankenverloren raste sie in die erste Haarnadelkurve, zu schnell. Sie rutschte hinein und spürte, wie ihr Hinterrad in einen Wollsack am Rand der Strecke knallte.

Verdammt nochmal, dachte sie, pass' doch auf.

Auf die nächste Haarnadelkurve nach links war sie vorbereitet, dann folgte, direkt dahinter, wieder eine Rechtskurve. Sie kreuzte hin und her über den Hang des Golden Peak und gab den Zuschauern, die schon so früh hier waren, einen ersten Eindruck von ihrem Stil, ihrer Geschwindigkeit und ihrer Radbeherrschung.

Irgendwo in ihrem Kopf saß die Vorstellung fest, dass die wenig beeindruckt von all dem sein würden.

Sie traf den Sprung sauber und war zufrieden. Als sie unter dem Zieltransparent hindurchfuhr, bemerkte sie ein kleines Mädchen, vielleicht neun Jahre alt, das applaudierte, während ihr Vater Cheryl misstrauisch beäugte. Sie bremste scharf und hielt knapp vor den beiden an.

»Sie waren gut, Cheryl Crane, Sie waren gut«, rief das kleine Mädchen voller Enthusiasmus.

»Danke«, sagte Cheryl, nicht ganz so überzeugt, wie sie es gewollt hatte.

»Wer zum Henker sind Sie denn?«, fragte der Vater. Seine Augen wanderten von ihrem Gesicht zu ihrer Brust, zu dem Hochglanzprogramm für das Wochenend-Rennen.

»Ich bin Cheryl Crane. Ich fahre für Haven.«

»Haven? Was zum Henker ist Haven?«

Sie schob das Rad an die Seite der Strecke, weiter nach unten und weg von Mann und Tochter, während sie versuchte, sich wieder zu sammeln. Sie hatte die Fahrt überlebt, aber sie war furchtbar gewesen. Will hatte Recht gehabt. Sie war zu lange draußen gewesen, viel zu lange, um so etwas wie das hier in Angriff zu nehmen. Sie hatte sich überschätzt, und jetzt stand sie ungesichert auf dem Drahtseil und fragte sich, ob ein Netz nicht vielleicht doch eine gute Idee gewesen wäre. Der Fall war programmiert.

»Hey, Sie.«

Und das Letzte, was sie jetzt gebrauchen konnte, während sie verzweifelt versuchte, nach einer derart katastrophalen Vorstellung ihre Gedanken neu zu sortieren, war irgend so ein Sack mit einem Programmheft und einer arroganten Einstellung, der versuchte, ihren Namen und ihren Platz im Universum mit seiner eigenen Vorstellung von Wichtigkeit in Einklang zu bringen.

»Hey, Sie.«

»Hey, was?«, antwortete sie böse, machte auf dem Absatz kehrt und streckte ihr Kinn vor.

Der Mann hatte schon zwei Schritte rückwärts gemacht, bevor er bemerkt hatte, dass er sich zurückzog. Das kleine Mädchen aber war vorwärts gegangen. Es stand jetzt an ihrem Hinterrad und lächelte stolz zu Cheryl hoch.

»Sie waren gut.«

»Danke.«

»Nein, wirklich. Sie waren gut. Sie sind jetzt ärgerlich, weil Sie denken, dass Sie nicht sehr gut waren, aber Sie waren gut. Sie haben die Kurven besser als die meisten anderen genommen, und Sie haben in den schwierigen Abschnitten das Tempo hochgehalten. Sie waren gut.«

»Wie konntest du denn die ganzen technischen Sachen sehen?«

Sie drehte sich schnell um und deutete auf ein rotes Fernrohr, das etwa zehn Meter entfernt auf den Berg gerichtet war.

»Normalerweise schaue ich damit den Mond an, aber ich habe es hier hochgebracht und auf die Kurven ausgerichtet. Ich habe eine Linse, die alles richtig herumdreht, sonst steht alles auf dem Kopf, und so kann man ein Rennen nicht ansehen, obwohl ich mir manchmal den Mond so anschaue.«

»Wirklich?«

»Wirklich. Also, ich habe Sie beobachtet. Und Sie waren wirklich gut.«

Der Vater des Mädchens stand still im Hintergrund und bewegte sich nicht aus der Position heraus, auf die er sich Augenblicke zuvor zurückgezogen hatte. Cheryl schaute ihn kurz an und bemerkte, dass ihre Wut von einem kleinen Mädchen besänftigt worden war, das ohne Punkt und Komma redete und einfach nur nett zu ihr war.

»Das ist ein schönes Trikot«, sagte das Mädchen.

»Danke.«

»Ist Haven neu dabei? Ich kann mich nicht daran erinnern aus den vorigen Rennen.«

»Ja«, antwortete Cheryl und hockte sich hin, um besser auf Augenhöhe mit diesem jungen Fan zu sein. »Ja, das ist neu. TW hier, in blau, steht für Two Wheels, ein Radladen in Michigan. Haven ist ein großer Vitaminhersteller aus Frankreich. Die haben das Geld reingebracht, das das Team erst ermöglicht hat. Ich kannte den Besitzer des Radladens, und ich habe in Europa für Haven gearbeitet, also habe ich die Chance bekommen zu fahren.«

»Sind Sie früher viel gefahren?«, fragte der Vater, beinahe entschuldigend, aus dem Hintergrund.

Cheryl antwortete, ohne den Blick von dem Gesicht des kleinen Mädchens abzuwenden, als hätte sie Angst, den Kontakt abzubrechen. »Hier nicht, das ist wahr, aber ich bin viel in Europa gefahren, besonders in Italien. Ich bin ein paar Mal gegen Pezzo gefahren. Und gegen ein paar andere.«

»Melzi?«, fragte das Mädchen.

»Ich habe sie mal kennen gelernt, bin aber nie gegen sie gefahren.«

»Fentini? Abrusco? Andolini?«

Cheryl lachte. »Ja. Ja. Nein. Du kennst aber deine Italienerinnen.«

»Ich lese.«

»Was denn? Die Zeitungen in Denver schreiben nicht gerade viel über Mountainbiking.«

»Stimmt. Ich wohne in der Nähe vom »Tattered-Cover«-Buchladen, in Cherry Creek in Denver. Da kaufe ich die Rennmagazine. Sogar die italienischen. Ich kann ein bisschen Italienisch lesen. Na ja, nicht lesen, aber ich krieg's schon raus. Manchmal. Manchmal kriege ich es raus. Zusammen mit den Fotos.«

»Erstaunlich.«

»Nein, Sie sind erstaunlich«, sagte das Mädchen mit einem dicken Grinsen. »Sie fahren.«

Cheryl spürte, wie sie ein Wärmeschub durchfuhr, beinahe eine Hitzewelle, der sie nach Luft schnappen und rot werden ließ. Es war ein bisschen Verlegenheit dabei, sicher, aber auch ein Gefühl des Stolzes auf das, was sie war und was sie tat, ein Gefühl, dass sie schon jahrelang nicht mehr verspürt hatte.

»Danke dir.«

»Nein, danke Ihnen. Es hat Spaß gemacht, Ihnen zuzuschauen, Miss Crane.«

»Cheryl. Für meine Freunde bin ich Cheryl.«

Jetzt war es an dem Mädchen, rot zu werden.

»Ich heiße Devon.«

»Devon, es ist mir ein Vergnügen«, lächelte Cheryl und streckte die Hand aus. Das Mädchen nahm sie glücklich und schüttelte sie wild.

»Hier«, sagte Cheryl und stand auf, plötzlich etwas schwindelig von der Höhe, der Anstrengung und dem Lob. »Nimm' das hier.« Sie machte den Helm auf und legte ihn über den Sattel, dann zog sie schnell das Haven-TW-Trikot über den Kopf.

»Es muss gewaschen werden, aber es ist deins, wenn du es haben willst.«

»Und ob! Und ob!«, quietschte das Mädchen hocherfreut. »Danke sehr, vielen Dank.«

»Komm' nachher bei unserem Transporter vorbei, dann schreibe ich dir mit einem wasserfesten Stift ein Autogramm drauf. Wir haben auch noch ein paar Geschenke, und ich mach' dir eine Tüte voll, Devon.«

»Danke, Cheryl.«

»Bist du das ganze Wochenende hier?«

»Aber klar.«

»Klasse. Komm' einfach vorbei.«

»Fährst du heute nochmal?«

Cheryl zögerte einen Augenblick und schaute den Berg hoch. Die Angst und die Enttäuschung der vergangenen Augenblicke waren weg, ersetzt durch das Verlangen, es noch einmal zu versuchen, es besser zu machen, schneller zu fahren. Sie schaute wieder zu dem Mädchen zurück, und einen Moment lang konnte sie ihr eigenes Spiegelbild im Glanz ihrer Augen sehen. Vielleicht hatte ihre Mutter doch die ganze Zeit Recht gehabt, dachte sie. Frauen, hatte sie immer gesagt, verlassen sich aufeinander, während Männer ihre Stütze in ihrer eigenen Vergangenheit fanden, und darin, was sie daraus gemacht hatten.

Cheryl Crane lächelte, nach innen und außen.

»Weißt du was«, sagte sie, und rieb sich mit der Hand über ihren nackten Bauch, kurz unterhalb des grauen Sport-BH, »das tue ich vielleicht sogar. Obwohl«, sagte sie und schaute auf ihre Taille, »ich sollte mir wohl erst ein Trikot anziehen, meinst du nicht auch, Devon?«

»Stimmt. Ich schaue zu. Du fährst.«

Cheryl lachte über das unbeschwerte Geplapper.

»Das tue ich«, sagte sie und wuschelte dem Mädchen durch das Haar. »Das tue ich.«

Sie drehte sich um, nahm das Rad und schob es in Richtung des Haven-TW-Transporters.

Es gab einen Grund, das hier zu tun, erkannte sie, einen Grund, der noch größer war, als das, was sie in sich trug. Es war einfach – der Grund, da zu sein.

Vorbilder.

Verdammt. Man weiß nie, wann und wo man sie findet.

Sie machte sich auf den Weg in Richtung Transporter und schaute zurück. Das Mädchen hielt das Trikot fest an sich gepresst und sah zu, wie Cheryl losfuhr. Sie lächelte und winkte.

Cheryl nickte, und ihr wurde klar, dass sie sich besser und zufriedener fühlte als seit Jahren.

Das Leben ist gut, dachte sie.

Mountainbiken ist noch besser.

Leonard Romanowski beendete sein Blitzpacken, steckte die Arme durch die Schlaufen der Sporttasche, hob sie wie einen Rucksack auf den Rücken, und legte all seine Kraft in den Versuch, das Gewicht des großen schwarzen Koffers zu bewegen. Es war leicht gewesen, ihn aus der Lobby zu stehlen. Schließlich passte niemand auf leeres Gepäck auf. Jetzt war der Fahrradkoffer voller Bargeld und auf dem Weg in Sicherheit, und er würde direkt daneben sitzen.

Er hatte erschrocken festgestellt, dass die Waffe weg war, aber er hatte sie auf der Straße gekauft, und es gab keine Verbindung zwischen ihm und ihr. Und nach all dem, was gestern Nacht passiert war, war es wahrscheinlich sowieso besser, dass er sie nicht mehr bei sich hatte. Er war kein Revolverheld. Er war Sportagent, eine viel tödlichere Sorte Mensch.

Nach einem weiteren harten Schubser spürte er, wie das, was den Koffer festgehalten hatte, aufgab und er leicht über den Teppich glitt. Die Rollen hatten sich aus dem kleinen Riss im Teppich befreit, der jetzt nicht mehr ganz so klein war, und den man auch nicht mehr nur als Riss bezeichnen konnte. Indem er sich umwandte, um ihn zu betrachten, bemerkte er die Wand nicht und auch nicht, welchen Schaden ein vorstehender Haken anrichten konnte.

Er rumpelte zur Tür, öffnete sie vorsichtig, warf einen Blick nach draußen, und seufzte tief auf vor Erleichterung. Draußen hätten Leben oder Tod stehen und auf ihn warten können, und diesmal waren es, zum Glück, ein paar Minuten mehr des Lebens. Er überprüfte mit einem schnellen Blick den Gang und traf eine Entscheidung, die zwar in der Realität nur den Bruchteil einer Sekunde in Anspruch nahm, die ihm aber in dem Durcheinander, das sein Gehirn war, wie eine UN-Debatte vorkam.

Den Personenaufzug rechts von ihm benutzen oder nach links den Flur hinuntergehen und den Lastenaufzug zum unteren Parkplatz nehmen, direkt zu seinem Wagen? Sie würden sicher erwarten, dass er den Lastenaufzug nehmen würde. Das wäre schließlich die clevere Entscheidung, um sich von den Leuten fern zu halten. Also sollte er den Personenaufzug nehmen und den Killer verwirren. Würde das reichen? Vielleicht dachte der Killer ja auch, dass Leonard auf den alten Trick mit dem Lastenaufzug gekommen war, und überwachte den Personenaufzug, um ihn zu überraschen. Aber vielleicht auch nicht. Was, wenn zwei oder mehr hinter ihm her waren? Sie könnten beide Aufzüge beobachten. Die Treppe wahrscheinlich nicht. Aber die konnte er sowieso nicht nehmen, wegen dieses verdammten Koffers. Was sollte er tun, wohin sollte er gehen?

Mit kaum einer Pause an der Tür wandte Leonard sich nach links und begann, den schweren Koffer über den Teppich zum Lastenaufzug zu rollen. Wahrscheinlich erwartete ihn dort der Tod, aber im Augenblick war es seine einzige Wahl.

Mittlerweile schwitzte er stark, vor Angst und vor Anstrengung. Er kurvte um die Ecke und drückte auf den »Abwärts«-Knopf des Aufzugs. Tief im Inneren des Gebäudes begannen die Motoren zu jaulen, während die Kabine nach oben glitt, um ihn abzuholen. Eine Glocke klingelte dumpf irgendwo in der Anlage, und Leonard Romanowski holte wieder einmal tief Luft.

Die Tür ging auf und die Kabine war leer.

Er war zwar kein besonders religiöser Mann, aber trotzdem hob er seine Augen zum Himmel und dankte wem oder was auch immer, der ihn ein paar weitere Minuten am Leben erhalten hatte. Er schob den

Koffer in den Lastenaufzug und drückte den Knopf zum Parkdeck 1. Irgendwo in der Nähe des Lieferanteneingangs stand ein Wagen, der ihn in Sicherheit bringen würde, und zu seinem Plan.

Seinem glorreichen und herrlichen Plan.

Wieder ging ihm das alles in der kurzen Zeit durch den Kopf, die der Aufzug brauchte, um eine Etage herunterzufahren, aber zwischen seinen Ohren erschien es wie eine Ewigkeit. Und, ganz ehrlich, Leonard Romanowski war erstaunt. Der Plan war perfekt. Selten dachte er so detailliert. Selten dachte er über alle Kleinigkeiten nach. Aber andererseits dachte er ja sowieso eher selten nach.

Die Glocke klingelte noch einmal dumpf irgendwo in der Anlage, und die Tür ging auf. Wieder war er allein. Er hatte Glück.

Er schob den Koffer zum Lieferanteneingang, machte die Tür einen Spalt weit auf und warf einen Blick hinaus. Die Luft war rein. Schnell rollte er den Koffer zur Rückseite des Mietwagens, öffnete den Kofferraum, und schob den Koffer mühsam hinein. Die Rücksitze ließen sich umklappen und gaben ihm so den zusätzlichen Platz, den er brauchte. Der Wagen senkte sich sichtbar, als der schwere schwarze Fahrradkoffer, jetzt angefüllt mit vier Millionen Dollar Mafiageld, das letzte Stück auf den Boden des Kofferraums rutschte.

Er schlug den Deckel zu, lächelte und ging schnell hinüber zur Fahrertür. Noch ein kurzer Stopp, und er würde zusammen mit einer Sporttasche mit fünfhunderttausend amerikanischen Dollar in bar eine wunderschöne Fahrt durch die Berge von Colorado unternehmen.

»Na, macht doch, ihr Fieslinge«, dachte er bei sich, »findet mich doch.«

Er legte den Gang ein, fuhr elegant rückwärts aus der Parklücke und schnell aus der Garage hinaus, bereit, einem Freund das größte Geschenk der Welt zu machen, im Austausch gegen den größten Gefallen der Welt.

Pass' auf mein Geld auf.

Und Leonard Romanowski wusste, während die Kühlerhaube des Wagens in den Sonnenschein von Colorado lugte, dass Will Ross das gerne tun würde für seinen Kumpel, seinen alten Freund, seinen »Sag'-niemals-ich-kann-dir-keinen-Job-besorgen«-Agenten Leonard Romanowski.

Der Wagen rollte auf die Straße und wurde schnell von der Menge verschluckt, die sich anlässlich eines Profi-Mountainbike-Wochenendes zusammenfand. Leonards Sinne waren geschärft, aber er blieb ruhig. In der Menge war man sicher.

Während es in der Lieferzone wieder ruhig wurde, kamen zwei Figuren zwischen den Wagen hervor und fuhren leise damit fort, das zu ruinieren, was dort geparkt war.

Ein BMW – Eispickel in die Michelins. Ein Ford Escort – ein Schuss schnell trocknender Isolierschaum in den Auspuff. Der einzige Elektrowagen in der Garage blieb unangetastet.

Marjorie Stump arbeitete schnell, wenn auch nicht leise, zwischen den Wagen, sie schaute, überlegte, wog ihren Wert ab und dachte die ganze Zeit über den Mann in dem billigen Mietwagen nach, der eben davongefahren war.

»Kelvin«, flüsterte sie, ebenso sehr zu sich selbst wie zu ihm, »was meinst du, was das war?«

»Was, Mama? Was denke ich, was was war?«, fragte Kelvin mit normaler Lautstärke, während er geräuschvoll zu ihr hinschlurfte.

»Was denkst du, was in dieser Kiste war?«

»Was für eine Kiste?«

Sie wandte sich um mit einem Blick voller Trauer und Mitleid für ihren Sohn, so groß, so voller Leben, so der Sache verschrieben, so dämlich.

Marjorie Stump seufzte tief. Trotz der Tatsache, dass er Elmos Sohn war, liebte sie ihn sehr, und sie ermahnte sich selbst, dass sie Geduld mit ihm haben musste.

»Diese große schwarze Kiste, die der Mann zu seinem Wagen zerren musste. Was denkst du, was da drin war?«

»Fahrrad«, anwortete er einfach. »Das war ein Fahrradkoffer.«

»Nein, Schatz. Zu schwer«, sagte sie und spielte mit den drei weißen Haaren, die sie auf ihrem Kinn kultivierte. »Nein, für ein Rad war das zu schwer.«

»Woher weißt du das?«

Sie seufzte entnervt. »Der Kofferraum. Der Kofferraum des Wagens ist ein ganz schönes Stück abgesunken, als er den Koffer hineingelegt hat. Das sagt mir, dass das kein Fahrrad war, sondern etwas Schweres. Was sagt dir das?«

»Keine Ahnung.« Er zuckte mit den Schultern.

»Ehrlich gesagt, ich weiß es auch nicht«, sagte Marjorie und strich über ein Haar, als sei es eine kleine Katze an ihrem Hals, »aber ich würde es sehr gern wissen.«

Sie wandte sich um und betrachtete all das noch zu zerstörende Potenzial, das friedlich hier in der Garage vor ihren Augen herumstand, und fällte eine schnelle Entscheidung.

»Kelvin.« Sie wandte sich dem Baumstamm von einem Sohn zu, der wie benebelt neben ihr stand. »Ich will, dass du diesem Wagen folgst.«

»Wie soll ich das denn machen«, fragte er mit stillem Erstaunen. »Ich bin zu Fuß. Der ist auf Rädern.«

»Ja, in der Tat, aber dieses Radrennen, das ich so hasse, könnte unsere Rettung sein. Heute kommt er in Vail nicht schnell voran. Also … folge ihm. Schau zu, wo er hingeht, wenn er in der Stadt bleibt. Wo er ein Zimmer bucht. Aber am wichtigsten ist, was er mit dieser Kiste macht.«

»Und was dann?«

»Dann suchst du mich und erzählst es mir.«

»Warum?«

Sie bewegte sich viel zu schnell für eine Frau ihrer Größe und ihres Alters. Mit dem Schlehdornknüppel traf sie ein Bündel von Nerven an seinem Handgelenk, bevor Kelvin Stump auch nur die geringste Chance hatte, sich zu verteidigen. Sein Mund öffnete sich zu einem Brüllen vor körperlichem Schmerz und verletzten Gefühlen, das er schnell verschluckte, bevor er hinter einen Wagen ging und auf den teuren, wenn auch platten Reifen kotzte.

»Weil«, zischte sie, »weil ich es wissen will.«

In dem Augenblick, in dem er sie ansah, konnte Marjorie schwören, dass sie ein kurzes Aufblitzen von Hass gesehen hatte. Dann kühlte sich sein Blick zu seiner üblichen Stumpfheit ab, als er nickte, sich umdrehte und den Gang hinauf in den Sonnenschein trabte, sein Handgelenk mit der anderen Hand fest haltend, als sei es gebrochen.

Einen Augenblick schämte sie sich für ihre Wut und die Misshandlung ihres Sohnes, ein kurzer Augenblick des Mitgefühls, bevor sie diese Gedanken wieder von sich schob und sich ihrer Aufgabe zuwandte. Sie stand neben einem dunkelroten Ford Explorer, der Rücksitz voller Reisespielzeug und anderem Kinderkram, und ging vorbei.

Vielleicht war sie dabei, ihr stählernes Herz und die unbeugsame Einstellung zu verlieren, die sie für ihre Berufung brauchte.

Auf dem Weg zur Treppe hielt sie an einem Mercedes an und schlug den Eispickel in das, was wie ein Satz brandneuer Pirellis aussah.

Vielleicht aber auch nicht.

In der Zwischenzeit standen in dem Zimmer, das Leonard Romanowski gerade verlassen hatte, zwei Männer, beide in bedruckten Hawaiihemden, und betrachteten den Riss im Teppich und die schmalen Linien, die zum Lastenaufzug führten.

»Ich wusste, dass das zu leicht war. Zwei Telefonate und einmal gut geraten wär' einfach zu leicht gewesen. Haben wir es versiebt?«

»Jetzt?«

»Ja.«

»Hm, vielleicht. Aber wir wissen, dass er es bei sich hat. Und wir wissen, dass er das meiste davon in einem Koffer hat.«

»Dumm.«

»Bescheuert.«

»Meinst du, er türmt?«

»Vielleicht.«

»Was denkst du?«

»Er hat es aufgeteilt und wird den größeren Teil irgendwo verstecken, bis wir aufgeben.«

»Was ist, wenn wir ihn erwischen?«

»Dann benutzt er es als Einsatz.«

»Er wird handeln?«

»Ja.«

»Wo ist er hin?«

»Weiß nicht. Hat er hier irgendwo Freunde?«

»Muss ich überprüfen.«

»Den Mietwagen auch.«

»In der Tat.«

»Er wird nicht weit kommen. So, wie's aussieht, ist diese Kiste verdammt schwer und verdammt dünn. Ungefähr so auf so.«

Er zeigte mit kurzen, aber muskulösen Armen die ungefähre Größe der Kiste an.

»Halt' die Augen auf.«

»Halt' die Augen auf.«

»Noch was?«

»Ja.«

Er zog die Tür des jetzt leeren Hotelzimmers hinter sich zu.

»Mittagessen?«

6
Zweite Chancen

Will stolperte zur Talstation des Vista-Bahn-Liftes, gerade noch rechtzeitig, um zu sehen, wie Cheryl zu einer zweiten Runde abhob. Der Motor der Seilbahn hinter ihr röhrte und quietschte, hob sie mit einem Ruck in die Höhe und schoss sie in den Himmel, aber diese mechanischen Aspekte interessierten sie gar nicht. Sie strahlte nur. Sie war in einer anderen Welt verloren und sah ihn gar nicht. Er nickte und lächelte der Figur hinterher, wie sie in den Sonnenschein über der ersten Baumreihe verschwand. Er wusste, was sie empfand.

Man hatte ihr eine Chance gegeben und im Gegenzug hatte sie einen fantastischen morgendlichen Trainingslauf gezeigt.

Er hatte die gleichen Dinge empfunden, aber an einem anderen Ort, zu einer anderen Zeit.

Er seufzte.

Die Sonne war aufgegangen, aber in der Luft hing immer noch eine deutliche Kühle. Will zog die dünne Haven-Windjacke eng um sich. Verdammt, dachte er, wurde es denn hier überhaupt nicht warm?

Will blickte hinunter auf das Durcheinander von Ausweisen auf seiner Brust, ein paar für heute, ein paar für morgen, ein paar allgemeine für Rennen und Träume, die Tausende von Meilen entfernt und schon längst vorbei waren. Mit denen war er überall reingekommen und hatte immer dazugehört.

Bis jetzt.

Trotz der Ehrenabzeichen, auf die er klopfte wie King Kong Junior, gehörte er nicht zu dieser Gemeinschaft. Er betrat das Fahrerlager und war mitten unter ihnen. Er schnappte Teile von Unterhaltungen auf, gespickt mit Worten und Ausdrücken, die er selber über die letzten sechzehn Jahre regelmäßig benutzt hatte.

Er ging zwischen den Fahrradständern und Tischen und verrosteten Kisten hindurch, und die Leute blickten und nickten und lächelten in seine Richtung, aber Will wusste, als er auf den Haven-TW-Transporter zuging, dass er nicht mehr dazugehörte. Und ganz besonders nicht zum heutigen Tag, zu diesem Ort oder diesem Rennen. Er würde nie wieder Teil des Rennsports sein. Im Augenblick gehörte er definitiv nicht zu den Auserwählten.

Vor nur fünf Monaten hatte er Paris-Roubaix gewonnen. Vor zwei Monaten war er bei der Tour de France gefahren und von ihr durch die Mangel gedreht worden, von dem größten Rennen der Welt. Er war erster Leutnant der Mannschaft gewesen. Er war ein Champion gewesen. Man hatte ihn beachtet und fotografiert, die alten Damen, die jungen Mädchen und die Leute mit den verrotteten Zähnen. Aber jetzt stand er vor einem Transporter in Vail, Colorado, unerkannt, allein, ohne Aussichten, auf Beinen, die immer noch zerschunden, zerschlagen und gefesselt waren, alles zum Ruhm einer Mannschaft, die ihn bereits vergessen hatte. Und jetzt schaute ein Mann mit einem unglaublichen Haufen von Rasta-Locken durch ihn hindurch, als sei er ein frisch geputztes Fenster.

Hootie Bosco starrte, dann schüttelte er den Kopf und ließ seine Haare fröhlich durcheinander tanzen und lächelte.

»Hey, hey, es ist der Freund. Richtig? Der Freund unserer furchtlosen Anführerin. Cool. Komm 'rauf, Mann, komm' zur Party.«

Er schob eine Kiste mit ausgemusterten Gangschaltungen, Bändern, Kabeln und ein paar Tüten Knabberzeug zur Seite und patschte mit der Hand neben sich, Will einen Platz anbietend.

»Danke. Ist nett, aber ich werde ein bisschen herumlaufen.«

»Nee, nee, bleib' hier. Bleib' 'nen Augenblick hier. Setz' dich. Ich könnte deine Laune gebrauchen. Ich fühle mich heute zu fröhlich. Außerdem könntest du verhaftet werden, so wie du aussiehst. Nein, wirklich. Hier ist Happiness angesagt, Mann. Die Leute sind heute alle zu verdammt glücklich für meine Veranlagung.«

»Es ist Nebensaison. Die Eingeborenen sind froh, dass du hier Geld ausgibst.«

»Wirklich, meinst du? Verdammt, und ich hatte gehofft, die mögen mich für das, was ich bin.« Hootie Bosco lachte und schüttelte wieder den Kopf. Seine Frisur wabbelte wie ein Ring aus Götterspeise, die schon viel zu lange in der hinteren Ecke des Kühlschranks gelebt hatte. »Komm', setz' dich zu mir. Meine Haare beißen nicht. Jedenfalls niemanden außer mich.«

Will konnte ein Kichern nicht unterdrücken, egal, wie sehr es ihm sein Selbstmitleid befahl, und manövrierte die Beinschiene an die Ladekante des Transporters. Er drehte sich um, balancierte sein Gewicht aus und hopste völlig unnötigerweise hoch. Sein Hintern überquerte die Ladekante um ein gutes Stück und landete dann hart auf dem rohen Holzboden.

»Muss schwer sein, auf den Dingern 'rumzulaufen.«

»Ja. Aber sie machen das Leben interessant.«

»Wo hast du denn den hier her?« Hootie Bosco deutete auf den kurzen Stützverband aus Plastik mit den Klettverschlüssen, der das untere Drittel von Will Ross' rechtem Bein umschloss.

»Den Gips – den habe ich auf einem Vulkan bekommen.«

»Kein Scheiß?«

Will lächelte. »Kein Scheiß. Habe mir den Wadenmuskel mitten durchgerissen. Der Gips soll dabei helfen, dass er schnell ausheilt.«

»Wie lange ist das her?«

»Ungefähr sechs Wochen.«

Hootie Bosco lächelte. »Klingt mir nicht nach schnell, Mann.«

Will zuckte mit den Schultern.

Hootie Bosco zeigte auf die Schiene, die Wills linkes Bein umgab. »Und das da?« – »Das da …«

»Sag's mir nicht. Wenn wir die Schiene und deine Hosen abnehmen, würde dieses Bein das Problem zeigen, das man hat, wenn man bei siebzig Kilometern in der Stunde auf einer engen Bergstraße vom Rad fällt und dann von einer Leitplanke abprallt. Stimmt's?«

Will schauderte unwillkürlich bei der Erinnerung daran.

»Stimmt. Gut geraten.«

»Nicht geraten. Ich hab' dich nach dem anderen nur gefragt, weil ich wissen wollte, wie du es mir erzählen würdest. Apropos, Kumpel, was hatte der Kerl vor dir denn genommen? In dem Video, dass ich gesehen habe, ist er abgehoben, als hätte er das Geheimnis des Fliegens entdeckt.

»Mieses Zeug. Synthetische Steroide.«

»Schlechte Ladung erwischt, was? Na ja, das beweist nur, was ich immer sage.«

»Und was ist das?«

»Kenne deinen Apotheker.« Hootie wandte sich um und lächelte, aber es war ein leeres Lächeln, ein Lächeln, das von der Erinnerung an zu viele Freunde kündete, die er an den Dämon der Medikamente verloren hatte.

Er schüttelte noch einmal den Kopf, sah zu, wie ein paar Haare einen Augenblick der Freiheit genossen, während sie auf den Boden segelten, und schaute dann wieder zurück auf Will Ross. Als er Wills distanzierten Blick sah, ließ er seine Stimme um zwei Oktaven absinken und versuchte wie sein Vater zu klingen.

»Mach' dir keine Sorgen. Das wird schon wieder. Du wirst wieder Rad fahren.«

Will erschrak und wandte sich um. Er starrte Hootie Bosco an. Einen Augenblick lang kam es ihm so vor, als sei noch jemand mit ihnen im Transporter.

»Mach' dir auch darüber keine Sorgen, mein Freund«, sagte Hootie mit einem Lächeln. »Ich bin viele Personen in einem Körper. Ich bin Hootie. Ich bin all das, was Hootie gelernt hat. Ich bin ein verflucht guter Mechaniker. Ich kann auf einer Abfahrt bei fünfzig Meilen in der Stunde ein Schaltwerk einstellen, eine Abfahrt nicht unähnlich der, die dich die oberste Hautschicht deiner Hüfte gekostet hat, zusammen mit all den kleinen Härchen, die einmal da gewohnt haben. Ich bin Lyriker, Liebhaber, Leser. Trotz der Tatsache, dass ich seit drei Jahren nichts mehr geschrieben und seit vier nicht mehr geliebt habe. Ich bin entschlossen, mich durch Moby Dick zu kämpfen, bevor ich etwas anderes lese und habe ansonsten nichts mehr gelesen außer Fahrrad-Zeitschriften und ab und zu mal einen Playboy, den ich natürlich nur der Artikel wegen lese. Die Fotos regen mich auf eine ganz andere Art und Weise an, seit ich vor acht Monaten mit Mr. Moby angefangen habe. Ich bin all diese Dinge.«

Er machte eine Pause und atmete durch, mit einem beinahe komischen Effekt.

Will legte seinen Kopf leicht schief und fragte: »Warum Moby Dick?«

»Weil man das gelesen haben sollte. Weil niemand in dieser Stadt, abgesehen von der Chef-Bibliothekarin, jemals mehr als die Comic-Version gelesen hat. Und weil«, er zögerte und blickte den Berg hinauf, während sein Gesicht erschlaffte und erblasste, »weil dieser Berg mir meine Zukunft genommen hat – er hat mir mein Leben genommen. Er hat mir meine Liebe genommen. Ich werde mich eines Tages an ihm rächen. Das werde ich, bei allem, was heilig ist.«

Die letzten Worte sagte er stehend, in lautem und trotzigem Captain-Ahab-Singsang, bevor er sich wieder auf den Boden des Transporters setzte. Will starrte ihn schockiert und ungläubig an.

»Herrgott, ist das wahr?«

»Nö. Außer dem Zeug mit der Bibliothekarin. Ich wollte das Buch einfach nur lesen. Sie wird am Wochenende hier sein. Ich sollte euch einander vorstellen.«

»Wem?«

»Moby Dick. Quatsch, der Bibliothekarin. Sheila Webster. Eine Freundin von mir. Wird hier sein und sich darüber beschweren, was für ein Tollhaus wir aus ihrer Heimatstadt gemacht haben.«

Er lächelte ein 200-Watt-Lächeln, das die ganze Umgebung erleuchtete.

»Und du?« Er breitete seine Arme aus und bot Will den Fußboden an.

Will erwiderte das Lächeln, aber dann schaute er auf seine Füße, die kaum den oberen Rand von Dreck und Gras am Fuß des Skiberges berührten. Und was war mit ihm? Was konnte er diesem Mann sagen? Was konnte er sich selber sagen? Was ging in seinem Kopf vor? Was zum Teufel war mit der unteren Hälfte seines Körpers passiert? Das meiste davon würde verheilen, klar, aber würde es je wieder die Strapazen eines Rennens aushalten? Würde er je wieder fahren können? Und wenn ja, wo, und für wen, und für wieviel, und …

»Nervt ganz schön, was?«

»Hä, wie?« Will schüttelte sich aus seiner Träumerei und brachte sich wieder an den Fuß des Berges zurück, in den Laderaum eines Transporters, am Beginn eines Renn-Wochenendes.

»Nervt ganz schön, wenn man sich um seine Zukunft Gedanken macht, was?«, fragte Hootie mit einem sanften Lächeln. »Schau mal, ich kenne das, Mann. Diesen Tag, an dem man sich nicht mehr sicher ist, ob man es noch kann, wenn niemand einen haben will und der Körper einem sagt, es sind nicht die Beine und es ist auch nicht der Kopf.«

»Ja.«

»Ich hab's selbst schon erlebt. Aber für mich war es leichter. Ich war schließlich nur irgendein Fahrer. Du warst ein Sieger. Ein Champion. In der Tat. Hast eins der Großen gewonnen. Viele große Namen haben dieses Rennen nie gewonnen. Viele große Namen weigern sich, dieses Rennen zu fahren. Und dabei hat man auch noch auf dich geschossen, was? Dafür gibt's Bonuspunkte. Findest du nicht auch?«

Will schaute Hootie Bosco an und konnte ein Grinsen nicht unterdrücken. Nicht nur aus Belustigung, weil die Haare dieses Mannes wie eine Naturgewalt waren, sondern auch aus Dankbarkeit, weil Hootie Bosco, obwohl er vielleicht ein bisschen weit gegangen war, den Nagel direkt auf den Kopf getroffen hatte.

William Edward Ross war ein Champion gewesen, der aus dem Nichts aufgestiegen war, einen großen Preis gewonnen hatte. Jetzt stand er …

»Am Scheideweg«, sagte Hootie Bosco und starrte den Berg hinauf. »Am Scheideweg. Und das ist knallhart.«

»Das stimmt.«

»Also, wenn ich darf, ein kleiner Rat: Leb' dein Leben nicht durch sie«, sagte er und deutete vage den Berg hinauf. Ohne zu fragen wusste Will, dass er Cheryl meinte.

»Leb' dein Leben nicht durch sie. Damit übst du Druck auf sie und auf dich aus, bis das ganze verdammte Ding, was es auch ist, was ihr da habt, in eine Million Stücke zerbricht.« Hootie Bosco drehte sich um und lächelte wieder, aber diesmal war es ein Lächeln voller Trauer und Schmerz. »Das habe ich auch schon durchgemacht, Mann. Tolle Frau. Böse Geschichte.«

»Ich weiß.«

»Das kennst du also?«

»Ja. Ich war schon ein paar Mal nah daran, sie zu verlieren. Ego. Bitterkeit. Kleinlicher Scheiß.« Will kickte mit dem Gehgips gegen eines der voll gefederten Mountainbikes. »Und das hier – ich verstehe diesen Sport nicht, Mann.«

»Wie auf der Straße. Es ist nichts als eine tägliche Dosis der schlimmsten Abschnitte von Roubaix, ohne die asphaltierten Stellen dazwischen. Es ist Holpern und Kotzen und Festhalten und Hoffen, dass dein Reifen, dein Rahmen und dein Magen bis zur Ziellinie durchhalten. Also, was ist der Unterschied?«

»Es ist eine andere Art zu fahren, Mann«, sagte Will distanziert, »eine vollkommen andere Fahrweise.«

»Blödsinn. Mythen, Legenden und Lügen. Erfunden von Straßenfahrern und Steinbeißern, alles kleine Egomanen, die versuchen, sich voneinander abzugrenzen. Aber schau's dir doch mal an, Mann. Furtado, Tomac, Overend, die sind von der einen zur anderen Seite gewechselt und hatten überhaupt kein Problem damit. Viele europäische Typen tun das. Warum nicht du?«

»Ehrlich gesagt, ich war gar kein so toller Straßenfahrer.«

»Du warst gut, als du gut sein musstest.«

»Vielleicht.«

»Kein ›vielleicht‹. Blödsinn«, bellte Hootie und warf eine handgerollte herzhafte Dosis Gras immer noch brennend neben den Transporter. Er schaute hinunter auf den Stützverband an Wills rechtem Bein.

»Wie lange ist der jetzt schon dran?«

»Ungefähr sechs Wochen.«

»Zeit, dass er 'runterkommt.«

»Ich weiß nicht recht.«

»Scheiße, Mann. Wenn du noch länger mit dem Ding da 'rumläufst, dann wird es noch zu einem festen Bestandteil von deinem Bein.«

Er langte nach unten und packte eines von den Klettverschlussbändern, die um den Verband herumgewickelt waren. »Wann ist der feste Gips 'runtergekommen?«

»Nach circa zwei Wochen.«

»Das Ding hier hättest du dir nie antun sollen. Nach zwei Wochen war da schon ziemlich viel verheilt.« Er zog noch einmal an den Bändern und schaute sich das Plastik genauer an. »Du hast den also vier Wochen länger an, als der Arzt verschrieben hat?«

»Er hat gesagt, es würde auch nichts schaden.«

»Außer dem Leben. Zeit für die Freiheit, mein Freund. Machst du mit?«

Will bemerkte plötzlich, dass er schwitzte, dass er Angst davor hatte, die Schalen abzunehmen. Warum, das wusste er nicht.

»Kannst dich nicht ewig dahinter verstecken, Kumpel.«

Und das, wurde Will plötzlich klar, war das »Warum.« Solange das Ding dran war, würde er nie wieder fahren müssen, würde er nie wieder etwas beweisen müssen. Er würde nie wieder auf zwei Rädern Erfolg haben oder versagen.

Er würde nur er selbst sein.

Leer. Allein. Unbekannt. Aber mit einer Ausrede.

»Nimm' ihn ab.« Will hörte seine Stimme von weit weg.

»Sicher?«

»Ja doch. Nimm' ihn ab.«

»Das, mein Freund, höre ich gern. Ein Mensch, der wieder zum Leben erwacht.« – »Was?«

Zwei Klettbänder waren offen, bevor Hootie antwortete. »Ein Mensch, der wieder zum Leben erwacht. Leben. Kennst du doch. Zum Leben erwachen. Wieder Spaß daran haben. Du musst das Leben mit beiden Händen packen und es festhalten. Ansonsten kann man dich gleich in ein Heim bringen und dich mit dieser Flüssignahrung aus der Büchse füttern, die sie den hoffnungslosen Fällen geben. Ehrlich. Die verkaufen diesen Scheiß jetzt, kannst du das glauben? An Menschen, die noch ihre eigenen Zähne haben.«

Der Verband glitt von Wills Bein, und er wackelte mit den Zehen. Die kühle Luft fühlte sich wunderbar an.

»Endlich frei. Endlich – frei.« Hootie Bosco warf die Schale aus Plastik und Schaumstoff in einem hohen Bogen weg. Sie segelte hinter den Transporter und landete mit einem Krachen in einem Müllcontainer, etwa zwanzig Meter entfernt.

Ein Mann, der daneben gestanden hatte, erschrak und schickte einen undeutlichen aber sicherlich bösen Fluch in Hooties Richtung.

»Mach' keinen Wind, Freund, ich hab' dich doch gar nicht getroffen«, rief Hootie zurück. »Jedenfalls nicht diesmal.«

»Hey, Mann«, sagte Will mit einem Quietschen, »das sind zweihundert Dollar Gehgips.«

»Scheiße. Den wirst du nie wieder brauchen«, antwortete Hootie. »Wofür wolltest du den denn aufheben? Deine Kinder? Den Flohmarkt?«

»Man weiß nie.«

»Man weiß nie was? Dass das nie wieder passiert? Vielleicht doch.

Vielleicht auch nicht. Leb' dein Leben nicht auf der Grundlage von ›vielleicht‹.«

»Vielleicht hast du Recht.«

»Verdammt, jetzt tust du's schon wieder.«

Will ließ sich das kurze Stück auf den Boden herab und begann, vorsichtig in Hooties Arbeitsbereich vor dem Transporter herumzugehen. Die Wade fühlte sich gut an. Schwach, verhärtet, aber gut.

»Was ist mit dem anderen da?«, fragte Hootie und zeigte auf die Schiene.

»Nein. Eins nach dem anderen. Ich bin noch nicht bereit für die totale Freiheit«, antwortete Will. Und doch, dachte er tief innen, vielleicht war er es. Er schaute auf das helle gelb-blaue Colnago, das für Marshall Reed vorbereitet war.

Vielleicht war er es.

»Mach' nur. Es beißt dich nicht.«

Will schüttelte den Kopf.

»Nein. Es gehört jemand anderem. Man fährt nie das Rad eines anderen.«

»Wo zum Henker hast du denn den Scheiß her? Ist das europäischer Quatsch? Ein Rad ist ein Rad, bis ein Fahrer das Rad wirklich kennt. Und Reed hat bei dem hier noch nicht einmal den Sattel durchgeschwitzt. Nimm's. Fahr' damit.« Er warf Will einen Helm zu. »Sei ein Mann, Ross.«

»Was ist mit der Schiene?«

Bosco schaute auf Wills linkes Bein.

»Ja. Die ist ein Problem. Aber keine Ausrede. Sie hat ein Gelenk in der Mitte. Und jetzt setz' den Helm auf und fahr' herum.«

»Ich habe keine Schuhe.«

Hootie griff in eine Holzkiste nahe der Ladekante des Transporters und holte ein paar Segeltuchschuhe heraus, die so aussahen, als hätte er sie von einer Müllkippe geholt. Zweimal. Er warf sie Will zu, der beide auf den Boden fallen ließ, ohne sie richtig anzufassen, den Latschen von seinem linken Fuß kickte und die Füße in die Schuhe hineinzwängte. Ein Band von der Beinschiene kringelte sich gefährlich um seinen linken Fuß.

»Und jetzt, Herrgott nochmal, Ross – fahr' mit dem verdammten Fahrrad!«

Will wusste nicht, was er noch sagen sollte. »Ja, Sir«, war alles, was herauskam, als er sein freies Bein über den Sattel schwang und es sich bequem machte, seinen linken Fuß auf dem Pedal platzierte und auf dem verdammten Fahrrad langsam davonfuhr.

Es war wie Fliegen, wenn man mal ernsthaft darüber nachdachte. Fliegen in einem Wirbelsturm, natürlich, wenn einen die Rillen und der Kies durchschüttelten wie in einem Bollerwagen auf der Schultreppe, aber es war trotzdem wie Fliegen.

Ihr Haar, zu einem festen Zopf zusammengebunden, flog hinter ihr her wie ein brünetter Kondensstreifen hinter einem Jet. In jeder Kurve flatterte er zur Seite und flog durch die Luft, während ihr Tempo und ihr Selbstvertrauen auf dem Rad wuchsen.

Cheryl Crane schoss aus der letzten Kurve und legte noch einmal richtig los. Sie erwischte den Sprung kurz vor dem Zieltransparent abseits von der Ideallinie, richtete sich in der Luft wieder aus und flog auf die Ziellinie herab wie der Profi, der sie wieder geworden war.

Das kleine Mädchen mit den dunkelbraunen Augen und den strahlend weißen Zähnen lächelte hinter dem Transparent mit der Mineralwasserwerbung und zeigte mit beiden Daumen enthusiastisch nach oben.

Cheryl lächelte und winkte zurück.

Das, so dachte sie, war die Tochter, die sie eines Tages mal haben würde.

Ohne auch nur eine Sekunde zu überlegen, fuhr sie zur Talstation der Vista-Bahn, stieg vom Rad, wartete ein wenig ungeduldig in der Schlange, ließ ihr Rad auf ein Gestell hinter dem Sessel fallen, setzte sich auf den Sitz und flog wieder zum Gipfel des Berges. Sie suchte nach einem weiteren Moment von Freiheit und Glück, das ihre Befreiung aus der Kiste markierte, die sie in den letzten paar Jahren um sich herum gezimmert hatte.

Sie holte tief Luft und lächelte.

Wir alle bauen Kisten um uns herum, dachte sie, und aus manchen werden mit Samt ausgeschlagene Fallen für unsere Träume. Heute kletterte sie aus ihrer heraus.

Und sie wusste nicht, was da draußen war.

Oder, überlegte sie, und dachte an die Menschen, die im Augenblick eine Rolle in ihrem Leben spielten, wer zusammen mit ihr da draußen war.

Es war ganz simples Rad fahren, wenig mehr, als aufrecht auf dem Rad zu sitzen und die Füße auf den Pedalen zu halten. Das war anscheinend das Schwierigste daran, das mit den Pedalen. Die Körbchen am vorderen Ende der Pedale würden zur Not zu jedem Schuh passen, aber die fand man heutzutage an Rennrädern nicht mehr. Die technische Entwicklung hatte sie verdrängt, und man war zu Klick-Pedalen übergegangen, die für einen Schuh mit einer Pedalplatte gedacht waren, so ähnlich wie bei einer Skibindung. Zu versuchen, mit Segeltuchschuhen und einer Beinschiene herumzufahren, ohne Pedalplatten, auch wenn die Schuhe noch so breit waren, funktionierte eben einfach nicht.

Will konnte seinen rechten Fuß leicht auf dem Pedal balancieren, besonders jetzt, da der Gehgips weg war, aber die Schiene am linken Bein war gnadenlos. Sie sträubte sich und zwickte jedes Mal, wenn er versuchte, die Position seines Fußes so zu verschieben, dass er zumindest minimale Bewegungen auf dem Pedal machen konnte, ohne dass der Winkel der Schiene seinen Fuß nach vorn oder nach hinten oder nach links oder gleich ganz vom Pedal herunter schob.

Was noch schlimmer war, er schaute ständig auf seine Füße, während er versuchte, ihre Position auf den Pedalen auszurichten, was sich als eine nicht sehr schlaue Idee herausstellte, mitten in der vollen Innenstadt von Vail am ersten Morgen eines Rennwochenendes. Als das Vorderrad auf eine Brücke über den Gore Creek hinauffuhr, konnte Will, der den Kopf unten hatte, den Ruf vor sich mehr spüren als hören.

»Achtung!«

Wills Kopf schoss nach oben wie von einer Feder ausgelöst, und er sah keine Straße vor sich, sondern nichts als Wand: Eine Wand, die aus einem Mann, einer kleinen Lücke und einer Frau bestand – einer kleinen, dicken Frau, die drohend ihren Stock schwang, einen Stock, der ungefähr die Größe eines Laternenpfahls hatte.

Ohne nachzudenken machte sich Will auf dem Rad so dünn, wie er konnte, schob den Lenker eine Winzigkeit nach rechts und fuhr durch das Nadelöhr zwischen den beiden hindurch. Dabei konnte er die Wärme spüren, die diese beiden Menschen abgaben, und er hörte das »Wusch« des Schlehdornknüppels, wie er knapp hinter seinem Kopf durch die Luft zischte.

»Entschuldigung!«, rief er über die Schulter zurück. »Entschuldigung!«

Er nahm wieder Tempo auf, bog nicht in den Meadow Drive ein, sondern fuhr zur Frontage Road und dann nach rechts. In ein paar Augenblicken würde er Verkehr und Fußgänger hinter sich gelassen haben. Wenigstens konnte er dann diese Maschine verstehen lernen.

Er schaltete und bemerkte plötzlich, dass er sich keine Gedanken mehr um die Platzierung seines Fußes auf dem linken Pedal machen musste. Er warf einen Blick nach unten und sah, dass sich bei seinem Manöver auf der Brücke das lose Band der Beinschiene in einem Teil des Pedals verhakt hatte. Jetzt saß der Fuß fest. Prima.

Solange er nicht aufhörte zu fahren.

Er wusste, dass das zu ganz neuen Problemen führen würde.

Marjorie Stump sah zu, wie der Fahrer die Vail Road hinauf in Richtung des Kreisels verschwand, und schlug mit ihrem Stock auf das Brückengeländer.

»Mistkerle. Die denken, ihnen gehört unsere Stadt.«

Sie wandte sich um und schaute Kelvin an.

»Warum hast du ihn nicht gestoppt?«

»Was?«

»Warum hast du ihn nicht gestoppt?«

»Wie denn? Wie hätte ich ihn denn stoppen sollen?«

»Es hätte gereicht, ihn umzustoßen.«

»Er ist zu schnell gefahren.«

»Er hat beinahe deine Mutter angegriffen.«

»Ja, Mutter.«

»Du solltest ein bisschen mehr an sie denken.«

»Ich denke die ganze Zeit an sie.«

»Dann solltest du es zeigen.«

»Ja, Mutter.«

Sie seufzte ein wenig frustriert. »Oh, geh' nur. Du hast eine Aufgabe zu erledigen, geh' – geh' einfach und erledige sie.«

»Und wer soll dich dann beschützen?«

Der Knauf des Stockes traf ihn direkt neben dem linken Knie, und er wartete darauf, dass der Schmerz begann. Er kam schneller als üblich. Der Bluterguss, der noch von einem früheren Schlag da war, tat beinahe sofort weh, während der tiefe und widerliche Schmerz aus dem Knochen später und härter kam.

Er starrte auf die Wipfel der Espen und versuchte zu meditieren, abzuwarten, dass der Schmerz ansteigen, den Höhepunkt erreichen und dann wieder abflauen würde. Er spürte, wie Tränen in seine Augen stiegen und sich sein Mund in einem Schmerzensschrei öffnete, aber er gab keinen Laut von sich. Dann war der schlimmste Schmerz vorbei, und er richtete sich zum ersten Mal zu seiner vollen Größe auf. Wie ein Turm schwebte er über seiner Mutter und verstand zum ersten Mal etwas Wichtiges über sein Leben.

Er war nicht der Sohn seiner Mutter.

Er stieß einen unregelmäßigen Atemstoß aus. Er schüttelte den Kopf und kehrte zu einem Freitagnachmittag auf einer Brücke über den Gore Creek mitten in Vail zurück.

»Also. Können wir jetzt weitermachen? Fein. Ich gehe Mittag essen, aber ich will, dass du, Kelvin, mehr über diesen schweren Fahrradkoffer herausfindest. Finde heraus, wohin er diesen Koffer gebracht hat, und was da drin ist. Und komm' mir nicht zum Mittagessen nach Hause, bevor du es weißt.«

»Aber was ist, wenn er nicht …«

»Komm' mir nicht zum Mittagessen nach Hause, bevor du es weißt.«

»Ja, Mutter.«

Kelvin nickte und trabte davon, sein linkes Knie schonend. Er zählte das Kleingeld in seiner Tasche. Nein, nicht genug, um in dieser Stadt an einem touristenreichen Tag ein Mittagessen zu kaufen. Also fuhr er mit seiner Suche nach einem kleinen weißen gemieteten Chevrolet fort, der hinten tief lag. Seine erste Recherche hatte ergeben, dass der Mann heute früh das Hotel so eilig verlassen hatte, um den Wagen nur ein paar Blocks weiter im Transportation-Center-Parkhaus abzustellen. Als er das herausgefunden hatte, war er gegangen, um es seiner Mutter zu erzählen. Sie wollte es wissen, und sie wollte nicht darauf warten. Aber er konnte nicht sicher sein, dass der Wagen und der Fahrer immer noch dort waren. Genau gesagt, war es ihm auch ziemlich egal. Um seiner Zukunft willen hatte er andere Sorgen.

Eine dieser Sorgen war seine Mutter.

Eine andere war die Antwort, die er durch ein Telefonat erfragen würde.

Seine Zukunft könnte von beidem abhängen.

»Wo ist mein Rad?«, brüllte Marshall Reed in die Dunkelheit des Transporters hinein.

Hootie Bosco kam ihm wie ein Racheengel entgegen, und Reed machte erschrocken einen Schritt zurück.

»Herrgott, Mann. Du bist echt zu seltsam.«

»Sagst du.«

»Wo ist mein Rad?«, fragte Reed leicht ungeduldig und zeigte mit dem Arm über den Haven-TW-Spielplatz.

»Welches?«

»Das Colnago, Arschloch.«

»Hab's verliehen.«

»Was? Das Rad war genau auf mich eingestellt.«

»Das Rad war viel zu gut für dich, Reed. Du solltest dankbar sein, dass es dich nicht abgeworfen und bei einem dieser Dinger umgebracht hat, die du als Trainingsfahrten bezeichnest.«

»Mach' mich nicht blöd an, du Irrer. Ich will mein verdammtes Rad, und ich will es jetzt, hier.«

»Das Problem ist, es ist nicht hier. Bald, das kann ich dir versprechen. Aber ich bin mir nicht sicher, dass ich es dir dann geben werde. Bis ich entschieden habe, was das richtige Material für dich ist, fahr' doch einfach das Diamondback und lass' gut sein.«

»Ich will das Diamondback nicht fahren.«

»Also, wenn man bedenkt, wofür die dich bezahlen, würde ich an deiner Stelle das Diamondback fahren. Es gibt da so kleine Problemchen mit Verträgen und so weiter, und Dinge, auf die du wirklich achten solltest. Du weißt doch, kein Geld, kein Rennen, diese Geschichten? Diamondback ist dein Sponsor. Du fährst Diamondbacks.«

»Ist jetzt alles erledigt, bis auf's Brüllen?«, sagte Cheryl Crane mit einem Lächeln, als sie ihr Colnago an die Seite des Transporters schob.

»Davon wird's noch genug geben, das kann ich dir sagen.«

Reed wandte sich zu ihr um.

»Schau mal – ich bin die Nummer zwei in dieser Mannschaft und mir steht ein neues Rad zu. Die Colnagos sind angekommen und eins ist für mich.«

»Tut mir Leid. Mir war gar nicht bewusst, dass du die Nummer zwei in dieser Mannschaft bist.«

»Passt aber zu ihm«, murmelte Hootie.

»Aber welches Rad willst du denn?«, fragte Cheryl besorgt. »Welches? Ich sehe kein anderes.«

»Das, das er verliehen hat. Wem hast du es denn überhaupt geliehen?«

»Ihrem Freund«, sagte Hootie stolz und zeigte mit dem Daumen auf Cheryl, die sichtlich erschrak.

»Was – dem Freund? Dem Trottel? Verdammt nochmal, ich will mein Rad wiederhaben, sofort, du blöder Sack!«

Hootie zuckte mit den Schultern. Cheryl riss sich zusammen und wandte sich Reed zu.

»Schau mal. Diamondback sponsort Two Wheels. Die TW-Seite des Teams. Die, nebenbei bemerkt, dich eingestellt hat. Colnago stellt nur ein paar Testräder zur Verfügung, für die Haven-Seite der Medaille. Und diese Haven-Seite bin ich. Dein Sponsor ist Diamondback. Sie bezahlen dich. Du fährst Diamondback.«

»In der Zwischenzeit fährt dein Freund auf einem Spitzenrad davon, das mir zusteht. Mann, ich weiß ja nicht, wer für dieses Scheiß-Team die Schecks unterschreibt, aber ich verspreche euch was – ich werde ihn finden und ich werde mich bei ihm beschweren, und nächste Saison leite ich das Team.«

»Tu' dir keinen Zwang an«, war alles, was Cheryl antwortete.

Hootie fügte hinzu: »Mach' nur nicht deine Sponsoren wütend. Wenn du das tust, fährst du bald Räder aus dem nächsten Supermarkt.«

»Ihr beide habt doch absolut keine Ahnung, wovon ihr redet«, sagte Reed wütend, packte das Diamondback und schob es Richtung Vista-

Bahn, »und ihr habt auch keine Ahnung, mit wem ihr euch anlegt. Ich will das Colnago wiederhaben«, rief er über die Schulter zurück.

»Und du bekommst es, ganz bestimmt, mein junger wilder Cowboy«, rief Hootie ihm hinterher.

Er lächelte und zog die Finger durch den Wald voller Dreadlocks auf seinem Kopf.

»Das heißt – wenn ich es für richtig halte.«

Cheryl und Hootie schauten Reed stumm hinterher, wie er sein Diamondback zum Sessellift schob, und die Wut um ihn herum flimmerte wie die Hitze auf einem Highway in Arizona.

»Der Junge sollte nur noch Entkoffeinierten trinken«, sagte Hootie.

»Entweder das oder sein Ego als selbstständigen Staat anmelden«, antwortete Cheryl mit einem Lächeln. Sie zögerte einen Augenblick und wandte sich dann zu ihm. »Also … du verleihst Mannschaftsmaterial an Freunde mit kaputten Beinen?«

»Kaputtem Selbstbewusstsein, genau gesagt«, antwortete er, nahm sich einen roten Lappen und wandte sich wieder seinem Montageständer zu.

»Du hast ihn tatsächlich draufgekriegt?«

»Ich habe ihn nirgendwo draufgekriegt. Er hat sich ganz alleine draufgesetzt.«

»Was ist mit seinen Beinen?«

Hootie deutete mit dem Kopf in Richtung Müllcontainer. »Der Plastik-Gips ruht jetzt in Frieden, und mit einer Beinschiene kann er fahren. Also habe ich ihn losgeschickt.«

»Marshall hat nicht ganz Unrecht – das Rad war für ihn bestimmt.«

»Ich glaube an Verpflichtungen. Der kleine Mistkerl hat sich Diamondback gegenüber verpflichtet, genauso wie das ganze Team, bevor das große Geld gekommen ist … also … so, wie ich das sehe … sollte er Diamondbacks fahren. Hey, ist ja nicht so, als würden wir ihn zwingen, auf Flohmarktmaterial zu fahren. Das ist Spitzenware. Wenn ich das Logo austauschen würde, würde er den Unterschied nicht einmal bemerken.«

»Also, wo ist er hin?«, fragte Cheryl und kickte mit dem Fuß ein paar Steinchen weg.

»Reed oder dein Freund?«

»Will«, antwortete sie leise.

»Weiß nicht. Er ist ganz glücklich losgefahren. Keine Ahnung, wohin. Was mich betrifft, ist das sein Rad, und er kann damit hinfahren, wo er will. Zur Hölle und zurück, ist mir egal.«

»Den Sponsoren wird das nicht gefallen.«

»Scheiße, die Sponsoren haben keine Ahnung, wo neunzig Prozent von dem Zeug hier hinkommt«, sagte Hootie mit einem Lächeln und warf ein kaputtes Schaltwerk in eine Müllkiste. »Die wollen nur das Logo auf ESPN oder in Outdoor Life sehen.«

»Ich muss mich für all das verantworten.«

»Quatsch. Stewart muss sich für all das verantworten. Und alles, was der zu sagen hat, ist, ›Was? Wo eure Räder sind? Im Lagerhaus. In Detroit. Na, hoffentlich wird da nicht eingebrochen‹. Oder sie sind in Cheryl Cranes Garage. In Detroit. Na, hoffentlich wird da nicht eingebrochen.«

»Ich versteh' schon.« Sie lächelte, wandte sich um, und schaute in Richtung Stadt. Der Blick war durch Transporter und Menschen und Apartmentkomplexe und Sponsorentransparente fast völlig versperrt.

»Mach' dir keine Sorgen«, sagte Hootie leise. »Der kommt schon zurecht.«

»Oh, ich mach' mir keine Sorgen.«

»Aber sicher tust du das. Jemanden dabei zu beobachten, wie er wieder zum Leben erwacht, ist immer eine beunruhigende Sache.«

Sie nickte. Nach einem langen Augenblick flüsterte sie, als hätte sie vor der Antwort Angst: »Hast du eine Ahnung, warum?«

Hootie hörte auf, den Zug einzufetten, den er in der Hand hielt, und lächelte sie an.

»Weil er vielleicht davonfliegt? Keine Sorge. Er ist nicht der Typ dazu. Besonders nicht, wenn er jemanden wie dich hat.«

»Vielleicht sollte ich auf ihn warten.«

»Vielleicht solltest du trainieren. Deine Zeit läuft auf ein Ergebnis unter den ersten zehn hin. Draa macht sich gut, und Jettman und Reed sind auch dabei. Keine Probleme. Und was Ross betrifft – lass' dich von ihm überraschen.«

Sie schüttelte den Kopf und hängte das Rad an ein Gestell.

»Ja, ich sollte tranieren. Aber ich habe schon zwei Abfahrten hinter mir. Heute Nachmittag mache ich eine dritte oder einen Cross-

Country. Die Höhe macht mir ein bisschen zu schaffen. Vielleicht gehe ich auch einfach nur ein bisschen spazieren.«

»Ja, mach' das.«

Sie warf ihren Helm in die Luft und fing ihn mit dem Kopf auf.

Hootie Bosco sah zu, wie sie davonging, und lächelte. Sehr cool. Sehr cooler Trick. Sehr coole Lady.

Er seufzte. Verdammt nochmal. Ich kann mit ihnen reden. Ich kann mit ihnen lachen. Ich kann der Beichtvater für alle sein, aber ich kann niemanden finden, der mir die Beichte abnimmt, und ich verstehe nicht, warum.

Er schüttelte wieder seine Dreadlocks und ein kleines Wölkchen aus Rauch, Staub und Schuppen flog in die verschiedensten Richtungen davon. Er seufzte tief und machte sich wieder daran, den Bremszug zu montieren.

7
Da hast du ja wieder was Schönes angerichtet!

Olverio steckte seine Nase tief in den dicken Porzellanbecher und ließ den Dampf des heißen Kaffees in seine Nasenlöcher und in die schmerzenden Nebenhöhlen aufsteigen.

»Das bringt mich noch um.«

»Was? Oder sollte ich besser fragen, was denn nun schon wieder?«

»Diese Höhe. Die Luft ist so trocken, dass mich meine Nebenhöhlen beinahe umbringen.«

Stanley schob sich ein weiteres Stück der dick mit Apfelmus bestrichenen Brotscheibe in den Mund. Während er sprach drohten kleine Stücke davon zu entkommen und über den Tisch zu fliegen, aber es geschah nicht.

»Du solltest dieses Kochsalz-Zeug nehmen.«

»Was für ein Kochsalz-Zeug?«

»Das Nasenspray, das ich unten in Denver gekauft habe, als wir die Ausrüstung abgeholt haben.«

»Hast du es mit?«, fragte Ollie hoffnungsfroh und zog seine Nase aus der Tasse.

»Klar.«

»Kann ich's mal haben?«, fragte er erwartungsvoll, langte quer über den Tisch und zog dabei seinen Ärmel durch das Apfelmus. »Bitte?«

»Klar, hab' ich's dabei, und selbstverständlich kannst du es nicht benutzen. Ich weiß ja nicht, von welchem Planeten du kommst, mein Freund, aber wir in Detroit teilen weder Lippenstift noch Nasenspray. Du musst aus Cleveland kommen.«

»Es ist doch nur ein Spritzer.«

»Nein«, sagte Stanley fest und in einem Tonfall rechtschaffener Entrüstung.

»Krieg' es in deinen dicken Schädel. Ich will mit dir keinen Nasenschleim austauschen.«

»Toller Freund. Ich hab' doch keine Erkältung.«

»Und ob ich ein Freund bin. Vergiss' das ja nicht.«

Enttäuscht senkte Ollie seine Nase wieder auf die schnell abkühlende Flüssigkeit in seiner Tasse herab, aber jetzt erreichte er nichts weiter, als sein Gesicht zu verstecken.

Er schob die Nase tiefer in die Tasse, in der Hoffnung auf Linderung der Schmerzen und des Druckgefühls direkt über seinen Augenlidern. Als die Tür zu dem kleinen Restaurant ins Schloss fiel, hob er seinen Blick und erstarrte.

Er brauchte eine Bestätigung von Stanley, aber es schien ihm ziemlich eindeutig, dass er diesen Mann schon einmal gesehen hatte. Auf einem Foto, auf einem Foto in seiner Tasche.

Wenn er nicht völlig falsch lag, teilten sie nun ein Restaurant mit Leonard Romanowski, dem frisch gebackenen Millionär, frisch gebacken mit Geld, das jemand anderem gehörte.

»Verdammt! Gottverdammt nochmal!«

Er donnerte den Hörer auf das Telefon, einmal, dann noch einmal, und wieder, fest, nur, um sicherzugehen, dass die Verbindung auch wirklich abgebrochen war.

Die Sekretärin im Konstruktionsbüro bei MSC hatte geweint, und zwar so sehr, dass es völlig zwecklos war zu versuchen, irgendeine Art von Information aus ihr herauszubekommen.

Man konnte nach einer Kreditzusage fragen, nach dem Baubeginn, gebohrten Brunnen, betonierten Fundamenten oder nach der Hauptstadt von Peru, aber man bekam nichts als Schluchzen. Schluchzen über Mr. Manfra. Schluchzen über Mr. Skell. Ein Schluchzen darüber, dass die Polizei von Denver mit Mr. Skell plaudern wollte. Schluchzen, das Kelvin Stumps Bemühungen, an Informationen zu kommen, völlig frustrierte.

Also donnerte er den Hörer in die Gabel und stampfte in die Richtung davon, die der Mann mit dem Wagen zuletzt eingeschlagen hatte, die Bridge Street hinunter in Richtung Uhrturm.

Er hatte zu viel investiert, um weiter Verstecken zu spielen, aber bis er einen Ausweg fand, musste er weiterspielen. Aber andererseits, lächelte er, musste man ein Spielertyp sein, um hier am Ball zu bleiben – bei einer Scharade mit einem Einsatz von mehreren Millionen Dollar.

Der Blick des Mannes an der Tür hielt bei den beiden inne. Zuerst starrte er die Hawaiihemden an. Dann fragte er sich, warum der Mann in dem hellgelben Hawaiihemd seine Nase in Kaffee badete. Aber er spürte keine Bedrohung, und aus Höflichkeit schaute er weg.

Olverio stellte die Kaffeetasse vor sich ab, nahm eine Serviette und tupfte sich den Starbucks-Kaffee von der Nase.

»Bingo«, sagte er leise.

»Hm?« Stan hob eine Augenbraue.

Ollie lehnte sich nach vorne und lächelte, während er eine Karte von Vail hochhob, die auf dem Tisch zwischen ihnen gelegen hatte. Er zeigte auf das Parkhaus wie auf eine ungemein interessante Sehenswürdigkeit und versuchte, Tonfall und Rhythmus so zu halten, als ob das, was er sagte, einen touristischen Inhalt hätte.

»Jetzt schau dir das an«, sagte er laut, »genau hier, neben dem, lass mich mal sehen, dem ›Hubcap‹.« Er ließ seine Stimme etwas absinken. »Direkt hinter dir, glaube ich, steht unser vermisster Freund.«

Stan warf ihm ein dünnes Lächeln zu.

»Siehst du«, sagte er ruhig, »für ein kräftiges Mittagessen ist immer Zeit.«

Ollie lehnte sich gemütlich zurück. »Also, jetzt sehe ich es ein.« Leise fügte er hinzu: »Ich hatte noch nie einen Fisch, der mir ins Boot gesprungen ist.«

»Bist du sicher? Hast du unseren Freund wirklich erkannt? Oder werden wir schon verrückt und jagen einem x-beliebigen Einwohner von Vail hinterher, der gern in geschmacklosen Sportagenten-Klamotten rumläuft?«

»Sicher wie das Amen in der Kirche.«

»So sicher. Hm. Hat er uns erkannt?«

»Er hat rübergeschaut, aber er hat keine Reaktion gezeigt.«

»Warum auch?«

»Kein Grund. Er hat uns ja noch nie gesehen.«

»Wir sind aus Detroit. Er kommt aus New York.«

»Genau.«

Stan hob die Hand und kratzte sich auf dem Kopf, sodass sein sandfarbenes Haar in einem Büschel von der Stirn abstand.

Ollie rollte mit den Augen. »Sehr elegant. Und total unauffällig.«

»Was?«

»Schon gut.« Er leckte sich kurz die Hand, langte über den Tisch und glättete die haarige Pyramide.

»Herrgott«, sagte Stanley. »Mach' das nicht. Gott. Das ist ja schlimmer, als mein Nasenspray zu benutzen.«

»Nicht fluchen.«

Der kleine Mann auf der anderen Seite des Restaurants beobachtete die Unterhaltung mit amüsiertem Interesse. Dann wandte er sich wieder der Speisekarte zu.

»Herr-«, Stanley wollte schon »Gott« sagen, aber änderte dann mitten im Wort seine Meinung. »-mann.«

»Was soll denn das heißen?«

»Keine Ahnung, aber es klingt gut.« Stanley lächelte. Dann schaute er sich kurz um, als wollte er nach dem Wetter schauen. Dabei prägte er sich Romanowskis Position an seinem Tisch im Verhältnis zu ihnen, den Ausgängen und den anderen Restaurantgästen ein.

»Wirkt er besorgt?«

»Sieht nicht so aus. Er hat nochmal rübergeschaut, aber gelächelt.«

»Wir sind 'ne echte Comedy-Show.«

Olverio seufzte.

Ein junges Paar am vordersten Tisch debattierte kurz über die Höhe des Trinkgelds, legte Geld auf den Tisch und ging nach draußen. Jetzt war das Restaurant leer, bis auf Leonard und einen Kellner, der einen kurzen Blick über die Tische warf und dann für eine Zigarettenpause nach draußen ging.

Stanley wandte sich zu seinem eigenen Tisch zurück und sagte, »Sollen wir?«

»Ja. Wir sollen«, sagte Ollie dramatisch.

Die beiden standen auf und Ollie legte 22 Dollar neben seinen Teller. Er hatte keine Ahnung, wie hoch die Rechnung war, aber das war sicherlich genug. Er gab zwar nicht gern zuviel Trinkgeld, aber er würde es später bei der Spesenrechnung wieder reinholen.

»Bereit?«, fragte er laut.

»Und wie«, sagte Stanley und sie gingen zur Tür.

Aus dem Augenwinkel konnte Stanley sehen, wie Leonard Romanowski die Schultern erst anhob und dann fallen ließ, erleichtert, dass das Restaurant sich leerte. Noch zwei Schritte, und dann rutschte das Paar rechts und links neben den kleinen Mann im schlecht sitzenden, aber offensichtlich teuren Pullover. Sie zogen Stühle von den Tischen neben ihm und hatten ihn eingeklemmt.

»Guten Morgen, Leonard.«

»In der Tat. Guten Morgen, Leonard.«

Der Mann blieb mitten im Seufzer stecken.

Eine Pause entstand, eine zu lange Pause, dachte Ollie, bevor Leonard begann zu widersprechen.

»Äääh, Entschuldigung«, röchelte Leonard Romanowski mit tiefer, erstickter Stimme, »kenne ich Sie, meine Herren?«

»Nein, Mr. Romanowski. Genau betrachtet tun Sie das nicht«, sagte Ollie.

»Kann ich, äääh, Ihnen dann irgendwie helfen?« Leonard versuchte zu lächeln, aber es sah eher wie das Grinsen einer Totenmaske aus. »Ich wollte hier eigentlich etwas essen.«

»Ja, das wissen wir.«

»Das wissen wir.«

»Aber wir sind der Meinung«, sagte Stanley, »das es nicht sehr nett ist, jemand anderen die Rechnung bezahlen zu lassen.«

»Oh nein«, sagte Leonard und schüttelte den Kopf, während er voller Panik den Raum nach einem Ausweg absuchte, nach irgendeinem Wunder. »Nein, ich zahle … ich zahle.« Er griff nach der Tasche, die neben ihm auf dem Boden lag, aber Ollie packte seine Hand wie mit einem Schraubstock.

»Ah … nein, ich fürchte, Sie verstehen da etwas nicht, Leonard. Erstens, wenn Sie da drin Geld haben sollten, dann ist das nicht Ihr Geld. Es ist Angelo Gennas Geld. Sie wollen also Mr. Genna für Ihr Frühstück zahlen lassen, und das ist schlicht nicht fair. Zweitens, wenn Sie gedacht haben sollten, dass da noch etwas anderes in der Tasche ist, das Sie aus dieser prekären Situation herausholen könnte, wie zum Beispiel ein 45er Armee-Colt aus dem Jahr 1910, dann tut es mir wirklich Leid, Ihnen Folgendes mitteilen zu müssen …«

»Wirklich sehr Leid«, wiederholte Ollie und wiegte seinen Kopf traurig hin und her.

»… Den haben Sie auf dem Kaminsims oben am Berg liegen gelassen, nachdem Sie damit an irgendeinem armen Kerl Zielschießen geübt haben.«

»Armer Kerl«, brummelte Ollie.

»Ich hoffe für Sie, dass die Waffe nicht auf Ihren Namen zugelassen war«, fügte Stanley hinzu.

»Ich auch.«

Es brauchte einige Zeit, aber schließlich bekam Leonard Romanowski seine Gedanken wieder in den Griff. Als er sprach, versuchte er, seine Stimme so ruhig klingen zu lassen, wie die Stimme eines Mannes, der gerade den neuen Gärtnern erklärte, wie er seinen Rasen gemäht haben wollte.

»Meine … Herren«, sagte er, und seine Stimme zitterte doch ein wenig, bis er einmal kräftig schluckte. »Ich … glaube, oh Herr Jesus, ich glaube, dass Sie mich, … ähm, gefunden haben. Und das ist, ähm, bewundernswert, meine Herren. Ich, äh, bin dankbar dafür, dass Sie sich um meine Waffe Gedanken gemacht haben, ganz bestimmt. Aber, ich, äh, habe sie nicht registriert und, äh, das ist, würde ich sagen, ein Vorteil für mich.«

»Ich denke auch, dass das ein Vorteil für Sie ist«, pflichtete Stanley ihm bei. Der Kellner betrat das Restaurant wieder und Leonard sah ihn mit einem flehenden, angsterfüllten Blick an.

»Kann ich Ihnen etwas bringen, meine Herren?«

»Nein, ich denke nicht«, sagte Ollie. Er warf einen Blick auf das Namensschild aus Plastik. »Sind Sie Bobby?«

»Ja«, antwortete der Kellner und zeigte Ollie mit einer übertriebenen Geste das Schild. »Sehen Sie, steht doch hier … Bobby.«

Ollie nickte mit einem Lächeln, ein Lächeln, das den Gedanken verbarg, was wohl ein Schlagring im Bruchteil einer Sekunde aus der Nase dieses Arschlochs machen könnte.

Leonard Romanowski begann, sich von seinem Stuhl zu erheben. Stanley legte Daumen und Zeigefinger an Leonards Hüfte, drückte fest zu und zwang Leonard so, sich wieder zu setzen.

»Also, Bob«, sagte Ollie so freundlich, wie er konnte.

»Bobby«, korrigierte der junge Mann.

»Ja, Bobby. Jedenfalls hat eben ein Polizist nach Ihnen gefragt. Hat irgendwas von ›Auto abschleppen‹ gesagt?« Ollie hob die Hände fragend, als wollte er von dem Kellner wissen, wie wichtig die Information war, die er eben weitergegeben hatte.

Aus dem Gesicht von Bobby dem Kellner schwand zuerst der Ausdruck, dann die Farbe.

»Scheiße«, rief er und sprintete zur Eingangstür. »Scheißverdammte Kleinstadtbullen«, brüllte er, als er die Tür aufstieß.

Ollie, Stan, und Leonard Romanowski konnten hören, wie ein stetiger Strom von ruhestörenden Flüchen auf die Polizei der Bergstadt langsam verhallte. Leonard sank sichtbar in sich zusammen, während seine letzte Chance auf Rettung die Bridge Street entlang verschwand.

»Also, Leonard«, sagte Ollie ruhig.

»Ja, Leonard«, ahmte Stanley den Tonfall nach. »Also, Leonard.«

»Wo ist das Geld, mein Freund?«

Stanley nickte.

»Ja, das Geld.«

Was er gerade tat, war sehr wahrscheinlich nicht legal.

Weiter unten war ein Schild gewesen, irgendwas von wegen keine Fahrzeuge und nur Fußgänger, glaubte er, aber vielleicht hatte da auch gestanden, dass nur motorisierte Fahrzeuge verboten waren und dass er hier fahren durfte, aber was immer da auch gestanden hatte, er war zu sehr damit beschäftigt gewesen, mit dem rechten Fuß auf dem Pedal zu bleiben, um wirklich darauf zu achten.

Will schlängelte sich durch die Fußgänger, die den Pfad am Fluss bevölkerten, und lächelte über die Art, wie sein Rad reagierte. Er war nicht sicher, woran es lag, Reifengröße, Gewichtverteilung, die ganze Physik, aber dieses Ding fühlte sich geil an.

Wenn er jetzt noch ein paar richtige Schuhe dafür hätte, wäre alles perfekt. Na ja, mit Schuhen und ohne Schiene, das wäre perfekt. Das und anständige Fahrradshorts, dann wäre alles ... und ein Paar Handschuhe, Handschuhe und eine Drehgriff-Schaltung ... dann wäre alles perfekt.

Er lachte laut über sich selbst, während er vor einem Stück aufgerissenen Straßenbelags aus dem Sattel ging, die Geschwindigkeit erhöhte und sich darauf konzentrierte, den rechten Segeltuchschuh auf dem rechten Pedal zu halten. Mann, dachte er, ich bin ein Materialfreak und werde immer einer bleiben.

Es hatte alles mit diesem Licht an dem alten Schwinn begonnen und mit dem Dynamo, der so bremste, dass man das Gefühl hatte, man würde auf den Mount Everest fahren, und jetzt war es so weit gekommen. Er saß auf einem Rad mit allem nur erdenklichen technischen Schnickschnack und wünschte sich einen Fuchsschwanz für den Lenker.

Will bog in die Straße ein und fuhr in die Kurve, die auf den Fuß des Berges zuführte, gerade, als ein junger Mann wutschnaubend an ihm vorbei zum städtischen Parkhaus stampfte.

Will sah ihm hinterher. Dann stieg er vom Rad und schob es durch die Menge zu Hootie und dem Lastwagen. Ohne es zu merken, fiel er hinter dem großen blonden Mann in einen Marschrhythmus.

»Oh, ich kann nicht. Ich kann nicht«, wiederholte Leonard fieberhaft. »Ich kann nicht«, während er vorsichtig und unauffällig nach einem Fluchtweg suchte. »Ich kann nicht. Wie würde das denn aussehen, wenn ich tot bin und Angelo sein Geld wiederhat?«

»Das würde genauso aussehen, wie es aussehen soll. Mr. Genna hat Ihnen vertraut, Leonard.«

»Nein, nein, nein, nein, nein, nein, nein«, sagte er hastig, »so soll das nicht passieren! Das ist die Hölle. Das ist die Hölle.«

»Genau«, antwortete Stan, »da komme ich her, Leonard. Also, warum beruhigen Sie sich nicht und wir reden über die Sache?«

Leonard Romanowski sackte in sich zusammen wie ein ausgehöhlter Kürbis drei Wochen nach Halloween. Sein Atem wurde flach, sein Blick unscharf, sein Kopf leer. Eine ganz normale Reaktion darauf, dem Tod ins Gesicht zu sehen.

»Nicht ins Restaurant pinkeln, Leonard. Behalten Sie Ihre Blase unter Kontrolle«, sagte Stanley.

»Sie werden mich umbringen«, jammerte er.

»Jetzt regen Sie sich ab, Leonard. Wir werden Sie nicht umbringen.«

»Waaa- ?«

Ollie seufzte und tätschelte Leonard Romanowskis Hand. »Wir werden Sie nicht umbringen, Leonard. Also beruhigen Sie sich.«

»Wir bringen keine Leute um, Leonard, wir reden mit ihnen.«

»Stimmt, mein Freund. Wir sind die Engel der zweiten Chance.«

»Buster No-Knuckles ... also der ... der hätte Sie schon in die Kaffeekanne gestopft.«

»Sie werden ... Sie werden ...«

»Wir werden was, Leonard?«

»Sie werden ... das Geld ... das Geld.«

»Da fehlen ein paar Verben, mein Freund. Das sollten Sie sich für die Zukunft merken. Sie brauchen Verben.«

»Ich ... ich ...«

»Sie glauben, sobald wir das Geld haben, bringen wir Sie um. Das stimmt nicht, Leonard. Sehen Sie, Leonard, wir sind keine Killer. Wir sind Geschäftsleute.«

»Geschäftsleute«, pflichtete Stanley bei.

»Mittleres Management. Die Geschäftsführung will Sie dafür erledigen, dass Sie Mist gebaut haben.«

»Großen Mist gebaut haben«, fügte Stanley hinzu.

»Aber wir glauben, dass Sie Ihre Lektion gelernt haben. Aber Sie dürfen nicht mehr für die Firma arbeiten und Sie müssen Ihr Gehalt und die Zusatzleistungen abschreiben.«

»Wa ... wa ... Zusatzleistungen?«

»Verben, Leonard, finden Sie die Verben. Diese viereinhalb Millionen Dollar, mit denen Sie davonspaziert sind .. und ... Sie werden den Rest Ihres Leben auf dieser Seite des Mississippi bleiben müssen.«

»Den Rest Ihres Lebens«, fügte Stanley hinzu.

»Mit einem neuen Namen.«

»Neuen Namen.«

»Aber«, führte Ollie fort, »Sie werden am Leben sein. Am Leben und gesund und munter und in der Lage, die gute Luft zu atmen.«

»Wa ... wa ... warum? Warum?«

»Ach, Leonard, verdammt, wir mögen Angelo auch nicht mehr, als Sie es tun.«

Stanley nickte.

»Abe-abe-ab …«

»Also, das ist jetzt aber ein Rückschritt, Leonard, das ist gar nicht gut. Ihre Sprachbeherrschung sollte doch besser werden. Gehen wir uns unterhalten, okay? Irgendwo, wo Sie sich sicher fühlen. Und ruhig.«

»Wir werden Ihnen nicht das Gehirn quirlen, Leonard«, sagte Stanley ruhig und gleichmäßig. »Wir wollen nur das Geld zurückhaben.«

»Ich … ich … ich habe kein …«

»Das haben wir uns gedacht. Sie haben kein. Aber Sie wissen, oder?«

Der blonde Mann, der vor ihm hergegangen war, trat zur Seite und starrte intensiv in ein Schaufenster auf der gegenüberliegenden Straßenseite. Will ging weiter, aber sein Fortkommen wurde von den Leuten behindert, die ihm völlig geistesabwesend in den Weg liefen, während er versuchte, sein Rad die Straße entlangzumanövrieren. Immer weiter wurde er zur Seite gedrängt, bis er sich an der Treppe zu einem Restaurant wiederfand. Ungefähr zwanzig Meter entfernt konnte er sehen, wie Cheryl sich durch die Menge auf ihn zu bewegte. Er lächelte und winkte.

Leonard Romanowski starrte auf den Tisch und fragte sich, wie sich nur ein Mann in seiner Lage fragen konnte, wie zum Teufel er überhaupt in diese Lage gekommen war und wie so ein wunderschöner Plan so völlig und total schief gelaufen sein konnte. Die drei standen gemeinsam auf und gingen zur Tür.

Die kühle Bergluft fand ihren Weg über, unter und durch das Gewebe und den Stahl seiner abnehmbaren Knieschiene. Es kitzelte. Will griff nach unten, zog an einem der Klettverschlüsse und lockerte so das obere Ende der Schiene an seinem Oberschenkel. Sofort spürte er die Erleichterung und die kühle Luft auf dem feuchten Fleck in seiner Jeans, wo die Schiene sich eingegraben hatte. Cheryl trat auf ihn zu, langte nach vorn und zog mit einem Griff den Verschluss wieder fest.

»Noch eine Woche. Du musst sie noch eine Woche lang ständig tragen.«

»Es ist verheilt, sage ich dir. Die Fäden sind gezogen, die Haut hält, und ich will nicht mehr. Das hier ist doch nur noch Kosmetik und gut für die Mitleidstour. Und Mitleid bekomme ich anscheinend sowieso nicht.« Er wartete einen Augenblick und beantwortete ihr Lächeln mit einem eigenen.

»Also, wie ist es gelaufen?«

Sie konnte ein Grinsen nicht unterdrücken. »Ehrlich gesagt, es ist großartig gelaufen. Bei der ersten Fahrt hatte ich die Hosen voll, aber die zweite bin ich runtergedonnert wie eine Rakete. Es war einfach wunderbar.«

»Was hört man von den Kinderchen?«

Sie runzelte die Stirn und blickte ihn einen Augenblick lang an, dann verstand sie die Frage und nickte.

»Hootie sagt, sie machen sich gut. Habe ich mir auch gedacht. Jettman ist ein Arschkriecher. Frannie ist ein Kind. Und Reed. Reed ist immer noch ein Idiot. Weißt du, er ist einer von denen, die nie damit zufrieden sind, wer sie sind und was sie haben, weil sie immer denken, jemand hätte ihnen das genommen, was ihnen zusteht. Wenn er diese ganze Energie ins Rad fahren stecken würde«, sie machte eine kurze Pause und merkte, dass sie länger redete, als sie gewollt hatte, »dann wäre er ein Champion und würde das bekommen, was er vom Leben bekommen will. Aber er tut's nicht. Er meckert und jammert wie ein griesgrämiger alter Mann, und dann hat ihn der Rest der Welt irgendwann satt und lässt ihn stehen, und so wird er noch verbitterter, als er am Anfang war.«

Will lächelte nur. »Und er gehört ganz allein dir.«

Sie lachte und wandte sich um. Einen Augenblick lang sah sie aus dem Augenwinkel ein dünnes Baumwoll-Bauernkleid in einem Schaufenster, teilweise verdeckt von einem blonden Mann, der an ihnen vorbei in Richtung Restaurant schaute.

»Also, was denkst du?«, fragte sie und versuchte, um den Mann herumzuschauen, um das Kleid zu sehen.

»Worüber?«

»Ich habe noch nichts gegessen. Wollen wir hier Mittag essen?«

»Wir hätten bei Pancake City bleiben sollen. Der Laden hier sieht nicht so aus, als würde er vernünftiges Essen servieren.«

Cheryl schüttelte den Kopf und ging schnell die Treppe hoch zur Tür. Sie wandte sich um und sah zu, wie Will sich nach einem Platz umsah, wo er ein teures Mountainbike abstellen konnte, das vermutlich sehr schnell verschwinden würde, wenn man es einfach so stehen ließ. Er zuckte die Achseln, nahm das Rad auf die Schulter und begann, es die Stufen hinaufzutragen.

»Das kannst du nicht mit hier reinnehmen«, sagte Cheryl.

»Also, hier draußen lasse ich es auf keinen Fall«, antwortete er, während sich die Tür hinter Cheryl öffnete.

Cheryl spürte einen warmen Luftstoß und hörte Stimmen in einer lockeren Unterhaltung hinter sich. Sie griff mit der rechten Hand nach Will, dann wandte sie sich den drei Männern zu, die gerade das Restaurant verließen.

»Jesus«, war das Wort, das wie von selbst aus ihrem Mund kam.

»Nicht fluchen«, kam die direkte Antwort, gefolgt von einem »Jesus.«

»Was zum …«

»Warum …«

»Jesus.«

»Wie bist du …«

»Oh mein …«

»Jesus.«

»Jesus, Cheryl«, sagte Stan.

»Stanley.«

»Cheryl.«

»Was machst du denn …«

»Will!«

»Leonard.«

»… hier?«

»Cheryl.«

»Ollie.«

»Wer sind Sie?«
»Was?«
»Cheryl …«
»Oh mein …«
»Leonard, was zum …«
»… Gott.«
»Will …«
»Cheryl …«
»… du bist ein Lebensretter.«
»Was?«
»Stanley, was tust …«
»Cheryl …«
»Ollie …«
»Will …«

In dem Durcheinander griff Leonard Wills Hand und drückte fest zu. Instinktiv schloss Will seine Finger um den kleinen Gegenstand, der in Leonards schwitziger Handfläche lag.

»… ein Lebensretter, Mann.«

»Leonard!«

Will schrie auf, als sein Agent, Leonard Romanowski, bis jetzt aus New York City und fürderhin aus Nirgendwo, ihn am Kragen packte und ihn zur Treppe drehte. Die bewegliche, abnehmbare Beinschiene bewegte sich nicht so, wie sie sollte, und Will spürte ein schreckliches Ziehen an dem Narbenwulst, der sein linkes Knie umgab. Als er auf die Treppe fiel, merkte er, wie Leonard Romanowski über ihn und das Rad hinweg sprang, das jetzt wie ein Schneckenhaus auf ihm lag. Er war gefangen, genau wie die beiden Begleiter von Leonard, der eine von Cheryl in die Ecke an der Tür gedrückt, während der andere einen Schritt machte und mit dem Fuß in den Speichen des Vorderrades hängen blieb.

Will hörte einen Schlag auf dem Straßenbelag, dann ein schnelles, panikhaftes Wegrennen. Er drehte den Kopf und sah Leonard schneller laufen, als ihm das je einer zugetraut hätte, mit einer Sporttasche in einer Hand und dicht gefolgt von einem blonden Mann.

Will drehte den Kopf in die andere Richtung und sah, wie Leonards Begleiter, beide in fluoreszierenden Hawaiihemden, Will und seinen fliehenden Sportagenten leise verfluchten. Stanley grunzte und zog seinen Fuß mit einem Ruck und einem »Pleng« aus den Speichen. Die zweite Stufe auslassend, sprang er direkt auf die Straße. Ollie schwebte mit ballettöser Grazie um dieses und jenes Hindernis herum und landete neben seinem Partner.

Olverio seufzte und wandte sich Stanley zu.

»Da hast du ja wieder was Schönes angerichtet. – Sollen wir?«

»Ich denke schon«, sagte Stanley und warf einen angewiderten Blick auf Will, bevor er Cheryl ansah.

»Entschuldigung, Madam.« Er tippte sich an eine imaginäre Melone.

»Ja, Entschuldigung«, sagte Ollie. »Wir sehen uns dann in der Stadt. Komm' mit, Stan, wir müssen Werkzeug holen, Arbeit erledigen.«

Beide warfen Cheryl ein Lächeln und Will noch einen Blick zu, dann bewegten sie sich entschlossen die Staße hinunter. Cheryl stellte sich neben Will, sah zu, wie die beiden die Bridge Street hinuntergingen, und spürte, wie ihre Welt zusammenbrach.

Sie sank in die Hocke, während Will mit langsamen Bewegungen versuchte, das Rad von sich zu schieben und sein linkes Bein wieder in die korrekte Position zu drehen.

»Scheiße«, sagte sie laut zu sich selbst.

»Was?«, fragte Will und seufzte erleichtert auf, als das Bein endlich richtig nach vorne kam.

»Das ist genau das, was ich brauche«, sagte sie.

»Was?«

Sie schaute mit einem Ausdruck trauriger Distanziertheit in Richtung Berg.

»Ein Familientreffen.«

8
Familienbande

Was?« Will deutete dem verschwindenden Paar hinterher. »Die?«

Cheryl nickte langsam. »Ja, die.«

Will wandte sich schockiert um, während das Paar, der eine groß und dünn, der andere klein und rundlich, gemessenen Schrittes die Straße hinuntergingen. Als sie bei dem Parkhaus um die Ecke gegangen waren, entschlossen, aber nicht eilig, wandte er sich wieder Cheryl zu und erschrak über ihre Gesichtsfarbe. In wenigen Augenblicken hatte diese sich von einem von viel Bewegung an der frischen Luft stammenden robusten Braun zu einem blassen Grau gewandelt, kaum zwei Stufen heller als der Tod. Sie sank in einer Ecke auf der Treppe, die zu dem Restaurant führte, in sich zusammen.

»Heiliger Strohsack, alles klar bei dir?«

Die Worte entschlüpften ihm mit ernsthafter Sorge, dann klapperten sie durch die Straße, bevor sie den Berg hinauf verschwanden.

Ein Mann mit einer Schürze und einem Namensschild in der Hand mit der Aufschrift »Bobby« kam aus der entgegengesetzten Richtung angerannt und blieb keuchend unten an der Treppe stehen.

»Gütiger Gott«, japste Bobby, »geht es Ihnen nicht gut?«

»Doch, danke«, antwortete Cheryl. »Ich glaube, es geht schon.«

»Gut. Dann verschwinden Sie von der Treppe zu meinem Restaurant, bevor Sie kotzen müssen.«

»Bobby« schob das Rad mit den verbogenen Vorderradspeichen auf die Straße, dann trottete er die Treppe hinauf, ohne Will und Cheryl mehr als eines schnellen Blickes zu würdigen, und schritt auf die Tür zum Restaurant zu. Als er sie aufstieß, erschien ein stämmiger Mann im Eingang, das Hemd mit Einzelteilen des Tagesmenüs bespritzt, und schüttete einen Strom von Beschimpfungen über Bobby aus. Dessen genereller Inhalt betraf die Tatsache, dass dieser Mann nicht fand, dass »Bobby« während seiner Schicht durch die Gegend joggen sollte. Die Tür schloss sich zum Glück wieder, und Will und Cheryl saßen allein und still auf »Bobbys« Treppe.

»Komm«, sagte er, schob seinen Arm unter ihren und hob ihn an »Du solltest ein bisschen herumgehen. Du hattest einen ganz schönen Schock.«

Sie wehrte sich einen Augenblick lang, in Gedanken teilweise mit ihm beschäftigt, teilweise mit einer durch den Schrecken ausgelösten Übelkeit, die sich hinter ihren Backenzähnen ausbreitete. Dann ließ sie sich von ihm auf die Beine ziehen.

»Gehen wir zum Transporter«, flüsterte sie und klang etwa so wie jemand mit einer Viertage-Grippe.

Will nickte leise und hatte im Augenblick keine Ahnung, wo der Haven-TW-Transporter stand. Er half Cheryl, ihr Gleichgewicht wiederzufinden, dann bückte er sich nach dem Rad. Mit dem Rad, das vorne in rhythmischen Abständen Protestschreie abgab, begannen die beiden in Richtung Berg zu gehen, in Richtung Frieden, Ruhe und dem Leben auf dem Rad, das sie vor weniger als einer Stunde sorglos verlassen hatten.

Um sie herum schufen der eisblaue Himmel über Colorado, die dunkelgrünen Bäume und die Stadt selbst eine postkartengerechte Bergwelt, die Art von Ort, von dem die meisten Menschen ihr Leben lang nur träumen konnten. Die drei, Mann, Frau und Rad, gingen die leichte Anhöhe nach oben, durch die Menschenmenge und an den Läden vorbei, die sich schon jetzt, zwei Monate bevor es wirklich ernst werden würde, auf die Skisaison vorbereiteten.

Zuerst schleppte Cheryl sich nur vorwärts. Sie lehnte sich schwer auf das Rad, wodurch das Quietschen der Felge am Bremsbelag mit jeder Umdrehung noch lauter wurde. Langsam wurde ihr Schritt immer sicherer und sie ging neben Will her, bis sie an der Ecke Gore Creek ihren Arm wegzog und alleine weiterging. Ihre Gesichtsfarbe war gelblich-rosa, aber Will sah, wie das Rosa langsam begann, den Kampf um ihren Teint zu gewinnen.

»Alles klar?«, flüsterte er ängstlich.

»Ja. Ja. Ich glaube, es geht langsam wieder«, murmelte sie. Sie stand mitten auf der Straße. Dann knickte sie plötzlich in der Hüfte ein, als ob sie sich übergeben müsste, federte zweimal nach, atmete tief durch und richtete sich wieder auf.

»Alles in Ordnung?«

»Ja, tut mir Leid.«

»Ist schon gut. Ich verstehe.«

Sie schüttelte den Kopf. »Oh, wenn du das nur verstehen würdest.«

»Okay. Ich verstehe es nicht. Also erklär' es mir. Was hast du gemeint, als du gesagt hast, dass Dick und Doof ein Familientreffen darstellen?«

Sie wandte sich zu ihm um und fuhr ihn an, »Sag' das nicht. Sag' das niemals.«

»Herrgott, was denn?«

»Nenn' sie niemals Dick und Doof.«

Er stand einfach da und starrte sie an, mit ehrlicher Sorge und einer Frage in den Augen. Er breitete die Arme aus, Handflächen nach oben, als ob er fragen wollte, »Warum?«, aber er gab keinen Ton von sich. Er stand still da, ein Mann ohne Antworten, solange sie die Tür zu ihrem Innenleben nicht selbst öffnete.

Sie konnte es ihm ansehen. Die Fragen. Die Ängste. Die Unfähigkeit, ihren letzten Satz zu verstehen. Nach einem Moment verkrampfter Stille begann Cheryl Crane, sich zu entspannen und entschied, dass ihre Geschichte bei ihm, mehr als bei irgendwem sonst in ihrer Welt, sicher aufgehoben sein würde.

Sie seufzte tief, blickte zu Boden, als suchte sie da irgendeine Unterstützung, atmete tief durch und schaute ihn direkt an.

Und so begann sie.

»Diese Kerle sind der Grund dafür, dass ich meinen Namen geändert habe. Diese Kerle sind der Grund dafür, dass ich aus Detroit abgehauen bin. Diese Kerle sind der Grund, warum ich seit sechs Jahren davonrenne.«

»Von dem Ort, an dem du lebst …«

»Ja, und von dem, wer ich bin.«

»Die haben dir wirklich einen unglaublichen Schrecken eingejagt.«

»Wer war der Typ, den du da gekannt hast?«

»Leonard Romanowski. Er ist mein Agent.«

»Also, Leonard Romanowski, dein Agent, ist derjenige, dem sie jetzt einen Schrecken einjagen. Und wenn er nicht schnell rennen kann, ist er ein toter Mann.«

Will lachte ungläubig.

»Du denkst, ich mache Witze, oder?«

Wills Gelächter verstummte.

»Das tust du doch auch, oder?«

»Nein«, sagte sie und hob die Augenbrauen. »Das tue ich nicht. Diese Männer«, sagte sie und senkte die Stimme, »das sind nicht etwa Ringer, die dein Freund vermarkten will. Es sind Gangster.«

Will starrte sie still und dumpf an, sein Gesichtsausdruck leer, sein Mund leicht geöffnet.

»Schläger, Will. Eintreiber. Bezahlte Killer.«

»Bezahlte Killer? So Mafia-Typen? Kein Scheiß?«, fragte er mit einem überraschten und aufgeregten Lächeln.

»Kein Scheiß, Will. Und sie sind meine Onkel.«

»Ogottogott. Ich schlafe mit Connie Corleone.«

»Mach' keine Witze darüber, verdammt nochmal. Das ist nicht so wie im Film, Will. Es ist überhaupt nicht so wie im Film. Es ist keine große, herzliche Familie wie in »Der Pate«, wo man dazugehören will – ohh, lass' uns mit Clemenza in die Küche gehen und was kochen. Das ist alles Blödsinn.«

Will unterdrückte seine kindliche Freude darüber, dass er zum ersten Mal in seinem Leben echte, lebendige Gangster getroffen hatte. Er konnte ihr an den Augen ablesen, dass diese ganze Sache todernst für sie war.

»Willst du wissen, wie es ist, Will? Es ist wie in jeder beliebigen - Firma, wo der Typ ganz oben eine Menge Geld bekommt und die kleinen Idioten sich eben so durchboxen, Getränkeautomaten aufbrechen, um die Raten für den Cadillac zu bezahlen, wenn sie gerade mal keinen Auftrag haben. Der große Auftrag? Die große Nummer? Das ist für sie wie ein Lotteriegewinn. Und wenn sie dann den großen Treffer gelandet haben, liegen sie nachts wach und machen sich Sorgen darüber, dass ihnen jemand zwei Kugeln in den Hinterkopf jagen könnte, damit sie das Maul halten oder um ihnen das Geld wegzunehmen.

»Herrgott.«

»Genau. Aber Stan und Ollie sind clever. Sie haben gespart und investiert …«

»Investiert?«

»Investiert. Sie sind ganz früh bei Polaroid eingestiegen. Sie hatten kleine Firmen. Sie haben Häuser gekauft. Steuern bezahlt. Investiert. Geld verdient. Ganz legal. So legal, wie man eben sein kann, wenn man die Arbeit tut, die sie tun. Aber es hat gereicht, um die Leute um sich herum durchzubringen.« Sie machte eine kurze Pause, nahm Will das Rad mit den zerbrochenen und verbogenen Speichen ab und packte es sich auf den Rücken. »Wir haben ihnen viel geschuldet, Will.«

»Und wie ist jetzt die verwandtschaftliche Verbindung?«

»Onkel Ollie, Olverio Cangliosi, ist der ältere Bruder meines Vaters. Amerikaner der zweiten Generation. Hat meinen Vater fast allein aufgezogen, in einer der schlimmsten Gegenden von Detroit. Hat ihn zur University of Michigan geschickt. Finanzrecht. Wertpapiere, Investitionen. Etwas, das Onkel Ollie gebrauchen konnte.

»Das klingt so, als sei das wichtig.«

»Wenn du ihnen nicht mehr nützlich bist«, sagte sie abwesend, »dann ist ihnen dein Leben nicht mehr viel wert.«

»Und dein Vater hing in der Sache mit drin?«

Sie zuckte mit den Schultern. »Ging gar nicht anders. Es war sein Leben, in gewisser Weise, auf jeden Fall war es seine Familie. Sein Geschäft war legal. Er hatte nur ein paar seltsame Mandanten. Ich weiß nicht. Ich möchte gern glauben … dass er versucht hat, sich aus allem rauszuhalten.« Sie lächelte. »Eine Tochter, die ihren Vater in Schutz nimmt.«

»Ich kannte ihn nicht besonders gut«, sagte Will leise.

»Er war wirklich etwas Besonderes«, sagte sie voll tiefer und bleibender Trauer. »Er hat hart gearbeitet, wirklich hart, und es gab Zeiten, da habe ich ihn nie gesehen, immer nur gehört – das Knarren der Haustür und das Geräusch seiner Schritte im Flur, wenn er nach Hause kam und ich oben im Bett lag. Er hat immer zu uns reingeschaut. Er hat gelächelt und uns einen Luftkuss zugeblasen. Egal, wie spät es war, egal, ob wir schon geschlafen haben oder nicht.«

Sie wurde leiser, ihre Stimme nahm einen träumerischen Glanz an. »Aber wenn er zu Hause war, dann war alles so schön, Will. Es wurde gelacht, es gab Musik, es gab Essen. Mama hat in der Küche gesungen, und es gab Leben, mein Gott, es gab Leben.«

»Klingt schön.«

»Das war es auch, aber es kam nicht sehr oft vor. Er hat viel Zeit damit verbracht, hinter schlampigen Leuten herzuräumen.«

»Wann war das?«

»Bevor du uns gekannt hast. Während du uns gekannt hast. Er hat es von uns ziemlich ferngehalten, auch von Mom. Als ob wir in Sicherheit gewesen wären, wenn wir nichts damit zu tun hatten. Je weniger wir wussten, desto besser.«

Cheryl blickte einen Augenblick auf den Boden, dann ging sie weiter die Straße entlang in Richtung Berg.

»Meine Mutter – na ja, ihre Familie kommt aus Polen. Stanley Szyclinski ist ihr Bruder. Der große. Sie hat meinen Vater über die Geschäftsbeziehung zwischen ihrem Bruder und Onkel Ollie kennengelernt. Also – siehst du, ich bin völlig vermobt. Vermafiat. Versaut. So richtig.«

»Aber schau doch mal«, sagte er, »viele Leute haben beschissene Familien. Leute, die man vergessen oder ignorieren will, vor denen man davonläuft. Aber das bist nicht du. Es hat nichts mit dir zu tun. Das sind Dinge, die dein Vater getan hat. Deine Onkel. Nicht du. Du hast damit nichts zu tun.«

»Gott«, brach es aus ihr hinaus, »wenn das wahr wäre, Schatz, wenn das nur wahr wäre.«

Er machte einen Schritt nach vorn, um etwas zu sagen, um ihren offensichtlichen Schmerz über das zu lindern, was er gerade ausgelöst hatte, aber dann blieb er doch stehen, wie der Mann, der die Zündschnur angezündet hat, und sich jetzt fragt, ob er draufspucken und den Funken löschen, so schnell wie möglich weglaufen oder stehen bleiben und die Gefühlsexplosion betrachten sollte.

»Also erzähl' mir die Wahrheit.«

»Kannst du sie ertragen?«

Die Frage überraschte ihn. Seine spontane Reaktion war zu sagen, »Natürlich«, aber irgendetwas an ihrem Tonfall ließ ihn stutzen und die Frage einen Moment lang überdenken. Würde es ihn oder sie beide ändern, wenn er die Wahrheit wüsste? Sehr wahrscheinlich. Aber würde es nicht langfristig schlimmer sein, sie nicht zu kennen?

»Ja«, sagte er dann. »Ich kann sie ertragen.«

Sie seufzte und dachte die gleichen Dinge, die ihm Augenblicke zuvor durchs Gehirn geschossen waren. »Wir werden sehen.«

Sie setzte das Rad zwischen sich und Will ab. Dann streckte sie ihre Arme aus und lehnte sich auf das Rad, eine Hand auf der Mitte des Vorbaus, die andere auf dem Sattel. Es war Stütze und Verteidigungshaltung zugleich.

»Erinnerst du dich noch an diesen Autofahrer, diesen Farmer, der Raymond getötet hat? Der bei diesem Rennen durch die Absperrung gefahren ist und meinen Bruder umgebracht hat?«

»Ja, ich erinnere mich daran. Ich war dabei.«

»Das warst du in der Tat. Hast du dich je gefragt, warum meine Eltern ihn deswegen nicht verklagt haben?«

»Nein. Das habe ich mich nicht gefragt. Ich war nach dem Unfall ziemlich durcheinander.«

»Das warst du sogar sehr lange. Das ging uns allen so. Hast du dich je gefragt, was aus diesem Farmer geworden ist?«

»Nein, ehrlich gesagt, das habe ich nicht.«

Wills Stimme wurde leiser, als seine Gedanken ihn um Jahre zurückversetzten, zu einer Straße durch ein Maisfeld in Michigan während einer Hitzewelle im August, wo man auf dem Fahrrad wie durch eine Mauer aus feuchter Luft fuhr. Raymond Cangliosi, direkt vor ihm in ihrer Zweier-Ausreißergruppe, duckte sich in die Kurve, als sie beide das Quietschen der Reifen eines Lastwagens hörten, der eine Absperrung durchbrach. Dann ein Schrei. Ein rostiges Kotzgrün war alles, woran sich Will erinnern konnte, ein verächtlicher Ausruf des Fahrers und dann niemals zuvor gekannte Schmerzen. Will atmete tief durch und schüttelte das Bild ab. Es hatte ihn jahrelang nicht mehr verfolgt, aber jetzt war es wieder da. Und es tat wieder weh.

»Sehr lange Zeit«, sagte er langsam, »habe ich von Rache geträumt, davon, es diesem Arschloch irgendwann heimzuzahlen, ihm Schmerzen von der Art zuzufügen, die ich gehabt hatte, sowohl die seelischen als auch die körperlichen.«

»Er hat dein Studium bezahlt.«

»Was?«

»Er hat dein Studium bezahlt. Dieser Farmer. Er hat dein Studium bezahlt, auch wenn es nur kurz angedauert hat. Na ja, nicht er persönlich. Seine Hinterlassenschaft. Mein Vater hat das sichergestellt.«

»Seine Hinterlassenschaft.«

»Ja. Stan und Ollie haben ihm einen Besuch abgestattet. Mein Vater hat seine Erben verklagt, wegen Raymonds Tod und deinem Unfall, und er hat einiges bekommen.«

»Schau mal, irgendetwas sagt mir, dass ich dich das nicht fragen sollte, aber was ist mit dem Farmer passiert?«

»Stan und Ollie sind passiert. Anscheinend ist er aus irgendeinem Grund auf den höchsten Punkt in seinem Heuschober geklettert und in die Öffnung des Häckslers gesprungen. Hat ihn ganz schön mitgenommen.«

»Was …?«

»Frag' nicht. Sie haben seine Einzelteile überall gefunden. Siehst du? Das ist meine Familie. Es ist toll. Wenn sie zusammenkommt, ist das wie ein Treffen von den Leuten, deren Fahndungsfotos du von der Wand in der Post kennst.«

Sie sagte die letzten Worte mit unendlicher Traurigkeit. Dann drehte sie sich um, schulterte das Rad und machte ein paar schnelle Schritte in Richtung Berg, um so viel Distanz wie möglich zwischen sich und ihre letzten Enthüllungen zu bringen.

Will bewegte sich nicht, aber er schaute ihr einen Augenblick lang hinterher, bevor er ganz ruhig sagte, »das erklärt es nicht.«

Cheryl wandte sich zurück, das Rad auf dem Rücken, die Laufräder wie ein paar Flügel rechts und links von ihr, das eine völlig rund, das andere verbogen, als ob sie damit vom Himmel gefallen wäre.

»Was?«

»Das erklärt es nicht«, sagte Will. »Ein Farmer wird getötet. Rache. Dein Vater holt alles aus seinen Erben raus, wegen fahrlässiger Tötung. Vergeltung. Ein paar widerliche Onkel bezahlen dir einige Dinge im Leben. Wiedergutmachung. Aber das ist es nicht. Das erklärt es nicht. Warum hast du eine solche Angst vor ihnen, warum hasst du sie so sehr? Warum bist du weggelaufen? Warum hast du deinen Namen geändert?«

»War zu schwer zu schreiben.«

»Lass' den Blödsinn, Cheryl«, rief Will, sodass die Leute auf ihrem blinden Weg nach nirgendwo anhielten und diesen Gefühlsausbruch mitten auf der Straße verfolgten. »Warum? Sag's mir. Wenn du das nicht tust, wird das in uns immer weiter gären, solange wir zusammen sind. Es wird uns bei lebendigem Leibe zerfressen. Ich muss nicht alles wissen. Ich muss nicht wissen, wer dein erster Freund war oder wann du deine erste Periode hattest, aber – Herrgott nochmal. Das gehört zu dir. Das ist etwas, das du mit dir herumträgst. Und wir werden es beide tragen müssen. Genau so, genau so, wie du in dieser Saison das mitgetragen hast, was mich belastet. Ja. Genau so, wie du mir geholfen hast, mit Kim und Haven und dem Sieg und dem Unfall fertig zu werden. Ja.«

»Ja?«, fragte sie und ließ ihre Stimme zu einen lauten Flüstern herabsinken. »Du hast Zuhörer bekommen.«

Sie sah sich um und warf den Leuten, die ihnen zuhörten, ein verlegenes »Haut-ab«-Lächeln zu.

Wills Anspannung entlud sich in einem Wutanfall. »Habt ihr denn auf der Herrgottswelt nichts Besseres mit eurem Leben anzufangen? Macht euch vom Acker!«

Sie wandten sich um und gingen weg, peinlich berührt davon, erwischt worden zu sein.

»Ja«, flüsterte er rauh, bemüht, seine plötzliche Wut zu beherrschen. »Tut mir Leid. Aber bitte, sag' es mir. Lass' es raus, dann können wir nach Hause gehen.«

»So einfach ist das nicht.«

»Tu's einfach, Cheryl, und dann können wir das Problem anpacken.«

»So einfach ist das nicht!«

Cheryl wandte nachdenklich ihr Gesicht ab, um sich dann wieder umzudrehen. Er sah, dass ihre Augen voller Tränen waren.

»Das könnte uns zerstören«, sagte sie mit hohler Stimme. »Uns. Dich und mich.«

»Ja. Das könnte es. Daran besteht kein Zweifel«, sagte er angsterfüllt. »Aber das würde es auch, wenn es nicht ausgesprochen wird. Das ist die Art von Problem, die in einer Beziehung gärt. Das ist die Art von Problem, die am Fundament nagt.«

»Bis …«

»Bis nichts mehr davon da ist.«

»Nichts.«

»Das verstehe ich«, sagte er leise und griff nach ihrer Hand. »Aber das hier bringt dich noch um. Es hat dich dazu gebracht, wegzulaufen und dich zu verstecken. Es hat dich verletztlich gemacht. Es hat aus dir den Menschen gemacht, der du bist.«

»Sie …«

»Sie, was?«

»Sie haben mich gefunden.«

»Wie? Ich kann dir nicht folgen.«

»Diese beiden sind diejenigen. Die … meinen Vater umgebracht haben.«

»Was?«

Das Wort kam wie aus ihm herausgeschossen, und der Rückstoß ließ ihn seine Hand zurückziehen. Sein Schrei hallte von den Mauern wider und veranlasste ein paar Leute, sich umzudrehen, um zu sehen, wer da diese Unruhe verbreitete, bevor sie wieder in ihren eigenen Leben versanken.

Cheryl hatte ihn gar nicht gehört. Das Blut pochte in ihren Ohren und übertönte jedes Geräusch. Die Worte, die sie sprach, klangen entfernt, wie aus einem Traum.

»Ich habe es gesehen. Ich habe sie gesehen. Ich war neunzehn. Es war zwei Wochen vor der Schulabschlussfeier. Meine Mutter hatte mich zum ersten Mal mit dem Auto alleine in die Stadt fahren lassen. Ich wollte zu meinem Vater ins Büro. Ich weiß nicht, warum. Ich kann mich nicht mehr erinnern. Vielleicht sollte ich Daddy abholen. Ich habe nur … es war ein alter Bungalow. Das weiß ich noch. Sein Büro war in einem alten Bungalow. Ich habe früher manchmal in dem Garten dahinter gespielt. Es war ganz bescheiden. Machte nicht viel her. Ich bin dorthin gefahren. Ich bin hingefahren und reingegangen, und da waren sie … Onkel Stanley und Onkel Olverio. Irgendwas musste schief gegangen sein. Daddy. Sie standen … über meinen Vater gebeugt. Da war Blut. Es war überall. Es … es … war überall. Sie schauten mich an. Sie sahen nicht erschrocken aus, nicht verletzt, nicht wütend. Ihre Augen, Will, ihre Augen waren – tot. Da habe ich mich umgedreht. Ich bin raus zu meinem Auto gerannt. Ich konnte hören, wie sie meinen Namen gerufen haben. Cherylann. Cherylann Cangliosi. Ich habe die Autotür verschlossen und bin nach Hause gefahren. Ich wollte meiner Mutter nicht sagen, was passiert war. Sie hat es später erfahren. Sie hat es später erfahren. Nicht das mit ihnen. Ihre

Westen blieben weiß. Bei der Beerdigung haben sie direkt neben mir gestanden. Sie haben mich und meine Mutter gestützt. Sie haben direkt neben mir gestanden, für den Fall, dass ich durchdrehe und anfange rumzuschreien, dass ich weiß, was passiert ist. Das Problem war, dass ich es wusste. Ich wusste es. Und ich wusste, wenn ich bleiben würde, wäre ich so tot wie mein Vater. Weil ich sie gesehen hatte, Will. Ich hatte sie gesehen.«

»Und dann …«

»Und dann bin ich losgerannt. Am nächsten Tag habe ich meinen Pass beantragt. Ich bin zu Stewart Kenally bei Two Wheels gegangen und habe ihn um ein Empfehlungsschreiben irgendwohin gebeten, an irgendeine europäische Mannschaft, die er vielleicht kannte. Er hat mir eins gegeben, er hat sogar für mich herumtelefoniert und hat mir mein erstes Rennen in Italien organisiert. Für ein Mountainbike-Team. Als ich in Detroit losgeflogen bin, war ich Cherylann Cangliosi. Als ich in Europa gelandet bin, war ich Cheryl Crane. Für jeden, außer für's Finanzamt. Das bin ich seitdem.«

»Warum bist du dann zurückgekommen? Warum bist du nicht in Europa geblieben?«

»Es ist Jahre her. Ich habe meine Mom vermisst. Ich habe auch Detroit vermisst, so seltsam wie das klingt. Außerdem hatte ich gelernt, damit zu leben. Ich kann es jetzt verdrängen und ignorieren. Aber mehr als alles andere habe ich einfach gehofft, sie würden denken, wenn ich bis jetzt nichts gesagt habe, werde ich nichts mehr sagen. Schweigen ist Gold. Außerdem hatte ich die Nase voll von Europa. Ich bin nicht Rad gefahren. Ich habe für Haven Männern die Unterhosen hinterhergetragen und ihnen die Nase geputzt. Wer will das schon den Rest seines Lebens tun? Also habe ich mir gedacht – ich habe gehofft –, dass ich mich hier genauso gut verstecken könnte wie da. Ich könnte als Cheryl Cangliosi meine Mama besuchen, Stewart meinen Künstlernamen sagen und ihnen hier in den Staaten immer eine Pedalumdrehung voraus sein. Zufrieden?«

Will schüttelte die Stille ab und trat auf sie zu. Cheryl machte einen Schritt zurück, und er blieb stehen. Er streckte seine Hand zu ihr aus. Sie nahm sie und drückte sie fest.

»Ich hatte keine Ahnung«, murmelte er.

»Ja«, sagte sie mit einem traurigen Lachen. Sie konnte spüren, dass ihr Gesicht aufgedunsen und abgespannt aussah. »So sollte es schließlich sein.«

»Es soll so sein, dass man den Leuten, die einen lieben, Dinge vorenthält?«

Die Antwort auf Wills Frage war weniger ein Lachen als ein kurzes Schnauben. »Nein. Es ging mir nicht darum, dir etwas vorzuenthalten. Es ging mir darum, dich am Leben zu halten. Ist dir überhaupt klar, wie oft ich, wenn ich nachts geschrien habe, wie oft ich es dir sagen wollte? Ist dir klar, wie oft, wenn ich dich so fest an mich drücke, wenn wir uns geliebt haben, wie oft ich dir alles ins Ohr brüllen wollte und weinen – um meinen Vater, um das, was ich verloren habe, um das, was dir zustoßen könnte, um das, was ich bin? Ich wollte es dir erzählen – dir, meiner Mutter, meinem Priester, irgendjemandem, jahrelang. Jede Nacht. Jeden Tag. Es verfolgt mich, Will. Wenn du mich dabei erwischst, wenn ich beim Autofahren vor mich hin brummele, dann rede ich mit jemandem. Einem imaginären Freund, vielleicht, über diese Sache. Es ist immer da. Es ist in mir.«

»Du musst es jemandem erzählen. Es macht dich verrückt. Es bringt dich um.«

»Wenn ich es niemandem erzähle, bringt es mich um – im übertragenen Sinn. Wenn ich es jemandem erzähle, bringt es mich um – im wörtlichen Sinn. Tolle Wahl.«

Will stand einen Augenblick lang still da. Dann machte er eine Geste mit den Armen, als wollte er etwas sagen, hielt inne, bewegte die Arme wieder und hörte wieder auf.

»Ich weiß nicht, was ich sagen soll.«

»Da gibt es nichts zu sagen, Will.«

»Nein. Da, da muss es etwas geben. Etwas, das ich sagen kann, das alles beendet …«

»… das alles wieder gut macht?«

»Ja, das«, sagte er und bewegte wieder die Arme mit einer undeutlichen Geste. »Ich fühle mich so hilflos, Cheryl. Du hast Schreckliches erlebt. Du hast den Tod gesehen und seinen kalten Atem gespürt, und ich stehe hier und sollte dich doch beschützen und …«

»Ich brauche keinen Beschützer.«

»Ja, das weiß ich«, sagte Will überdeutlich. »Schau mal – ich weiß, dass du mich nicht brauchst. Du kommst prima ohne mich zurecht.

Aber ich kann nicht anders«, und er sprach noch langsamer, »ich habe das Gefühl, etwas für dich tun zu müssen. Damit der Schmerz weggeht. Damit du dich besser fühlst. Der Gedanke geht mir nicht aus dem Kopf, dass ich dich beschützen will.«

Er machte eine frustrierte Pause. Er erreichte nichts und wiederholte sich immer nur.

»Also. Was soll's«, sagte er schließlich. »Du brauchst mich nicht. Ich bin hier, wenn du mich brauchst, aber ich weiß, dass du mich nicht brauchst.«

Er bückte sich nach dem Rad, das sie fallen gelassen hatte.

Er lächelte sie matt an. Er hatte keine Ahnung, was er noch sagen sollte. Seine Kopf war voll von Enthüllungen und Gefühlen, die er nicht ausdrücken konnte und die er nicht verarbeitet hatte. Einen Moment lang erwiderte er ihren steten Blick. Dann bemerkte er, dass sich seine Augen hin und her bewegten und nach einer Flucht vor ihrem bedeutungsvollen Blick suchten. Er warf ihr ein Grinsen zu und begann, an ihr vorbeizugehen, wieder zurück auf die Straße und in den Lärm, in das Durcheinander und die Sicherheit der Zuschauer und des Transporters am Fuße des Berges.

Zwei Schritte von ihr entfernt hörte er sie beinahe flüstern. »Das stimmt nicht.«

»Was?«

Will drehte sich um und hatte auf einmal Angst davor, wohin sie gehen würde, was sie sagen würde und, na gut, auch davor, wo das alles für ihn hinführen würde. Ohne sie war er alleine, arbeitslos, ohne Aussichten, ohne Zukunft, chancenlos. Ohne sie war er alleine, an einer neuen Startlinie in seinem Leben, der Weg vor ihm unsicher, nachdem sich dieses Jahr der Nebel gelichtet hatte und einen kurzen Augenblick lang blitzartig den Blick auf Erfolg und Möglichkeiten freigegeben hatte. Den Blick auf sie.

Ohne sie war er will ross. Klein geschrieben.

Er atmete tief durch.

»Das stimmt nicht«, wiederholte sie. Ohne ein weiteres Wort ging sie an ihm vorbei in Richtung Transporter.

»Was meinst du damit?«, krächzte er.

Sie lachte, offen und ehrlich unter ihren Tränen. Dann lächelte sie ihn schief an.

»Na ja, Will. Ich habe Schreckliches gesehen. Ich habe furchtbare Angst gehabt. Ich bin missbraucht worden. Aber seltsamerweise geht es mir gut. Im Augenblick ist alles in Ordnung. Und es ist in Ordnung, weil ich dich habe. Es stimmt nicht, wenn du sagst, dass ich dich nicht brauche, ich brauche dich sogar sehr. Ich brauche dich, weil du zuhörst. Meistens. Ich brauche dich, weil du süß bist. Ich brauche dich, weil du mich zum Lachen bringst. Ich brauche dich, weil du dir Mühe gibst. Du gibst niemals auf. Das brauche ich in meinem Leben. Jemanden, der nie mit dem Bemühen aufhört, sein Leben und das Leben der Menschen, die um ihn sind, in den Griff zu bekommen. Wenn er einen Misserfolg hat, steht er wieder auf und versucht es nochmal. Du wendest dich nicht ab, Will. Für dich gibt es immer noch etwas, das man versuchen kann. Und – ich brauche dich, weil du, ganz anders als fast alle, die ich in dieser Mannschaft in Europa kannte, verstanden hast, wer ich bin und was ich erreichen wollte. Denk' nicht auch nur eine Sekunde lang, dass ich dich nicht brauche.«

Will lächelte und ließ den Kopf etwas sinken.

»Außerdem«, sagte Cheryl mit einem Blitzen in den Augen, »bist du prima im Bett.«

Wills Kopf schoss hoch und er wurde tiefrot. Er lächelte verlegen.

»Mensch, danke.«

Cheryl lachte laut. In Gedanken sammelte sie schnell und still die Gefühle wieder auf, die sie auf dem Boden ihrer Seele ausgeschüttet hatte, und stellte sie zurück in ihre Verstecke. Komischerweise waren es diesmal weniger, die sie verstauen musste, als ob sich einige davon im Licht dieser Liebe aufgelöst hättten.

Sie ging mit wiedergewonnener Energie den Hang hinauf durch die Menschenmassen, die sich in der Stadt zum Mittagessen sammelten. Sie wandte sich um und schaute über die Schulter nach Will, der still dastand und sie beobachtete und darauf wartete, dass sie ihm einen Hinweis geben würde, was er jetzt tun oder sagen sollte.

»Komm schon, lass' uns sehen, was der Magier Hootie Bosco mit deinem Rad machen kann.«

»Mit meinem Rad?« Seine Miene erhellte sich.

»Ja, mit deinem Rad. Teufel nochmal, ich bin hier der Boss, und wenn ich keine hübschen Kleinigkeiten an meine Familie verteilen darf, wer denn sonst?«

Sie lächelten einander an und gingen zusammen weiter, dem Chaos und dem Leben entgegen, das vor ihnen lag. Für den Augenblick waren alle Gedanken an die drei, die sie zu diesem Punkt gebracht hatten, zu diesen Enthüllungen, übertüncht vom goldenen Pinselstrich dieses Tages und den Gefühlen füreinander.

Während sie um die Ecke gingen, wandte er sich zu ihr um. Er betrachtete ihr markantes Profil und sagte zu sich selbst, »Familie? Das ist gar keine schlechte Idee.«

9
Unverhofft kommt oft

Es war ein seltsames Gefühl für Marjorie Stump. Normalerweise war sie niemals ängstlich. Normalerweise war sie es, die ihren Mitmenschen Angst machte. Aber genau jetzt spürte sie ein Gefühl von Tod und Wut in der Luft, eine Warnung an sie, die durch die Bäume am Berghang über ihr raschelte, als ob Mutter Natur selbst versuchte, Marjorie Stump zu warnen. Sie wollte weglaufen, flüchten, anstatt stehen zu bleiben und zu kämpfen.

Das war es, was Marjorie Stump so verwirrte. Mehr als fünfunddreißig Jahre lang hatte sie immer nur das Bedürfnis gehabt, stehen zu bleiben und zu kämpfen. Was sie spürte, wenn sie hinaus in die Sonne Colorados trat, war der Wille, das Bedürfnis, wenn nicht gar die Notwendigkeit, gegen die Baulöwen zu kämpfen, gegen das Wachstum, gegen die wirtschaftlichen Interessen in ihrem geliebten Tal, in dem Tal, das sie schon geliebt hatte, bevor die anderen gekommen waren. Wenn sie sich dafür gegen die Gesellschaft stellen musste, wenn sie wüten und brennen und sabotieren musste, um das zu erreichen, was sie wollte, dann, bei Gott, dann würde sie das tun.

Sie kicherte. Vielleicht sollte sie besser sagen: »Bei G.O.T.T.«

Dieses Bedürfnis war tief in ihr verwurzelt. Es war der Grund, warum es G.O.T.T. gab, die Grüne Organisation der Treuhänder des Tales.

Kein Zweifel, es hatte von Anfang an wirtschaftliche Interessen im Tal gegeben, aber die schienen damals so unwichtig. Dann wurde Ski fahren populär. Denver wuchs, und plötzlich, ohne erkennbaren Grund, wurde Vail schick, ein Aspen für die obere Mittelschicht, während Aspen ein Vail für Reiche wurde, eine Spielwiese für Leute mit Geld, die darauf aus waren, es auszugeben und damit ihre Berge zu ruinieren.

Sie hatte darum gekämpft, das Tal so zu erhalten, wie sie es vorgefunden hatte. Dann, als das Wachstum überwältigend wurde, kämpfte sie darum, die Entwicklung zurückzuschrauben. Zurück zu einem Punkt, an dem keine Ex-Präsidenten im östlichen Tal Urlaub machten und an dem es keine Pläne gab, die Autobahn durch einen Tunnel zu führen, um auf dem Tunneldach noch mehr Eigentumswohnungen und teure Häuser zu bauen, und keine Pläne für eine Bahnlinie nach Denver und einen größeren Flughafen, eben einfach keine Pläne mehr, nichts mehr.

Nichts mehr.

Sie schaute sich schnell um, wie jemand, der auf einer Parkbank eingeschlafen war. Trotz der Menschenmassen im Dorf selbst war es hier, in Lionshead, kurz hinter dem Eisstadion, ziemlich ruhig. Sie war allein.

Kelvin.

In ihrer Nervosität, in ihrem Dialog mit der Welt um sie herum hatte sie ihren Sohn ganz vergessen. Sie schaute am Eisstadion vorbei in Richtung Stadt. In einiger Entfernung rumpelte ein Bus an einer Gruppe Fußgänger vorbei. Aber von Kelvin war noch immer nichts zu sehen. Das machte sie noch unruhiger.

Es war doch ganz einfach, dachte sie. Folge dem Mann mit dem Auto und finde heraus, warum er so nervös ist und warum sein Kofferraum so tief liegt. Wenn er die Stadt verlässt, in Ordnung. Aber wenn er hier bleibt, finde heraus, was er so sorgfältig bewacht.

Etwas, das die Stoßdämpfer eines Mietwagens so belasten konnte, musste wirklich sehr schwer sein. Und etwas Schweres in einem Radkoffer konnte alles Mögliche sein, aber wenige Dinge brachten einen Menschen so ins Schwitzen. Geld – Geld bringt die Menschen so ins Schwitzen. Und wenn es Geld sein sollte, na wunderbar.

Sie wollte es nur wissen.

Sie wollte es nur wissen, damit sie … damit sie es sich leihen konnte.

Von ihrem Platz auf der Bank aus blickte sie nach oben in die Wälder, die den Hang von Vail Mountain hinaufkletterten. Sie würde es sich ausleihen. Ein Leben lang, vielleicht, aber der Mann sollte das als Investition in seine Welt sehen. Diese Welt zu retten war ein teures

Unterfangen, besonders, wenn einem klar war, dass man tagtäglich gegen Menschen kämpfte, die ihr Geld mit schlechten Filmen, schwatzhaften Anwälten und schlampig gebauten Wohnungen der amerikanischen Bevölkerung aus der Tasche gezogen hatten, nur, um es hier in ihrem Tal wieder auszugeben. Für Autos, die nie gefahren wurden, für Kleider, die nie getragen wurden, und für Häuser, in denen nie gewohnt wurde, abgesehen von einer Woche im Sommer und zwei um Weihnachten herum.

»Missbrauch! Vergewaltigung!«, schrie sie in Gedanken und donnerte mit der Spitze ihres schweren Holzstockes auf einen Felsen neben ihrer Bank.

Ein Paar, das hinter ihr vorbeiging, erschrak bei dem Geräusch, schaute sie an, und eilte dann weiter, um sich der Wut zu entziehen, die diese kleine, gedrungene Frau umgab.

Sie hatte sie nicht gehört. Sie hatte sie nicht gesehen. Sie blickte wie in Trance auf ihren Berg hinaus, verloren in ihrem Traum von dem Tal, wie es wieder sein könnte, ursprünglich, unantastbar, natürlich.

Nicht träumen. Nicht fantasieren. Nicht planen.

Lass' dich nicht von deiner Fantasie einwickeln, dachte sie. Es gibt keinen Platz für Fantasie in dieser Welt.

Marjorie Stump schloss ihre Augen und lehnte sich leicht zurück. Sie atmete tief ein und füllte ihre Lungen mit der Frische des Tages, wiederbelebend, anregend, trocken und sauber, natürlich nur, wenn man den leisen Hauch von Dieselgeruch herausfiltern konnte, der von der Autobahn hinter ihr herüberwehte.

Die Nervosität ebbte ab. Sie atmete noch einmal tief durch. Die Angespanntheit schwebte auf einer Brise davon. Das Gefühl von Angst und Gefahr war jetzt weg, da sie sich mit der Schönheit und der Erhabenheit ihrer Berge umgab.

Ihre Berge. Ihr Tal. Ihr Leben.

Sie driftete davon …

»Mutter!«, sagte Kelvin laut. Seine Stimme und seine Schritte auf dem Pflaster kamen wie ein schweres rhythmisches Trommelfeuer von hinten auf sie zu.

Wütend wirbelte sie herum. Das dicke Ende des Schlehdornknüppels pfiff durch die Luft und landete wieder einmal auf seinem rechten Knie. Mit einem Brüllen, das in ein tiefes, verängstigtes Stöhnen überging, ging er direkt auf der Bordsteinkante hinter der Bank in die Knie.

Er packte die Bank, senkte den Kopf und wollte nur noch kotzen. Der Schlag gegen sein Knie hatte ihm die Tränen in die Augen getrieben, aber der Fall auf die Bordsteinkante, Kniescheibe gegen Beton, hatte ihn vorübergehend zum Krüppel gemacht. Er spürte, wie ihm die Luft aus der Lunge wich und wie sich sein Herz wieder einmal mit Hass füllte. Es gab so viel zu sagen, so viel zu tun, und doch konnte diese Frau, diese alte Vettel, an nichts anderes denken, als die Menschen um sich herum zu verprügeln.

Er sollte ihr einfach einen Schlag vor die Stirn verpassen.

»Was?«, fragte sie herrisch. »Warum schaust du mich so an?«

»Wie denn?«, japste er und versuchte, seinen Tonfall und sein Verhalten wieder auf sanfte Versöhnlichkeit zu trimmen. Noch nicht, dachte er. Noch nicht.

»So wie eben. Schau mich ja nicht so an.« Sie hob ihre Hand. »Oder ich prügele dir diesen Blick aus dem Gesicht, Kelvin. Mit mir ist nicht zu spaßen. Man überrascht mich nicht und man erschreckt mich nicht, indem man sich an mich anschleicht. Das erlaube ich nicht. Ich lasse mir das nicht gefallen.«

Kelvin atmete tief durch und nickte. »Ja, Mutter. Entschuldige bitte, dass ich dich erschreckt habe.«

Sie wurde etwas sanfter, dieses Biest in Sandalen, sie lächelte und streckte die Hände nach ihrem Sohn aus, als ob sie alles wieder gutmachen wollte.

»Du warst schon immer so ein polternder Tollpatsch, Kelvin. Gut, um schwere Lasten zu tragen. Gut, um diejenigen zu bedrohen, die deine sanfte und dumme Natur nicht kennen, Kelvin. Aber so laut. So ungeschickt. So oft habe ich schon gedacht, dass du es endlich verstanden hast. Der Stock, die Bestrafungen, die Freundlichkeiten und die Belohnungen, nichts hat je bei dir gefruchtet, oder, mein Sohn?«

Er schaute sie mit dem Blick eines großen gehorsamen Hundes an.

»Nein«, flüsterte sie und streichelte sein Gesicht. »Nichts hat je funktioniert.«

Die sanfte Berührung dauerte nur einen Augenblick, bevor Marjorie Stump ihre Hand schnell wegzog und ihren Tonfall schlagartig änderte.

»Also – was hast du über unseren Freund herausgefunden?«

»Unseren Freund?«

»Den Mann«, sagte sie ziemlich entnervt, »den Mann mit dem Auto mit dem Kofferraum mit dem Koffer. Den Mann, dem du gefolgt bist. Hast du ihn gesehen? Hast du ihn gefunden? Hast du etwas herausbekommen, hast du etwas erfahren, etwas, irgendetwas über ihn?«

»Ja«, flüsterte er und versuchte nicht nur, wichtige Informationen zurückzuhalten, sondern auch, seine Gefühle im Zaum zu halten. Er wollte diesen Stock nicht mehr spüren. Er wollte sich in seiner Aufregung nicht verraten. »Ja. Er hat am Transportation Center geparkt, und ich habe ihn verloren. Ich konnte ihn nicht finden, aber dann habe ich gehört, wie diese lauten Metalltüren aufgegangen sind. Also bin ich oben rausgerannt, und da habe ich ihn gesehen, mit diesem Koffer, wie er ins Bayerische Haus gegangen ist. Mit dem Koffer.«

»Wo ist er dann hingegangen?«

»Ich weiß nicht. Als ich in die Lobby gekommen bin, war er nicht mehr da, also habe ich gewartet. Und dann ist er runtergekommen. Er ist raus und die Bridge Street entlanggegangen, mit dieser Sporttasche, die er dabei hatte. Sonst nichts. Kein Koffer. Zum Uhrturm. Ich glaube, er wollte Mittag essen.«

»Was hat er bestellt?«

»Ich weiß es nicht.«

»Das war ein Witz, Kelvin.«

»Aber Mama«, redete er weiter, ihren Sarkasmus ignorierend, »da waren diese beiden Männer. Drinnen. Zwei Männer. Sahen stark aus. Gemein. Beides große Männer. Mit Muskeln. Als er reingegangen ist, war er allein, als er rausgekommen ist, waren sie bei ihm und sie haben ihn irgendwohin gebracht.«

»Wohin?«

»Ich weiß es nicht. Ich – uff.« Er atmete durch, als müsse er nochmal Luft schnappen.

»Du bist hier aufgewachsen, Kelvin. Du solltest nicht außer Atem sein«, ermahnte sie ihn.

»Ja, ich weiß, Mutter«, sagte er nur, lehnte sich schwer an die Rückenlehne der Bank und versuchte, sich nach der Aufregung der letzten Stunde zu beruhigen. »Aber als sie aus dem Restaurant gekommen sind, sind sie mit ein paar Leuten zusammengestoßen, Radfahrer, meine ich, also, wirklich in sie reingerannt, und der Kleine, dem ich gefolgt bin, hat sich losgerissen, ist die Treppe runtergesprungen und davongerannt. Also bin ich ihm gefolgt. –«

»Wer sind sie?«

»Ich weiß es nicht. Aber er hatte Angst vor ihnen. Das ist ganz sicher. Ich bin ihm hinterher und habe ihm geholfen zu entkommen.«

»Du hast ihm geholfen zu entkommen?«

»Ja, cool, was? Gerade, als er in dieses Parkhaus gerannt ist, du weißt schon, dieses große ...«

»Ich weiß«, sagte sie übellaunig.

»Er hatte sich verlaufen, und ich habe gerufen, ›Welcher Stock?‹ Und er hat gesagt, ›Nummer drei,‹ und ich habe gerufen, ›Hier entlang!‹ Er ist mir hinterher und wir haben die Abkürzungen genommen, die ich kenne, und haben sein Auto gefunden.«

»Was ist das?«, sagte sie und zeigte mit der Spitze des Stockes auf die blaue Sporttasche, die er hinter seinem Rücken hielt.

»Das ist es ja, was ich dir sagen muss. Das ist echt fantastisch«, sagte Kelvin mit beinahe atemloser Aufregung. »Okay. Okay. Also, ich sehe, wie dieser Kerl vor den anderen beiden Kerlen davonrennt, den bösen Kerlen, ja?«

»Mach' schnell.«

»Okay, okay, Mama. Also, ich helfe diesem Mann, sein Auto zu finden, und die ganze Zeit sagt er ›Sie haben mich gerettet. Sie haben meinen Arsch gerettet.‹ Das hat er gesagt. Ich würde sowas nie sagen. Und wir kommen an sein Auto, und obwohl diese anderen Kerle direkt hinter uns sind, macht er diese Tasche auf« – er wedelte zur Betonung mit der blauen Sporttasche herum – »und packt einen Stapel Geldscheine, wirft sie ins Auto, für sich selbst, nehme ich an, okay, und dann sagt er zu mir, er sagt ›Sie haben meinen Arsch gerettet, mein Freund, hier‹ und drückt mir diese Tasche in die Hand und sagt ›Behalten Sie's, es gehört Ihnen. Wo das herkommt, ist noch viel mehr,‹ und gibt mir diese Tasche, springt ins Auto und fährt los und lässt mich einfach da stehen. Ich rufe noch ›Danke‹, und er ruft ›Danke, ich komme wieder‹, weil er hier irgendwo noch mehr versteckt hat, glaube ich, bei einem Freund. Es war einfach toll. Einfach toll.«

»Gib mir die Tasche«, sagte sie schnell und streckte die Hand aus.«

»Oh, Mama, das wirst du nicht glauben.«

»Gib mir einfach nur die Tasche, Kelvin.«

Er betrachtete sie einen Augenblick lang. Ein Lächeln flog über sein Gesicht, das zugleich ehrlich und vollkommen unecht aussah. Er wartete einen Moment, streckte ihr die Tasche entgegen, zog sie zurück und warf sie ihr zu, als sie mit ihrem Stock wieder in Richtung seines rechten Knies schnickte.

»Ich kann nicht glauben, Kelvin, wie schwierig du wirst. Ich hätte dich bei deinem Vater in Ohio lassen sollen.«

»Mein Vater ist tot.«

»Gen …«

Das Wort blieb Marjorie Stump beim Anblick eines Portraits von Benjamin Franklin auf dem Hundert-Dollar-Schein, das sie aus dem Inneren der blauen Tasche anblinzelte, in der Kehle stecken. In der Tat, es war nicht nur ein Portrait von Benjamin Franklin, das sie gefangen hielt, sondern viele, viele, viele Portraits von Benjamin Franklin, die sie glücklich anschauten, grün gedruckt, als ob der große Erfinder ein gigantisches Familientreffen im Ballsaal des Hotels Blaue Tasche abhalten würde.

»Du meine Güte«, war alles, was sich an dem Klumpen vorbeidrängen konnte, der sich in Marjorie Stumps Hals festgesetzt hatte.

»Du mein Güte, ehrlich«, antwortete Kelvin, dessen Lächeln jetzt ein wirklicher Ausdruck von Zufriedenheit war, jetzt, da er endlich, zum ersten Mal in seinem Leben, seine Mutter sprachlos gemacht hatte.

»Oh, oh. Oh mein Gott, Kelvin«, krächzte Marjorie. Ihr Atem war kurz. »Wie, wie, wie viel, wie viel?«

»Ich bin mir noch nicht sicher. Ich glaube, ungefähr vierhunderttausend Dollar, Mutter.« Er grinste von einem Ohr zum anderen, denn auch er konnte ihr Glück kaum fassen, genauso wenig wie die Tatsache, dass fünfzigtausend Dollar sorgfältig in seinem Hemd verstaut waren.

»Das – das gehört uns?«, fragte sie ungläubig? »Das gehört uns?«

»Ja, kannst du das glauben? Geschenkt. Er hat es mir geschenkt, dafür, dass ich ihm das Leben gerettet habe. Er hat immer wieder gesagt, dass ich ihm sein Leben gerettet habe.«

»Und du gibst es mir.«

»Ja. Ich … gebe es … dir, Mutter.«

»Gott segne dich, Kelvin«, sagte Marjorie Stump leise. »Du bist ein guter Junge. Ein sehr guter Junge.«

»Danke, Mutter.«

»Und dann – als er dir das gegeben hat – was hat er gesagt?«

»Er hat gesagt, ›Wo das herkommt, ist noch viel mehr.‹ «

Sie kratzte sich am Kinn und spielte mit einem der kurzen weißen Haare, die dort wuchsen.

»Viel mehr. Viel mehr. Hat er gesagt, wo?«

»Wo, was?«

Wieder schnappte der Stock zu. Die schwere Spitze erwischte die Oberkante von Kelvins rechtem Knie. Er zuckte zurück und fluchte in Gedanken vor sich hin.

»Ich weiß, was du in Gedanken gesagt hast, Kelvin. Sag' es nicht. Nicht fluchen. Auch nicht stumm. Was hat er gesagt, wo der Rest ist?«, fragte sie.

»Er hat nichts gesagt. Er hat es mir einfach als Belohnug gegeben, ist ins Auto gesprungen und losgefahren. Er wollte aus der Garage raus, bevor ihn diese Kerle erwischen. Bevor sie ihm den Weg abschneiden. Ich hab' sie schon ankommen sehen, Mama.«

»Zu viel Information, Kelvin, beantworte einfach nur die Frage«, sagte sie trocken.

»Er hat es nicht gesagt.«

»Und er ist abgehauen.«

»Und er ist abgehauen. Ja. Er ist abgehauen.«

»Das bedeutet«, sagte sie leise und warf einen letzten Blick auf das liebreizende, beruhigende Gesicht von Benjamin Franklin in der Tasche, bevor sie den Reißverschluss zumachte und sich ihrem Sohn zuwandte, »das bedeutet, dass irgendwo da draußen noch mehr Geld ist. Genug Geld, dass es ihm nichts ausgemacht hat, dir eine halbe Million Dollar in bar als Belohnung zu geben. Da draußen ist genug Geld, irgendwo, um die Entweiher dieses Berges wirklich zu bekämpfen und ihn wieder in den Zustand zu versetzen, in dem er einmal war und den er verdient.«

»Aber Mama. Bist du nicht glücklich?«

»Oh, natürlich, Kelvin«, sagte sie beruhigend und streichelte ihm als Belohnung für das Glück, das er ihnen beiden gebracht hatte, über die Wange. »Natürlich bin ich glücklich über das hier. Aber damit könnte man sich in Vail keine Hundehütte mehr kaufen. Das sind Peanuts. Aber wir werden es weise einsetzen. Und den Rest finden.«

»Warum, Mama, warum sind wir nicht zufrieden –«

»Weil, mein lieber Sohn«, sagte Marjorie Stump nur, »weil ich einen Plan habe. Und für meinen Plan brauche ich hundertmal so viel. Jetzt komm', Kelvin. Es gibt Arbeit für uns.«

Ohne ein weiteres Wort wandte sie sich um und begann, ins Zentrum von Vail Village zu gehen. Dabei schlug sie mit der harten Spitze des Schlehdornknüppels einem an ihr vorbeifahrenden Stadtbus hart gegen die Seite und erschreckte damit die darin sitzenden Touristen.

»Verdammt nochmal, Marjorie!«, kam der Ruf des Fahrers.

»Elektro, Henry, Elektro! Wann lernt ihr das endlich?«, rief sie über ihre Schulter hinweg, während sie leichten Herzens weiter in Richtung Stadt marschierte. Kelvin reihte sich dicht hinter ihr ein.

»Erzähl' es mir nochmal, Kelvin. Langsam diesmal, alles, was du gesehen hast. Alles, was du getan hast. Alles, was er gesagt hat.«

»Alles?«

»Alles, mein Sohn. Das Geld ist hier irgendwo in der Stadt. Bei einem Freund, vermute ich. Oder irgendwo an einem sicheren Ort. Vielleicht an einem sicheren Ort bei einem Freund. Wer weiß. Aber deswegen sage ich, erzähl' mir alles.«

»Ich werd's versuchen.«

»Gut«, sagte sie und schulterte die Tasche. »Du bist ein guter Sohn.«

Die Tasche fühlte sich schwer an, als ob sie voller Hoffnungen und Träume und Möglichkeiten wäre.

»Hat er irgendwelche Namen erwähnt?«

»Angelo Irgendwas.«

»Nachname?«

»Kein Nachname. Nur dass ›das Schwein‹ es niemals zurückbekommt.«

»Oh«, nickte sie, »klingt nach gestohlenem Geld. Vielleicht Kriminelle. Da freut es mich doch umso mehr, es zu behalten. Noch jemand?«

»Ja, ja, wenn ich's genau betrachte«, sagte Kelvin, und seine Miene erhellte sich, als ob ein verirrter Stromstoß irgendwo hinten in seinem Kopf eine Erinnerung losgelöst hätte. Er wandte seinen Blick von der

Tasche ab, die nicht länger in seinem Besitz war. »Ja. Er hat noch einen Namen erwähnt.«

»Was? Wie lautete er, Kelvin?«

»Ross. Er hat den Namen ›Ross‹ genannt.«

Sie nickte wieder und ihr Kopf bewegte sich auf und ab wie der eines Nickdackels im Rückfenster eines billigen Autos auf einer schlechten Straße.

»Ross.«

Sie ging jetzt schneller. Die Tasche schwang unregelmäßig hin und her, während ihr nächster Schritt klar wie ein Morgen auf dem Berggipfel vor ihr lag.

»Ross«, sagte sie nur. »Mit dem fangen wir an.«

Der Mann, mit dem sie anfangen würden, saß gerade friedlich neben dem Haven-TW-Transporter und nahm ein Bergsonnenbad. Er betrachtete die Bergvegetation und füllte seine Lungen mit Bergluft.

Und er wünschte, er hätte eine Zigarette.

Eigentlich brauchte er gar keine. Er rauchte nämlich nicht, und der erste Zug, das wusste er, würde ihn sich die Seele aus dem Leib kotzen lassen, als ob er versuchte, den Penny wiederzufinden, den er mit drei Jahren verschluckt hatte. Aber die Werbung der großen Tabakfirmen war so eindrucksvoll gewesen, so konstant, sein ganzes Leben lang, dass es Situationen gab, die einfach nach einer Zigarette verlangten. Es war ihm klar, dass sein Verlangen der Traum jedes Werbemenschen war, aber er spürte wirklich ein Bedürfnis nach diesem guten, reichhaltigen, fein komponierten Virginia-Tabak, der ihn sich gegen den Lastwagen werfen und wegen Sauerstoffmangels in dieser Höhe in Ohnmacht fallen lassen würde.

Vielleicht wollte er ja auch gar keine Zigarette. Vielleicht einen Kaugummi. Oder einen Grashalm. Oder ein Bier. Oder einen Jameson auf Eis mit einem Spritzer Wasser.

Vielleicht. Vielleicht. Vielleicht, vielleicht, vielleicht.

Etwas, womit er seinen Händen etwas zu tun geben könnte, während er darauf wartete, das weitere Schicksal seines Fahrrades zu erfahren, dieses Top-Rads, dieses vollgefederten Colnago Mountainbikes, dessen vordere Speichen von einem verirrten Fuß verbogen worden waren. In diesem Augenblick war Doktor Hootie Bosco, Privatdozent der Universitas Velocipeda, mit seinen magischen Händen an der Felge zugange, in der Hoffnung, dem Rad wenigstens teilweise seinen früheren Glanz zurückzugeben.

Aber es war ja nicht sein Rad. Trotz dem, was Cheryl gesagt hatte, war es ein Team-Rad. Ein sehr begehrtes Team-Rad, wenn Marshall Reeds letzter Wutanfall, als er es auf dem Operationstisch liegen sah, etwas zu sagen hatte. Will versuchte zwar, das Gebrüll zu überhören, aber es brach doch immer wieder in die Schönheit dieses Tages ein, und in seine innere Entschlossenheit, sich nach Cheryls familiären Geständnissen wieder zu beruhigen.

»Was zum … was zum … was zum -« bellte Reed.

»Teufel«, antwortete Hootie, »das Wort, das du suchst, heißt ›Teufel‹.«

»Teufel. Verdammt nochmal! Was zum Teufel ist mit meinem Rad passiert?«

»Nicht mit deinem Rad«, antwortete Cheryl leise, nicht einmal aufblickend von der Rennbibel, die sie gerade studierte, »das Team-Rad wurde ausgeliehen. Sowas passiert eben. Gewöhn' dich dran. Die meisten Räder, die wir haben, werden Sonntag Abend nur noch in Einzelteilen vorhanden sein.«

»Ja, aber das hier war mein Rad«, schrie Reed, sein Gesicht ein Patchwork aus blauen Venen auf rotem Hintergrund. »Das war mein Rad. Ich hatte das Anrecht darauf, auf Grund meiner Position in dieser Mannschaft.«

»Anrecht?« Hootie bellte ein Lachen heraus, ohne seinen Blick vom vorderen Ende des Rahmens zu nehmen. »Ich habe nicht gewusst, dass man sich hier sowas einfach nehmen kann. Ich nehm' das Haus da drüben.«

»Lass' gut sein, Marshall«, sagte Cheryl, ohne große Lautstärke, aber doch mit Autorität. »Dieses Rad gehört der Mannschaft, und es bekommt derjenige, von dem ich sage, dass er es bekommt. Das haben wir doch schon einmal durchgekaut.«

In diesem Augenblick entschloss sich Reeds Mannschaftskollege und Untertan Jeremy Jettman, seine Meinung kundzutun.

»Das ist nicht fair«, war alles, was er sagte.

Cheryl Crane schob ihre Sonnenbrille auf die Stirn und blinzelte die beiden an.

»Herrgott nochmal, ihr seid mir vielleicht zwei. Kommt ihr im praktischen Zweierpack, oder haben wir euch einzeln gekauft?«

Keiner von beiden sagte ein Wort.

»Also, dann lasst uns mal hier und jetzt etwas ganz klarstellen. Das Leben ist nicht fair. Versteht ihr? Das Leben ist nicht das kleinste bisschen fair. Entweder ihr lernt, mit dieser Tatsache zu leben, oder ihr verschwindet in ein paralleles Universum. Was soll's sein, Jungs? Ich habe nämlich heute keine Zeit, mich zusätzlich zu all dem anderen Scheiß hier auch noch um euch zu kümmern.«

Die beiden starrten sie eine Sekunde lang an, dann traten sie einen Schritt zurück. In Cheryl Cranes Tonfall lag eine Stärke und eine Drohung, die sie beide einsehen ließ, dass jetzt nicht der richtige Moment für eine Konfrontation war. Es war der richtige Moment, sich still davonzumachen und erst in der Entfernung zu meckern.

Jettman brummmelte etwas und zog ein beleidigtes Gesicht, das sich ganz erheblich aufhellte, als Frannie Draa näher kam und ihn anlächelte. Jeremy trat zu ihr, redete ein paar Worte, dann wandten sich die beiden um und gingen in Richtung Stadtzentrum davon.

Reed schaute ihnen verächtlich hinterher.

Hootie Bosco fing Reeds Blick auf, streckte den Kopf aus den dunkleren Gefilden des Lastwagens hervor und schüttelte seine Haare. Die Dreadlocks tänzelten wie ein Bantamgewichtler im Ring. Er folgte Reeds Blick und beobachtete Jettman und Draa, wie sie zusammen in der Stadt verschwanden. Er wischte sich die Hände an einem roten Lappen ab und schaute Marshall Reed an, als sei er ein Chirurg, der gerade Opa Zweirad in das große Velodrom im Himmel hatte schicken müssen.

»Marshall, es tut mir Leid.«

»Was denn, Blödmann?«, antwortete Reed höhnisch. Offensichtlich kehrte sein Mut, andere fertig zu machen, zurück.

»Zwei Sachen. Erstens tut mir das mit deinem Speichellecker Jettman Leid. Die Aussicht auf Sex verändert die Menschen. Zweitens«, er senkte die Stimme, »das Rad, das Rad, Mann«, sagte Hootie und wiegte den Kopf langsam hin und her, wie ein Schauspieler in einer griechischen Tragödie.

»Oh Scheiße. Was ist mit dem Rad?«, jammerte Reed. »Ich dachte, es sei nur das Vorderrad.«

Bosco trat in den Schatten zurück und fuhr mit dem Finger eine schwarze Linie vom Anfang des Vorbaus bis zur Klemmung am Gabelschaft entlang.

»Siehst du das? Ein Riss. Eine komische Verwindung hat das Metall am Vorbau gespalten. Hast du so was noch nie gesehen? Das Rad ist im Eimer. Kann man nur noch ausschlachten.«

»Ach du Scheiße«, jammerte Reed weiter. Er starrte in die Dunkelheit des Lastwagens und wandte sich dann Cheryl zu. »Und es ist alles deine Schuld, weil du deinen Scheiß-Straßenfahrer-Freund ein Rad hast fahren lassen, das nicht für ihn gedacht war. Ich schwöre – und das ist ein SCHWUR, hörst du mich?«

Cheryl blickte ihn an und nickte. »Ich höre.«

»Das Versprechen lautet folgendermaßen: Ich gehe zu Haven, ich gehe zu Two Wheels, ich gehe zu Colnago, wenn ich muss, und du, du wirst dich für all das verantworten müssen, das verspreche ich. Die werden alles erfahren und, bei Gott, dann werden wir endlich etwas dagegen unternehmen, wie du diese Mannschaft führst.«

»Fein.«

»Das ist alles? Fein? Na gut, dann eben fein«, sagte er, verwirrt, weil ihn ihr Tonfall in seinem filmreifen Wutanfall bremste. »Ich nehme jetzt sofort den Telefonhörer in die Hand. In dieser gottverdammten Sekunde. Und dann werden wir ja sehen, was passiert. Wir werden sehen.«

Der in ihre Richtung gedeutete Finger wackelte vor Wut und Frustration. Er ließ ihn an seine Seite sinken, nickte einmal erbost und marschierte in Richtung Hotel davon.

Cheryl sah ihm zu, wie er ging, und wandte sich dann zu Hootie Bosco um.

»Wie lautet die Prognose für das Rad?«

Hootie zog den Montageständer ins Sonnenlicht und fuhr mit dem Finger an der schwarzen Linie des Risses entlang. Dann wischte er mit dem roten Lappen darüber. Der Riss, die Linie, der Schaden am Rad verschwand.

»Ganz prima, wenn ich die Gabel durchgecheckt habe.«

»Was ist mit dem Riss?«

»Ah, das Einzige, was einen Sprung in der Schüssel hat, ist unser Mister Reed. Dieses Rad ist unzerstörbar. Nicht kleinzukriegen. Das wird noch stehen, lange, nachdem Mister Eleganz hier«, und er deutete um den Lastwagen herum auf Will, »tot und begraben ist und als Aufschüttung auf einem Cross-Country-Kurs liegt.«

»Das habe ich gehört«, sagte Will schläfrig.

»Das hatte ich gehofft«, antwortete Hootie.

Will stand langsam auf und ging um das hintere Ende des Transporters herum. Als er an Cheryl vorbeiging, strich er ihr mit der Hand über die Schultern. Er spürte, wie sie kurz verkrampfte und dann losließ. Die Anspannung, die sich in ihrem Oberkörper angesammelt hatte, verschwand unter seiner Berührung, während der Zusammenstoß mit Reed Vergangenheit wurde.

»Hey«, rief Hootie, »hier spielt die Musik.«

»Hä? Ja.« Will nickte. Seine Gedanken waren plötzlich aufgespalten zwischen Cheryl und der laufenden Unterhaltung.

Hootie griff in die Dunkelheit, legte einen Haltebolzen um und hob das Rad aus dem Montageständer. Er drehte das Rad nach links in die Sonne. Das helle Licht spiegelte sich im gelb-blau-schwarzen Rahmen, den Metall-Komponenten und dem Vorderrad.

»Mann, das ist wunderschön«, war alles, was Will sagen konnte.

»Dr. Bosco, Schönheitschirurg der Stars! Ich hab' nicht viel gemacht. Drei neue Speichen eingebaut und das Laufrad nachzentriert, das war alles. Der Mann mit dem großen Fuß hat nicht so viel Schaden angerichtet, wie du gedacht hast.«

»Kann ich's fahren?«

»Klar, aber lass' mich dir was sagen, mein Freund«, sagte Bosco, hob das Rad über die Ladekante und setzte es sanft auf dem Boden auf. »Das Erste, was du brauchst, ist ein Paar Schuhe. Richtige Mountainbikeschuhe. Es gibt sicher einen Laden in der Stadt, der die verkauft. Dann brauchst du mehr Übung, und wenn es nur ein paar Runden hier in der Umgebung sind.«

»Ich kriege das Rad wieder?«

»Ich kann's nicht mehr gebrauchen. Da ist jemand draufgetreten. Ich kann nicht sagen, ob es nicht Begleitschäden hat.«

Cheryl lächelte. »Schau mal, Will, benutz' das Rad. Ganz offen gesagt, die Vorstellung gefällt mir, dass auf dem Sattel deine niedlichen kleinen Backen sitzen werden, und nicht Reeds fetter, haariger Arsch.«

Sowohl Hootie als auch Will schnitten bei dieser bildlichen Vorstellung eine angewiderte Grimasse, dann lächelten sie beide, als sie daran dachten, wie Marshall Reed austicken würde, wenn er Will auf dem Rad sah. Vielleicht würde sein Blutdruck so in die Höhe gehen, dass ihm der Kopf platzte.

»Besorg' dir die Schuhe, geh' das Rad fahren«, sagte sie mit einem Grinsen und wandte sich wieder ihrem Papierkram zu. Sie starrte einen Moment lang auf die Zettel, die Rennbibel, die Blätter mit Zeitplänen und Listen und finanziellen Auslagen, dann warf sie den ganzen Kram in eine ölverschmierte Kiste, in der wohl vor kurzem noch Fahrradteile gelegen hatten, und stand auf. »Apropos, ich werde das Gleiche tun.«

»Das Gleiche was?«

»Fahren. Ich denke, ich fahre den Cross-Country-Kurs, und wenn nur, um meinen Kreislauf ein bisschen in Schwung zu bringen.«

»Trink' Wasser, wegen der Höhe.«

»Danke, Mama Hootie.«

»Ja, und …« Will suchte nach einem weisen Spruch.

»Und?«

Er hielt einen Moment lang inne, sortierte sich, lehnte sich vor und küsste sie zart auf die Wange.

»Ja, und fahr schön«, war alles, was er schließlich sagte. In seiner Stimme schwang die Sorge mit, die er um sie hatte.

Sie wandte sich von Hootie ab und schaute auf die Start-Ziel-Linie, dann nach oben zu den Wegen und Skipisten, die den Berg hinaufführten, der ganz oben von Wolken eingehüllt war.

»Schau mal«, sagte sie und sprach unnötig leise, denn Hootie war wieder im Bauch des Lastwagens verschwunden, »mir geht's gut. Nein, wirklich, mir geht's gut, Will. Ich habe mich über die Jahre immer wieder mit dieser Geschichte auseinandersetzen müssen. Ich bin durcheinander, weil sie hier sind. Ich mache mir Sorgen darüber, was hier vorgeht. Ich hasse sie abgrundtief für das, was sie getan haben. Aber ich bin nicht in Gefahr, jedenfalls glaube ich das, und ich komme schon damit zurecht. Ich habe es für den Augenblick verdrängt. Es ist schon okay. Mit der Zeit versanden solche Geschichten, auch wenn man noch so sehr versucht, den Hass am Leben zu halten. Mir geht's gut.«

Sie strich mit der Hand über sein Gesicht, drehte sich um, und hob den Helm auf. Dann stieg sie auf das Rad und begann, in Richtung Cross-Country-Kurs davonzufahren.

»Ist der Start von dem Kurs nicht in der Stadt?«, fragte Will sich laut.

»Ich fahre außerhalb der Stadt auf die Lionshead-Schleife. Es wird etwas Verkehr geben, aber nicht allzu viel, hoffe ich. Bis später.«

Will sah zu, wie sie wegfuhr. Dann rief er ihr spontan hinterher: »Ich liebe dich.«

Sie blieb stehen, wandte sich um und lächelte.

»Danke. Das bedeutet mir sehr viel.«

Sie fuhr davon. Will blieb am Transporter stehen und winkte der Figur hinterher, die in der Ferne verschwand. Plötzlich fühlte er sich wie eine brave Hausfrau, die ihrem Mann auf dem Weg zu einem harten Arbeitstag im Büro hinterherwinkte.

Will drehte sich um und ging Richtung Stadt. Er warf ein »Tschüss« zu Hootie in den Lastwagen, aber hörte nur ein sanftes Schnarchen in der Dunkelheit als Antwort. Als er auf der Hanson Ranch Road an den ersten Läden vorbeiging, fühlte er nach seinem Geldbeutel und wünschte, er hätte noch die American Express Gold Card, die er vor ein paar Monaten dem Manager der Haven-Mannschaft geklaut hatte. Er hatte sie ihm zurückgegeben.

Ehrlichkeit.

So ein Mist.

Er marschierte los, auf der Suche nach Radschuhen, die Hände tief in den Taschen vergraben. Die Rechte spielte gedankenverloren mit dem Schlüssel zu einem Radkoffer, den ihm in dem Durcheinander auf den Stufen zum Restaurant vor nicht einmal zwei Stunden Leonard Romanowski in die Hand gedrückt hatte. Ein Schlüssel, den Will Ross in der Aufregung jenes Augenblick und der Augenblicke, die direkt danach gefolgt waren, schon vergessen hatte, genauso, wie er Leonard Romanowski vergessen hatte.

Leonard Romanowski hatte nichts vergessen.

Während er verzweifelt zu atmen versuchte – das Problem waren zwei kleine Messerstiche, hoch links in seiner Brust, und die Tatsache, dass er zusammengekrümmt im Kofferraum eines billigen Mietwagens lag – dachte Leonard Romanowski über die Männer nach, die ihn verfolgten, über den Mann, der ihm geholfen hatte, und über den Klienten, in dessen Schrank er die gesamten Ersparnisse, die er in den zehn Tage gesammelt hatte, zurückgelassen hatte.

Die dumpfen Stimmen außerhalb des Kofferraums kamen wieder näher. Er hörte ein Klicken und ein Klappern direkt oberhalb seines Kopfes. Ein dumpfes Schnappen, der Kofferraumdeckel ging auf und Leonard Romanowski kippte nach hinten. Sein Rückgrat knackte, als es auf die Kante traf.

Der Aufprall schlug ihm die Luft aus der Lunge und ließ Blut über den Boden des Chevy laufen.

Er war erledigt. Und das wusste er. Er würde sterben. Leonard Romanowski wusste auch das. Einen Moment lang saß er nur da und starrte vor sich hin. Er schaute auf das Blut auf seinen Hosenbeinen, Blut aus seiner Brust, das nie so weit nach unten hätte fließen sollen, und dachte nach, über verpasste Chancen, über die Tage, die er in Sorge verbracht hatte, die Augenblicke, in denen er Chancen bekommen und sie nicht ergriffen, die Frauen, die er abgewiesen hatte, das Leben, das an ihm vorbeigerauscht war, und doch war er nicht traurig über all das. Es war kein gutes Leben gewesen, aber es war sein Leben gewesen. Manchmal, dachte er, war das genug.

Er wollte tief einatmen, aber er wurde von den Schmerzen in seiner Brust gestoppt. Seine Füße wurden langsam kalt. Abgeschaltet. Davon hatte er gehört. Abgeschaltet. Der Körper schaltet sich ab, um das Herz und das Gehirn zu schützen.

Er kicherte bei dem Gedanken, und eine rotgefärbte Speichelblase entstand auf seinen Lippen. Um die beiden Dinge zu schützen, die er in seinem Leben sowieso nie so richtig benutzt hatte.

Er wollte sich umdrehen und den beiden Männern ins Gesicht sehen, die die Aufgabe hatten, ihn hierher zu bringen und in diesen Zustand zu versetzen. Er lächelte, ohne das Sabbern kontrollieren zu können, wissend, dass der Sabber sein eigenes Blut war, verteilt über seine eigenen Zähne und Lippen. Aber er konnte nicht anders.

Trotz der Dinge, die sie ihm angetan hatten, trotz der verzwickten Lage, in der er sich jetzt befand, konnte er nicht anders als lächeln. Er hatte ihr Leben kompliziert gemacht. Da draußen war Geld, irgendwo, und sie mussten es finden.

Und nur er wusste, wo es war. Nur er wusste, wo es war. Nur er wusste … nur er … wusste es.

Während er stumm die Worte »leck mich« an den Mann richtete, der hinter ihm stand, sackte Leonard Romanowskis Kopf langsam auf seine Brust hinab. Ein tiefes Rasseln, irgendwo ganz tief drinnen freigesetzt, schüttelte einen Moment lang seinen ganzen Körper durch, bevor er still wurde. Plötzlich sah er kleiner aus, als ob ihn sein Geist, seine Lebenskraft, aufrecht gehalten hatte.

Und er war still.

Stanley Szyclinski kratzte sich am Kopf, bis das Haar nach oben stand. Er wandte sich zu Olverio Cangliosi um und zuckte mit den Schultern.

»Also, was tun wir jetzt?«

»Was meinst du damit, was tun wir jetzt?«, sagte Ollie, während er Leonard Romanowski sanft nach vorne bog, den Kofferraumdeckel vorsichtig schloss und alle Stellen, die er vielleicht mit der Hand berührt haben könnte, mit einem cremefarbenen Taschentuch abwischte. »Wir tun unsere Arbeit, das ist es, was wir jetzt tun.«

»Ich dachte, das hier sei unsere Arbeit«, sagte Stanley in wütendem Flüsterton und deutete mit dem Daumen in Richtung Kofferraum, bevor er sorgfältig die Seite der Karosserie und den Türgriff abwischte, die er angefasst hatte.

Sie traten vom Wagen weg und gingen schnell und leise zu ihrem eigenen Wagen, der eine Ebene tiefer geparkt war. Ohne ein Wort stiegen sie ein. Ollie startete den Wagen, fuhr ihn rückwärts aus der Lücke und lenkte ihn langsam zum Ausgang.

Beide waren voller Fragen. Wie, bei wem und wo war das Geld?

Schließlich sprach Ollie, während der Wagen in die South Frontage Road einbog, zum Highway und der Garage bei Lionshead, zu ihrem Hotel und einem Moment relativen Friedens in einer Situation, die ihnen über den Kopf zu wachsen drohte. Er sagte zu Stanley, »Das Geld. Der Job war und ist immer, das Geld zu finden. Das Geld wiederzubeschaffen.«

»Und«, sagte Stanley, den Finger erhoben wie ein Professor, der noch etwas hinzufügen will, »eine Lektion zu erteilen.«

»Die Lektion wurde erteilt. Jetzt wird es Zeit, das Geld zu finden.«

Der Wagen hielt an dem europäischen Kreisel, fand seinen Weg um dieses Hindernis und fuhr weiter Richtung in Lionshead.

»Ich hasse diese Dinger«, sagte Ollie bitter.

»Scheiße, ja, ich auch.«

»Nicht fluchen.«

»Ja, ja«, antwortete Stanley mit müder Stimme. Er hatte diesen Job satt, er hatte es satt zu rennen, er hatte diese Stadt satt und die Höhe, er hatte seine Nichte satt, die immer zu den unpassendsten Zeitpunkten auftauchte, er hatte die Richtung satt, die dieses ganze Wochenende nahm.

Aber Ollie hatte Recht. Sie hatten immer noch einen Job zu erledigen.

Er seufzte, wandte sich um und sagte: »Okay. Was jetzt?«

»Jetzt finden wir heraus, wer in dieser vertrackten Situation die Hauptfiguren sind.«

»Vertrackt? Wo hast du denn das Wort aufgeschnappt?«

»Verbessern-Sie-Ihren-Wortschatz-Kassetten. Die spiele ich beim Autofahren.«

»Also, was denkst du, wer es ist?«

»Keine Ahnung. Hast du den Kerl gesehen, der ihm auf der Straße hinterhergerannt ist? Wer war er? Ist er ihm gefolgt oder war es nur ein Jogger? Und dann dieser Typ bei Cherylann im Restaurant heute Morgen. Wir haben eine Stadt voller Sportler, und unser Mann war Sportagent.«

»Kein besonders guter.«

»Das weiß ich nicht.«

Sie fuhren in die Lionshead-Garage, drehten ein paar Runden darin, und stellten dann den Wagen nahe am Ausgang ab. Sie stiegen aus und lehnten sich gegen den Wagen, als ob der Tag ihnen den Großteil ihrer Energie geraubt hätte.

»Ich werde zu alt für solche Sachen«, murmelte Stanley.

»Man weiß nie«, sagte Ollie mit einem Hauch Resignation.

»Wie meinst du das?«, fragte Stanley.

Olverio stützte sich auf das Wagendach und nahm einen Augenblick lang das Gewicht von seinem rechten Fuß, der gerade von einem neuen zu engen Schuh zermatscht wurde.

»Man weiß nicht, wer es sein könnte. Wer Romanowskis Sicherheitsmann ist, sein Versteck, der einzige Mensch, dem er in dieser Stadt vertrauen konnte.«

»Da gibt es jede Menge Möglichkeiten«, sagte Stanley und schaute auf die Berge, die immer noch sehr bevölkert aussahen, von Fahrern, die trainierten und anderen Aktivitäten nachgingen.

»Na ja, wir können wie Hühner ohne Kopf durch ganz Vail rasen und alle überprüfen oder wir können einen Anruf nach New York machen, auf Angelo Gennas Kosten nett zu Abend essen und auf eine Antwort warten, die entweder noch heute Abend alles klärt oder bis zum Ende des Wochenendes.

»Was für einen Anruf?«

»An Angelo. Er soll jemanden mit Grips im Hirn Romanowskis Klientenliste überprüfen lassen.«

»Das können nicht besonders viele gewesen sein«, sagte Stanley.

Ollie nickte und begann, zur Treppe zu gehen, die auf die Straße führte. »Wir konzentrieren uns auf Radfahrer«, sagte er über die Schulter zurück, »und schauen, ob einer von denen in Vail ist.«

Ein Schatten legte sich über Stanleys Miene und er legte die Stirn in Falten. Schnell ging er Ollie hinterher und wedelte mit dem Finger in seine grobe Richtung. »Was ist, wenn er es einfach losgeworden ist? Wenn er einen sicheren Ort gefunden hat und es losgeworden ist?«

»Kein Ort ist so sicher. Man wird nicht einfach viereinhalb Millionen Dollar los. Niemand würde das tun. Gier und Sorgen würden das nicht zulassen. Nein. Er hat es bei jemandem versteckt. Bei jemandem, dem er vertrauen konnte.«

»Wie kannst du da so sicher sein?«

»Weil es das ist, was ich tun würde. Ich würde es bei jemandem verstecken, dem ich vertrauen kann.«

»Bei wem denn, zum Beispiel?«

»Bei dir, zum Beispiel.«

Stanley lächelte ob dieses Kompliments.

»Ebenso.«

»Darauf kannst du wetten«, sagte Ollie und erspähte ein öffentliches

Telefon an der Ecke des Eisstadions, »jemand, dem ich vertrauen kann.«

Will Ross drückte die Tür seines Hotelzimmers auf und sprang zurück in den warmen Flur. Jemand hatte die Klimaanlage so aufgedreht, dass der Bildschirm des Fernsehers Frost angesetzt hatte. Will ging vorsichtig ins Zimmer, atmete aus, um zu erkunden, ob er seinen eigenen Atem sehen konnte, und warf die Einkaufstüten auf das Bett. Die neuen Schuhe, zusammen mit den passenden Pedalplatten, hatten ein hübsches Sümmchen gekostet, zusammen mit der Sporttasche, dem Helm, der Wasserflasche und den Handschuhen. Lange konnte er sich dieses Leben nicht leisten. Allein nach diesem Wochenende würde er dringend einen Job finden müssen.

Die Stimme seiner Mutter klang ihm in den Ohren.

»In einer Fabrik! Du wirst in einer Fabrik arbeiten müssen!«

Er hätte Lehrer werden sollen. Dann hätte sie wenigstens nichts mehr sagen können.

Er zog die Schuhe aus der Kiste und stopfte sie in die Tasche, zusammen mit den Handschuhen und dem Helm, während er gleichzeitig Anhänger und Plastikdrähte aus allem herauszog. Es war ein Schock bis ins Mark gewesen. Er hatte seit Jahren kein Geld mehr für Fahrradausrüstung bezahlt. Die verschiedenen Mannschaften, ob gut, schlecht oder desinteressiert, hatten ihm immer mehr gegeben, als er je gebrauchen konnte. Die Garage seines Vaters in Michigan war voller Rahmen, Schaltungen, Trikots, Handschuhe, Schuhe und Pedalplatten … .

Aber das war damals. Jetzt war heute. Er stand auf und zog sein Hemd aus, dann öffnete er die Schiene an seinem linken Bein, bevor er die Hose aufmachte und sie ebenfalls auszog. Mit nichts als einem Paar Socken am Leib ging er durch das Zimmer, beugte sich herab und wühlte in seiner Haven-Tasche herum. Gott, was für ein Bild, dachte er sich. Hoffen wir, dass jetzt niemand zur Tür reinkommt und sich diesem einäugigen haarigen Monster gegenübersieht. Tief unten in der Tasche, in eine Ecke gestopft, fand er, was er gesucht hatte: ein Paar Haven-Fahrradshorts, die er nicht völlig ruhmlos bei der Tour de

France getragen hatte. Er blickte sie an und seufzte. Sanft rieb er den Stoff zwischen den Fingern und spürte, wie die Magie langsam, unglaublich langsam, verschwand.

»Herrgott, reiß dich zusammen«, sagte er laut in das leere Zimmer hinein, zog die Shorts schnell über seine Blöße und bemerkte dabei, dass er sie über eine kleine Rolle zog, nicht unbedingt Fett, aber eine Weichheit, die sich um seine Gürtellinie herum befand. Jetzt verstand er seinen Großvater. Jedes Mal, wenn Will ihn in Kansas besuchte, saßen seine Hosen ein bisschen höher. Was hatten sie versteckt? Was versteckte er jetzt?

Er stand da, starrte sich einen Augenblick im Spiegel an und zwackte sich in die Hüfte. Sein Blick ging höher, bis er sich ins Gesicht sah. Wer war er jetzt? Was wurde aus ihm? Er schüttelte das Bild ab.

Er nahm eine Sonnenbrille vom Fernseher und ging zum Schrank, öffnete ihn und griff hinein, um ein langärmeliges Trikot herauszuholen. Die spätnachmittägliche Sonne würde bald abkühlen, und er wollte nicht leichtsinnig sein. Außerdem gab es auf diesen Kursen überall dornige Sträucher und ähnlichen Blödsinn.

Er langte in den Schrank und konnte durch seine Sonnenbrille nicht viel erkennen. Aber knapp unterhalb der Sachen, die auf seiner Seite hingen, war eine Art schwarzer Schlund. Er konnte es nicht richtig erkennen. Er schob die Sonnenbrille hoch und betrachtete den Radkoffer, der auf seiner schmalen Seite stand. Nur so passte er überhaupt in diesen Schrank hinein. Und indem er in den Schrank hineingedrückt worden war, hatte er alle Kleidungsstücke auf seiner Seite zerknittert. Nicht, dass das einen großen Unterschied gemacht hätte, schließlich trug er all seine Klamotten ziemlich zerknittert, aber hier ging es ums Prinzip.

»He, Cheryl, verdammt nochmal«, bellte er, »der Scheiß-Koffer gehört in den Transporter. Sowas stellt man nicht in den …«

Er zog an dem Koffer, um seine Kleider zu retten, aber plötzlich wurde ihm klar, dass der nicht nur schwerer war, als er gedacht hatte, sondern auch, dass sich dessen Inhalt durch sein wütendes Zerren verschoben hatte, wodurch der Koffer das Gleichgewicht verlor und auf ihn kippte. Überrascht stolperte Will rückwärts und versuchte, sich mit einem nach hinten gestellten Fuß abzustützen. Aber dieser Fuß blieb am Teppich hängen, und nun verlor er das Gleichgewicht. Der schwere Fahrradkoffer stürzte auf ihn und klemmte ihn zwischen der Bettkante und dem Fußboden fest.

Ein Arm war zwischen dem Koffer und seiner Brust eingeklemmt, und er konnte zwar noch atmen, aber den Koffer nicht bewegen. Er atmete einmal tief ein, um sich zu beruhigen, und begann dann, sich langsam herauszuwinden. Das Gewicht des Koffers, der sich noch einmal verschob und einen seiner Finger einquetschte, machte das Manöver schwierig, aber bald hatte er sich so weit herausgewunden, dass er sich in das freie Dreieck zwischen Fußboden, Koffer und Bettkante bewegen konnte.

Eine Weile, die ihm sehr, sehr lang vorkam, lag er dort, atmete, wackelte mit den Zehen und dachte an nichts anderes als daran, wie er diese extrem blöde Lage Cheryl erklären könnte, sollte sie zufällig in diesem Augenblick zur Tür hineinkommen, was sie natürlich auch tat.

»Hey, bist du da? Ich wollte nur kurz mal aufs Klo«, sagte sie laut in ein Zimmer hinein, das auch hätte leer sein können.

Sie steckte den Kopf um die Ecke und starrte ihn mit weit aufgerissenen Augen und einem Fragezeichen im Blick an.

»Sag' kein Wort«, sagte er, und ein Finger schoss in die Luft, um sie verstummen zu lassen.

»Also, was ist los?«

Er verzog sein Gesicht.

»Ich bin hingefallen – und ich komm' nicht mehr hoch.«

10
Reich, reich, wir sind reich

Will blickte unter dem improvisierten Möbelzelt hervor zu Cheryl hoch und hob eine Hand.

»Zieh mich raus«, sagte er jammervoll.

»Ich würde dir gerne helfen, mein Liebling, aber ich muss auf's Klo.«

Sie drehte sich mit einem schnellen, fiesen Lächeln um und flitzte ins Bad. Dort schaltete sie die Lüftung an, um die Geräusche dessen zu überdecken, was sie dort erledigte. Die Lüftung klapperte wie der Motor eines schlecht eingestellten Mustang P-51. Sie musste rufen, um sich über den Krach hinweg Gehör zu verschaffen, was aber nicht so wichtig war, da Will ihr sowieso nicht zuhörte.

»Also, warum hast du denn überhaupt ein Rad gekauft? Das Colnago gehört dir, was Hootie und mich angeht. Und warum kaufst du dir denn ein unmontiertes?«

Will, der immer noch flach auf dem Rücken lag und die Zimmerdecke betrachtete, hatte unter dem Surren des Lüftungsventilators nur eine leise Ahnung, dass sie etwas sagte.

»Mann«, brummelte er, rollte sich auf den Bauch und drückte sich weit genug hoch, um unter dem Hartschalen-Zelt hervorzukrabbeln. »Ich kann dich nicht hören.«

»Was?«

»Ich kann dich nicht hören!«

»Was?«

»Ich kann dich nicht hören. Verdammt«, flüsterte er und setzte sich auf die Bettkante. Kurz darauf ging die Klospülung, er hörte den Wasserhahn und der Lüftungsventilator klapperte sich aus. Die Tür ging auf und Cheryl stand vor ihm.

»Ich konnte dich da drin nicht hören.«

»Ich dich auch nicht«, gab er zurück.

»Das war auch gut so«, lachte sie und deutete auf den schwarzen Radkoffer, der ihre Seite des Bettes herunterdrückte.

»Also, was soll das mit dem Rad?«

»Frag' mich nicht. Das ist doch deins, oder?«

»Nein. Mein Koffer und mein Rad sind unten am Transporter. Könnte ja sein, dass ich mein Rad fahren muss«, fügte sie freundlich hinzu.

»Klugscheißerin.«

»Warte mal, das ist nicht deins, Mister ›Ich kauf den Sportladen leer‹?«, fragte sie lachend mit einem Blick auf die Tüten und Schachteln, die über das Bett verstreut lagen.

»Nein«, sagte er, jetzt wirklich verwirrt, »es ist nicht meins. Ich habe gedacht, dass du hier irgendwas aufbewahrst.«

»Na ja, was es auch ist, ich habe nicht viel dafür übrig, dass es auf meiner Bettseite liegt«, sagte sie, schritt zu dem Koffer, packte den Griff mit einer Hand und hob ihn an. Das Gewicht überraschte sie.

»Gütiger Gott«, sagte sie erstaunt zu Will, »was zum Henker hast du denn da reingetan, Altmetall?«

»Ich sage dir doch, ich habe gar nichts da reingetan.«

Sie stemmte sich gegen den Boden und schob, aber als der Inhalt ein weiteres Mal verrutschte, verlor sie die Kontrolle über den Koffer und er fiel über Wills Kleider und gegen die Schrankwand. Ein »Bumm« tönte durch das Zimmer.

»Mann. Vielen Dank, wirklich. Meine Wäsche findet das auch klasse.«

»Entschuldigung. Gott, was meinst du denn, was in dem Ding drin ist?«

»Ehrlich gesagt, meine liebe Scarlett, ich habe keine Ahnung.«

»Aber es ist dir nicht gleich?«

»Natürlich ist es mir nicht gleich, besonders, wenn ich mir das vergangene Jahr so betrachte.«

»Was meinst du damit?«

»Ich hatte ein bisschen zu viel Umgang mit Plastiksprengstoff und Firmenkomplotten, um etwas Unbekanntes im Schrank neben meinem Bett stehen zu lassen.«

»Unser Bett. Und meine Seite«, sagte sie, während sie weiterhin den schwarzen Koffer anstarrte, der seine Garderobe plättete.

»Ist doch egal«, sagte er und stand von der Bettkante auf. »Schauen wir mal nach, was wir hier haben.«

»Sicher?«, fragte sie und machte einen halben Schritt zurück.

»Nein, ehrlich gesagt, ich bin mir nicht sicher, aber ich denke mir, wir müssen es herausfinden, und es gibt nur einen Weg.«

»Du willst ihn doch nicht aufmachen, oder?«, sagte sie, versuchte, noch einen halben Schritt rückwärts zu machen, wurde aber vom Bett gestoppt.

»Nein, ich will das Ding so positionieren, dass mein Röntgenblick weder meine Klamotten noch meinen heimlichen Vorrat an Brausepulver verstrahlt.«

Sie schaute ihn verletzt an.

»Du hast Brausepulver und wolltest es nicht mit mir teilen?«

»Es sind nur noch drei Würfel und, nein, wollte ich nicht.«

»Toller Freund.«

Will langte in den Schrank, packte den Griff und zog.

»Ich bin kein Freund. Ich gehöre zur Familie.«

»In meinem Fall«, sagte sie traurig, »spricht das nicht für dich.«

»Entschuldigung«, seufzte er.

Der Inhalt des Koffers verschob sich wieder, aber diesmal war er darauf vorbereitet und stützte sich am Schrank ab. Trotzdem war das Ding verdammt schwer.

»Tolle Hilfe«, keuchte er.

»Ja, ja, schon gut«, sagte Cheryl. Sie stellte sich auf der anderen Seite des Koffers auf. »Was soll ich tun?«

»Na ja, hier können wir ihn nicht aufmachen. Bringen wir ihn da drüben hin, neben den Fernseher. Ich glaube, da können wir ihn hinlegen.«

»Okay. Drehen wir ihn um, auf die Rollen.«

»Gut. Auf drei.«

»Gut. Auf drei. Eins, zwei, drei.«

Sie waren zwar nicht im Takt, aber zusammen konnten sie den Koffer umdrehen und ihn auf die Rollenseite fallen lassen.

»Schwerer kleiner Mistkerl, was?«

»Und so unpraktisch«, meinte Will.

Zusammen zerrten sie den Koffer um das Bett herum und zu der einzigen Stelle im Raum, wo genügend freier Platz war. Sie legten ihn mit der langen Seite nach unten auf den Boden, Schriftzug und Schlösser auf der oberen Seite.

Cheryl wischte sich angewidert die Stirn. Sie schwitzte vom Herumwuchten eines großen Koffers mehr, als sie den ganzen Tag auf dem Berg geschwitzt hatte.

»Und was jetzt, Superhirn? Hast du einen Schlüssel?«

Will lehnte sich zurück, ein wenig frustriert von ihrem Sarkasmus.

»Nein, habe ich nicht. Und ich habe auch kein Werkzeug.«

»Na toll, wir haben jetzt also einen großen Koffer voller Steine mitten im Schlafzimmer, und du wirst dir jedes Mal daran die Zehen anhauen, wenn du um drei Uhr früh Richtung Pissoir spazierst.«

»Immer locker bleiben. Locker bleiben«, sagte er und starrte auf die Schlösser und auf das Stück Papier, das auf einer Seite in die Naht gestopft war. »Ich denke nach.« Er hob die Hand. »Und sag' jetzt nicht, ich soll mich nicht überanstrengen.«

»Mist. Unsere Beziehung ist aus. Du kennst alle meine Sprüche.«

Er beugte sich nach vorne und schaute das Papier an. »Hast du einen Kamm?«

»Ja, aber ich glaube nicht, dass du das mit einem Kamm aufbekommst, du Möchtegern-Houdini.«

»Hol' mir einfach einen Kamm, Gnädigste.« Er streckte die Hand aus und hielt sie so, während sie ins Badezimmer ging und einen Augenblick später mit einem grell-rosa Riesenkamm herauskam. Sie gab ihn ihm in die Hand und trat zurück.

»Das muss ich wirklich sehen.«

»Treten Sie zurück und staunen Sie«, sagte er und lehnte sich theatralisch über den Koffer. Er drehte den Kamm mit den dickeren Zinken nach vorne und steckte ihn in eine Schleife an einem Ende des Papiers. Es ließ sich herausziehen, verhakte sich kurz, aber dann ließ es sich weiter ziehen. Es kam heraus wie eine Rolle aus einem mechanischen Klavier. An einer Ecke riss es ein wenig ein, aber im Großen und Ganzen kam es glatt heraus. Mit einer Bewegung zog Will das Papier an sich und warf Cheryl den Kamm zu. Überrascht griff sie daneben und er landete auf ihrer Brust.

»Ich bin beeindruckt.«

»Ich auch, ehrlich gesagt«, sagte er verlegen. »Ich hatte nicht erwartet, dass es so leicht rauskommt.«

»Was steht da?«

»Es ist von Leonard, Leonard Romanowski«, sagte Will leise, »meinem Agenten, dem Typ, von dem du gesagt hast, er würde in großen Schwierigkeiten stecken. Hör zu: ›Heb' das für mich auf, Will. Ich sollte Sonntag Abend wieder zurück sein. Sag' niemandem etwas und mach' es bitte nicht auf.‹ «

»Na, das sagt mir 'was«, sagte Cheryl.

»Was sagt dir das?«

»Es sagt mir, dass wir ihn aufmachen sollten.«

»Aber er hat geschrieben, ›mach' es nicht auf‹.«

»Schau mal, Will«, sagte Cheryl mit Nachdruck. »Ich habe nicht vor, für jemanden etwas aufzubewahren, der auf der Flucht ist, ohne zu wissen, was es ist – ganz besonders dann nicht, wenn er so darauf besteht, dass niemand wissen soll, dass ich es habe. Das ist große Scheiße.«

»Schau mal«, antwortete Will, »Leonard ist nicht der Typ, der einen reinlegen ...«

»Doch«, unterbrach ihn Cheryl, »dich würde er sehr wohl reinlegen. Und uns. Mich allein würde er nicht reinlegen, weil ich es nicht zulassen würde.«

»Komm schon, Cheryl«, jammerte Will, »das hier ist etwas ...«

»Na los, Will, den Grund will ich hören. Dieser Typ hat dich eure gesamte Geschäftsbeziehung lang reingelegt und auch noch zehn Prozent dafür genommen.«

»Fünfzehn.«

»Gib zu, dass du den Koffer genauso sehr aufmachen willst wie ich.«

Will hockte mit dem Rücken an das Bett gelehnt und starrte unentwegt die Schlösser des Koffers an.

»Ja. Ja. Ich will ihn genauso sehr aufmachen, wie du«, sagte er schließlich. »Da ist aber noch das Problem mit den Schlössern.«

»Hootie würde wissen, wie man die aufkriegt.«

»Ja, aber willst du es ihm wirklich erzählen?«

»Nein, sag' ihm einfach nur, dass du einen verschlossenen Koffer hast, den du gern aufmachen würdest. Wie würde er das machen?«

»Vielleicht. Vielleicht«, flüsterte Will gedankenverloren. Sein Gehirn arbeitete an etwas und führte ihn irgendwo hin, aber er hatte keine Ahnung, wo das sein könnte. Er starrte weiter, zuerst auf den ockerfarbenen Teppich, dann auf die Schlösser, dann auf den leeren Bildschirm des Fernsehers, dann auf die Schlösser, dann auf seine Hose, die auf einem Stuhl in der Ecke lag, dann auf die Schlösser, dann auf die Hose, auf die Schlösser, auf die Hose. Seine Hose. Er starrte seine Hose an, als ob die ihm antworten könnte und den Gedankenknäuel entwirren, der sich in seinem Gehirn verknotet hatte.

»Donnerknispel!«, rief Will, sprang auf und warf sich auf den Stuhl. Er packte seine Hose und wühlte in ihren Taschen zwischen den Münzen und Papierschnipseln, die da lebten, nach einer ganz bestimmten Erinnerung.

»Was zum …«

»Das – das – das!«, brüllte Will, zog seine rechte Hand heraus und hielt Cheryl den Schlüssel vor die Nase.

»Mach' mal langsam, um Gottes Willen«, sagte Cheryl beruhigend. »Wovon redest du überhaupt?«

»Leonard. Leonard.« Vor Aufregung keuchte Will. »Auf der Treppe. Als er von deinen Onkeln die Treppe runtergezerrt wurde. In dem Durcheinander hat er mir den in die Hand gedrückt. Er hat mir den hier gegeben.«

»Was hat er gesagt?«

»Herrgott«, flüsterte Will mit großen Augen, »ich weiß es nicht mehr. Verdammt, ich kann mich nicht erinnern. Aber dieser Schlüssel. Dieser Kofferschlüssel. Dieser Fahrradkofferschlüssel. Mann. Meinst du … was meinst du … es muss einfach …«

»Es gibt nur einen Weg …«

»… es herauszufinden«, beendete er ihren Satz.

Sie nickten sich stumm an. Will ging zu dem Koffer hinüber und kniete sich neben Cheryl davor. Er streckte die Hand aus und steckte den Schlüssel in das Kofferschloss. Er atmete ein, aus und drehte den Schlüssel um. Nichts. Er verzog das Gesicht, dann drehte er ihn in die entgegengesetzte Richtung. Er spürte, wie sich das Schloss bewegte und den Riegel freigab. Er wiederholte das bei den anderen Schlössern und wandte sich dann zu Cheryl um.

»Bereit?«

Sie nickte. »Bereit.«

Will griff nach dem mittleren Schloss.

»Bereit?«

»Ich weiß nicht recht«, antwortete sie mit erstickter Stimme. »Was ist, wenn wir da drin was Totes finden?«

»Du liest zu viele Krimis«, antwortete er, aber in seiner Stimme war nicht das leiseste bisschen Zuversicht zu hören. »Da ist ganz sicher nichts Totes drin. Wahrscheinlich nur dreckige Wäsche.«

»Ziemlich schwere dreckige Wäsche.«

»Sehr dreckige. Vielleicht. Aber nichts Totes.«

»Nichts Totes. Bist du sicher?«

»Nichts Totes. Ich bin sicher.« Er nickte hektisch bei dem Versuch, sich selbst von etwas zu überzeugen, dessen er sich ganz und gar nicht sicher war.

»Okay.«

Will griff wieder nach dem mittleren Riegel und drehte ihn um. Der Kofferdeckel sprang ein Stück auf, so weit, wie es die äußeren beiden Riegel zuließen. Will und Cheryl lehnten sich vor und öffneten die anderen beiden. Will hob den Deckel, bis er am Bildschirm des Fernsehers lehnte.

Sie hatten sich getäuscht.

Da war in der Tat etwas Totes in dem Koffer.

Ben Franklin.

Viele, viele kleine Ben Franklins.

Und der war schon eine verdammt lange Zeit tot.

Will und Cheryl saßen stumm da und starrten eine sehr lange Zeit auf die etwas durcheinander geratenen Stapel von Hundert-Dollar-Noten, bis Cheryl endlich den Bann des vielen Geldes durchbrach.

»Sag' mal, Kumpel«, flüsterte sie, »lädst du mich zum Essen ein?«

11
Das Tollhaus schläft

Der Berg hatte sich in der letzten halben Stunde beruhigt. Die Dämmerung senkte sich herab. Die Menschenmenge dünnte aus, die Schatten wurden länger, Fahrer und Fans zogen sich in Hotels und Bars und Restaurants zurück.

Hootie Bosco saß auf dem Boden des Transporters, zurückgelehnt, die Beine ausgestreckt, und versuchte, sich auf seinem Hintern auszubalancieren. Die vorbeikommenden Leute ignorierend, die verwundert in den Lastwagen schauten, konzentrierte er sich auf einen Punkt etwa zwei Drittel des Berges hinauf, wo ein orangefarbenes Plastiknetz zu sehen war. Zumindest aus dieser Perspektive schien das Netz nicht einmal dazu in der Lage, ein Kind auf einem Dreirad aufzuhalten. Ganz zu schweigen von einem herabstürzenden Radfahrer auf einem 24 Pfund schweren Geschoss. Er lehnte sich weiter zurück. Seine Beine und sein Oberkörper zitterten vor Anstrengung.

Er dachte an gar nichts, und das half ihm dabei, an alles zu denken. Wenn er sein Gehirn frei machte, erschien aus irgendeinem Grund alles heller, frischer, detaillierter, einfacher zu beurteilen, leichter zu bewältigen, klarer.

Die meisten Leute würden es als ausgiebiges Herumlümmeln bezeichnen, aber er sah es eher als eine Art Yoga. Konzentriere dich, finde deine Mitte, finde deine … »Scheiße!«

Jemand hatte Hootie Bosco von unten an den Beinen gepackt und ihn zu einer Rolle rückwärts gezwungen. Sein Kopf knallte auf den Boden und eine Seite seines Schädels wurde von dem Ende eines lose herumliegenden Umwerfers gepackt, der sich in seinen Skalp bohren wollte.

Zum Glück erwischte er nur Dreadlocks.

Fluchend wollte Hootie aufstehen und bog seinen Kopf zur Seite, als würde der Umwerfer seine Haare deswegen loslassen. Das war nicht der Fall, und er zog und zerrte und spielte mit dem Metall, bis es endlich frei kam und ein Büschel langer Haare mitnahm.

»Sind Sie jetzt mal fertig?«, fragte eine Stimme vor dem Lastwagen.

Hootie setzte sich auf und starrte die kleine Frau an. Weniger als die Hälfte von ihr ragte über die Ladekante des Transporters.

»Das war aber nicht sehr nett«, sagte Hootie und versuchte erfolglos, sich die restlichen paar Augenblicke seines meditativen Highs zu bewahren. Er lächelte ohne auch nur das geringste bisschen Ehrlichkeit. Die Frau erwiderte es nicht.

»Ich habe keine Zeit für solche Dummheiten.«

»Was für Dummheiten?«

»Ihre Spielchen mit den Beinen und dem Kopf in der Luft.«

Hootie beobachtete sie genau. Plötzlich erinnerte er sich an ihre verbale Auseinandersetzung vom Vormittag und überlegte, wie er sie vielleicht ein bisschen ärgern könnte, bevor er sagte: »Na ja, man muss ja nicht knien, um zu beten.«

»Was?«

»Ich sagte«, flüsterte Hootie und beugte sich ganz dicht an ihr strenges kleines Gesicht vor, »dass man nicht knieen muss um zu beten.«

Sie hob ihren Knüppel vor sich, fast wie ein Kreuz, als müsse sie sich gegen den Leibhaftigen verteidigen. »Sie Gotteslästerer!«

Hootie grinste innerlich. Aha, so also. Das war ja einfach.

»Auf welche Weise bin ich ein Gotteslästerer? Ich bete in einer unorthodoxen Haltung, die Demut statt Unterwürfigkeit vor Gott ausdrückt. Was, im Namen des Himmels, ist daran so verkehrt?«

»Es ist nicht richtig«, war alles, was Marjorie Stump antworten konnte.

»Ah, es ist nicht richtig. Das bedeutet, dass Buddha Unrecht hatte. Oder Mohammed. Oder die Thora. Oder der Koran. Und alle großen Propheten, ihre Werke und ihre Anhänger. Nur Sie. Sie sind die Einzige, die nicht Unrecht hat. Nur Sie kennen den richtigen Weg.«

Marjorie Stump nahm den Fehdehandschuh auf und richtete sich zu ihrer vollen Größe auf. Obwohl das nicht sehr viel war, war es allein durch die Kraft ihrer Persönlichkeit doch recht eindrucksvoll.

»Ja«, sagte sie nur.

»Das, meine Liebe«, antwortete Hootie, rutschte nach vorn und setzte sich dann mit baumelnden Beinen an die Ladekante, »das ist die Todsünde des Stolzes.«

»Wa- «

»›Und hütet euch am meisten vor der Sünde des Stolzes‹«, intonierte er, »›denn sie schleicht sich in die Seele wie eine Schlange in den Garten, ungesehen, ungehört, bis sie das Herz des Dieners des Herrn überwältigt hat.‹«

Marjorie Stump blickte ihn mit offenem Mund an, ein stummer Widerspruch auf den Lippen.

Hootie starrte einen Augenblick lang zurück, sein Gesichtsausdruck starr, entschlossen und voll stummer Unversöhnlichkeit, bevor er in die Hände klatschte und ausrief »Paff!«, sodass Marjorie Stump vor Schreck einen Satz rückwärts machte.

»Oh«, rief sie wütend, »oh! Das war … oh … das war ekelhaft!« Sie packte den schweren Schlehdornknüppel und näherte sich wieder Hootie Bosco.

Hootie hob einen Finger.

»Wagen Sie es nicht, Lady«, sagte er leise, »wagen Sie es ja nicht. Sie haben meine Meditation unterbrochen. Das ist so, als würde ich während einer Messe ein Feuerwerk abbrennen. Wagen Sie es ja nicht, mir zu drohen, nur, weil ich mich gerächt habe.«

»Sie sind … Sie sind …«

»Ich bin Hootie Bosco. Und Sie?« Er senkte die Hand und lehnte sich zurück, als ob er sich in einem unsichtbaren Sessel räkeln würde.

Sie atmete tief ein und senkte mit großer Willensanstrengung den Stock.

»Ich … bin … Marjorie Stump.«

»Das weiß ich. Einer der örtlichen Polizisten hat mir alles über Sie und Ihr Schoßhündchen erzählt.«

Er nickte in Kelvins Richtung, der in einiger Entfernung in der hereinbrechenden Dämmerung stand.

»Warum sollte er so was tun?«

»Weil ich ihn gefragt habe, Miss Stump«, sagte Hootie in sachlichem Tonfall. »Ich weiß gerne, wer die Speichen an meinen Rädern zerschneidet, weil ich gern wüsste, warum. Warum? Wer, was, wann und wo? Und ich würde sagen, ich bin Ihnen bei Ihrem kleinen Spiel einen Schritt voraus.«

»Mein Spiel?«

»Sie sind die Sorte Öko-Terroristin, die, wo und wann es eben geht, stört, meistens Sabotage. Sie hoffen, so viel Ärger zu machen, wie Sie können, um den Berg und das Tal, die Sie als Ihr Eigentum betrachten, vor dem dumpfen und hirnlosen Vormarsch des Fortschritts zu schützen.«

Er lehnte sich lässig vor und beobachtete, wie sich ihre Augen weiteten, während sie nach einer Antwort suchte.

»Holz wird hier nicht viel gefällt, also werden Sie wohl keine Nägel in die Bäume schlagen. Aber sie würden Touristen Knüppel zwischen die Beine werfen, was? Skibindungen lockern? Zucker in den Benzintank schütten? Oder geht es nur gegen die Firmen? Ich wette, Sie fackeln gerne Skihütten am Berg ab, oder? Gehen Sie so weit?« Er lächelte. »Ein Signalfeuer mitten in der Nacht, das im ganzen Land gesehen wird, als Warnung an die Bauherren und die Skifahrer: Vail ist gefährliches Terrain. Vail gehört mir.«

Marjorie Stump starrte einen Augenblick lang stumm vor sich hin, bevor sie sein Lächeln erwiderte und flüsterte, »Für G.O.T.T. ist alles möglich.« Sie gab nichts zu, aber mit ihrer Haltung allein schien sie die Verantwortung für die Taten auf sich zu nehmen.

»Ja. Ja. Schon gut.« Sie nickte gönnerhaft. »Ja, das ist es wohl. Ja. Aber in einem haben Sie Unrecht, Sir. Was Sie hier sehen ist nicht der Fortschritt, und es handelt sich hier um kein Spiel.«

»Machen Sie sich nichts vor, Schwester«, sagte Hootie, schnappte sich einen Lappen und wischte sich die Hände ab, bevor er sich zu Boden ließ und betont in ihre Richtung lehnte. »Alles ist ein Spiel.«

»Ich …«

»Was kann ich für Sie tun? Für Sie und Ihren kleinen Freund?«, wechselte er plötzlich das Thema, nickte in Kelvins Richtung und überraschte sie wieder.

»Ich bin …«

»Jaaa?«, neckte Hootie, »iiich biiin …«

Marjorie Stump schnaubte wütend und ihre Augen weiteten sich, während sie sich darauf konzentrierte, wieder ins richtige Fahrwasser zu gelangen.

»Ich suche jemanden.«

»Und dieser Jemand wäre?«

»Jemand mit Namen Ross. Kennen Sie ihn?«

»Kenne ich wen?«, fragte er mit einem Lächeln.

»Kennen Sie Ross?«

»Vorname oder Nachname?«

»Nachname, glaube ich. Warum?«

»Weil ich viele Rosses kenne – Vorname«, überlegte Hootie, »bin mit ein paar Rosses zur Schule gegangen, mit ein paar anderen zum Militär, kannte sogar den einen oder anderen Fahrer mit Namen Ross – Vorname.«

»Hier?«, insistierte Majorie und lehnte sich vor bis nah an sein Gesicht, »kennen Sie welche hier?«

»Hier?«, fragte Hootie, hob eine Augenbraue und schob Marjorie sanft aus seinem persönlichen Territorium hinaus. »Nein. Hier kenne ich keinen Ross – Vorname.«

Marjorie blieb dort stehen, wo er sie hingeschoben hatte, enttäuscht und erschöpft von den Spielchen, die dieser alternde Hippie mit ihr spielte.

»Gehen wir weiter, Kelvin«, sagte sie scharf und blickte Hootie angewidert an, während sie sich zum Gehen wandte.

Hootie setzte sich auf und sagte ein Wort, dass Marjorie innehalten ließ.

»Warum?«

Sie antwortete nicht, aber sie ging auch nicht weiter.

»Warum?«, fuhr Hootie fort. »Warum Ross? Warum jetzt? Warum er?«

Sie drehte sich schnell um, so schnell, dass sie Hootie damit überraschte.

»Sie kennen ihn also doch?«

»Nein. Das habe ich nicht gesagt. Ich habe nur eine Frage gestellt, und …«

»Oh doch. Sie kennen ihn.«

»Warum?«

»Ich habe eine Frage für ihn«, war alles, womit Majorie Stump herausrückte.

Die beiden standen einen Augenblick lang nur da und starrten sich an, bevor sie sich umdrehte und davonging. Jetzt hatte sie den Spieß umgedreht.

»Das war's?«, rief Hootie ihr hinterher. »Eine lausige Frage, und Sie geben auf? Nur ein schwaches ›ist sowieso egal‹?«

»Ja, kann man so sagen. Ich hab' keine Zeit für Spielchen, Mister …«

»Bosco.«

»Bosco?«

»Bosco.«

»Ich habe keine Zeit für Spielchen, Mister … äh, Bosco. Ich suche Ross, Nachname, weil ich Informationen über einen Freund von ihm habe, die ihm vielleicht nützlich sein könnten – einen Freund, der sich in Luft aufgelöst zu haben scheint.«

»Warum glauben Sie, das könnte Will interessieren?«

Sie lächelte.

»Nun, ich bin mir sicher, Will – Ross – wird sich freuen zu hören, wo sein Freund ist, besonders dieser eine Freund, der ihm, zumindest der Nachricht nach zu urteilen, die dieser Freund mir mitgegeben hat, sehr am Herzen liegt.«

Hootie beschimpfte sich stumm, ohne den Ausdruck des Desinteresses zu verlieren. »Das bezweifle ich nicht. Ross scheint einer zu sein, der sich um seine Freunde kümmert.«

»Tun wir das nicht alle?«

»Ja«, antwortete Hootie, »tun wir das nicht alle.« Er streckte ihr seine Hand hin. »Geben Sie mir die Nachricht, ich werde zusehen, dass er sie bekommt.«

»Nein, das geht nicht«, seufzte Marjorie. »Diese Nachricht kommt von einem Freund, der es vorzieht, namenlos zu bleiben. Und ich ziehe es vor, Will diese Nachricht selbst zu überbringen.«

»Oh, okay.« Hootie nickte und bewegte sich wieder in den Transporter hinein. Aber als ihr Fisch zu entkommen drohte, warf Marjorie Stump ihre Angel noch einmal aus.

»Auf der anderen Seite, vielleicht können Sie mir helfen, ihn zu finden .. und … damit auch ihm helfen.«

Hootie tauchte wieder aus der Dunkelheit auf und musterte Marjorie Stump gründlich. Er warf einen Blick hinüber zu Kelvin Stump, dann wieder zurück zu Marjorie und von Marjorie zum Berg. Lange starrte er den grünen Hang an, bevor er schließlich sagte: »Nein, Sie haben Recht. Sie haben Recht. Eine vertrauliche Nachricht von einem Freund sollte persönlich überbracht werden. Es mir zu sagen würde zu viele Fingerabdrücke darauf hinterlassen. Also, machen Sie nur. Lassen Sie es ihn wissen.«

»Also, wo finde ich ihn?«

Hootie Bosco dachte einen Augenblick lang nach, dann schüttelte er den Kopf. »Keine Ahnung. Ich bin nicht seine Gouvernante.«

Ihr Gesichtsausdruck veränderte sich nicht. Marjorie Stump starrte Hootie an, aber nicht ein Muskel verriet ihre Wut. Schließlich nickte sie und wandte sich um.

»Na gut, Mr. Bosco, wenn das wirklich Ihr Name ist. Ich denke, die Polizei wird nachher mit großem Interesse Ihren Transporter nach Diebesgut durchsuchen. Anonyme Anrufe können eine Menge Ärger verursachen.«

Hootie nickte.

»Das weiß ich. Und ob ich das weiß.«

Er nickte, bis Marjorie und Kelvin nichts mehr sahen als Dreadlocks, die langsam und stumm hin und her schwangen. Als er seinen Kopf wieder hob, lachte Hootie Bosco.

»Tun Sie, was Sie nicht lassen können. Die Polizei von Vail wird wissen, was Sache ist, sobald sie hierher kommt. Also tun Sie es. Rufen Sie an. Schreiben Sie. Gehen Sie persönlich vorbei. Aber drohen Sie mir nicht, Lady. Ich bin schon von den Besten bedroht worden, und ich kenne die Hölle wie meine Westentasche. Drohen Sie mir ja nicht.«

»Und Sie nicht mir«, sagte Marjorie. Ihr Blick war fest auf Hooties Gesicht gerichtet und ihre Wut war nicht zu besänftigen. Sie konnte spüren, wie das Geld, die Möglichkeiten, die das Geld eröffnete, die Chancen, ihrer Mutter zu dienen, ihr entglitten. Schnell blickte sie sich um und, als sie nur wenige Menschen in der Umgebung sah, nickte sie ihrem Sohn zu.

»Kelvin.«

Ohne ein Wort trottete der menschliche Totempfahl heran, packte Hootie Bosco am Handgelenk, und drückte zu, bis sich Hootie zur Seite lehnte und das Gesicht verzog.

»Mr. Bosco, es ist eine einfache Frage. Wo kann ich Ross finden? Will Ross?«

»Ich sage Ihnen … ich sage Ihnen …«

Plötzlich schoss ein Metallstab aus Hootie Boscos linker Hand hervor und kurz oberhalb von Kelvin Stumps Magen in seinen Körper hinein. Das Gewicht des Stabes und die Härte des Schlages, zusammen mit dem Überraschungsmoment, raubten Stump den Atem und ließen ihn einen Schritt zurücktreten. Der Metallstab rauschte nach oben in sein Gesicht. Mit einem Schlag wurde Kelvin Stumps Nase zu Matsch.

»Au, Scheiße! Himmelarsch nochmal!« Kelvin ließ Hooties Handgelenk los und seine beiden Hände flogen zu seiner kaputten Nase.

Ohne nachzudenken, sagte Marjorie Stump: »Nicht fluchen.« Angesichts der Tatsache, dass Kelvin Rotz und Blut über das Gesicht liefen, lächelte Hootie traurig. Diese Frau, die sich mehr um einen Grashalm sorgte als um die Schmerzen ihres Sohnes, war wirklich eine heiße Nummer.

Hootie wandte sich Marjorie zu und hielt den 32er Schraubenschlüssel hoch, den er auf einem Markt in Santa Fe für zwei Dollar und eines von Bobby Julichs alten Amateur-Trikots bekommen hatte.

»Wissen Sie, man hat sich über dieses Ding schon lustig gemacht«, sagte er, das matte silberne Finish des riesigen Werkzeuges bewundernd, »und gesagt, dass ich das Ding in einer Million Jahren nicht würde brauchen können. Aber ich habe gesagt, was soll's, man weiß nie, wann man mal jemanden trifft, der 'ne richtig große Schraube locker hat.«

Er lächelte.

»Sie verstehen mich, Marjorie?«

»Beide Dase. Beide gottverdapte Dase!«, rief Kelvin. Das Blut floss durch seine Finger hindurch über sein Kinn. Er nahm beide Hände von der Nase. Angesichts seines eigenen Blutes packte ihn die Wut und er machte einen großen Schritt auf Hootie zu.

»Kelvin!«, rief Marjorie. Kelvin blieb stehen, nur eine Armlänge von Hootie Bosco und dem silbernen Schraubenschlüssel entfernt.

Hootie lächelte nur. Er rührte sich nicht, er zuckte nicht zurück, und er nahm den Schraubenschlüssel nicht von seinen Knien, wo er friedlich lag.

»Hör' mal zu, Freundchen«, flüsterte Hootie, »ich für meinen Teil höre nur noch selten auf meine Mami. Das macht sie wahnsinnig, aber so ist das Leben. Auf der anderen Seite würde ich in dieser Situation auf sie hören.« Er nickte in Richtung Marjorie Stump. »Andernfalls gehst du noch mit einem nutzlosen Arm und einem Mund voller blutiger Tic Tacs nach Hause.«

Kelvin rang nach Atem und ballte die Fäuste.

»Ich weiß. Du willst mich umbringen. Aber glaub' mir, Freundchen, wenn du das versuchst, tut's noch wochenlang weh.« Hootie lächelte kalt.

Kelvin Stump wischte sich das Blut von der Nase, drehte sich um und ging an seiner Mutter vorbei. Marjorie Stump sah ihm hinterher und blickte dann wieder zu Hootie Bosco.

»Das hätten Sie nicht tun sollen. Kelvin hat ein gutes Gedächtnis.«

»Tja«, sagte Hootie, lehnte sich zur Seite und ließ den Schraubenschlüssel wieder in eine schwarze Vinylhülle gleiten, die an der Transporterwand hing, »das haben Elefanten auch, aber auch um die habe ich mir nie viel Gedanken gemacht. Sagen Sie ihm, er soll sich von mir und diesem Transporter und meinen Leuten fern halten.«

»Ihren Leuten? Zum Beispiel Will Ross?«

»Herrgott, Sie geben wirklich nicht auf, was, Lady?« Hootie schüttelte den Kopf und wandte sich wieder dem Transporter zu.

»Ist er in der Stadt? Das ist alles, was ich wissen will«, rief ihm die wütende kleine Frau hinterher.

»Ist er in der Stadt? Das weiß ich nicht«, sagte Hootie. Er sprang aus dem Transporter und hob den letzten Montageständer in den Laderaum hinein. »Aber, wenn er hier wäre, würde ich es Ihnen niemals sagen, Sie fette alte Hexe.«

»Wie unhöflich.«

»Genau.« Hootie zog mit dem Segeltuchband die Heckklappe des Transporters herunter. Sie knallte mit einem lauten »Rumms« ins Schloss – das Signal für alleWissenden, dass ein weiterer Tag am Berg zu Ende ging. Hootie Bosco war der Erste, der aufmachte, und der Letzte, der zumachte. Alle anderen waren entweder schon high oder nackt oder beides.

Er verriegelte das schwere Schloss, steckte den Schlüssel in die Tasche und wandte sich zum Gehen.

»Nebenbei«, sagte er ruhig, »Sie lassen meinen Transporter in Frieden. Wenn ich morgen früh auch nur einen Kratzer im Lack finde, komme ich Ihnen mit der gottverdammten Polizei.«

»Fluchen Sie nicht in meiner Gegenwart.«

»Legen Sie sich nicht mir mir an, so einfach ist das. Sie nicht und auch nicht Ihr schwerfälliger Heini da.«

»Kelvin. Er hat einen Namen: Kelvin«, sagte sie mit einem letzten Rest Würde.

»Wirklich? Ich hätte gedacht, er heißt Frankensteins Monster. Schönen Abend dann.« Mit einem letzten Blick auf die Gestalt, die sich in der zunehmenden Dunkelheit die Nase hielt, wandte er sich zur Stadt hin. Ein paar Schritte und er befand sich auf einem mit Ziegelsteinen gepflasterten Weg, der durch die Baustelle an der Wall Street über den Gore Creek und schließlich zu seinem Hotel führte. Er ging, ohne sich umzusehen, obwohl er das Gefühl über seine Schultern kriechen spürte, dass die beiden ihn entweder beobachteten oder ihm folgten.

Vielleicht sollte er ein paar Minuten in der Garage verbringen, bevor er ins Hotel ging. Obwohl es nicht allzu schwer sein sollte, sein Hotel ausfindig zu machen, dachte Hootie. Aber es war schließlich auch nicht nötig, es Mama Stump und ihrem erzürnten Sohnemann allzu leicht zu machen.

Er ging etwas schneller, hierhin und dorthin, durch die Baustelle, huschte in die Garage, erhöhte das Tempo, wechselte zweimal das Stockwerk und überlegte sich dabei, was er Will und Cheryl erzählen sollte, wenn er ins Hotel kam.

Egal, wie man es drehte und wendete, diese beiden würden schwer zu erklären sein.

Einige Augenblicke lang spielte Kelvin Stump mit seiner Nase. Die Blutung hatte aufgehört und der Schmerz war abgeebbt. Er drückte die Nase ein wenig. Sie war nicht gebrochen, obwohl sie so angeschwollen war, dass er wie ein Amateurboxer klang, der drei Runden mit dem Schwergewichtsweltmeister im Ring gestanden hatte.

»Soll ich ihb folg'n?«, fragte Kelvin, während er Hootie Bosco hinterhersah, der durch die Baustelle nach Vail hinein verschwand.

»Nein, lass' ihn gehen.«

»Er weiß, wo die Modeten sind.«

Marjorie Stump nickte und lächelte ihren Sohn an. »Wir auch, Kelvin, wir auch.«

»Scheiße, tud wir dich'«, sagte er bissig. Die Nase schmerzte noch, aber plötzlich wurden die Schmerzen von einem neuerlichen Schlag gegen sein Knie überlagert. Er fiel zu Boden, das Knie mit der einen, die Nase mit der anderen Hand haltend, und stieß schmerzerfüllte kleine Schnaufer aus.

Sie betrachtete ihn mitleidlos.

»Nicht fluchen.«

Sie machte einen Schritt über ihn hinweg, der wegen seiner Größe eher ein Hüpfer war, und ging zum Rand des Bürgersteigs, der zur Wall Street oder auch zur Bridge Street oder sonstwie in die Stadt führte.

»Wir wissen vielleicht nicht, wo dieser Ross ist, aber wir wissen wohl, wo dieser Bosco wohnt.«

Kelvin winselte leise im Hintergrund, etwas, das Marjorie als »woher denn« verstand. Sie schnippte nervös mit den Fingern, während sie eine lange verdrängte Erinnerung abzurufen versuchte.

»Ein Programmheft. Ich habe ein Programmheft für diese Veranstaltung gesehen. Ich war überrascht, daran erinnere ich mich noch, dass bei jeder Mannschaft das Hotel aufgeführt war. Aber ihre Gier und ihr Bedürfnis nach Öffentlichkeit sind maßlos. Diese Gier und das Bedürfnis nach Öffentlichkeit und einem Gratis-Zimmer bedeuten, dass sie uns sagen werden, wo Mr. Bosco wohnt. Und, da er unseren Mr. Ross kennt, stehen die Chancen ausgezeichnet, dass der im gleichen Hotel wohnt. Oder irgendwo in der Nähe. Vielleicht ist er ein Teamkamerad. Vielleicht ein Freund. Vielleicht einer dieser unmoralischen Menschen, die im Zustand der Sünde mit jemand anderem zusammenleben. Egal. Wir haben Zeit und wir müssen ihm nicht hinterherrennen. Versorgen wir deine Nase, ja, Kelvin?«

Sie streckte den Arm nach ihrem Sohn aus. Kelvin starrte sie mit einem kalten Blick an, der Marjorie Stump tatsächlich Angst einjagte. Sie zögerte – etwas, das man selten an ihr sah – und zog ihren Arm zurück. Kelvin rollte sich auf die Seite, fand das Gleichgewicht und drückte sich dann erst in einen Kniestand, das rechte Knie schonend, dann in die Hocke und richtete sich schließlich zu seiner vollen Größe auf. Sein Gesicht war eine Masse aus dunklem, getrocknetem Blut, ebenso seine Hände. An den Fingerspitzen klebten Gras und Dreck am Blut.

Marjorie trat herausfordernd auf ihn zu. Sie war auf keinen Fall bereit zuzulassen, dass er ihre Autorität infrage stellte. Aber diesmal sah sie in seinen Augen nur den dumpfen und sklavisch ergebenen Kelvin, den sie schon so lange kannte. Der kurze, hasserfüllte Blick, den sie so deutlich gesehen hatte, war verschwunden, wenn er überhaupt je existiert hatte.

Die letzten Sonnenstrahlen hatten die Wärme des Septembertages mitgenommen. Kelvin fröstelte, und Marjorie klappte den Kragen ihrer Windjacke hoch.

Sie streckte die Hand zu ihrem Sohn aus.

»Gehen wir und machen dein Gesicht sauber, mein Lieber. Wir haben Zeit, das Geld zu finden.«

Kelvin nickte und begann, einen oder zwei Schritte hinter ihr herzulaufen, während sie durch die Stadt nach Hause gingen.

Sie sprachen nicht. Aber im Stillen trat Kelvin sich in den Hintern dafür, dass er sich an einem kurzen Septembernachmittag von so vielen Leute zum Idioten hatte machen lassen.

Es war sein Geld. Seine Zukunft. Sie würde seinen Namen tragen.

Niemals wieder, dachte er sich. Niemals wieder würde sie ihm etwas wegnehmen, sein Geld, seine Zukunft, seine Würde.

Niemals wieder.

Er hatte alles so lange und so gut unterdrückt. Vielleicht war es jetzt an der Zeit, es 'rauszulassen und sie zu zerstören, sie und G.O.T.T. und ihre Träume vom umweltpolitischen Endsieg zu ruinieren.

Sein Gesicht und sein Knie schmerzten, immer abwechselnd das eine und das andere.

Niemals wieder.

Das Paar ging stumm die Vail Road entlang. Sie unterhielten sich nicht, und die Dunkelheit der frühen Nacht dämpfte das Geräusch ihrer Schritte und verbarg sie vor den Augen der anderen, die ohne Pause, ohne Überzeugung und ohne Ziel in einen Abend überteuerter, hohler Vergnügungen rannten.

Olverio Cangliosi fuhr mit dem Daumennagel über die Lücken zwischen seinen Zähnen und produzierte damit ein klickendes Geräusch. Er war tief in Gedanken versunken und merkte nicht, dass das gleiche Klick-Klick-Klick, das ihm eine Art transzendentalen Friedens brachte, Stanley Szyclinski in den Wahnsinn trieb.

»Mein lieber Freund«, unterbrach Stanley Ollies Gedankengang, »würdest du um Himmels willen bitte damit aufhören?«

»Womit aufhören?«

»Mit deinen Zähnen.«

»Mit meinen Zähnen?«

»Dieses Ding mit deinen Zähnen, das mich wahnsinnig macht!?«

»Fein.« Ollie zuckte mit den Schultern. »Ich höre auf damit, was es auch immer ist, obwohl das, was ich mache, eigentlich gar nichts ist.«

»Es mag vielleicht nichts sein, aber es reicht.«

Die beiden lehnten sich wieder zurück in die Sessel in der Lobby ihres kleinen Hotels in Lionshead und blickten zum Fenster hinaus. Während die Menschen weiter um sie herumwuselten, auf dem Weg zu ihren Zimmern oder ins Restaurant, saßen die beiden einfach da. Sie unterhielten sich ruhig in einer Art verbaler Stenogrammform, die für die Vorbeigehenden klingen musste wie der Smalltalk zweier älterer Geschäftsleute, die auf ihre Ehefrauen warteten, um mit ihnen einen früh reservierten Tisch einzunehmen.

»Also, was denkst du?«

»Er hat's weggeworfen. Weg und ab durch die Mitte.«

»Und keiner hat sich's geschnappt?«

»Wer denn?«

»Der große Typ, der ihm hinterhergerannt ist.«

»Vielleicht. Eher unwahrscheinlich.«

»Wo ist dann sein Gepäck?«

»Die Reisekasse in Leos Tasche? Gute Frage.«

»Hm.« Stanley streckte Arme und Beine aus. »Was ist mit dem Rest?«

»Verstaut.« – »Wo?«

»Ha«, krächzte Ollie, so dass das neunjährige Mädchen auf der anderen Seite der Lobby erschrocken zusammenzuckte und ihn dann verlegen anlächelte. Er lächelte zurück und sagte, ohne sich Stan zuzuwenden, »Könnte überall sein.«

»Bei dem großen Typ?«

»Wir waren schnell genug da.«

»Nicht schnell genug, was den guten Leonard angeht.«

»Hm, vielleicht. Schnell genug jedenfalls. Den Koffer konnte er nicht wegschaffen.«

»Glaub' ich auch nicht.«

»Hm.«

»Hm.«

»Also«, sagte Stanley nach einer langen Pause, in der er beinahe eingeschlafen wäre. »Was ist der nächste Schritt?«

»Na ja, der unangenehme Teil des Jobs ist erledigt. Hallo, Kleine.« Ollie lächelte und winkte dem dunkelhaarigen Mädchen zu, während ihr Vater sie bei der Hand nahm und mit ihr zur Eingangstür ging. »Einen schönen Abend noch. Also, Mister Genna wird sich darüber freuen, aber was das Geld betrifft, so denke ich, wir suchen nach jemandem mit einem sehr teuren Geschmack, der so aussieht, als dürfte er ihn eigentlich nicht haben.«

»Wen denn?«

»Gütiger Gott«, seufzte Ollie. »Ich weiß es nicht.« Er zögerte einen Moment und betrachtete die Gasflamme, die im Kamin zischte. »Die Sache ist doch die: Leonard schien den Kerl auf dem Rad heute zu kennen.«

»Was für einen Kerl auf dem Rad?«, fragte Stanley.

»Der Kerl auf dem Rad, der dir im Weg war.«

»Oh ja. Das. Das, in das ich reingetreten bin.«

»Ja, das. Cherylanns Freund.«

»In der Tat. Vielleicht ist es an der Zeit, unsere Nichte aufzusuchen.«

»Auch, wenn sie uns nicht sehen will«, sagte Ollie mit einem Hauch von Trauer in der Stimme.

»Auch, wenn sie uns nicht sehen will«, flüsterte Stanley traurig.

Die beiden standen aus den Sesseln auf, die Stanley als die bequemsten empfunden hatte, in denen er je gesessen hatte, nickten einer Frau zu, die etwas benommen in der Nähe der Tür stand, und gingen hinaus auf die Straße.

»Wohin also?«, fragte Stanley.

»Familientreffen«, sagte Olverio trocken.

Will leerte sein zweites Glas Champagner und schüttelte sich leicht.

»Zu trocken?«, fragte Cheryl abwesend.

»Ja, ein bisschen«, antwortete er. »Könnte fruchtiger sein.«

»Weißt du, du könntest dir das richtig gute Zeug leisten.«

»Ich bin nicht davon überzeugt, dass das so einen großen Unterschied macht.«

»Ich versichere dir, das tut es.«

»Woher kennst du dich mit Champagner aus?«

»Ich habe in Frankreich gelebt, weißt du noch?«

»Ich auch«, sagte er mit leicht geknicktem Stolz.

»Ja«, sagte sie mit einem Lachen, »aber ich habe aufgepasst.«

Er sah zu, wie sie lachte, sich dann umdrehte und in die Ferne starrte, durch das Fenster des Restaurants, über einen Hof und zu dem Teil der Stadt hin, der auf der anderen Seite des Baches lag. Die meisten Menschen beendeten den Abend früh, und die Fahrer kehrten in ihre Zimmer zurück, um sich für den ersten Renntag auszuruhen.

»Also, was hast du? Ist es das Rennen, das Geld oder die Tatsache, dass ich ein wunderbares Rad zerstört habe?«, fragte Will und breitete die Arme aus.

»Ich weiß nicht«, brummelte sie undeutlich. »Ich brauche Schlaf. Ich muss mich für morgen ausruhen. Und dass da so viel Knete in unserem Zimmer parkt, macht mich nervös. Aber das ist es alles nicht.«

»Ja, also … was ist es denn?«

»Hast du auch manchmal so ein Gefühl … ?«

»Ja?«

»Dass jemand nach dir sucht?«

»Also, ehrlich gesagt, nein«, antwortete er mit einem Lächeln.

»Also, ich schon, Will. Heute Abend. Einmal das und dann alles andere, was dieses Wochenende noch ansteht. Die Leute, die ich ständig treffe, werden mein Leben nicht gerade leichter machen.«

Sie schob wortlos ihr Abendessen auf dem Teller hin und her.

Will saß still da und suchte nach einem Satz, der ihr die ganze Last von den Schultern nehmen würde, einem Satz, der ihr ein Lächeln aufs Gesicht zaubern und die Welt einen besseren Ort für sie machen würde.

»Also, sieh's doch mal so«, sagte er schließlich, »Du musst nur lebendig bis Montag früh durchkommen, und dann ist alles vorbei.«

Sie blickte langsam auf und schaute ihn mit einer Mischung aus Angst und Grauen und Verachtung für das, was er eben gesagt hatte, an.

»Das, mein Lieber«, sagte sie hart, »ist genau das, was mir diese Höllenangst macht.«

Nur wenige schliefen gut in dieser Nacht in Vail.

In seinen Träumen kämpfte Hootie Bosco mit Rädern und Transportern und Bergen von Ausrüstung, die von kleinen, wütenden Frauen und ihren gesichtslosen Dronen zu Kleinholz gemacht wurden. Marshall Reed träumte von dem Rad, das ihm dieser Eindringling gestohlen hatte, während Jeremy Jettman und Frannie Draa voneinander träumten, nur Millimeter voneinander entfernt, während sie sich in den Armen lagen.

Will schlief auf einem Berg von Geld ein, neben einer Frau, die ein unkühlbares Lampenfieber ausstrahlte. Nicht mal das, was er als weltmeisterlichen Sex empfunden hatte, konnte da etwas ausrichten. Die ganze Welt lastete auf ihren Schultern. Stan und Ollie wälzten sich in ihren separaten Zimmern hin und her. Ollie war immer noch beunruhigt von dem Hass, den er am Nachmittag im Gesicht seiner Nichte gesehen hatte. Wenn er seine Augen schloss, erschien ihm ihr Gesicht, bis er sich schließlich aufsetzte, den Fernseher anschaltete und sich eine endlose Abfolge von »Rauchende-Colts«-Episoden ansah. Irgendwann driftete er während eines Werbespots für Brustvergrößerungen davon.

Stanley fand sich hingegen Angesicht zu Angesicht in einem Kampf auf Leben und Tod mit Buster wieder. Buster No Knuckles, der ihm eine Waffe an den Kopf hielt und nach dem Geld fragte, das Geld, wo ist das Geld, Stanley?

Kelvin Stump schnarchte durch seine geschwollene Nase und träumte von Häusern, Tausenden und Tausenden von Häusern, kleine, spießige Kisten mit perfekt gepflegten Vorgärten. Der Traum wurde nur gestört von einem kleinen Mann in einem blauen Anzug, der irgendwo an der Seite stand, die Hand ausgestreckt, und ruhig nach seiner Bezahlung fragte.

Zur gleichen Zeit schnarchte Marjorie leise in dem Zimmer über ihm. Sie träumte von nichts, davon, dass es im Tal von Vail nichts mehr gab als Landschaft, grüne Landschaft, dass ihre Arbeit vollendet war und ihr Versprechen an die Mutter endlich eingelöst.

Cheryl hingegen, Cheryl Crane, Cherylann Cangliosi, schlief am schlechtesten von allen. Sie lag in diesem Dreiviertel-Schlaf, den sie so hasste, und sah die Gesichter all der Menschen, die sie liebte und verabscheute durch ihr Zimmer wandern, durch ihr Leben, das kommende Wochenende, durch sie hindurch, ohne dass sie aufwachen und sich irgendwie mit ihnen beschäftigen konnte.

Sie wollte nichts anderes als Rad fahren, aber sie konnte nicht anders, als sich vor dem Rennen zu fürchten. Indem sie einen Tag zu spät angekommen war, hatte sie einen Trainingstag sowohl auf der Abfahrt als auch beim Cross-Country verpasst. Sie war ihrer Vergangenheit begegnet und sie hatte einen Blick auf ihre unsichere Zukunft geworfen.

Um sie herum waren die Lichter trübe und die Welt grau.

Die Nacht wollte nicht aufhören.

Samstag

12

Renntag

Der erste Renntag an diesem Wochenende begann wie immer chaotisch. Wecker wurden überhört, Offizielle kamen zu spät, Ausrüstung, die sich neben einem Bett oder in einem abgeschlossenen Transporter befunden hatte, hatte in der Nacht Beine bekommen und sich irgendwohin davongemacht, wo niemand sie vor dem ersten Durchgang finden konnte und von woher sie manchmal erst beim Auschecken am Montagmorgen wieder auftauchte.

Der Irrsinn regierte, selbst, wenn man gar nichts zu tun hatte.

»Ich habe gar nichts zu tun«, sagte er von der Bettkante aus und schob seine Füße über den ockerfarbenen Teppichboden.

»Sitz' auf deinem Geld und freu' dich des Lebens.«

Will zog eine Grimasse und stand auf. »Es ist nicht mein Geld«, brummelte er leise, während er zum Badezimmer watschelte, um seine Morgentoilette zu erledigen. Cheryl stand in einem Haven-Trainingsanzug aus Fallschirmseide am Waschbecken und war bereits fertig.

»Wow, du bist aber früh aufgewacht.«

»Ich bin mir nicht sicher, ob ich lange aufgeblieben bin oder früh aufgestanden.«

»Schlechte Nacht gehabt?«, fragte er ehrlich besorgt.

»Keine gute, das kann ich dir sagen«, sagte sie mit einem Seufzer und strich eine Haarsträhne zurück.

»Harter Tag heute.«

»Brauchst du mir nicht zu erzählen. Auf dem Downhill finden sämtliche der Menschheit bekannten Amateur-Wettbewerbe statt.

Vor meinem Durchgang werde ich den nicht mal von weitem sehen. Ich werd' also ein bisschen auf dem Cross-Country-Kurs trainieren und mich dort einfahren, bevor morgen die Profi-Rennen darauf stattfinden.«

»Ist das nicht zu viel? Du trainierst doch nicht am Renntag, oder?«

»Normalerweise nicht, aber ich habe den Donnerstag ausgelassen und gestern nur ein paar Abfahrten geschafft. Heute wird's ernst, sonst können wir früher nach Hause fahren. Außerdem kann ich es gut gebrauchen, mich ein bisschen auszutoben. Ich hab' ganz schön Muffensausen.« Sie lächelte traurig. »Ich muss los.«

Sie lehnte sich vor und küsste ihn mechanisch auf die Backe.

»Ist ein großer Tag. Ich hau' ab.«

»Warte, gib' mir zehn Minuten und ich komme mit«, sagte er und begann sich zu beeilen.

»Nein, nein, nicht nötig. Ich bin den ganzen Tag beschäftigt und du hast wahrscheinlich auch Dinge zu erledigen. Ich schnapp' mir schnell was zu essen und fahr' los. Ich hab' was aufzuholen.«

»Ich liebe dich«, rief er ihr hinterher, als sie in den Flur trat. Sie blieb stehen, lehnte sich zurück und sagte: »Ich liebe dich auch. Danke.« Dann schloss sie die Tür hinter sich.

Will fühlte sich plötzlich verlassen. Heute würde er wirklich auf sich allein gestellt sein, und der Gedanke gefiel ihm gar nicht. Er starrte das Gesicht an, dass im Badezimmerspiegel erschien. Wer bist du heute, fragte er sich stumm. Was ist aus dir geworden?

Das Spiegelbild gab keine Antwort.

Will schüttelte den Kopf. Der Will im parallelen Universum tat das Gleiche.

Beide atmeten tief durch und zogen sich aus, drehten das Wasser auf und traten in die Duschkabine, ohne die Temperatur zu überprüfen.

Einen Schrei und ein paar hastige Manöver an den Drehknöpfen später hatte Will das Spiegelbild bereits vergessen. Er seifte sich genüsslich ein und fragte sich, was wohl die Notiz zu bedeuten hatte, die Hootie Bosco gestern Abend unter der Tür durchgeschoben hatte:

»Müssen reden. Frau mit Namen Stump sucht nach dir. Pass' auf.«

So schlief ein geborener Paranoiker wie er natürlich besonders gut. Was zum Teufel bedeutete das alles? Wer war Stump, und warum sollte er aufpassen? Besonders hier, besonders jetzt?

Es gab nur einen Grund, der ihm einfiel.

Er dachte einen Moment lang darüber nach. Dann beendete er seine Dusche, rasierte sich, ohne weitere Gedanken an den Mann im Spiegel zu verschwenden, deckte die kleinen Schnitte mit Klopapierschnipseln ab, wickelte sich in ein Handtuch, und trat in das Zimmer. Das Wichtigste zuerst, dachte er. Anziehen, das Geld verstecken, das »Bitte-nicht-stören«-Schild an die Tür hängen, das Bett machen und rausgehen.

Dann war es Zeit, die Klappe zu halten und das verdammte Rad zu fahren.

Im Sattel würde er die Antworten finden.

Cheryl war sich nicht so sicher, wo die Antworten lagen.

Sie schritt die Bridge Street entlang, auf der so früh erst wenige Leute unterwegs waren. Sie wischte die letzten paar Bagel-Krümel von dem Vorsprung, den ihr Busen in dem blau-gold-weißen Haven-TW-Trainingsanzug formte, und trank im Gehen noch einen Schluck Milchkaffee. Das Getränk dampfte in der kühlen Morgenluft, und sie konnte spüren, wie der neblige Kiefernwald den Ort umarmte. Das Gefühl, der Geruch, die Atmosphäre des Waldes waren mitten in der Stadt zu spüren. Kein Wunder, dass die Leute die Berge liebten.

Sie blieb einen Augenblick lang stehen und schob den Stress, der ihr Leben die nächsten paar Tage lang bestimmen würde, von sich: die Mannschaft, das Rennen, der Freund, die Onkel, das Geld, das Wochenende selbst.

Cheryl Crane schloss die Augen und atmete tief durch. Die klare Luft, sauberer als alle Luft, die sie je geatmet hatte (trotz der Autobahn, die weniger als eine halbe Meile entfernt lag), durchströmte sie und blies ihr Gehirn, ihre Laune, selbst ihre Seele rein.

Drei Atemzüge und das »Rumms« einer Lastwagenklappe in der Ferne, und sie fühlte sich wieder neugeboren, wenn auch nur einen Moment lang.

Colorado. Sie lächelte und öffnete die Augen.

Wie konnte man hier je wieder weggehen?

Hootie war am Lastwagen.

Der Tag hatte begonnen.

Es war Zeit zu fahren.

Als das »Rumms« die Sohle des Tales entlanghallte, öffnete Olverio Cangliosi ein Auge einen Spalt breit und blickte an die Zimmerdecke. Eben noch war er durch eine Welt geschwebt, die warm und sicher und von ihm selbst bestimmt war. Jetzt war er mit dem sprichwörtlichen Augenblick wieder zurück in Vail, in einer Welt, die, im Moment jedenfalls, völlig außer Kontrolle geraten war.

Er öffnete beide Augen, wand sich nach oben, bis er aufrecht sitzend am Kopfende lehnte, und starrte in das Zimmer.

Er war so schlecht gelaunt, dass er einfach zuschlagen wollte, die Regeln brechen, irgendjemanden wütend machen, damit er ihm eine reinhauen konnte. Rauchen, zum Beispiel, in diesem Nichtraucher-Zimmer in diesem Nichtraucher-Hotel.

Die Regeln kümmerten einen Mann wie ihn nicht besonders, aber er wusste auch, sie zu brechen würde unnötig Aufmerksamkeit auf ihn lenken und den Job noch mehr versauen, als er es ohnehin schon war.

Seinen Job.

Ollie schloss die Augen, senkte das Kinn auf die Brust und kratzte sich hektisch die Stirn. Er versuchte, eine Idee, irgendeine Idee an einen Punkt in seinem Schädel zu bringen, wo er sie packen und benutzen könnte.

Es funktionierte nicht.

Das Geld war weg. Romanowski war tot. Und er und Stanley steckten fest.

Sie hatten noch einen Tag, vielleicht zwei, um es irgendwie noch zu schaffen, bevor sie nach Detroit zurückkehren und den Anruf tätigen mussten. Wenigstens konnten sie sagen, dass ein Teil der Auftrags ausgeführt war.

Das war immerhin etwas.

Das Problem war, dass Angelo in seinem ersten wütenden Anruf mindestens genauso sehr daran interessiert schien, das Geld wiederzubekommen wie daran, Leonard Romanowski ausgestopft und als abschreckendes Beispiel öffentlich ausgestellt zu sehen.

Ollie lächelte. Ohne dieses Geld war Angelo wahrscheinlich wieder darauf angewiesen, alten Damen die Handtaschen zu rauben, um die Raten für sein Haus in Jersey und den Pool im Garten für die Kinder bezahlen zu können.

Er riss ein Blatt Papier von dem Notizblock auf seinem Nachttisch, rollte es zusammen und saugte an der Röhre, in der Hoffnung, so würde sich vielleicht ein Gedanke bewegen. Das passierte zwar nicht, aber wenigstens hatten seine Hände jetzt etwas zu tun.

Er starrte auf einen Punkt auf der anderen Seite des Zimmers und dachte über seinen nächsten Schritt nach. Es gab keinen, aber er dachte trotzdem über ihn nach.

Drei Türen weiter hatte sich Stanley Scyclinski schnell rasiert. Er lächelte das fröhliche Gesicht im Spiegel an. Beide pfiffen eine flotte, unbestimmte Melodie, beide waren wenig beunruhigt davon, wie sich die letzten 24 Stunden entwickelt hatten. Es gab immer genug Zeit, das wusste er, um den Ball wieder ins Spiel zu bringen, und selbst, wenn das nicht funktionierte, war das kein Grund, deswegen eine wunderbare Laune zu verlieren.

Manchmal funktionierten diese Dinge eben einfach nicht. Manchmal lief das Spiel nicht.

Andererseits, dachte er – und strich sich dabei über die Unterseite seines Kinns – manchmal funktionierten die seltsamsten Dinge auf die seltsamste Art und Weise mit dem seltsamsten Timing.

Man wusste es eben einfach nicht.

Bis man es wusste.

Für Marjorie Stump begann der Tag als Herausforderung an ihren Körper, ihre Berufung und ihre Zukunft.

Es wurde jeden Morgen schwerer, aus dem Bett zu kommen. Sie wachte immer noch fit und mit klarem Kopf auf, jeden Tag, aber jede Hebung, jede Drehung, jede Bewegung in Richtung Bettkante wurde jetzt durch eine Steifheit behindert, die beinahe schon quälend war.

Man konnte es beim besten Willen nicht mehr leugnen. Ihr Körper war dabei, den Kampf aufzugeben. Sie war auf der Verliererseite.

Sie hasste den Gedanken, denn es gab noch so viel zu tun, so viel mehr zu erreichen, so viel mehr zu retten und zu schützen und dem Rest der Welt zu entreißen.

Sie ging durch die Küche ihres kleinen frei stehenden Hauses hinaus auf die hintere Veranda. Sie blickte über das Tal hinweg zum Berg. Jetzt schon sah man dort Bewegung, Radfahrer, die wie Ameisen über den Hang fuhren, sich für die Rennen des Tages aufwärmten, und ihr noch mehr Wut und Trauer bereiteten.

Man konnte sie nicht aufhalten, dachte sie. Sie richtete sich mithilfe ihres Stockes auf und spürte, wie die Schmerzen langsam aus ihren Knochen verschwanden. Man konnte sie nicht aufhalten – jedenfalls nicht direkt.

Sie konnte sabotieren, sie konnte stören, aber nichts würde sich ändern, nicht dieses Wochenende, niemals, wegen des Geldes. Mit Geld konnte man in Vail Rennen ausrichten. Man bekam alles so, wie man es haben wollte. Mit Geld besaß man Macht.

Mit Geld.

Und mit Geld konnte man sie aufhalten.

Sie nickte lächelnd.

Mit Geld.

Und irgendwo da draußen, das wusste sie, gab es vielleicht eine Menge davon, und es hatte keinen Besitzer. Geld, das sie heilen konnte, indem es die Welt um sie herum heilte.

Sie würde das Geld bekommen.

Sie würde die Macht bekommen.

Man würde auf sie hören müssen.

Sie nickte mit einer Wucht, die sie selbst überraschte, und schlug kräftig mit dem Schlehdornknüppel auf den Verandaboden. Zweimal. Dreimal. Die Schläge rollten durch das kleine Haus und ließen alles scheppern, als seien sie ein kleineres Erdbeben oder ein billiger Mixer.

Die vom Stock verursachten Erschütterungen krachten wie drei nasskalte Brandungswellen über Kelvin Stump zusammen. Seine Augen gingen auf und er erblickte einen weiteren Tag. Einen weiteren unglücklichen Tag.

Die Tasche voller Geld, das ihm gehören sollte, lag jetzt unter dem Bett seiner Mutter. Die fünfzigtausend Dollar in bar, die er herausgeholt und versteckt hatte, würden dort, wo er hinwollte, und bei dem, was er vorhatte, nicht mal für das Trinkgeld reichen.

An einen wie ihn wurden Ansprüche gestellt. Kredite und Partner und ein völlig anderes Leben. Er musste dort erscheinen, die Sachen vorantreiben, aber heute war Samstag. Das Büro war geschlossen. Die Banken waren geschlossen. Es gab nichts, was er vor Montag tun konnte.

Montag. Würde er am Montag immer noch hier festsitzen oder würde er frei sein, um sein neues Leben zu leben? Ein neues Leben, das immer wieder von dem, das er hinter sich lassen wollte, aufgehalten wurde.

Schnell erreichte die Wut, die sich in ihm aufgestaut hatte, einen Punkt, an dem er das Gefühl bekam, er müsse irgendwie um sich schlagen, wen auch immer er erwischen würde.

Er atmete tief durch. Seine Nase machte ein Hupgeräusch und der dumpfe, pochende Schmerz war wieder da.

Kelvin Stump ließ langsam das Bettlaken los und betrachtete, wie das Blut in die weißen Knöchel auf seinem Handrücken zurückkehrte.

Er überzeugte sich selbst davon, dass er sich beruhigen musste, auf den richtigen Moment warten, anstatt seine Karten zu früh aufzudecken. Die Zeit würde kommen, dachte er, die Gelegenheit würde sich präsentieren, und er würde gewinnen, wenn er bereit wäre, zu handeln.

Die Zeit kam.

Die Zeit war jetzt.

13
Der König der Löwen

Es fühlte sich seltsam an, die mit seiner eigenen Ausrüstung locker gefüllte Tasche durch die Stadtmitte von Vail zu schleppen. Will war an europäische Profi-Mannschaften gewöhnt, wo er normalerweise nichts anderes zu tun brauchte, als sich selbst an die Startlinie zu transportieren. Irgendwelche Nieten und Manager, meistens in einer Person, waren dafür verantwortlich, die Ausrüstung dahin zu schaffen, wo er sie brauchte.

Aber das waren Straßenrennen. Große Teams, viel Geld, wichtige Sponsoren.

Und das hier war Mountainbike. Und obwohl es auch hier Geld und Sponsoren und sogar ein paar nutzlos herumlungernde Nieten gab, war es sehr viel eher eine Selbstbedienungs-Veranstaltung. Außerdem, dachte er, was hatte er schon für ein Recht, einen Träger zu erwarten oder auch nur zu erhoffen.

Er war nicht in der Mannschaft.

Er spielte nicht mit.

Er war ein Mitläufer, ein Freund, er folgte dem Heer wie eine Marketenderin.

Er war, in der Tat, eine Niete.

Will seufzte und lächelte. Willkommen in der Wirklichkeit, mein Freund.

Als er um die Ecke des Transporters herumging, schaute er kurz auf die Uhr. 6:59 Uhr. Amateurfahrer, junge Leute Anfang zwanzig, schätzte Will, sammelten sich bereits um die Lastwagen und die Talstation der Vista-Bahn. Sie scharrten mit den Füßen, sie lachten zu laut, sie erhellten den Tag mit ihrem Enthusiasmus und einem bunten Kaleidoskop an Firmen- und Mannschaftstrikots, die sie zu überteuerten Preisen aus den Katalogen bestellt hatten.

Gegen seinen eigenen Willen musste Will lachen. Es waren mindestens zwei Haven-Straßenmannschaftstrikots dabei, Trikots, wie er selber erst vor zwei Monaten bei der Tour de France eines getragen hatte.

»Kommen da Erinnerungen hoch?«

»Hä?« Will schüttelte die Szene vor seinen Augen ab und wandte sich zu Hootie Bosco um, der sich in seiner Transporter-Burg im Fahrerlager in Sicherheit gebracht hatte.

Hootie deutete mit einem Daumen auf die versammelte Menge.

»Hobbyfahrer. Die sind heute als Erste dran.« Er blickte auf einen Zeitplan, der schief an einer Innenwand des Transporters hing, »danach die Junioren, dann der Rest. Ich glaube, die starten um acht.«

»Erinnerungen?«

»An deine Tage als Amateur? Sehr früh an der Startlinie zu stehen und dann mit den Hufen zu scharren? Die Konkurrenz zu taxieren? Den Neuen, der nicht weiß, was er tut, psychologisch fertig zu machen?«

»Ich habe nie … «

»Oh, warte«, kicherte Hootie und nickte, »das hast du nie getan, richtig? Du bist nie als niederer Anfänger gefahren, richtig? Du warst immer in einer Mannschaft.«

»Und ob ich mal Anfänger war«, antwortete Will angefressen.

»Na ja, nicht so. Du hast was verpasst, Kumpel. Glaub' mir. Es gibt nichts, was so einsam macht, wie allein an der Startlinie von deinem ersten Downhill zu stehen, mit deinem einzigen Rad, deinem einzigen Trikot und deinem einzigen Ersatzschlauch, in einer Schlange von Leuten, genau wie du, die entweder die Hosen voll haben oder so von sich überzeugt sind, dass ihr Ego wie ein Heißluftballon über ihnen schwebt. Leute, die auf die Starterflagge warten, um mit gnadenlosem Tempo loszurasen und später ungefähr in der Mitte des Kurses hinter zwei Pennern festzuhängen und wie eine Meute Trickfilmfiguren den Rest des Kurses runterzukugeln.«

Hootie lächelte ein Lächeln, das die Vergangenheit heraufbeschwor.

»Es gibt nichts, was so aufregend ist, was einem einen solchen Adrenalinschub verpasst und die nackte Angst hochkriechen lässt, mein Freund. Schade, dass du das verpasst hast.«

»Ich bin gar nicht sicher, dass ich es wirklich verpasst habe«, antwortete Will abwehrend.

»Oh, du hattest Lampenfieber, das schon.« Hootie nickte. »Aber, wie ich schon gesagt habe, du warst immer in einer Mannschaft. Du hattest immer Kenally und deine Mannschaftskollegen, mit denen man Witze reißen und über andere Leute herziehen konnte und die sichergestellt haben, dass alles bereit war. Diese armen Schweine haben das alles nicht. Die haben sich von der Arbeit freigenommen, nur, um hier oben zu sein und ihren Arsch zu riskieren, für nichts außer Hautabschürfungen, angeschlagenen Knien und vielleicht einer Kiste Mineralwasser als Lohn. Die haben niemanden, mit dem sie reden können, niemanden, mit dem sie ihre Zeit verbringen, niemanden, der auf sie aufpasst. Mann, das ist Mut. Den haben sie wirklich.«

Will nickte. »Hast du was gegen Mannschaften?«

»Scheiße, nein«, antwortete Hootie. »Mannschaften haben mir mein Leben finanziert. Ich liebe Mannschaften. Ich würde bei Firestone Reifen stapeln, wenn es keine Mannschaften gäbe. Aber diese Kerle«, Hootie deutete mit einer schnellen Kopfbewegung auf sie, so dass die Dreadlocks flogen, »diese Kerle sind Einzelkämpfer. Die sind da draußen ohne Unterstützung und mit wenig bis gar keinem Können. Das ist Mut. Das ist Irrsinn.«

»Und das sind diejenigen, die den Sport am Leben halten«, fügte Will hinzu.

»Kannst du laut sagen«, war die beste Antwort, die Hootie einfiel.

Will drehte der wachsenden Menge der Anfänger, die sich jetzt für ihre Fahrt dehnten und aufwärmten, auch wenn der Start noch über eine halbe Stunde entfernt war, den Rücken zu. Er durchforstete den Gedankenwust in seinem Gehirn und fand schließlich die Frage, die er stellen wollte, als er am Transporter angekommen war.

»Wo ist Cheryl?«

»Sie ist draußen auf dem Cross-Country-Kurs. Die Schiedsrichter waren nicht gerade begeistert, aber die Organisatoren wussten, dass sie später angekommen ist, und haben ihr erlaubt, ihn heute früh abzufahren. Sie hat gesagt, sie müsse ihn fahren, um ihn kennen zu lernen. Hat ganz schön diskutiert …«

»Das kann sie gut.«

»Und sie haben sie fahren lassen.«

»Meinst du, ich kann da auch mal runterfahren?«

Hootie bellte ein Lachen.

»Niemals auf Gottes grüner Erde, Kumpel. Sie ist ein eingetragener Profi. Du bist der Freund. Ist nicht böse gemeint.«

»Kein Problem.«

»Was kann ich für dich tun, Sportsfreund?«

»Ich brauch' mein Rad.«

»Dein Rad? Dein Rad?«

»Hey – du hast es selbst gesagt. Ich hab's kaputtgemacht, es gehört mir.«

Hootie Bosco runzelte die Stirn. Stimmt, das hatte er gestern gesagt.

»Schau mal, Marshall Reed hat mich schon heute Morgen deswegen zur Sau gemacht. Er ist überzeugt davon, dass das Colnago sein Rad ist. Verdammt, warum bringt ihr euch deswegen nicht gegenseitig um, ich schicke das Ding in ein Heim für misshandelte Fahrräder, und die Sache ist erledigt.«

»Hootie, es tut mir Leid, ich – ich will nur Rad fahren. Hast du irgendwas?«

Bosco seufzte und nickte. »Ja, ich habe ein gelbes Colnago da hinten, das nicht gebraucht wird.« Er drehte sich um und ging in die Tiefe des Transporters, rumpelte dort ein wenig herum und kam dann mit der Schönheit wieder zurück.

»Auf deine neuen Schuhe eingestellt und alles.«

»Du bist unglaublich«, sagte Will mit einem Grinsen. »Woher hast du das gewusst?«

»Erstens, weiß ich. Zweitens, Cheryl hat's mir gesagt.«

Will nahm das Rad und setzte sich auf den Sattel. Es passte ihm wunderbar. Selbst in der Hektik der Rennvorbereitung, in der Hunderte von Fahrern und Rädern herumschwirrten, blieben die Leute stehen und genossen den Anblick dieses Mannes auf diesem Rad in eben diesem Moment.

Hootie deutete über seine Schulter hinter sich, vom Berg weg.

»Du willst ganz sicher nicht in der Nähe von diesem Durcheinander sein. Ich würde ein paar Strecken auf der anderen Seite der Autobahn vorschlagen.« Er blinzelte in die Morgensonne. »In diese Richtung. Es gibt da ein paar hübsche Wege, die zum Old-Vail-Pass hinaufführen.«

»Old-Vail-Pass.«

»Old-Vail-Pass. Das sind alte Pionier-Pfade, die am Berggipfel enden. Sehr wenig Verkehr. Niemand fährt da heutzutage noch lang. Fahr' einfach ein bisschen 'rum. Such' dir deinen Weg. Geh' auf Entdeckungstour. Darum geht's beim Mountainbiken.«

»Aber tu's …«

»Nicht hier. Wenn du denen hier in die Quere kommst, wird dir dein Abenteuer auf dem französischen Vulkan vorkommen wie ein Kindergeburtstag.«

Will musste lachen. Er hatte keine Ahnung, was Hootie Bosco da plapperte. Er nickte und machte sich auf den Weg in Richtung Hanson Ranch Road, weg von der Rennstrecke und den Aktivitäten des Tages.

»Fahr' einfach den Weg, der am Highway entlangführt, und bieg' rechts ab. Du findest es schon irgendwann«, rief Hootie hinterher.

Will winkte kurz, aber brachte die Hand schnell wieder an den Lenker. Das Vorderrad wackelte, nicht wegen eines mechanischen Problems, sondern aus dem ganz einfachen Grund, dass Will immer noch nicht an das Rad gewöhnt war. Vielleicht würde eine lange Fahrt auf nicht allzu anspruchsvollen Wegen sie beide einander näher bringen.

Das konnte man nur hoffen.

Hootie Bosco sah zu, wie Will Ross in die Ferne davonfuhr und schließlich von der Menge verschluckt wurde. Erst dann sprang ihn ein Gedanke an, wie ein Lachs, der flussaufwärts unterwegs war, um sich fortzupflanzen.

»Verdammt«, dachte er und schnippste mit den Fingern. »Diese Frau. Ich wollte mit ihm über diese Frau sprechen.«

Er starrte eine Sekunde lang vor sich hin, dann zuckte er mit den Achseln und ging wieder an seine Arbeit. Er hatte sich selbst gelehrt, sich nicht um Dinge zu kümmern, auf die er im Augenblick keinen Einfluss hatte.

Heute früh waren alle beschäftigt, außer ihm. Er hatte die Vorarbeiten erledigt, und seine Leute starteten nicht vor dem Nachmittag.

Jetzt war Amateur-Zeit.

Und obwohl er gern dabei zusah, wollte er absolut nichts damit zu tun haben.

Cheryl hatte auf der ersten von drei Cross-Country-Schleifen etwas anderes erwartet, etwas Härteres und weniger Spaßiges. Sie hatte Geschichten von einem anstrengenden Anstieg gehört, der gleich am Anfang sein sollte, aber das hier, über ein paar asphaltierte Straßen und einen unbefestigten Weg neben dem Bach an einem Einkaufszentrum vorbei, schien gar nicht so schlimm. Es war der Kurs, daran bestand kein Zweifel, alles war mit Flaggen markiert, die für eine kleine Armee ausgereicht hätten, aber, ehrlich gesagt, es erschien ihr nicht wie ein Weltmeisterschaftskurs. Über eine kleine Brücke und durch das, was anscheinend als Verpflegungszone vorgesehen war, und plötzlich wurde es dann doch ein bisschen schwieriger. Nicht so wie in der aufgeblasenen Werbung für das Rennen, aber genug, um ihre Beine und Lunge zu fordern.

Sie schaltete und konzentrierte sich. Der Single Trail, der sie über die Skipiste hinausführte, schien neu zu sein, aber er war in einem merkwürdigen Winkel angelegt, der den Anstieg deutlich entschärfte. Er war hart, kein Zweifel, aber kein Killer. Wenigstens noch nicht.

Der Kurs führte in einen Espenhain, der in der Morgensonne grün und golden leuchtete, und sie verringerte instinktiv das Tempo. Sie konzentrierte sich darauf, sich den Kurs, der vor ihr lag, einzuprägen und nicht über die Woche nachzudenken, die hinter ihr lag, oder über die Schönheit der Umgebung. Alles hatte so frisch und neu angefangen, dann gestern, und … ein Wurzelsystem schlängelte sich verwinkelt über den Weg und zwang sie zu einem Ausweichmanöver hoch in die Böschung. Konzentriere dich auf deine Arbeit, dachte sie, bleib' dabei. Ignoriere die Welt um dich herum. Vergiss' das Schauen, vergiss' das Denken, einfach nur fahren … Scheiße.

Die Kurve war schnell und ohne Vorwarnung da. Sie überraschte Cheryl und ließ ihr Herz in der Brust schlagen wie den Kanonendonner bei Eisenhowers Beerdigung.

Sie schoss auf einen breiten Anstieg hinaus und schaltete runter, während sie mit sich schimpfte. Ein Brennen in ihren Beinen und ihrer Lunge war die Strafe für ihre Unaufmerksamkeit. Wenn sie nicht aufpasste, das wusste sie, dann war das hier nur eine Spazierfahrt. Sonst nichts. Wenn sie den Kurs heute nicht auswendig lernte, würde er ihr morgen so fremd sein, als sei sie gerade erst aus dem Bus aus Detroit ausgestiegen.

Sie überquerte den höchsten Punkt des Kurses und begann mit der Fahrt über die wellige Lionshead-Skipiste abwärts in Richtung Stadt. Das, dachte sie, war doch gar nichts. Etwas mehr als drei Meilen und kaum Höhengewinn oder schwierige Kletterstücke.

Entweder war sie sehr gut, oder das hier war sehr leicht. Selbst die Amateure konnten hier ihren Spaß haben, dachte sie.

Sie nahm Tempo auf und konzentrierte sich wieder. Ihr Blick war auf drei Punkte gerichtet, einen weit vorne, einen in der Mitte, und einen direkt vor sich, und sie war auf alle Veränderungen des Terrains vorbereitet.

Das hier war doch kein Ding, dachte sie, und lehnte sich geistig zurück, wie jemand, der gleich eine harte Lektion in Sachen Streckenführung bekommen würde.

Die kam schneller als erwartet.

Will war mit hohem Tempo die Frontage Road entlang gefahren, die neben der Interstate 70 verlief, und hatte über die klare Luft gestaunt und über die protzigen Häuser, die sich am Fuß des Berges befanden. Hier stand eine Menge Geld herum, und er fragte sich spaßeshalber, wie man wohl an dieses Geld herankäme.

Auf der anderen Seite hatte er gerade eine Nacht auf einem Fahrradkoffer voller Geld verbracht und daher war der Neidfaktor nicht annähernd so hoch, wie er vielleicht hätte sein können. Natürlich war es nicht ganz das Gleiche, Geld für jemanden aufzubewahren und es auf der Bank zu haben.

Trotzdem war es nett anzuschauen gewesen.

Dann kam der Zweifel.

Wofür war es gedacht gewesen? Warum hatte er es bei ihm aufbewahrt? Wo war Leonard jetzt? Ging es ihm gut? Und was war das für eine Geschichte mit Cheryls Onkeln, dem Komiker-Duo? Würden sie jetzt nach ihm suchen?

»Verdammt!«, brüllte er in die Bergluft und schlug mit der rechten Hand auf den Lenker. Hootie. Dieser Zettel. Er wollte ihn wegen des Zettels fragen. Jetzt konnte er sich an nichts mehr erinnern als daran, dass ihn irgendeine Frau sprechen wollte.

Na ja, das hatte Zeit. Wenn man bedachte, wer er war, wo er war und was er machte, konnte es wirklich nicht besonders wichtig sein.

Will schüttelte den Kopf und schaltete. Bleib' auf der Straße. Bleib' auf dem Rad. Er erhöhte das Tempo, fuhr unter der Autobahn hindurch und bog in einen schmalen asphaltierten Weg ein, bergaufwärts in unbekanntes Terrain.

Er fuhr zum Spaß.

Cheryl Crane fuhr um ihr Leben.

Die erste der drei Runden des Cross-Country-Kurses führte wieder zurück in die Stadt, von wo aus die zweite ihren Anfang nahm. Um nach Vail zu kommen, musste man bergab fahren. Und um in einer Ski-Stadt bergab zu kommen, musste man Treppen herunterfahren. Diese hier hießen Bahama Mama Falls. Niedlich, dachte sie wütend, verlagerte ihr Gewicht, um das Gleichgewicht zu halten, und versuchte, ihre Geschwindigkeit unter Kontrolle zu halten.

»Verdammt nochmal, verdammt nochmal«, war alles, was sie zwischen den Zähnen hinausspuckte, während sie sich die Stufen herunterkämpfte. An der Ecke traf sie auf Fußgänger, die sich wie ein Schwarm Fische teilten und ihr auswichen. Sie fuhr eine scharfe Rechtskurve und begann die zweite Schleife des Cross-Country-Kurses, den Village Loop. Der Weg führte sie durch etwas, das wie eine weitere Verpflegungszone aussah. Jetzt wurde es anscheinend ernst. Die ganze erste Schleife war wohl so etwas wie eine Aufwärmrunde gewesen, die dem Kurs seine Länge gab und dem Fahrer Selbstvertrauen, bevor es richtig hart wurde. Und es wurde hart, ein langer, stetiger Anstieg, auf unproblematischem Untergrund zwischen Baumgruppen hindurch, wenige Überraschungen, aber plötzlich sehr anstrengend. Als sie an einem Teich zu ihrer Linken vorbeikam und der Boden tief und feucht wurde, wusste sie, dass, wenn sie in 26 Stunden hier wieder vorbeikam, der Untergrund reiner Matsch sein würde. Der Anstieg ging weiter, ihre Geschwindigkeit sank. Sie querte eine weitere Skipiste, dann kam eine Spitzkehre nach rechts. Sie nahm schnell einen Schluck Wasser und spürte, wie es das Brennen in ihrer Kehle löschte. Die Anstrengung begann sich bemerkbar zu machen.

Das Brennen in ihrer Lunge von dem Japsen nach dem wenigen Sauerstoff, der in dieser Höhe verfügbar war, hörte nicht auf. Anstrengung und Angst ließen sie immer heftiger schwitzen, und sie musste sich unter dem Helm die Stirn abwischen, damit ihr der Schweiß nicht in die Augen lief.

Sie machte eine Linkskurve und kam auf einen Streckenabschnitt, der sie etwas weniger angestrengt atmen ließ, vielleicht einen halben Kilometer lang, bevor er nach rechts abbog zu einem halsbrecherischen Single Trail mit Namen Garnsey's Grind.

Und immer noch ging es bergauf. Alles brannte, und sie dachte nicht mehr voraus, sondern nur noch bis knapp vor ihr Vorderrad. Sie versuchte nur noch, das nächste Hindernis zu sehen und die nächste Pedalumdrehung zu schaffen.

Nur noch eine. Nur noch eine. Nur noch eine.

Ohne es zu bemerken, war ihre Welt jetzt Millionen von Meilen entfernt.

Sie war allein am Berg, kämpfte um ihr Gleichgewicht und versuchte verzweifelt, noch fünf Meter zu schaffen, drei, noch einen Meter.

Will hatte das Gefühl, er würde senkrecht nach oben fahren

Er fuhr die kleinste Übersetzung, die das Rad hergab, auf dem Kranz, den er einmal abschätzig als Rettungsring bezeichnet hatte, aber er wünschte, er könnte noch weiter herunterschalten. Er kurbelte wie ein Irrer, er musste auf sein Gleichgewicht achten, seinen Rhythmus und auf die Strecke vor sich. Er hatte den einsamen Wanderpfad verlassen und befand sich auf Entdeckungstour durch raschelnde Espen, die alle schon knapp davor waren, sich zu verfärben, und an verknorzten Latschenkiefern vorbei. Er hatte keine Ahnung, wo er war, aber darum ging es ja gerade, wie Hootie sagen würde.

Er wusste nur, dass er weiter oben war als am Anfang und immer noch aufwärts kroch wie eine Schnecke aus dem Fegefeuer. Er wünschte sich, er hätte mehr gefrühstückt.

Er hatte jetzt schon keine Reserven mehr und trotzdem fuhr er immer noch. Die Anstrengung und der Rhythmus führten langsam dazu, dass er sich auf einen Punkt in sich selbst konzentrierte. Er sah zwar den Weg und registrierte den Gang, aber er entfernte sich von der Fahrt, der Mühe und dem Berg. Die Geräusche des Tages lösten sich auf, bis er nichts mehr hörte außer seinen lauten Atem, bis er nichts mehr spürte außer dem Klicken des inneren Metronoms, dem Klicken des nächsten Tritts, der nächsten Pedalumdrehung.

Treten und ziehen. Treten und ziehen.

Sein Tag, seine Nacht, seine Woche, alles lag hinter ihm. Spirituelle und moralische Gedanken waren irgendwo weiter unten zurückgeblieben, zusammen mit den Karriereplänen, den Fragen seiner Mutter, was er aus seinem Leben machen und wie er für sich sorgen wollte. All das war meilenweit weg, zusammen mit seinen Tennisschuhen in eine Sporttasche gestopft und in einem Transporter zurückgelassen. Geld, sehr viel grünes amerikanisches Bargeld war meilenweit weg, ebenso wie die Fragen, die deswegen gestellt werden mussten. Sie warteten auf die Rückkehr von Leonard Romanowski, und der war im Augenblick noch weiter weg.

Will hatte seinen Rhythmus gefunden. Will hatte sein Rad gefunden. Will hatte Frieden gefunden.

Nach monatelangem Kampf, nach Verletzung und Genesung hatte er wieder diesen Ort gefunden, diesen schwer fassbaren Ort in einer Welt, die er bestimmte, wo der Augenblick, die Maschine und der Mensch eins waren.

Insofern kam der Reifenschaden sehr überraschend.

Am höchsten Punkt des Kurses passierte Cheryl einen zweiten Teich zu ihrer Linken, hinter dem es steil bergab ging. Sie schoss aus dem Wald heraus und traf, mit der festen Absicht Tempo zu machen, auf die unbefestigte Anfahrtsstraße zum Berg. Sie tat es nicht. Sie versuchte nur, Atem zu holen und die Flüssigkeit zu ersetzen, die sie mit dem Schweiß verloren hatte, der aus jeder Pore ihres Körpers floss. Zwischen den Schlucken schnappte sie nach Luft und leerte die Flasche, bevor sie wieder zurück in den Wald kam. Es lief schlecht, dachte sie. Sie würde noch mehr Flüssigkeit brauchen, sonst würde sie die dritte Schleife niemals schaffen.

Sie lachte über ihre eigene Überheblichkeit.

Oh ja. Diese erste Schleife. Wirklich super-leicht. Scheiße, verdammt nochmal, da hast du wohl geträumt.

Sie holte noch einmal tief Luft, erhöhte die Geschwindigkeit, verließ die Straße wieder und fuhr auf den Single Trail durchs Gehölz. Die Gedanken an die Schleife, an ihre Fahrt, ihre Ermüdung und ihre Ausgedörrtheit ließ sie hinter sich auf der Straße zurück und konzentrierte sich auf die Strecke, die Hindernisse, die engen Kurven. Ihr Gehirn katalogisierte verzweifelt jede einzelne Kurve, jede Wurzel, jeden Stein und jeden Ast, die alle wild entschlossen waren, einen Reifen, eine Felge oder eine Gabel zu packen und Cheryl über die Barrikaden und Sicherheitsnetze in den tiefen Wald zu werfen, wo man ihre Leiche nie mehr finden würde.

Sie wurde hochgeschleudert, flog satte zweieinhalb Meter über die Zugangsstraße und landete wieder im Wald. Eine oder zwei Sekunden lang schaute sie auf, dann sank ihr Blick wieder in den Wald, der mit einem Schwupp-Schwupp-Schwupp an ihr vorbeizufliegen begann. Sie schaltete und erhöhte auf dem abschüssigen Kurs die Geschwindigkeit. Als sie die Zugangsstraße erneut überquerte, nahm sie instinktiv etwas Tempo heraus. Sie tauchte wieder in den Wald ein und fuhr weiter in schrägem Winkel zum Hang abwärts.

Schilder und Erinnerungen an die Rennbibel drängten sich in ihr Bewusstsein und flehten sie an, in die Eisen zu steigen und anzuhalten. Das tat sie zwar nicht, aber sie rollte langsam vorwärts nach links auf eine Forststraße und auf einen Grat hinauf, wo ihr etwas weitaus Realeres nahelegte zu stoppen. Der Weg führte über eine eineinhalb Meter hohe Klippe in eine steile Rinne hinab.

Sie schüttelte den Kopf und versuchte, nicht in Panik zu geraten und das Klopfen in ihrer Brust zu dämpfen. Wenn sie einfach weitergefahren wäre, wäre sie jetzt aus dem Rennen. Vielleicht für immer.

Sie stieg ab, hob das Rad auf die Schulter und rutschte über den steinigen Abhang in die Rinne hinein. Es war nicht professionell, es war nicht elegant, es war uncool, aber so kam sie wenigstens heil unten an und konnte wieder aufs Rad steigen. Der Kurs schoss die Rinne hinunter auf ein Stück zu, das mit orangefarbenen Plastiknetzen gesichert war. Sie flog an der Absperrung entlang, um wieder Tempo zu bekommen, dann brachte sie eine scharfe Linkskurve wieder auf den Trail, der ihr, nach dem, was sie gerade hinter sich hatte, weder technisch besonders anspruchsvoll noch besonders anstrengend vorkam.

Das, sagte sie sich, das ist der Grund, warum man einen Kurs vorher abfährt. Man lernt ihn kennen. Man lernt ihn spüren. Man programmiert die Angst und das Gefühl von Ungewissheit weg. Die Rennbibel konnte einem das nicht abnehmen. Man musste es selbst sehen.

Sie fuhr unter dem Vista-Bahn-Sessellift hindurch die Rinne entlang. Nach einer weiteren scharfen Linkskurve befand sie sich wieder auf den Straßen der Stadt, auf dem Weg zur letzten Schleife, dem Golden Peak. Als sie die Stadt verließ, warf sie einen kurzen Blick in Richtung Fahrerlager und Haven-TW-Transporter.

Dort stand Hootie Bosco. Er lächelte und wedelte mit einem roten Lappen wie eine Seemannsfrau, die dem davonsegelnden Walfänger hinterherwinkte.

Trotz ihrer Erschöpfung lachte Cheryl, bog rechts ab und fuhr wieder zurück auf den Berg.

Will saß zurückgelehnt auf dem Bergkamm, auf dem das oberste Stück des Weges entlang führte, und genoss die Schönheit des Tages und des Ortes. Eine leichte Brise mit einem Hauch von Herbstfrische raschelte einlullend durch die Blätter der Espen um ihn herum.

Hier oben gab es eine Ruhe und einen wunderbaren Frieden, einen Frieden, der es einer Seele ermöglichte, all den Druck und all die kleinen störenden Gedanken loszuwerden. Er schaute nach oben in einen Himmel, der beinahe zu blau und zu schön war, um echt zu sein. Die Farbe schockierte ihn und ließ ihn blinzeln, und er schob seine Sonnenbrille zurück auf die Nase. Die Geräuschkulisse schwankte zwischen sanft und nicht vorhanden. Ab und zu raschelten Blätter, die zum Klang der Stille sangen, zu diesem Summen im Ohr, das einem verriet, dass man gerade keinen Ton hören konnte.

Er hatte sich befreit.

Das, dachte er, war der Ort, an dem man sein wollte. Er atmete noch einmal tief ein und langsam aus. Hier sollte man leben.

Schnell setzte er sich wieder auf, bevor er endgültig einschlummern konnte, und blinzelte mit den Augen.

Kein Nickerchen. Jetzt nicht. Er musste einen Schlauch wechseln.

Er nahm das Haven-TW-Fannypack ab, das Hootie Bosco ihm noch zugeworfen hatte, bevor er davongefahren war, machte den Reißverschluss auf, und wühlte darin herum. Da gab es einen Energieriegel, in einer Geschmacksrichtung, die er nicht vertragen konnte, einen Ersatzschlauch, einen Satz Reifenheber aus Plastik und eine CO_2-Patrone.

So etwas hatte er noch nie gesehen. Er hatte immer Pumpen benutzt. Oder sein Rad einem Mechaniker zugeworfen, der ihm ein Ersatzrad montierte und den Reifen irgendwo außer Sichtweite auf mysteriöse Weise reparierte.

Das war der Unterschied. Gestern noch Radsport-Adel.

Heute ein Amateur.

Er zwängte einen Reifenheber zwischen Felge und Reifen und nahm die Decke herunter. Er war vielleicht außer Übung, aber einen Platten zu flicken verlernte man genauso wenig wie das Radfahren. Die Finger vergaßen einfach nicht, wie es ging.

Nachdem er den Schlauch herausgezogen hatte, folgte er einer jahrelangen Gewohnheit und nahm sich einen Moment Zeit, um die Decke auf Schäden zu untersuchen. Mit seinem Finger spürte Will einen Holzsplitter, etwas, woraus Gott einen Dorn gemacht hätte, wenn er am dritten Schöpfungstag so richtig schlecht gelaunt gewesen wäre. Will drehte die Decke um und zog von der anderen Seite an dem Stück.

Für den Schaden, den er angerichtet hatte, schien der Splitter gar nicht so furchterregend, wenn man ihn bei Licht betrachtete, aber der Schaden war da und der Schlauch war im Eimer. Will warf ihn in das Fannypack und holte gleichzeitig den Ersatzschlauch heraus. Er zog ihn auf und schob mit einem der Heber die Decke zurück auf die Felge, vorsichtig, um nicht den Schlauch zwischen Reifen und Felge einzuklemmen.

Dann setzte er die Patrone auf das Ventil und drückte auf den Griff. Überrascht beobachtete er, wie sich der Reifen in Sekunden füllte und das Ventil kalt wurde.

Lächelnd setzte er es ab und konnte nicht anders, als ein hoch erfreutes »Potzblitz« auszurufen.

Spielzeug, dachte er, ich liebe das Spielzeug bei diesem Sport.

Er setzte das fertige Rad in die Ausfallenden des Rahmens und fummelte die Kette wieder auf die Zahnkränze. Er überprüfte den Lauf des Rades und ließ die Schnellspanner einschnappen, dann stellte er die Bremse nach. Er lehnte das Rad gegen den steilen Bergkamm, sammelte das Werkzeug und die Patrone auf und steckte sie zurück in das Fannypack.

Als er aufstand und sich streckte und das Fannypack wieder umschnallte, hörte er weiter oben am Berg ein Geräusch.

Er drehte sich in die Sonne und betrachtete regungslos eine große Katze, die kaum drei Meter oberhalb von ihm stand.

Hey, dachte er, das ist ja toll.

Ich hab' noch nie einen Puma gesehen.

Die dritte Schleife war wesentlich weniger steil als die zweite. Cheryl fuhr die sanft ansteigende Strecke auf dem mittleren Blatt, kurbelte achtungsvoll im kleinsten Gang an dem todesverachtenden Sprung in die Rinne vorbei und schaltete wieder zurück auf das mittlere Blatt, als der Weg zum Anstieg auf den höchsten Punkt der Strecke und wieder zurück auf die Zugangsstraße führte. Es war ein steiles Stück, und hier war die Stelle für einen Angriff, wenn sie dann noch angreifen konnte, bevor es wieder auf die abschüssigen Single und Double Trails in Richtung Ziellinie mitten in Vail ging.

Sie rollte über den Gipfel und dann auf einem schnellen Stück Double Trail wieder abwärts in den Wald hinein, wo sie sich auf einem engen Weg wiederfand und Mutter Natur sich bei ihrer Gabel zurückmeldete.

Nicht schlecht, und ehrlich gesagt, dachte sie später, es war eine gute Vorbereitung auf die engen und schwierigen Spitzkehren, die zwischen den Bäumen hindurch den Abhang hinunterführten. Sie kämpfte ein wenig mit dem Rad, ließ das Tempo etwas zu sehr ansteigen, um dann die Kurven hart anzubremsen. Der Kurs wechselte von steinig über waschbrettartig bis zu Schotter, von Wurzeln durchkreuzt. Ihre Federgabel tanzte, während sie auf den Lenker drückte und das Rad in eine annähernd parallele Linie zum Hang zwang.

Sie schoss aus der Schikane heraus, durch den Wald und befand sich plötzlich auf einem Stück harten Bodens, der auf asphaltierte Straßen und zum Ziel führte. Auf einmal merkte Cheryl, dass sie sich auf der letzten Abfahrt durch die Bäume völlig in die Strecke versenkt hatte.

Es war ein gutes Gefühl, eines, das ihr sagte, dass sie hier zu Hause war. Sie folgte dem Kurs, bis die Menge zu dicht wurde, dann fuhr sie quer zum Fuß des Berges in das Fahrerlager. Als sie neben dem Haven-TW-Laster stoppte, lächelte sie Hootie Bosco mit einem breiten, zufriedenen Grinsen an und sagte nur ein Wort.

»Wasser.«

»Jaaaaaa! Jaaaaaa! Ja! Ja!«

Will wedelte mit den Händen wie wild durch die Luft und brüllte, so laut er konnte, und zwar aus verschiedenen Gründen. Er hatte unglaubliche Angst. Deshalb war Schreien die einzig mögliche Form der Kommunikation. Er versuchte verzweifelt, dem Puma Angst zu machen, was nicht zu funktionieren schien, und, ganz ehrlich, er hatte nicht die geringste Ahnung, was er sonst tun sollte.

Die Katze starrte ihn an, dann drehte sie den Kopf ein wenig, als Will auf das Rad zuzugehen begann.

»Mach' dich groß!«, schrie er und versuchte, sich an etwas zu erinnern, was er vor Jahren gehört hatte, als er mal in einem Gebiet unterwegs gewesen war, wo es Bären gab. »Mach' dich groß!«

Gedanken wurden Worte und Worte wurden Schreie.

»Jjjjaaaarrrrggggghh!«

Will schob einen Fuß neben den Fahrradrahmen und beobachtete, wie die Augen der Katze größer wurden. Will schrie weiter und wedelte wie ein Irrer mit den Armen. Seine einzige Hoffnung war die, das Rad zwischen sich und den Puma zu schieben und so riesig und gefährlich auszusehen, dass er Mike Tyson verscheuchen könnte.

Langsam bückte er sich, schreiend und einen Arm ständig bewegend. Die Katze entspannte sich ein wenig und beobachtete ihn interessiert. Will nahm das Rad mit der linken Hand am Vorbau, kurz oberhalb der Gabel, und begann, es so unauffällig wie möglich hochzuheben, während er weiter mit der rechten Hand wedelte.

Die Katze beobachtete ihn ruhig, bis Will die rechte Hand unter den Sattel schob und das Rad anhob, beinahe so, als wollte er es wegwerfen.

Als Reaktion auf Wills Bewegung knurrte der Berglöwe und machte eine ruckhafte Bewegung nach vorn, als wollte er springen. Daraufhin schrie Will so schrill, dass es ihm im Hals wehtat, und machte instinktiv auf dem schmalen Weg einen Schritt zurück. Mit dem Fuß blieb er in einer Wurzel hängen und verdrehte sich beinahe den Knöchel. Er versuchte, das Gleichgewicht wiederzuerlangen, aber das Gewicht des Rades in den erhobenen Händen ließ ihn nach hinten kippen. Will machte einen Schritt ins Nichts und krachte rückwärts kopfüber durch die Bäume und Büsche, die Felsen und Baumstümpfe, die den Hang säumten.

Zuerst fiel er auf die Erde, dann auf das Rad, dann auf Steine, dann wieder auf das Rad und dann auf etwas, das sich wie ein Baum anfühlte, dann Rad, Erde, Fels, Rad, gar nichts, dann wieder Erde, und zwar hart, und schließlich fiel das Rad auf ihn.

Dann war alles vorbei.

Will lag still auf dem Boden des White River National Forest. Ein Espenwäldchen rauschte leise über ihm. Einen Augenblick lang betrachtete er das alles und lächelte ob der stillen Schönheit der Natur. Dann schloss er die Augen zu einem kleinen Nickerchen, trotz der Tatsache, dass sich das Fannypack in sein Kreuz drückte und das bizarr verdrehte Vorderrad über seinem blutenden Bein drapiert war.

Die Beinschiene, die in den vergangenen acht Wochen ein so wesentlicher Teil seines Lebens gewesen war, war nirgendwo zu sehen.

Auf der Brise eines Herbsttages in den Bergen schwebte er in den Schlaf. Die Schmerzen, die er bald spüren würde, hatten beschlossen, ihm ein paar Augenblicke ohne Bewusstsein zu schenken, bevor sie sich melden würden.

Beinahe dreißig Meter über ihm hatte die Katze seinen Sturz beobachtet. Das rot-schwarz-goldene Haven-Trikot spiegelte sich in ihren Augen.

Mit einem einzigen desinteressierten Schnaufer wandte sie sich ab und schlenderte wieder zurück in den Wald. Mit jedem Schritt auf dem Teppich des Waldbodens machten ihre Pfoten ein leises »Swusch«.

14
Marjorie Morgenstern

Das wirklich Schöne an einem späten Septembermorgen in den Bergen um Vail herum ist der frische Wind, der die Espen sanft in der Luft hin- und herwiegt, die Stille eines Blattes, das sich vom Ast löst und ruhig um die eigene Achse drehend auf den Waldboden oder auf den Radfahrer herabsinkt, der da bewusstlos liegt.

»Gütiger Gott.«

Marjorie Stumps erster Gedanke war, dass sie ein Mordopfer gefunden hatte und ihr erster Impuls war es davonzulaufen, um einen Vorsprung vor den Mördern zu gewinnen, den sie mit einem entschlossenen, flotten Marsch nach Vail ausbauen konnte. Aber sie blieb stehen, beherrschte sich und horchte einen Augenblick, der ihr etwa so lang vorkam wie die Ewigkeit oder wie die Woche, die sie einmal in Los Angeles verbracht hatte.

Der Wald war erfüllt von seinen eigenen Geräuschen: die Bäume, der Wind, die üppige Stille der Natur. Was auch immer das hier war, es schien allein zu sein. Sie ging vorsichtig zu dem Klumpen aus Körper und Rad, den Schlehdornknüppel in Hab-Acht-Stellung. Je näher sie herankam, um so mehr entspannte sie sich. Der Körper bewegte sich, wenn auch nur sehr geringfügig, das Rad war verbogen, was auf einen Unfall hindeutete, nicht auf einen Kampf, und der Radfahrer stöhnte leise.

Sie machte einen entschlossenen Schritt vorwärts und kniete neben Will nieder, nahm seinen Kopf in die rechte Hand und bog ihn mit wenig Zartgefühl zu sich.

»Geht es Ihnen gut?«

Durch den Dunst in seinen Augen und an dem Bild von Hunderten im Stechschritt marschierenden Soldaten vorbei, einer Vision aus einem alten Dokumentarfilm, den er als Kind gesehen haben musste, sah Will ihr zerfurchtes Gesicht und ließ einen stummen Schrei los.

»Geht es Ihnen gut?«, fragte sie knapp und mitleidslos und schüttelte mit der Hand seinen Kopf, als wolle sie eine Melone auf ihre Reife überprüfen.

Die Bewegung ließ ihn beinahe kotzen.

»Wie heißen Sie?«, bellte sie. Will kam sich vor wie ein Tourist, dem man nach dem beliebten Motto »besseres Verständnis durch Lautstärke« die Landessprache beizubringen versuchte.

»Ähm, ähm, ähm«, bot er an, schluckte und fügte dann hinzu, »ich bin …«

»Ja? Wer?« Sie hörte kurz auf, seinen Kopf zu schütteln und gab ihm dann doch noch frustriert einen kräftigen Stoß. »Wer sind Sie?«

Die plötzliche Bewegung ließ ihn beinahe wieder in Ohnmacht fallen, aber der Weg war bereits verschlossen, und er hatte keine Wahl, als in die Welt dieses Gnomes zurückzukehren, der seinen Kopf wie ein Weihnachtsglöckchen schüttelte.

»Wie heißen Sie?«

Will lächelte benommen und sagte »Mrrf. Mrrff.«

Marjorie Stump nickte zufrieden und setzte Will auf. Er spürte ein paar Wirbel krachen wie die Starterpistole bei einem Leichtathletik-Sportfest, und dann hatte er ein Gefühl, als würde er über den höchsten Punkt dieser weißen Achterbahn fahren, die er in Denver neben der Autobahn gesehen hatte. Er lehnte sich an ihre Hand, in der Hoffnung, dass sie ihn wieder auf den Boden sinken lassen würde, damit er ausschlafen konnte, aber sie gab nicht nach. Er saß und bei Gott, sie würde dafür sorgen, dass er sitzenblieb.

»Also, Murph – wie sind Sie denn in diese missliche Lage geraten?« Sie folgte mit dem Blick einer imaginären Linie nach oben zum Bergkamm und bemerkte Rutschspuren und ein paar zerbrochene kleine Äste. Außerdem einen Streifen dunkelblauen Netzstoffes, der sich anscheinend um ein silbernes Metallrohr herumgewickelt hatte. »Sind Sie aus reiner Ungeschicklichkeit gefallen oder hat Mutter Natur Sie irgendwie wissen lassen, wie wenig willkommen Ihre Maschine hier im tiefen Wald ist?«

Will wandte sich um, den Kopf wie auf einem Nagelbrett.

»Katze«, murmelte er. »Katze.«

»Katze?«

»Katze.« Er nickte benommen. »Scheiß Riesenkatze.«

»Nicht fluchen. Und reden Sie keinen Unsinn. Hier gibt es keine großen Katzen mehr. Es sollte welche geben, aber wegen diesem ganzen Unfug gibt es keine mehr.« Sie deutete in die ungefähre Richtung von Vail. »Und es wird wohl auch nie mehr welche geben.«

»Katze.« Er nickte noch einmal trotzig, wie ein Kind, das entschlossen war, seine Mutter dazu zu bringen, ihm zu glauben. »Katze. Große Katze.«

»Na sicher doch, Murph. Sicher. Schh. Klar. Katze. Können Sie gehen, Murph? Können Sie gehen?«

Will antwortete nicht, sondern starrte nach vorn. Sein Gehirn war immer noch völlig funktionsunfähig und seine Augen tanzten in den Augenhöhlen herum wie die Bälle in der Lotteriekugel.

»Sicher können Sie das, Murph. Sicher können Sie gehen.« Sie stellte sich hinter ihn, stützte sich an seinem Rücken ab, klemmte ihre Unterarme unter seine Achselhöhle, und hob. Dafür, dass sie so klein war und er so wenig mithalf, ging es erstaunlich leicht. Will spürte sich in die Höhe gehen wie in einem Aufzug. Wieder hatte er das Gefühl, als würde er den höchsten Punkt einer Achterbahn überfahren und hinabstürzen. Das Rad, das immer noch an seinem Bein lehnte, stellte sich mit ihm zusammen auf. Instinktiv packte er das Oberrohr und hielt sich daran fest. Trotzdem kippte er beinahe vornüber.

Er rollte die Augen und atmete tief ein. Die Luft rauschte durch sein verbogenes Innenleben. Gott, was habe ich jetzt schon wieder angestellt, dachte er. Er richtete sich auf, machte einen Schritt rückwärts, um das Gleichgewicht zu halten, schwankte kurz vor und zurück und wandte sich dann seiner Wohltäterin zu.

»Danke.«

»Keine Ursache, Murph. Sie haben mit Ihrer Ungeschicklichkeit meinen Morgenspaziergang unterbrochen, den ich seit dreißig Jahren täglich mache, aber das werde ich Ihnen nicht nachtragen. Ich habe noch genug christliche Nächstenliebe in mir, um einem Unfallopfer beizustehen, auch, wenn es selbst schuld ist. Ich tue Ihnen einen Gefallen, damit Sie in Sicherheit sind. Das ist das Zeichen eines guten Samariters.«

Sie fuchtelte nachdrücklich mit dem Knüppel vor seinem Gesicht herum. »Ich werde Sie zurück in die Stadt bringen, auch wenn ich meinen Spaziergang dafür abbrechen muss.«

Will schnitt ihr mit einer Handbewegung das Wort ab. »Ich verstehe schon«, sagte er, »ich verstehe schon. Ich habe (keuch) Ihnen den Tag versaut. (Keuch). Tut mir Leid.«

»Können Sie gehen?«

»Weiß nicht«, murmelte Will. Er lehnte sich an das Rad, konnte irgendwie seine Füße nicht spüren und fand einfach nicht die Balance, die es ihm ermöglichen würde, allein zu stehen, stolz und furchtlos. Er spürte, wie er wieder zu wanken begann und nach hinten kippte. Eine Hand, hart gegen seinen Rücken geklatscht, brachte ihn wieder in die Wirklichkeit zurück.

»Gehen Sie nirgendwo hin ohne mich, Murph. Ich habe heute viel zu tun und ich will nicht, dass Sie oder sonst wer mich mehr als nötig aufhalten.«

Will nickte, Gehirnfunktion bei etwa 55 Prozent.

»Dann gehen wir. Sind Sie so weit?« Sie blickte ihn trotzig an, als wolle sie ihm sagen, dass er es ja nicht wagen sollte, vor ihren Augen in Ohnmacht zu fallen.

Will hatte keine Ahnung, ob er so weit war oder nicht, aber jetzt, da er ansatzweise das Gleichgewicht gefunden hatte und da der Film in seinem Kopf wenigstens kein Zweiter-Weltkriegs-Dokumentarfilm mehr war, sondern nur ein paar Bilder aus »Die tausend Augen des Doktor Mabuse«, nickte er und murmelte: »Bereit.«

Sie lächelte triumphierend, ihre gute Tat des Tages war getan, und ging in die Richtung, aus der sie gekommen war, mitten durch den Wald, zur Straße und zur Bushaltestelle, von der aus sie beide zurück in die Stadt gelangen würden.

Will sah ihr einen Augenblick lang hinterher, dann folgte er ihr, das Rad als ziemlich teure italienische Gehhilfe benutzend, erst langsam, dann mit mehr Selbstbewusstsein, den Weg entlang, den sie ihn durch den Wald führte. Selbst mit eingeschränkter Gehirnfunktion war er voller Bewunderung.

Wie konnte jemand, der so grob war und so energisch einherschritt, absolut gar keine Spuren hinterlassen?

Will dagegen stampfte hinter ihr her wie ein betrunkener Onkel bei einer Hochzeit, der sich mit der Hand in der Torte abstützte und auf die Schleppe des Brautkleids trat.

»Leise, Murph«, sagte sie, »gehen Sie leise in ihrem Heiligtum.«

Will nickte und ging so vorsichtig, wie er konnte, bis sich ihm ein Gedanke zwischen all die willkürlich abgerufenen Erinnerungen aus allen möglichen Schubladen seines Gehirns drängte.

»Murph? Wer ist Murph?«

Die Kombination aus kühler Luft und warmer Sonne war berauschend. Cheryl machte sich in ihrem Klappstuhl noch ein wenig länger und zog den Reißverschluss ihres Haven-TW-Trikots etwas weiter auf. Eine überraschende Brise löste eine Gänsehaut auf ihrem Busen aus, die sich unter den warmen Sonnenstrahlen sofort wieder legte.

Hootie Bosco stand in seiner Transportertür und bewachte die Frau, die sich da vor seinem Wagen entspannte. Mit gespielter Wut winkte er zwei Teenager weiter, die auf dem Weg zum Downhill-Kurs ihre Schritte verlangsamt hatten, während sie an dieser leicht bekleideten Vision im Liegestuhl vorbeigingen.

»Weitergehen, weitergehen, nun geht schon weiter, ihr zwei. Hier gibt es nichts zu sehen, die Show ist vorbei.«

Die beiden machten sich peinlich berührt davon. Hootie wandte sich wieder Cheryl zu.

»Was soll das denn werden, junge Dame? Sich so der Welt zu zeigen?«

Cheryl setzte sich auf und blinzelte, schaute nach unten und sah, dass sie in der Tat mehr zeigte, als sie gewollt hatte, und machte das Trikot wieder weiter zu. Etwas peinlich berührt schaute sie dann Hootie an und sagte: »Du hättest wirklich etwas sagen können.«

»Hab' ich doch. Ich habe es zu den beiden Teenagern gesagt, die hier eben vorbeigehechelt sind.«

»Du hättest etwas zu mir sagen sollen.«

»Ich dachte, es sei ein neues Image, das du zu entwickeln versuchst.«

»Den Paola-Pezzo-Look?«

Hootie zuckte lächelnd mit den Achseln und antwortete nicht. Der

Paola-Pezzo-Look gefiel ihm. Immer noch lächelnd wandte sich Hootie um und konzentrierte sich sehr auf einen Ersatzmantel.

»Was, äh, hast du heute noch vor?«, fragte er, um das Thema zu wechseln.

Cheryl lachte und schüttelte den Kopf. »Ehrlich gesagt, ich weiß es nicht. Der Frauen-Downhill fängt um zwei an, aber ich will auch nach den anderen sehen. Keine Ahnung, wie ich das einplanen soll. Und ich will noch einen Cross-Country fahren.«

»Mach' nicht zu viel, Champ. Geh' einfach eine Weile zuschauen, ja? Frannie trainiert heute für den Parallel-Slalom. Du kannst da 'rüberlaufen und ihr zuschauen und dabei gleich noch ein bisschen Gefühl für den Berg bekommen.

»Ja. Das Problem ist, da werde ich mich wahrscheinlich mit Jettman und Reed auseinandersetzen müssen.«

»Um Jettman würde ich mir keine Sorgen machen. Der hatte heute nur Augen für Frannie. Ich glaube, Reed verliert langsam seine Macht über ihn.«

»Ach wirklich«, sagte sie mit einem Lächeln.

»Ja. Sex bringt so was fertig.«

»Sex?«

»Ja. Sex. Ein intimes körperliches Verhältnis zwischen zwei Menschen. Du weißt doch noch, was das ist?«

Die Bemerkung machte sie verlegen. Sein Kommentar und die Einsicht, die dahinter steckte, überraschten sie.

»Ja«, sagte sie, »ich weiß noch, was das ist.«

Hootie beobachtete einen Moment, wie die Unruhe in ihren Augen wuchs, dann lächelte er und versuchte, die Spannung aus der Unterhaltung zu nehmen.

»Will ist losgefahren.«

Er zeigte mit einem Daumen hinter sich und fügte hinzu: »In die Richtung.«

Sie nickte und blickte erst seinem Daumen hinterher, dann den Berg hinauf.

Sie zog ihre Radschuhe aus, warf sie in eine Kiste im Wagen, zerrte ihre uralten zerrissenen und fleckigen Turnschuhe aus dem Rucksack und zog sie an. Eine leichte blau-goldene Nylon-Windjacke band sie sich um die Taille.

»Ich schaue mir mal ein paar Rennen an.«

»Okay. Amateur-Downhill?«

»Ja. Vielleicht kann ich mich noch ein bisschen akklimatisieren.«

»Klar. Kann man gar nicht vermeiden, wenn man dabei ist.«

»So komm' ich schließlich auch auf den Berg.«

»Fein.«

»Ich bereite mich später auf meinen Lauf vor, wenn sie den Kurs frei geben.«

»Kein Problem.«

»Downhill.«

»Das ist nach dem Mittagessen. Brauchst du Geld?«

»Du klingst wie meine Mutter.«

»Richtig. Brauchst du Geld für's Mittagessen?«

»Ja, genau gesagt, das tue ich.«

Hootie zog einen Zwanziger aus dem Geldbeutel und warf ihr den Schein zu. »Bitte. Zahl's mir zurück, wenn deine reichen Onkel gestorben sind.«

»Was?«

»Zahl's mir zurück, wenn deine Onkel gestorben sind und dir ihr Vermögen hinterlassen. Bar. In kleinen Scheinen. Nicht fortlaufend nummeriert.«

»Warum sagst du so was?«, fragte sie scharf.

»Langsam.« Er hob beide Hände in gespielter Kapitulation. »Kein besonderer Grund, Chef, gar kein besonderer Grund. Hab' nur witzig sein wollen.«

Sie nickte schnell. Ihr Tonfall tat ihr Leid. »Ja, entschuldige«, sagte sie und tippte sich mit einem Finger nervös gegen die Lippen, als ob sie tief in Gedanken versunken sei, die gar nicht vorhanden waren. »Ich, äh, ich gehe mir ein paar Läufe ansehen. Wir sehen uns dann heute Nachmittag.«

»In Ordnung«, sagte Hootie vorsichtig, um keinen weiteren Ausbruch zu provozieren.

»Ja, okay«, antwortete sie und war schon zu einer Stelle am Downhill-Kurs unterwegs, der wie ein guter Platz zum Zuschauen aussah. »Danke, äh, für den Zwanziger. Bis später, Hootie.«

Hootie Bosco nickte und winkte mit einem Lächeln, das so falsch war wie das von Batmans Joker. »Bis denn.« Er pfiff leise durch seine

Zähne und kehrte in die Dunkelheit seiner Höhle auf Rädern zurück.

»Mannomann«, sagte er zu seinem eigenen Diamondback-Rahmen in der Ecke. »Das ist eine wirklich tolle Frau, aber sie ist viel, viel zu nervös.«

Der Rahmen antwortete nicht, aber das machte Hootie nichts aus. Es hatte es sowieso nicht erwartet.

Cheryl war tief in Gedanken versunken, als sie zusammen mit einer kleinen Gruppe, die lachend und keuchend den Hang hinauflief, an den Kurs am Vail Mountain trottete. Sie blickte nach oben und sah, dass es am Morgen nicht besonders viele Zuschauer gab. Aber es war noch früh, und es liefen ja noch die Amateurrennen. Sie hoffte, dass sich das bis zu den Profirennen heute Nachmittag und am Sonntag noch deutlich ändern würde. Sonst würde sich die Ishmael Coffee Company schneller als Sponsor zurückziehen, als ein großer Latte durch eine schwache Blase fließen konnte.

Das Bild ließ sie lächeln und sie spürte, wie ihre Laune zusammen mit der Laune der Menschen um sie herum stieg.

Ein paar Schritte hinter ihr lächelte Kelvin Stump ebenfalls.

Diese Frau kannte einen Will. Und sie war nervös wegen Geld.

Er hatte es mit seinen eigenen Ohren gehört. Aus ihrem eigenen Mund.

Das war eine, der man folgen sollte.

»Ist Ihnen klar, junger Mann«, sagte sie und tippte zur Betonung gegen das verbogene Vorderrad, »dass die Reifen Ihres Fahrrades jedes Mal, wenn Sie durch einen Wald fahren, etwas von der oberen Erdschicht zerstören und damit unnatürliche Erosion fördern?«

Will schob und zog und stützte sich auf das Rad neben sich, um wenigstens halbwegs aufrecht zu gehen. Sein Gehirn schepperte wie ein Flipper mit blinkenden Lichtern und hellen Glocken. Er folgte ihr nur, weil sie es ihm sagte. Anders hätte er es auch nicht geschafft. Alles in seinem Körper befahl ihm, stehen zu bleiben und sich auf den Waldboden zu setzen, aber sie drängte ihn, und er ging weiter. Bei jedem dritten Schritt überkam ihn die Übelkeit und einmal beugte er sich sogar über das Rad, würgte einen lauten und widerlich stinkenden Rülpser hervor und spuckte ins Gras.

»Also, das unterstützt den Kompostierungsprozess, indem es den Bakteriengehalt des Waldbodens erhöht. Faszinierend, nicht wahr?«

Will verschluckte eine Fliege, musste wieder würgen und spuckte einen Ball aus gelbem Schleim vor seine eigenen Füße.

»Gut, sehr gut«, murmelte sie leise. »Sie helfen dem Wald mehr, als Sie vielleicht denken. Deswegen gehe ich, wenn ich irgendetwas aus meinem Körper ausscheiden muss, nach draußen. In den Wald. Ins Gras. In die Welt. Es ist natürlich und es trägt zum Kreislauf der Natur bei.«

Will starrte die Frau ungerührt an, während in seinem Gehirn ohne weitere Anstrengung ein Bild von ihr entstand, wie sie sich im hohen Gras niederließ, um Mutter Natur eine Visitenkarte zu hinterlassen.

Er schüttelte heftig mit dem Kopf, um dieses Bild wieder zu löschen, und erreichte nur, dass sich das nächste Gewitter hinter seinen Augen entlud. Das Vorderrad sank wieder zu Boden und rollte wie ein betrunkener Seemann in Schlangenlinien durch die Blätter und Fichtennadeln.

»Ich habe gesagt, Sie sollen das hochheben. Sie zerstören den Mutterboden, Murph. Stopp. Und jetzt sagen Sie mir, Murph, woher kommen Sie?«

Will hätte sie korrigieren sollen, aber im Moment reichte seine Gehirnkapazität dazu nicht aus. Er stolperte hinter ihr her, hob das Vorderrad wieder hoch und murmelte: »Michigan.«

»Wo genau?«

»West Michigan. Aus der Nähe von, äh, Kalamazoo, glaube ich.«

»Ah, West Michigan. Lassen Sie mal sehen, was weiß ich darüber. Viel Landwirtschaft, richtig?«

Will nickte ausdruckslos. Er hätte auch genickt, wenn sie gesagt hätte: »Da gibt's viele Wienerwürstchen-Bäume.«

»Landwirtschaft in großem Stil, Pestizide, chemische Düngemittel, genetisch verändertes Obst und Gemüse. Auch Milchwirtschaft, ja?«

»Hm-hm.«

»Wachstumshormone. Sie haben doch als Kind keine Milch getrunken, oder?«

»Doch, ich glaube schon«, sagte er, von der Bedrohlichkeit ihres Tonfalls etwas wacher geworden.

»Na, dann sind Sie ein Top-Kandidat für eine ganze Menge Sachen … das wissen Sie doch, nicht wahr?«

»Was für Sachen?«

»Milch ist schlecht. Außer, sie kommt vom Bio-Bauern. Das Gleiche gilt für Obst und Gemüse. Eier. Oh, Gott, Eier sind schrecklich. Getreide und all das, womit es besprüht worden ist. Die Zutaten im Brot! Sie würden nicht glauben, womit manche Leute Brot backen – ausgelaugt und mit Sägemehl versetzt. Ein Besuch beim Supermarkt um die Ecke ist wie russisches Roulette. Haben Sie je darüber nachgedacht?« Sie schüttelte den Kopf. »Darüber haben Sie noch nie nachgedacht.«

Will schüttelte auch langsam den Kopf. Er war wie ein Spiegelbild.

»Darüber haben Sie noch nie nachgedacht, oder, Murph?«

Ihr stetiger Blick brachte ihn sehr langsam zu der Einsicht, dass sie eine Antwort erwartete.

»Nein. Darüber habe ich noch nie nachgedacht.«

»Was wollen Sie deswegen unternehmen?«

Oh Gott, dachte er, sie will, dass ich wieder etwas sage. Er blickte in ihre kleinen grauen Augen, die wie kleine Nadelstiche aus ihrem runden, runzligen Gesicht stachen, und sagte, auch wenn er es selbst nicht richtig glauben konnte: »Ich werde nie wieder essen.«

Marjorie Stump starrte ihn eine Sekunde lang an, ihr Gesichtsausdruck hart und unnachgiebig, dann brach sie in Gelächter aus. Sie schlug Will fest auf die Schulter, und ein Schmerz dotzte durch seinen Körper wie eine Billiardkugel gegen die Bande.

Wills Mund bewegte sich hektisch, aber es kam kein Geräusch heraus.

»Murph, Sie sind ein echter Witzbold«, sagte Marjorie lachend und schüttelte den Kopf. »Eine richtige Nummer.«

»Ich mag Sie.«

Sie nickte weiter, während sie sich umdrehte und weiter durch den Wald ging. Will folgte ihr langsam. Er nickte, mehr aufgrund der Schmerzen und der Verwirrung als aus Zustimmung.

Das fleckige Licht glänzte auf jedem Blatt und Ast, Ästchen und Baumstamm und richtete mit seinem Gehirn, seinem Gleichgewichtssinn und in seinem Magen immer größeres Unheil an.

Und doch folgte er ihr blind, wohin sie auch gehen mochte.

»Wir sind gelackmeiert. Das weißt du doch, oder?«

Olverio starrte Stanley einen Augenblick an und nickte dann resigniert. Das musste er zugeben. Ihr Lage war verzwickt, und im Moment waren sie wirklich die Gelackmeierten.

Sie gingen über die Willow Bridge zum Kurs, während die Menge um sie herum langsam anwuchs. Sie achteten darauf, wann und wie sie sprachen, aber sie versuchten nicht, sich zu verstecken. Momentan waren sie einfach nur zwei etwas seltsam aussehende ältere Herren in einer Gruppe von Radrennfahrern.

»Und das Problem ist?«, fragte Ollie.

»Das Problem ist, wenn hier die großen Scheine auftauchen und die Polizei das spitzkriegt, könnte das Leben sehr schnell sehr interessant werden«, antwortete Stanley.

»Da hast du vollkommen Recht«, sagte Ollie mit einem Seufzer.

»Kaffee? Möchten die Herren einen Kaffee? Sie sehen so aus, als könnten Sie heute früh einen Ishmael French Roast gebrauchen.«

Das fröhliche Kaffee-Aktionsmädchen hielt den beiden Männern zwei Plastikbecher hin.

Ollie schüttelte den Kopf. Zwei Tassen ohne eine Toilette in der Nähe waren sein Limit. Stanley jedoch nahm lächelnd einen Becher und dankte dem Mädchen.

»Wir sind froh, dass wir zu einem Kaffee-Rennen gekommen sind, Ma'am, es gibt doch nichts Besseres als den besten Kaffee der Welt als Sponsor.«

Das Mädchen lächelte den großen, dünnen Mann an und erwiderte seinen Enthusiasmus.

»Danke, Sir. Ishmael ist stolz auf ein großartiges Produkt und darauf, großartige Ereignisse zu unterstützen.«

»Sie haben beides erreicht, denke ich«, sagte Stanley, nahm einen Schluck und drehte sich wieder der Straße zu.

»Danke sehr, Sir«, antwortete das Mädchen. Als Stanley ihr den Rücken zudrehte, verschwand ihr Lächeln und sie dachte wieder daran, dass sie das nie und nimmer den ganzen Tag durchhalten würde, und dass der Geruch des uralten Kaffees ihr auf den Magen schlug.

Sie drehte sich um, setzte ihr Lächeln wieder auf und warf sich auf die nächste Gruppe ahnungsloser potenzieller Kaffee-Junkies. Zehn Schritte in der anderen Richtung schüttete Stanley gerade den Kaffee ins Gras.

»Warum hast du das denn gemacht?«, fragte Ollie.

»Hat geschmeckt wie Scheiße.«

»Und wie die schmeckt, weißt du?«

»Und ob!«

»Was war denn faul an dem Kaffee?«

»Äck.« Stanley spuckte. »Falsche Bohnen. Der Kaffee heutzutage kommt von den falschen Bohnen.«

»Aber Kaffee ist in.«

»Tattoos auch, aber das heißt nicht, dass ich mich von 'ner dreckigen Nadel stechen lassen will.«

»Hast wohl Recht.«

Am Gore Creek Drive öffnete ein Offizieller die Absperrung und ließ die beiden zusammen mit einer kleinen Gruppe Fans durchgehen. Gemeinsam mit den anderen stapften Stan und Ollie den Hang hinauf zur Schikane.

Als sie auf den unteren Abschnitt der Lionshead-Schleife zugingen, schossen plötzlich drei junge Frauen an ihnen vorbei. Ollie sah, wie ein Offizieller versuchte, sie vom Kurs zu scheuchen. Sie winkten nonchalant und verschwanden in Richtung Bahama Mama Falls.

»Ist da unten nicht eine Treppe?«, fragte Stanley und deutete in Richtung Stadt. »Ich hätte schwören können, dass da unten eine Treppe ist.«

Ohne zu antworten sah Ollie den jungen Rennfahrerinnen hinterher und dem Offiziellen, der sie verfolgte.

»Stanley«, sagte er, während sein Partner immer noch verwundert den Kopf schüttelte, dass Leute tatsächlich verrückt genug waren, auf dem Fahrrad eine Treppe hinunterzufahren. »Denk' mal zurück. Denk' an gestern früh im Restaurant, als Mr. R. beschlossen hatte, abzuhauen.«

»Ja, und?«

»Weißt du noch, wie erschrocken wir waren, Cheryl zu sehen?«

»Ja, sicher. Hatte ich absolut nicht erwartet, sie hier zu sehen.«

»Ich weiß. Aber – erinnerst du dich an seine Reaktion?«

»Auf Cheryl?«

»Nein, auf den Typen, mit dem sie zusammen war.«

»Den mit dem Fahrrad? Das, auf das ich getreten bin?«

»Ja, der. Romanowski schien sehr überrascht darüber zu sein, ihn dort zu sehen. Meinst du nicht auch? Sogar erfreut. Als ob er ihn kennen würde. Sogar sehr gut kennen.«

»Der Kerl mit dem ganzen Zeug an den Beinen?«

»Ja. Der. Den meine ich. Also, wenn du Romanowski wärst ...«

»... und ein Geschenk verstecken müsstest ...«

»... bei wem würdest du ...«

»... das tun?«

»Ich glaube, wir müssen diesen Typen ...«

»... finden.«

»Ja. Und uns mal mit ihm unterhalten.«

Stanley nickte und blickte den Hang hinauf über die verstreuten Grüppchen von Zuschauern und Fahrern.

»Weißt du, wo wir anfangen müssen?«

Ollie schüttelte den Kopf.

»Bei Cheryl vielleicht. Oder im Hotel. Möglicherweise.«

»Wo treffen sich Fahrer am Wettkampftag?«

»Weiß nicht. Ich hab' mich nie dafür interessiert. Konnte nie verstehen, was Raymond und Cheryl daran fanden.«

Stanley nickte.

»Obwohl«, sagte er und hielt zur Betonung einen Finger hoch. »Die Sechstagerennen in den dreißiger Jahren waren klasse.«

»Da warst du noch ein Kind.«

»Ich habe dabei gewettet.«

»Hast du nicht. Du warst ein Baby.«

»Ich war frühreif.«

Ollie schaute sich um, kickte mit dem Fuß etwas Erde weg und sprach dann einen Teenager in einem »NO-FEAR«-Sweatshirt an.

»Entschuldige mal, mein Sohn.«

»Ja, Alter?« Der Teenager grinste breit.

Ollie nickte geduldig und zeigte die Zähne. Der Teenager hörte auf zu lächeln.

»Weißt du, wo ich Cheryl Crane finden kann? Eine der Fahrerinnen? Wo vielleicht ihre Mannschaft ist?«

»Crane. Crane. Crane.« Der junge Mann wiederholte den Namen, während er durch das Wettkampfprogramm blätterte. »Crane ist … bei … Haven. Haven und Two Wheels. Ich würde einfach ins Fahrerlager 'rübergehen, da drüben hinter dem Maschendrahtzaun beim Sessellift, und nachsehen, ob sie vielleicht da abhängt.«

»Danke, mein Sohn. Und nenn' mich nicht Alter.«

»Tut mir Leid, Alter«, sagte der Junge. Dann fügte er hinzu »Ist so 'ne Angewohnheit«, bevor er schnell den Hang hinaufging.

Ollie sah ihm hinterher und schüttelte den Kopf ob der fehlenden Manieren und der sinnentleerten Sprache der amerikanischen Jugend.

»Ich hasse Klugscheißer«, sagte Stan.

Ollie zuckte mit den Schultern. »Hm. Haven.«

»Two Wheels.«

Die beiden gingen durch die Lücke im Zaun, der die Rennstrecke begrenzte, hinüber zu dem riesigen Last- und Wohnwagenparkplatz und zu einer Ansammlung von Menschen, deren einziges Ziel im Leben es war, im Rennen zu bleiben. Als sie die Mauer um das Fahrerlager herum erreichten, machten sie sich daran, nach dem Wagen, der Nichte, dem Mann und schließlich nach dem Geld zu forschen, dem Geld, das dieses Wochenende so viel länger machte, als sie je erwartet hatten.

Will blickte frustriert die Straße hinunter. Der Bus war nirgendwo zu sehen.

Sein Kopf klingelte von Marjorie Stumps unablässigem Geplapper. Die Themen reichten von der Ökologie des Waldbodens zur Migration einer bestimmten Specht-Art, die anscheinend nicht migrierte, von der Gier der großen Firmen am Vail Mountain zu den umweltschützerischen Aktivitäten von G.O.T.T.

»Von wem?«

»G.O.T.T. Das ist meine eigene Organisation, wissen Sie das

nicht?«, sagte sie stolz. »Grüne Organisation der Treuhänder des Tales.«

»Was für Händer?«

»Sehen Sie sich um, Murph«, sagte sie zufrieden. »Sehen Sie sich um. Was grün ist, gehört G.O.T.T. Was G.O.T.T. gehört, gehört mir.«

Er konnte ihr nicht folgen. Seine Augen konnten sich nicht auf ihr Gesicht konzentrieren, seine Ohren konnten ihre Worte nicht aufnehmen.

»Sie waren das?«

»In der Tat. Als die großen Firmen expandieren wollten, war ich da, um sie mit allen Mitteln zu bekämpfen, die ich für nötig hielt.«

»Wie?«, fragte er, und er klang wie ein Troll in einer Trommel. Will schaute sich nach dem um, der da geredet hatte.

Sie fasste seinen Kopf an und drehte ihn zu sich herum. Die kleinen Augenpunkte brannten sich in seinen Schädel.

»Mit allen nötigen Mitteln, Murph.«

»Ja«, sagte er dumpf, »zum Beispiel ...«

»Mein Gott. Männer.« Sie schüttelte traurig den Kopf. »Sie sind so schwer von Begriff wie mein Mann und mein Sohn. Und ich hätte nie gedacht, dass jemand so schwer von Begriff sein kann.«

»'Tschuldigung«, murmelte er.

»Mit allen nötigen Mitteln, und ich sage Ihnen, das bedeutet alles: Handzettel, bei öffentlichen Veranstaltungen auftreten, Geld sammeln, um privates Land zu kaufen, bevor diese Piraten es in die Finger bekommen, Lobbyarbeit, Baufirmen bedrohen ...«

Hat sie bedrohen gesagt?, fragte er sich.

»... bis zu und einschließlich, ja, das stimmt, Sabotage. Nägel in Baumstämme, Kiesel auf Skipisten, ein Streichholz, das aus Versehen in der Nähe eines alten Bergrestaurants angezündet wird, Vandalismus, Öko-Terrorismus, egal was. Hauptsache, ich erreiche meine Ziele.«

»Was für Ziele?«

»Meine Mutter zu retten. Ihre Mutter. Die Vergewaltigung der Natur einzudämmen. Den Lebensraum zu beschützen. Wissen Sie, wie viel von seinem Lebensraum der Luchs an die Freizeitaktivitäten des nackten Affen verliert?«

»Nackter was?«

»Der Mensch. Mein Ziel ist es, die Ausbreitung des Tieres einzuschränken, das auch Mensch genannt wird.«

»Aber ...«

»Nein, Murph, da gibt es kein Aber. Das Tier, das auch Mensch genannt wird, benutzt von der Welt viel mehr, als er ihr zurückgibt. Er ist ein Parasit. Eine Kakerlake. Er erneuert nicht, er gibt nicht zurück, er recycelt nicht. Er benutzt und wirft weg.«

Sie sprach wie in einer Art Trance. Sie befand sich in einem Zustand, mit dem Will nichts zu tun haben wollte.

Er wandte sich um und hielt verzweifelt nach einem Bus Ausschau.

»Er pflanzt sich weit über seine Verhältnisse hinaus fort und zerstört gierig seine Mutter, um seine Bedürfnisse zu befriedigen. Ich will Ski fahren, also setze ich mich in mein mit fossilen Brennstoffen angetriebenes Fahrzeug, allein, aber zusammen mit Hunderten anderer Leute, die ebenfalls allein in ihren mit fossilen Brennstoffen angetriebenen Fahrzeugen sitzen, fahre zu einem Berg, der aufgeschlitzt und ausgenommen wird, um den finanziellen Interessen von Investoren zu genügen, die nichts kennen als die Herrlichkeit des Geldes – und bestimmt nicht die Herrlichkeit, die es bedeutet, einen Morgen auf dem Berg miteinander zu teilen.«

»Ja, aber bedeutet es nicht auch zu teilen, Land für Farmen und zum Spaß und vielleicht für ein Haus oder zwei zu benutzen?«

Der Schlehdornknüppel sauste knapp an seinem bloßen, blutigen Knie vorbei, gerade dicht genug, um ihn in seinem gehirnerschütterten Zustand einen Heidenschrecken einzujagen.

»Herrgott nochmal, Lady!«, schrie er und sprang zurück, das Rad zwischen sich und ihren Stock setzend.

»Nicht fluchen«, sagte sie mit finsterem Gesichtsausdruck. »Missbrauchen Sie den Namen des Herrn nicht.«

»Entschuldigung, aber dann schlagen Sie auch nicht mit dem Stock nach mir.«

»Na dann, es tut mir Leid, Murph. Aber Sie müssen zugeben, dass Ihr Argument lächerlich und dumm war.«

»Was für ein Argument?«

»Dass das Tier, das auch Mensch genannt wird, ein Recht hat ...«

»Oh, Klasse, der Bus!«, rief er, wandte sich um und deutete mit beinahe kindischer Überschwänglichkeit in die Richtung, aus der er kam. »Wie schön, es ist der Bus!« Leise fügte er hinzu: »Es ist der gottverdammte längst überfällige Bus.«

Der klappernde Shuttle-Bus erschien ihm wie eine Fata Morgana. Die Frau, Marjorie, erinnerte er sich mit Mühe, Marjorie Stump, hatte ihn wie einen ungeliebten Packesel an die Straße getrieben und zuerst überlegt, ihn dort zurückzulassen, was Wills Herz wirklich nicht gebrochen hätte. Aber dann hatte sie doch aus einem unbestimmten Gefühl der Nächstenliebe heraus beschlossen, bei ihm zu bleiben, ihn in den Bus zu setzen und ihn in die Stadt zurückzubringen, zu seinem Hotel, oder zu seinen Freunden, und hatte ihm dann mit ihren Vorträgen zu verschiedenen religiösen und ökologischen Themen die Ohren verstopft.

Als der Bus näherkam, hob Marjorie ihren Knüppel mit der rechten Hand und fuchtelte damit in der Luft herum. Will bemerkte, wie der Fahrer, der dieses dramatische Verhalten offensichtlich bereits kannte, mit den Augen rollte und an die Seite fuhr. Mit quietschenden Bremsen und dem Zischen der sich öffnenden Türen kam der Bus neben ihnen zum Stehen.

»Ja, Ma'am, was können wir für Sie tun?«

»Uns in die Stadt fahren«, antwortete Marjorie knapp. Sie trat in den Bus, zeigte eine Monatskarte vor und rutschte dann auf den Sitz direkt hinter dem Fahrer.

Will bemerkte, wie der Fahrer beinahe resigniert seufzte, während er sie in dem Spiegel über seinem Kopf betrachtete. Will lächelte. Das konnte er nachvollziehen. Dann begann er, das Rad die Stufen hinaufzuzerren.

»Das geht aber nicht«, sagte der Fahrer kurz angebunden.

»Sie müssen auf einen Bus mit Fahrradträger warten. Meiner ist bei einem Unfall kaputtgegangen.«

Will stand halb im, halb außerhalb des Busses da und starrte den Mann mit stumpfem, unstetem Blick an. Seine Pupillen sprangen herum wie schwarze Punkte in einer Plastikhülle. Ohne zu widersprechen nickte er und begann, das Rad rückwärts aus dem Bus zu schieben.

»Stopp! Stopp, Murph!«, kommandierte eine Stimme wütend. »Sie steigen jetzt sofort in den Bus. Henry, dieser Mann ist verletzt. Wir müssen ihn in die Stadt bringen, und er wird seine teure Maschine nicht hier im Wald stehenlassen. Sie würden das auch nicht tun. Das wissen Sie. Also halten Sie die Klappe, lassen Sie ihn einsteigen und fahren Sie los.«

»Das darf ich nicht, Miss Stum …«

Rumms!

Das Ende des Schlehdornknüppels landete krachend neben dem Fahrersitz auf dem Boden des Busses. Der Fahrer hüpfte mindestens eine Handbreit in die Luft, während Will so zurückschreckte, dass er beinahe aus dem Bus fiel.

»Henry, Sie werden ihn mitnehmen und Sie werden das Rad mitnehmen und da er verletzt ist, werden Sie direkt in die Stadt durchfahren und Ihre anderen Haltestellen auf dem Weg ignorieren.«

»Ich kann nicht …«

Rumms!

»Lassen Sie das«, seufzte er und wandte sich zu Will um. »Nimm' das Rad und los geht's.«

Will nickte dem Fahrer ein stummes »Entschuldigung« zu und zerrte das Rad auf die oberste Stufe. Dann rutschte er auf den ersten Sitz. Vor Anstrengung sah er verschiedene Farben und geometrische Figuren vor seinen Augen.

Marjorie Stump tippte zweimal mit dem Stock auf den Boden und sagte scharf, »Los.«

Der Fahrer nickte, schloss die Tür und der Bus rollte gequält in Richtung Vail los. Während er unter dem Highway durchfuhr und das obere Ende von East Vail erreichte, warf der Fahrer einen Blick zu Will hinüber.

»Was ist passiert? Abgeschmiert?«

»Wie bitte?« Will schüttelte den Kopf und spürte, wie sein Gehirn ein wenig darin herumschwappte.

»Abgeschmiert. Gestürzt.« Der Fahrer blickte ihn gerade lang genug an, dass Will sich wünschte, er würde auf die Straße achten. Dann verstand er.

»Ja. Abgeschmiert. Bin einen Abhang runtergefallen.«

»Er sagt, eine Katze hätte ihn erschreckt«, fügte Marjorie sarkastisch hinzu.

»Eine Katze, eine Hauskatze?«, sagte der Fahrer ungläubig zu dem kleinen, verkniffenen Gesicht in dem Spiegel über seinem Kopf.

»Es war ein Puma«, flüsterte Will, aber seine Stimme trug nicht weiter als bis zur Mitte des Ganges.

»Er sagt, es war eine große Katze. Ein Puma.«

»Ein Puma?« Henry schien verblüfft, er starrte das Bild von Marjorie Stump in seinem Spiegel an und vernachlässigte die Straße. Obwohl er vorgehabt hatte, ihre frühere Forderung zu ignorieren und an den Haltestellen auf dem Weg anzuhalten, war er jetzt schon an zweien vorbeigefahren, ohne sie auch nur eines Blickes zu würdigen.

»Es gibt doch schon seit Jahren keine Pumas mehr hier, oder? Ein oder zwei Bären, aber man muss schon sehr tief in den Wald gehen, um einen Puma zu erwischen.«

»Das habe ich auch schon versucht, ihm zu erklären.«

»Ich habe nicht versucht, ihn zu erwischen. Er hat versucht, mich zu erwischen.«

»Bist du sicher, Kleiner?«

Will starrte den Mann an, der keinen Deut älter war als er selbst, und nickte. »Ja.«

»Das solltest du melden«, sagte der Fahrer ängstlich.

»Das werde ich auch tun.«

»Ach, Unsinn, Murph. Wenn Sie das melden, werden die Sie anschauen, als hätten Sie kleine grüne Männchen oder einen Zug deutscher Soldaten über den Pass marschieren sehen. Es war kein Puma. Das wüsste ich. Ich gehe jeden Tag durch diese Berge.«

»Das tut sie. Das tut sie wirklich«, meinte der Fahrer.

»Und ich habe keinen Hinweis auf eine Katze gesehen. Absolut keine. Keine Spur. Keine Katze.«

Der Fahrer wandte sich um und starrte Will an, bis der nervös auf die Straße zeigte.

»Also, Murph?«

Der Fahrer blickte wieder auf die Straße, während Marjorie ihn weiter fixierte. Will zuckte mit den Schultern. Er hatte nicht die Kraft, zu diskutieren.

Er blickte durch das Fenster und sah, wie die Freilichtbühne des Ford-Amphitheaters vorbeizog.

»Soll ich ihn direkt ins Krankenhaus fahren?«

»Wie hätten Sie's denn gern, Murph?«, fragte Marjorie.

Will wusste, dass er wohl ins Krankenhaus gehen sollte, aber er schüttelte den Kopf. Er wollte nur sich und sein Rad an einen Ort bringen, wo sie eine Weile lang ausruhen konnten.

»Nein. Nein. Setzen Sie mich in der Stadt ab.«

Der Fahrer blickte wieder in den Spiegel, in Marjorie Stumps Gesicht. Ihre Blicke trafen sich kurz und schließlich nickte der Fahrer.

Will sah zu, wie die beiden sich anstarrten, bis Marjorie Stump mit den Schultern zuckte, und er wunderte sich, wie der Fahrer das wohl machte. Zwei Meilen Strecke und nur eine Meile davon hatte er tatsächlich auf die Straße geachtet.

»Wo wohnen Sie, Murph?«

»Im Bayerischen irgendwas … glaube … ich.« Er blinzelte hart. Er konnte seine Gedanken nicht sammeln.

Sie fuhren an einem riesigen Parkhaus vorbei und Will begann, Orientierungspunkte zu erkennen. Hotel, Bridge Street und alles andere. Er deutete aus dem Fenster.

»Das ist es, hier ist gut.«

Der Fahrer trat härter auf die Bremse als nötig war und fuhr am Ende des Transportation Center um die Kurve. Als er durch die S-Kurve hindurchgefahren war, stand er in Richtung Lionshead, und Will nutzte das Trägheitsmoment aus, um aufzustehen.

Marjorie beobachtete ihn mit einem amüsierten mütterlichen Lächeln.

»Also, Murph, jetzt gehen Sie aber keine Pumas mehr suchen, verstanden?«, sagte sie kichernd.

»Ja«, fügte Henry der Fahrer hinzu, »Pumas.«

Will nickte und rollte das Rad die Stufen hinunter und auf die Straße. Er lehnte es an die Seite des Busses und trat zurück auf die erste Stufe.

»Miss Stump, Miss Stump, es tut mir Leid, ich … jedenfalls, Danke. Ich bin Ihnen sehr dankbar für die Hilfe. Das war sehr nett von Ihnen.«

»Kein Problem, Murph. Es hat mich gefreut, Ihnen helfen zu können. Jetzt lassen Sie sich wieder zusammenflicken.«

»Das werd' ich machen. Und danke. Nebenbei Mrs. Stump, Miss, Mrs. Stump. Ich bin nicht sicher, wie das angefangen hat, aber ich heiße nicht Murph. Ich heiße Will. Will Ross. Danke.«

»In der Tat, Mr. Ross«, sagte sie und ihre Augen verengten sich, während in ihrem Hinterkopf die Alarmglocken wie irre klingelten. »Keine Ursache.«

»Nochmal, danke. Sie haben was gut bei mir.« Will lächelte schief und trat von der Stufe, verlor die Balance und kippte beinahe um, bevor er das Rad packen konnte, um sich darauf abzustützen.

»Scheiße«, dachte er, »Hootie wird aber böse sein.«

Er hob das Vorderrad so gut er konnte hoch und begann, den Weg durch die Menge in Richtung Bridge Street zu humpeln, zum Transporter, dem Mechaniker, der Wasserflasche und dem Stuhl, von dem er wusste, dass er da war.

Als er um die Ecke bog, hätte er, wenn er zurückgeschaut hätte, sehen können, wie Marjorie Stumps Kopf auf einmal nach oben schoss, sie von ihrem Sitz aufsprang und zum Rückfenster spurtete. Ihre Hände und ihre Stirn klatschten gegen das Glas, als der Bus, in dem sie fuhr, glatt durch die Stadt in Richtung Lionshead fuhr und mit jeder Sekunde weiter weg von dem Mann, den sie als Murph gekannt hatte.

Von dem Mann, den sie jetzt als Will Ross kannte.

Von dem Mann, den sie und Kelvin suchten. Der Mann war schon von den Gebäuden und den vielen Menschen verschluckt worden, aus denen Vail heute bestand.

15
Offenbarung

Zuerst war es so, als hätte Marshall Reed das Rad und seinen wütenden Schlagabtausch mit Cheryl Crane vergessen. Er scherzte mit Hootie, lachte über die Amateure, meckerte über sein Hotel, das Essen, die Bezahlung bei der Mannschaft, die Rennstrecke. Kurz gesagt, er benahm sich wie jeder andere Fahrer bei jedem anderen Rennen der Welt.

Hootie schüttelte verwundert den Kopf.

Reed lehnte sich über die Kante des Transporters und spähte in die Dunkelheit.

»Hast du da drin ein Rad für mich?«

»Ich hab' ein Rad für dich, gleich hier«, antwortete Hootie und drehte das Laufrad des Diamondback, das Reed matschverkrustet vom Parallelslalom zurückgebracht hatte.

»Mann, ich muss dir sagen, ich habe keine Ahnung, wie du Matsch auf das Ding bekommst, obwohl es drei Wochen lang nicht geregnet hat.«

»Hey, ich finde Matsch auch da, wo es keinen gibt. Das ist mein Job«, gab Reed lachend zurück. Er setzte sich auf die Ladekante des Transporters. »Du willst mich wohl schonen, was? Cheryls Freund hat das Rad, oder nicht?«

Hootie sagte nichts. Er wollte sich nicht in diese Auseinandersetzung zwischen Reed und Cheryl hineinziehen lassen.

»Nein, nein, ist schon gut, Hootie.« Reed nickte. »Ich versteh' schon. Er ist der Freund von deinem Boss, und da musst du natürlich auf der Seite des Freundes stehen.« Sein Nicken wandelte sich zu einem Zittern. »So was finde ich Scheiße. Echt Scheiße. Das wird es nicht geben, wenn ich erst eine Mannschaft leite. Ganz sicher nicht.« Aus dem Zittern wurde wieder ein Nicken.

Hootie starrte ihn an, als sei Reed ein zweiter Citizen Kane, der Prinzipien deklarierte, die er schon bald wieder aufgeben würde. Du wirst das auch tun, Junge, dachte er, du wirst das auch tun.

Hootie war gerade zum Säubern der Radnabe zurückgekehrt, und Marshall Reed blickte den Berg hinauf, als zuerst eine verbogene Felge, dann ein verdrecktes Rad und dann ein angeschlagener Fahrer um die Ecke des Transporters gewankt kamen.

»Wieder zu Hause. Mann.« Will lehnte das Rad an die Seite des Transporters. Der Rahmen und verschiedene Einzelteile klapperten lose herum. Dann stolperte er zu dem Liegestuhl, streckte sich darin aus und versank in der Stoffbespannung. Er konnte beinahe hören, wie sich seine Muskeln bei ihm dafür bedankten, dass er sich endlich wieder hinsetzte.

»Was zum …«

»… Teufel«, beendete Marshall Reed Hooties Satz.

»Was ist denn mit dir passiert?«, fragte Hootie, während er aus dem Transporter sprang.

»Was ist mit meinem Rad passiert?«

Hootie eilte mit einer Wasserflasche Will zur Seite. Marshall Reed rannte genauso schnell in die entgegengesetzte Richtung und nahm einen roten Lappen, um zärtlich den Rahmen des Colnago, seines Colnago, das an den Transporter gelehnt stand, abzuwischen.

»Was ist passiert, Will?«, fragte Hootie, als er sich neben dem Liegestuhl hinkniete. »Alles klar bei dir?« Will nahm das angebotene Wasser dankbar an. Jeder Schluck brannte und nahm Dreck und Blattstückchen mit nach unten, die sich auf dem Weg durch den Wald in seinem Hals festgesetzt hatten. Diese Frau, dachte er, dieser fiese kleine Waldschrat mit Psychose. Sie hatte ihm nichts zu trinken angeboten. Los, weiter, weiter, erinnerte er sich, als ob sie eine Armee kommandieren würde und ich sie daran hindern würde, die nachrückenden Soldaten an die Front zu schaffen.

»Danke, Mann. Das hab' ich gebraucht.«

Dann tauchte Marshall Reed an Wills Seite auf und schlug ihm mit den Fingerspitzen auf die Schulter, da, wo anscheinend ein riesiger blauer Fleck im Entstehen war. Der Schreck und die Schmerzen ließen Will in dem Stuhl aufsitzen, der nicht so recht für's Sitzen konstruiert zu sein schien.

»Was zum Henker … was zum Henker …« Vor lauter Wut konnte Reed nicht richtig sprechen. »Was zum Henker ist hier los?«, quetschte er hervor.

Will betrachtete Reed, dessen Gesicht vor Wut ganz fleckig war und der zwischen Will und dem Rad hin- und herblickte, dem Rad, dieser zerstörten Maschine, die er an diesem Wochenende hatte fahren wollen.

»Ich hab's kaputtgemacht«, war alles, was Will sagen konnte.

»Du hast es kaputtgemacht? Das kannst du laut sagen, du blöder Idiot!« brüllte Reed fast hysterisch.

»Langsam, Mann, jetzt mach' mal langsam.« Hooties besänftigender Tonfall ließ Will lächeln. Die beiden sahen zu Marshall Reed hoch.

»Scheiß auf langsam, Freundchen«, antwortete Reed. Er wandte sich um und ging an dem Rad vorbei bis zum Endes des Transporters, drehte sich wieder um und kam im Marschtempo zurück.

»Was hast du dir denn überhaupt dabei gedacht? Über deine Freundin an ein Rad zu kommen, das du nicht beherrschst und das du sowieso nicht fahren solltest? Das ist ein Sponsorenrad, Freundchen, von einem Teamsponsor. Es ist nicht dazu da, dass du damit in der Stadt 'rumgondelst und es jedes Mal, wenn du dich in den Sattel setzt, zu 'ner Bretzel verbiegst! Das ist ein Rad, das eigentlich ich … das eigentlich wir fahren sollen. Wir. Und ich insbesondere. Ich sollte mit diesem Rad fahren und herausfinden, was es kann.«

Er warf einen kurzen Blick auf das verbogene Vorderrad.

»Nicht, was es nicht kann.« Er schlug Will wieder mit den Fingerspitzen auf die Schulter. Der Schmerz rollte an Wills blutigem Ellbogen vorbei in die Fingerspitzen, bis sie pochten, dann zurück bis in seinen Schädel, von dort aus durch die Seiten und durch beide Beine und zurück in den Kopf, um sich schließlich als ein Stechen in seiner Schulter zur Ruhe zu setzen. Er hatte gezuckt, er hatte eine Grimasse gezogen und die ganze Sache hatte weniger als ein paar Sekunden gedauert.

Die Pause danach schien zwar unangenehm lang, aber auch sie dauerte nur ein paar Sekunden. Marshall Reed keuchte und starrte, Will blickte vollkommen erschöpft zurück, und Hootie Bosco blickte vom einen zum anderen, als hätten sich seine Augen in zwei Videokameras verwandelt, von denen jede einen der beiden filmte.

Will wollte es nicht tun, aber es musste sein, also stützte er sich so langsam und vorsichtig wie möglich auf die Armlehnen des tiefen Liegestuhls, drückte sich hoch, lehnte sich vor, spürte, wie er beinahe in Ohnmacht fiel, und richtete sich schließlich mit Hooties Hilfe zu seiner vollen Größe auf, um Marshall Reeds Blick von Angesicht zu Angesicht zu begegnen.

Einen Augenblick lang blieb er so stehen, während ihn die Übelkeit beinahe übermannte. Dann sagte er: »Hör' mal, Freundchen, ich habe kein Problem mit dir. Und ehrlich gesagt, wenn ich in deinen Schuhen stecken würde, wäre ich auch nicht allzu glücklich. Es gibt ein neues Rad hier, und ich darf es nicht fahren? Das würde mir auch nicht gefallen.«

»Ganz genau.«

»Genau«, bekräftigte Will und nickte. »Also, ich verstehe das. Aber aus irgendeinem Grund habe ich das Rad heute bekommen. Von all den Rädern, die ihr hier habt, ist dies das Einzige, das nicht gebraucht wird. Es ist niemandem zugeteilt. Es ist nur zum Testen hier. Wegen der Sponsorensituation kann niemand außer Cheryl damit fahren. Und aus irgendeinem Grund kriege ich mit dem Ding ständig Ärger. Es tut mir Leid, Marshall. Es tut mir wirklich Leid. Es hat nichts mit dir zu tun, aber so ist es eben.«

Langsam hatten sich Zuschauer um den Haven-TW-Bereich herum versammelt. Niemand kam nahe genug, um in die Sache verwickelt zu werden, aber es stand auch niemand weit genug entfernt, um etwas zu verpassen.

Marshall Reed schaute einen Augenblick lang an Will vorbei zu den Leuten, die voller Erwartung um sie herumstanden, bevor er seine Aufmerksamkeit wieder Will zuwandte.

So wie sich Reed umgesehen hatte, dachte Will zuerst, dass er vielleicht endlich in Reeds dicken Schädel eingedrungen war, aber als Reed begann, seinen Kopf langsam auf und ab zu bewegen und Will damit quasi auszumessen, wurde Will klar, dass die Geschichte noch viel unangenehmer werden würde.

Reeds rechter Arm schoss plötzlich nach vorne und seine flache Hand erwischte Will knapp unterhalb der linken Schulter. Die Wucht ließ Will eine Vierteldrehung machen. Hootie blockte den nächsten Schlag ab. Die Menge hielt kollektiv die Luft an.

»Das reicht, Marshall. Schau ihn dir doch mal an, Mann. Was soll das denn? Der ist doch schon komplett ruiniert. Wenn du ihn verprügeln willst, dann warte wenigstens, bis er sich wehren kann.«

»Scheiß auf dich, Hootie. Das ist vielleicht meine einzige Gelegenheit, ihn fertig zu machen, und die werde ich nutzen.« Er schob Hootie weg, der taumelte nach hinten und stolperte über eine Tasche. Reeds rechter Arm schoss wieder nach vorn und erwischte Will mit voller Wucht knapp oberhalb der linken Brusthälfte. Will drehte sich weg und stolperte um Marshall Reed herum zum Transporter. Der letzte Schlag hatte eine Schockwelle durch seine Brust und seine Arme geschickt, die ihm die Luft nahm und seine Fingerspitzen taub werden ließ. Noch ein Schlag, wieder mit der flachen Hand und auf die gleiche Stelle, und Will merkte, dass er seinen linken Arm nicht heben konnte, um Angriffe abzuwehren, sich zu schützen oder auch nur mit dem entsprechenden Finger Reed eine letzte Geste des Trotzes zu zeigen. Will wich weiter zurück, bis er rückwärts an die Ladekante des Transporters stolperte und mit dem Kopf gegen Reeds Rad schlug, das da am Montageständer hing. Wills rechter Handrücken knallte gegen einen hölzernen Werkzeugkasten, und ein weiterer höllischer Schmerz klackerte durch seinen Körper wie eine Kugel in einem Flipper. Er versuchte sich abzustützen, um das Gleichgewicht wiederzufinden, aber die Hand versank in einem Haufen Werkzeug. Er konnte nirgendwo zupacken, fand keinen Halt.

Jemand in der Menge brüllte: »Jawoll!«

Hootie Bosco sprang auf und packte Reed, blockte einen weiteren Schlag ab, der auf Wills Kopf zielte, und drehte Reed zu sich herum.

»Hör' auf, verdammt nochmal, hör' auf!«, schrie Hootie.

»Zu spät, Hootie, das macht zu viel Spaß.« Mit diesen Worten schubste Marshall ihn noch einmal zurück, drehte sich wieder zu Will um und lächelte. »Bereit für eine weitere Tracht Prügel?«

Das Lächeln verschwand jedoch aus seinem Gesicht, als Will zurücklächelte und flüsterte: »Darauf kannst du wetten, Freundchen.« Reed wollte zurückweichen, aber er hatte sich schon auf mindestens einen Faustschlag festgelegt gehabt. Während Reeds Arm herumschwang, duckte Will sich darunter durch und schlug Marshall Reed so hart er konnte mit einem schweren Schraubenschlüssel knapp unterhalb der Rippen in den Magen.

Die Menge hielt kollektiv den Atem an, als Marshall Reeds Gesicht knallrot wurde und er einen lang gezogenen Schmerzenslaut ausstieß.

Will spürte den Schlag seinen rechten Arm hinauf bis in die Schulter. Vor Schmerzen musste er das fünf Pfund schwere Stahlstück fallen lassen, während er selbst zu Boden sackte. Marshall Reed knickte in der Mitte durch wie ein billiger Koffer beim Gepäcktransport am Flughafen.

Hootie stand schwer atmend über beiden. Will war auf allen Vieren, Reed lag zusammengekrümmt da, und beide versuchten keuchend aufzustehen.

Hootie trat über Reed hinweg und bot Will seine Hand an. Zu Reed sagte er: »Einen verwundeten Bären darf man niemals in die Ecke drängen. Ganz besonders nicht in eine Ecke, wo er einen übergroßen Schraubenschlüssel zu fassen bekommt. Und jetzt komm'.«

Er packte Will unter dem rechten Arm und half ihm auf die Beine, führte ihn die paar Schritte zu dem Liegestuhl und ließ ihn unsanft in den Stoffbezug fallen. Der Stuhl und Will stöhnten auf.

»Danke, Hootie«, drückte Will zwischen den vor Schmerzen zusammengepressten Lippen hervor. »Das war nett von dir.«

»Nein, nein, Mann, ich sollte mich bei dir bedanken«, antwortete Hootie. »Das war eine tolle Show. Hab' so was seit meinen Tagen auf dem Kinderspielplatz nicht mehr gesehen.«

Will lachte gequält und schluckte. Sein Ausbruch von Wut und Imponiergehabe hatte das bisschen Erholung, das er sich seit seinem Sturz auf dem Berg hatte verschaffen können, zunichte gemacht.

Sein Kopf fiel zur Seite und er betrachtete, wie Hootie der Menge dabei half, sich aufzulösen.

»Genug jetzt, Leute, es ist vorbei. Die Show ist vorbei. Es kommt nichts mehr außer Marshall Reeds Frühstück. Das war's. Los.« Er wedelte mit seiner Werkstattschürze wie eine alte Frau, die gerade die Fliegen aus ihrer Küche scheuchte. »Verpassen Sie die Vier-Uhr-Vorstellung nicht. Spaß für Groß und Klein.«

Will machte mit der Hand eine abwehrende Geste, ohne den Ellbogen von der Armlehne zu nehmen. Im Gehen schlug ihm ein Kerl in einem uralten »Twisted-Sister«-T-Shirt auf die Schulter, dass er zusammenzuckte, und sagte: »Gut gemacht, Alter. Das war Klasse.« Will lächelte höflich und nickte. Es war ihm klar, dass der gleiche Typ das Gleiche zu Marshall Reed gesagt hätte, wenn der Will zusammengeschlagen hätte.

Hootie ging zu Reed hinüber, packte ihn am Kragen seines Trikots und hob ihn mit mehr Kraft, als man seinem dünnen Körper zugetraut hätte, auf die Beine, drehte ihn um und setzte ihn auf der Ladekante des Transporters ab.

Reed atmete anscheinend immer noch mit nur halber Lungenkapazität, er keuchte und japste nach Luft, aber Hootie ignorierte das, fasste ihn am Kinn, hob seinen Kopf und schaute ihm in die Augen. Reeds Augäpfel rollten kurz herum, dann fixierte sich sein Blick.

Hootie wartete, bis Reeds Augen sich eingerichtet hatten, dann sagte er: »Du kommst schon wieder in Ordnung.«

Er ließ Reeds Kinn fallen und wandte sich ab, während Marshall Reed hinter ihm aufstand und vorwurfsvoll auf Will zeigte.

»Dieses … Arschloch … hat mich … mit einem Schraubenschlüssel angegriffen!«

Hootie betrachtete Will, der in seinem Liegestuhl bereits schlief oder vielleicht auch nur ohnmächtig war.

Er nickte. »Ja. Das hat er getan.«

Reed starrte Hootie überrascht, fast schockiert an. Der Mannschaftsmechaniker stand auf der Seite des Eindringlings anstatt auf seiner, auf der des Mannschaftsmitglieds, der Nummer zwei im Team, der, wenn das Leben gerecht wäre, die Zukunft des Hootie Bosco in der Hand halten würde. Er schüttelte den Kopf.

»Hootie, du kapierst das nicht. Er hat mich angegriffen.«

Hootie nickte. »Ich kapier' das schon. Er hat dich angegriffen.«

»Das war Körperverletzung.«

»Das war Notwehr.«

»Notwehr, so ein Quatsch. Wenn du weißt, was gut für dich ist, Bosco, dann wirst du dem Polizisten sagen, den ich hier herholen werde, dass der Typ mich mit einer Waffe angegriffen hat, und dann wird dieses Arschloch den Rest des Wochenendes im Gefängnis verbringen.«

Marshall Reed machte einen Schritt auf Will zu, der nichts von all dem mitbekam.

Hootie schüttelte den Kopf ungläubig und seine Dreadlocks wehten wie Palmwedel im Wind. Als Reed an ihm vorbeigehen wollte, schnappte er nach seinem Arm und erwischte Reed knapp über dem Ellbogen. Reed blieb stehen, erst vor Überraschung, dann wegen der Kraft, die ihn festhielt. Er konnte seine Muskeln anspannen, wie er wollte, aber es gab keinen Weg, dem Griff des Mechanikers zu entkommen.

Hootie schaute Reed ins Gesicht und sagte leise, aber bestimmter, als Reed ihn je reden gehört hatte: »Mach' nur, Reed, hol' die Polizei. Hol' die Polizei, und ich werde denen alles erzählen. Wie dieser Mann mit einem Rad gefahren ist, von dem du fälschlicherweise gedacht hast, es sei deines. Wie du ihn angegriffen hast, obwohl er verletzt war, wie du ihn bedroht hast, geschubst und geschlagen. Wie er in der Ecke gestanden hat und wie er dir, kurz bevor er zusammengebrochen ist, einen Schraubenschlüssel in den Magen gehauen hat. Ich hab' 'ne Menge Zeugen.«

»Dieser Schraubenschlüssel ist eine Waffe.«

»Richtig. Aber nach dem einen Schlag hat er ihn wieder hingelegt, ist an dir vorbeigegangen und hat sich hingesetzt. Er hat dir nicht den Schädel eingeschlagen, was die meisten Leute getan hätten, ich eingeschlossen. Er wollte einfach nur, dass du aufhörst, und ich glaube, das hat er geschafft. Kein Gericht der Welt würde ihn schuldig sprechen. Aber dich vielleicht, weil du ihn bedroht hast. Man kann dich zwar eigentlich nicht dafür verknacken, dass du ein Arschloch bist, aber vielleicht versucht's ja doch mal jemand. Na los, hau' ab.«

Reed warf einen Blick auf Will, dann wieder auf Hootie. Dann ging er zum Montageständer, nahm sein Rad heraus, dotzte es einmal kurz auf den Boden, nahm Helm und Handschuhe von dem kleinen Tisch, der am Rand des Haven-TW-Bereichs stand, und ging ohne ein weiteres Wort zur Downhill-Strecke. Hootie sah ihm hinterher, warf einen kurzen Blick auf Will, der noch atmete, dann suchte er in der Hosentasche nach Kleingeld.

Er brauchte ein Bier.

Als er wegging und dem schlafenden Will die Bewachung des Transporters überließ, traten zwei Männer aus den kurzen Schatten des Nachmittags heraus und betraten den Haven-Bereich. Sie stellten sich rechts und links von Wills Stuhl auf.

Der Größere der beiden rüttelte ihn sanft, während der andere mit der Hand nach dem Griff der Walther tastete, die zusammen mit dem Schalldämpfer in seiner Tasche lag.

Die Amateure waren jetzt endlich fertig, und der Downhill-Kurs würde bald für die Profis offen sein. Cheryl schaute auf die Uhr. Es war fast eins. Sie waren spät dran. Die Halbprofis fuhren gerade ihren letzten Durchgang.

Die meiste Zeit hatte Cheryl Crane sich uneingeladen zu verschiedenen Gruppen gesellt. Ein paar Teenager aus Denver, eine Touristengruppe aus Japan, zwei Familien mit vier ungezogenen Söhnen, vor denen sie schnell wieder das Weite suchte, und schließlich eine Fernsehcrew aus Denver, deren Reporter sie gleich anstellte, das Stativ zu schleppen.

Es machte ihr nichts aus. Irgendwo klingelte in ihrem Hinterkopf ständig eine Glocke und verhinderte, dass sie den Tag oder das Rennen genießen konnte, weder die noch etwas holperige Technik der Halbprofis noch das zeichentrickhafte Chaos der Anfänger. Sie spürte etwas. Als ob sie beobachtet würde. Und verfolgt.

An diesem Tag drehte sie sich oft um und beobachtete die Menge hinter sich. Ab und zu erhaschte sie einen Blick auf einen großen blonden Mann mit roter Nase, der die Rennfahrer gebannt, aber auch mit einer seltsamen Distanz beobachtete. Sie ging von einer Stelle der Strecke zur anderen, von der Schikane zum Sprung und zur »Autobahn«, und er war immer in der Nähe, meistens jedenfalls, das Rennen beobachtend und annähernd den gleichen Weg nehmend wie sie.

Sie kannte ihn.

Sie wusste nicht, woher, aber sie kannte ihn. Sie hatte ihn schon einmal irgendwo gesehen.

Sie versuchte, die Alarmglocken zum Schweigen zu bringen und einfach nur den Downhill zu studieren, aber sie schaffte es nicht. Ihr Kopf war voller Gedanken an das Rennen, und die Ablenkung hinderte sie daran, ihr Leben zu sortieren. Es störte sie so sehr in der Konzentration, dass sie nicht einmal protestierte, als die japanischen Touristen Tausende Fotos von ihr in ihrem hautengen Trikot machten.

Die letzten Fahrer schossen vorbei, die Strecke wurde still, und die Zuschauer, wenige, selbst für einen Samstag, begannen, sich den Berg hinab in die Stadt zum Mittagessen zu begeben. Cheryl gesellte sich zu einer Gruppe Fahrer, in der Hoffnung, dass sich ihr Trikot in der Masse der bunten Trikots der anderen verlieren würde. So schaffte sie es, nah an den großen blonden Mann heranzukommen, von dem sie sich verfolgt fühlte. Er schaute den Berg hinauf und kniff die Augen in der hellen Septembersonne zusammen. Sie konnte sehen, wie sein Blick hin und her über den Vail Mountain schweifte, als ob er jemanden suchte.

Als eine weitere Fahrergruppe näher kam, stellte sie sich direkt neben ihn und fasste ihn am Ellbogen. Er drehte den Kopf, als habe ihn jemand an einer unsichtbaren Schnur gezogen, und starrte sie mit großen Augen an.

»Ich gehe jetzt hier lang.«

Dann war sie weg, verschwunden in der Menge der Leute in Rad-Trikots, die in Richtung Vail gingen.

Kelvin Stump hätte sich ohrfeigen können, nicht so sehr, weil er sich hatte erwischen lassen, sondern weil er sich so leicht hatte erwischen lassen. Er drehte sich um und folgte mit einigem Abstand den Fahrern in die Stadt.

Am Fuß des Berges bog Cheryl plötzlich ins Fahrerlager ab. Kelvin folgte ihr. Sie drehte sich um, winkte und ging weiter. Er bog rechts ab, unter der Vista-Bahn hindurch, den langen Weg nehmend.

Cheryl hatte gesehen, wie er abgebogen war. Sie fragte sich, ob er aufgegeben hatte oder ob er sie nur verwirren wollte. Einen Moment lang sah sie ihm hinterher, dann zuckte sie mit den Achseln. Sie würde gleich wieder unter Menschen sein, bei ihren Leuten, und dann konnte er sie beobachten, so lange er wollte.

Sie hatte sich ihr Leben lang verfolgt gefühlt und hatte nicht vor, sich von diesem Kerl aus der Bahn werfen zu lassen. Sie überquerte die Straße und betrat das Fahrerlager. An Mechanikern, Montageständern, Fahrern und Rädern vorbei ging sie in Richtung Hooties Welt.

Sie lächelte und nickte, als ein Fahrer, den sie nicht erkannte, ihr zuwinkte. Plötzlich war ihr klar, dass hier etwas nicht stimmte.

Der Transporter war offen. Die Räder standen draußen. Das Werkzeug war aufgeräumt.

Und niemand war zu Hause.
Das war nicht gut.

Die beiden Männer führten Will zum Hotel am Ende der Bridge Street. In seinem Kopf blinkten Lichter, klingelten Glocken und ertönten komische Geräusche. Er schaffte es einfach nicht, sich voll und ganz der Realität zuzuwenden. Die Schläge, die er den Tag über hatte einstecken müssen, überlagerten einander, und er wollte nichts sehnlicher, als den Rest des Wochenendes irgendwo in einer Ecke zu sitzen.

Trotzdem versuchte er sich zu erinnern, was er über diese beiden Männer wusste, die mit ihm durch die Straßen von Vail gingen. Irgendwas sollte er zu diesen Leuten nicht sagen. Irgendwas machte sie wütend. Würden sie ihm etwas antun? Cheryl hatten sie nichts getan. Obwohl sie es hätten tun können. Aber sie war entkommen. Warum? Weil sie zur Familie gehörte?

Tolle Familie.

Er lächelte den Größeren an, der ihn unter dem linken Arm gefasst hatte.

Der lächelte mit einem schiefen Lächeln zurück. Will bemerkte, dass sein Stirnhaar in einem Büschel nach oben abstand.

Er wandte sich dem Kleineren zu, der ihn fest am rechten Arm gepackt hatte. Dessen Blick war unnachgiebig und machte Will Angst. Dieser Kerl spielte keine Spielchen.

»Sie können mich jetzt loslassen. Ich glaube, ich kann alleine gehen.«

»Das kann sein, mein Freund, aber vielleicht können Sie schneller gehen, als wir denken, oder in eine Richtung, die uns nicht gefällt.«

»Sie verstehen nicht«, antwortete Will. »Ich werde nicht abhauen.«

»Das glaube ich Ihnen.« Der kleine Mann nickte. »Das glauben wir Ihnen. Aber es gibt keinen Grund, ein Risiko einzugehen, meinen Sie nicht auch?«

Will nickte. Aus irgendeinem Grund, den er selbst nicht verstand, stimmte er mit dieser Argumentation überein. Und so wurde er weiter geführt.

»Wissen Sie, ich bin Ihnen wirklich dankbar für die Hilfe. Das

Gehen fällt mir heute schwer. Aber darf ich Ihnen eine Frage stellen?«

»Nur zu«, sagte Stanley.

»Führen Sie mich irgendwohin, wo Sie mich umbringen können?«

Die beiden Männer schauten einander an und antworteten nicht. Will spürte, wie ein kalter Schauer sein Rückgrat hinaufglitt und ein Schuss Adrenalin seinen Beinen Kraft gab. Er richtete sich ein wenig auf. Noch immer gab er etwas Gewicht an ihre Hände ab, aber er war aufgewacht und bereit, etwas zu unternehmen.

Aber was? Wie aufgezogen gegen die nächste Mauer zu rennen? So, wie die ihn festhielten, konnte er gar nichts tun.

Wach war er jetzt aber wenigstens. Der Adrenalinschub, den die fehlende Antwort auf seine Frage ausgelöst hatte, die er gar nicht hatte stellen wollen, hatte ihn sehr schnell aus seinem fast bewusstlosen Zustand gerüttelt.

Das hatte was für sich.

Das Trio ging still weiter, bis Will endlich etwas einfiel, was zu seinem Vorteil sein könnte.

»Wissen Sie, Cheryl hat mir erzählt, dass Sie zur Familie gehören. Und wenn Sie zu ihrer Familie gehören, dann gehören Sie auch beinahe zu meiner Familie. Familie. Das ist doch wichtig, oder?«

»Was meinen Sie mit Familie?«, brummte Ollie.

»Ich meine mich. Cheryl, Sie, ich. Rose.«

»Sie kennen Rose?«, fragte Stanley. Sein Gesicht hellte sich auf.

»Rose, oh ja, ich kenne Rose. Rose liebt mich. Wenn ich auf 50 Kilometer an ihr Haus herankomme, fängt sie schon an zu kochen. Sie liebt mich wirklich.«

»Rose ist meine Schwester.«

»Wirklich? Ich liebe Rose. Für ihre gefüllten Paprikaschoten würde ich sterben.«

Das Wort war ausgesprochen, bevor er es verhindern konnte. Es hing kurz bedrohlich in der Luft, bevor es von einem Windhauch davongetragen wurde. Will spürte, wie seine Hoffnung sank.

»Wirklich?« Stanley lächelte. »Sie sehen nicht aus wie einer, der etwas für gefüllte Paprikaschoten übrig hat. Sie sind meine Leibspeise.«

Will lächelte schwach und flüsterte: »Ich liebe sie. Liebe sie einfach.«

»Stanley«, sagte Ollie. »Das ist jetzt weder der richtige Zeitpunkt noch der richtige Ort.«

»Aber Ollie, er kennt Rose.«

»Und Rose liebt mich«, fügte Will hinzu. »Und Cheryl auch. Und Raymond – erinnern Sie sich noch an Raymond? Er war mein bester Freund.«

»Was?« Diese Aussage ließ Ollie innehalten. Er drehte Will zu sich um und blickte ihm ins Gesicht. Allein der Blick nahm Will den Atem. »Sie haben Raymond gekannt?«

»Ja, ich habe Raymond gekannt«, sagte Will ernst. »Ich habe Raymond gekannt. Ich bin mit Raymond Rad gefahren. Er war mein bester Freund auf der ganzen Welt.« Ohne, dass er es selbst merkte, kamen Will die Tränen. »Ich bin mit ihm gefahren an dem Tag, an dem er gestorben ist. Ich war direkt hinter ihm. Der Lastwagen hat ihn umgefahren, und dann bin ich in den Lastwagen gefahren. Glaube ich. Ich weiß nicht mehr. Ich kann mich nicht mehr so gut daran erinnern. Ich kann mich nur an Geräusche erinnern, an Bilder und Schreie.« Jetzt wurde ihm die Brust aus einem anderen Grund eng und Will legte die Hand kurz auf sein Gesicht, bevor er die Erinnerung abschüttelte und Olverio Cangliosi ansah.

»Ja, ich habe ihn gekannt. Ich weiß nicht, was Sie beiden wollen, aber lassen Sie es uns hinter uns bringen, okay? Ich fühle mich plötzlich geistig und körperlich scheiße und will mich hinlegen.«

»Sie«, flüsterte Ollie. »Sie sind der andere.«

Will nickte kurz und begann, alleine die Straße entlang zu gehen. Die Männer, die ihn eben noch festgehalten hatten, standen stumm dahinter, gefangen in der Erinnerung an ihren Neffen.

Will blieb stehen und drehte sich zu ihnen um.

»Kommen Sie?«

Stan und Ollie nickten und kamen hinterher. Ollie nahm seinen Arm nicht, aber Stanley tat es, jetzt mehr stützend als festhaltend.

»Also, was wollen Sie von mir?«, fragte Will.

Stanleys Blick wurde unruhig. Er war sich nicht sicher, wie er eine so direkte Frage beantworten sollte. Ollie jedoch zögerte nicht.

»Wir wollen eine Kiste oder einen Koffer, einen langen, schmalen Behälter, den ein Freund von uns vielleicht bei Ihnen deponiert hat.«

Will nickte.

»Leonard.«

»Genau. Ihr Freund …«

»Mein Agent. Er ist nicht direkt mein Freund.«

»… Ihr Agent hatte in New York eine kleine Nebentätigkeit. Er hat Geld für einen Buchmacher namens Bloody Angelo verschoben.«

»Kein netter Mann.«

»Bei dem Spitznamen hätte ich das auch nicht gedacht«, stimmte Will zu. Seine Nervosität kehrte langsam zurück, während ihn das Adrenalin zusammen mit seinem Mut verließ.

»Nun«, fuhr Ollie fort, »eines Tages, nach einer besonders aktiven Wettwoche, hat man Ihrem Freund, Agenten, Bekannten das ganze Geld anvertraut und er hat beschlossen, damit zu verschwinden.«

»So was kann man nicht zulassen, wenn man ein Geschäft führt.«

Will nickte zustimmend. »Ruiniert einem die Buchführung. Da wird das Finanzamt ganz schön sauer, würde ich denken.«

Stanley lachte.

»Das Finanzamt. Ja, das Finanzamt wird ganz schön sauer.«

Will verstand, wie dumm seine Bemerkung gewesen war.

»Wir wurden also engagiert ihn zu finden«, fuhr Ollie fort.

»Und ihn umzubringen«, sagte Will. Er dachte an den Koffer unter seinem Bett und versuchte, nicht wie ein Wiener Sängerknabe vor dem Stimmbruch zu klingen.

»Wenn nötig. Aber so arbeiten wir nicht gern.«

»Aber Sie haben es schon einmal getan?«, fragte Will.

Olverio Cangliosi blieb stehen und starrte Will einen Augenblick lang an. Schließlich nickte er und sagte: »Ja. Wir haben es schon einmal getan.«

»Nicht so oft, wie man uns nachsagt«, sagte Stanley.

»Das stimmt«, sagte Ollie. »Das ganz sicher nicht.«

Will lächelte ein großes, falsches Lächeln, um die Tatsache zu verbergen, dass sich sein Magen umdrehte. Stumm gingen die drei weiter.

An der Ecke zum East Meadow Drive blieben sie stehen und schauten erst die Straße entlang, dann auf Will.

Ohne die Frage abzuwarten, sagte er, mit dem Kopf auf das hohe weiße Gebäude neben ihnen deutend: »Hier. 401. Das Eckzimmer.«

»Danke«, sagte Ollie.

»Ja, in der Tat, danke«, fügte Stanley hinzu.

»Nein, nein, meine Herren, ich habe zu danken«, witzelte Will in der Hoffnung, dass er die Stimmung aufheitern und seinen Magen beruhigen könnte, der in seinem Inneren hin und her zu hüpfen schien, als wolle er sich losreißen und alleine weitergehen.

»Hey, Alter, krausen Tag gehabt?«

Der junge Mann Anfang zwanzig kam aus der Menge und baute sich vor dem Trio auf, angezogen von Wills Erscheinung und der Hoffnung auf die tolle Sturz-Geschichte, auf die er schon den ganzen Tag gewartet hatte.

Will spürte, wie sich der Druck auf seine Arme verstärkte. Er richtete sich zwischen den beiden menschlichen Bücherstützen auf, lächelte und nickte.

»Ja. Salto Mortale, aber nicht auf der Strecke, Alter. Ich hab' auf dem Weg zum Vail Pass 'nen geilen Trail gefunden und bin abgestürzt, den ganzen Abhang auf dem Kopf 'runtergefahren. Zum Glück ist mir ein Stein in die Quere gekommen und hat mich gestoppt.«

»Haste Glück gehabt, Alter«, meinte der Typ.

Will nickte.

»Ja, und jetzt schieben meine Onkel meinen Astralleib zurück auf mein Zimmer. Zum Glück gibt's Familie, was, Mann?«

»Ja, kann sein«, antwortete der Typ. »Meine Mutter ist hier irgendwo, die kannst du auch haben.«

»Schick' sie vorbei.«

»Klar, Mann«, sagte der Kerl lachend und nickend und ging weiter. »Klar, Alter, bleib' sauber. Ich lass' jetzt die Kuh fliegen.«

»Okay, Kumpel.«

Olverio sah dem jungen Mann hinterher, wie er durch die Baustelle an der Bridge Street davonging und sagte zu Will: »Was war das denn?«

»Ich weiß nicht so recht«, antwortete Will. »Ich glaube, der hat nur nach einer Geschichte gesucht, die er heute Abend in der Kneipe erzählen kann, und ich sehe ruiniert genug aus.«

»Wirklich ein sehr seltsamer Sport«, brummelte Stanley.

»Oh, da stimme ich Ihnen zu, Sir, da stimme ich Ihnen zu.«

Die drei gingen zum Eingang des Hotels, durch die Lobby zum Treppenhaus.

»Können wir nicht mit dem Aufzug fahren?«, fragte Will.

»Ich mag keine Aufzüge«, antwortete Stanley.

»Nur, wenn's nicht anders geht, Sohn, nur, wenn's nicht anders geht. Das sind tödliche Fallen«, antwortete Ollie.

Während Will die Treppen hochstolperte, dachte er ständig daran, wie Clemenza bei der Gewaltorgie am Ende eines der »Pate«-Filme mit der Schrotflinte herumballerte. Welcher der Filme das war, das wusste er im Augenblick nicht so genau. Es verschwamm alles zu einem Mischmasch aus Musik und Mord und Diane Keatons gequälter Stimme.

Sie gingen stumm die Treppe hinauf. Nur das Geräusch ihres Atems war zu hören. Alle drei waren zum ersten Mal in einer solchen Höhe, und einer von ihnen war unglaublich müde.

Zwischen zwei Stockwerken drehte Will sich zu Ollie um, der einen Schritt hinter ihm ging.

Sein Gehirn sagte ihm, dass er weitergehen sollte, immer weiter, und ihnen einfach das verdammte Geld geben. Aber da gab es eine Frage, die er fragen musste, nicht für sich selbst, sondern für die Frau, die er liebte.

Aber er war zu feige, sie auszusprechen.

»Gehen Sie weiter«, japste Ollie und machte eine Handbewegung die Treppe hinauf.

»Noch nicht«, sagte Will und nahm all seinen Mut zusammen. »Noch nicht. Wir sind hier allein und bevor wir 'raufgehen und Sie sich holen, was Sie haben wollen, muss ich eine Frage stellen.«

»Und die wäre?« Ollie blickte ihn kalt an. Nach einem wirklich schlechten Wochenende hatte er nur noch sehr wenig Geduld.

Will schaute Ollie an, dann Stanley, der vom nächsten Treppenabsatz zurückgekommen war, dann wieder Ollie.

»Warum haben Sie es getan?«

»Warum habe ich was getan?«

Will atmete tief durch. Egal, wie sehr er versuchte, sich zu konzentrieren und die Frage zu stellen, die er stellen wollte, sein Gehirn weigerte sich, direkt auf den Punkt zu kommen. Er ging das Thema von einer anderen Seite an.

»Cheryl ist seit Jahren auf der Flucht. In Europa. Hier. Neuer Name. Das ganze Durcheinander. Vor Ihnen.«

»Vor uns?«, fragte Stanley, eindeutig schockiert. »Warum sollte sie vor uns …«

»… auf der Flucht sein?«, vollendete Ollie den Satz.

»Sie war vor Ihnen auf der Flucht, weil sie sicher war, dass Sie sie kaltmachen würden.«

»Was?«, stieß Stanley hervor. »Wie zum Henker kommen Sie den da drauf?«

Ollie schüttelte einfach nur den Kopf. »Das erklärt eine Menge. Ihre Angefressenheit. Dass sie weggelaufen ist. Es erklärt aber nicht, warum.«

»Sie scherzen wohl«, sagte Will. Dass seine Enthüllung sie so verwirrte, machte ihn mutiger. »Warum sollte sie das nicht denken? Sie hat Sie dabei gesehen.«

»Sie hat uns wobei gesehen?«

»Sie hat gesehen, wie Sie ihren Vater umgebracht haben!«

Die Worte waren ausgesprochen, bevor Will sie aufhalten konnte, in einem Tonfall, den er nicht kontrollieren konnte. Schon hatte sich Ollie auf ihn gestürzt. Er drückte ihn rückwärts an die Wand, sodass Will zum dritten Mal am heutigen Tag die Luft wegblieb. Ollie packte Wills Hals und drückte zu. Will würgte und griff mit den Händen in die Luft. Er schaute Ollie ins Gesicht und sah nichts als Hass in seinen Augen.

In diesem Augenblick wusste Will, dass er sterben würde.

Er machte sich in die Hosen.

Stanley starrte beide einen Sekundenbruchteil lang an. Wills Anschuldigung klang ihm in den Ohren und fror sein Herz ein. Dann schüttelte er das ab, sprang zwischen die beiden und schob seinen Partner von Will weg.

Will fiel zu Boden und schnappte laut nach Luft.

»Lass' mich den kleinen Wichser platt machen«, knurrte Ollie und wollte sich wieder auf Will werfen. »Gib' mir nur noch ein paar Sekunden.«

»Ollie. Ollie! Hör' auf. Stopp. Stopp.« Stanley hielt ihn fest, bis er spüren konnte, dass die Muskeln in Ollies Armen erschlafften und seine Atmung sich normalisierte. »Stopp. Stopp. Ruhig! Ganz ruhig, Kumpel.«

Ollie nickte.

»Okay, ist schon gut.« Stanley hielt beide Hände in einer Friedensgeste hoch und blieb zwischen Ollie und Will stehen. Rückwärts bewegte er sich zu Will am anderen Ende des Treppenabsatzes. Er warf einen kurzen Kontrollblick nach hinten und trat dann mit dem Absatz fest auf Wills rechte Hand.

»Herrgott nochmal!«, rief Will.

Stanley wandte sich um, hob Will hoch und sagte ihm ins Gesicht: »Ganz genau, junger Mann. Sie sollten uns jetzt ganz schnell erklären, was das hier soll, oder Sie erklären es dem Herrgott selbst.«

Wills Gedanken rasten, um einen Weg zu finden, der ihm das Leben retten würde, aber es kam nichts heraus als eine Flut von Worten, die nur lose miteinander verbunden waren. Sie sprudelten über seine Lippen auf den Boden und machten absolut gar keinen Sinn.

»Sie, sie hat Sie gesehen, hat sie gesagt, hat Cheryl gesagt, sie hat Sie gesehen, an dem Tag, an dem Tag, an dem ihr Vater gestorben ist, hat sie Sie dabei gesehen ...«

»Sie hat uns wobei gesehen?«

»Sie hat ... Sie ... Sie beide gesehen, mit ihrem Vater. Ihrem Vater. Sie hat Sie gesehen ... mit ihren eigenen ... seinem ... seiner Leiche. Seiner Leiche. Sie haben da gestanden mit seiner ... Leiche. Dann ist sie weggelaufen. Sie sind ihr hinterhergelaufen, und sie war sicher ... sicher, Sie würden ... also ist sie weggelaufen ... sie ist weggelaufen, okay?« Er weinte jetzt. »Nach Europa, und da ist sie geblieben. Ich habe sie getroffen. Habe sie da gesehen. Wir ... wissen Sie ... dann sind Sie ... sie hat Sie hier gesehen. Hier. Hat mir alles erzählt. Sie hat es mir erzählt. Sie haben ihn umgebracht, ihren ... oh Scheiße.«

Will entglitt Stanleys Griff auf den Boden des Treppenhauses, wo sich sein Blick auf den glatten Teppichboden heftete, während er sich darauf einstellte, seinen Großvater wiederzusehen.

Stan und Ollie standen stumm im Treppenhaus. Das einzige Geräusch war Wills leises Weinen zu ihren Füßen. Sehr lange sagte keiner ein Wort, bis Stanley sich zu seinem Partner umdrehte und leise sagte: »Verdammt, das gibt's doch nicht.«

Ollie nickte. Den Fluch registrierte er gar nicht. »Das kannst du laut sagen.«

Sie wandten sich wieder Will zu und hoben ihn sanft auf. Will bemerkte es kaum. Er heulte vor sich hin und sein Körper hatte die Spannung von einem Sack Reis, der im Regen vergessen worden war. Sein Gesicht, sein Hemd und seine Hose waren nass.

Will Ross war wirklich ganz schön fertig.

Aber aus einem Grund, den er sich nicht erklären konnte, machte das den Männern anscheinend nichts aus. Sie trugen ihn vorsichtig die Stufen hinauf zu dem Treppenabsatz seines Stockwerks. Stanley öffnete die Tür zum Flur, blickte in beide Richtungen und wartete, bis die kleine rundliche Frau den schwarzen Fahrradkoffer in den Aufzug geschoben und die Tür hinter sich geschlossen hatte.

»401?«

»Das hat er gesagt.«

Sie trugen Will zum Ende des Flurs und suchten dann in seiner Trikottasche nach seiner Schlüsselkarte.

Ollie zog die Karte durch, drehte den Türknauf und trat in das kleine Zimmer. Auf der einen Seite war ein winziges Bad, vor ihm ein Blick auf den Bach, die Stadt und den Berg dahinter. Er hielt Stanley, der sich Wills Arm über die Schulter geschlungen hatte, die Tür auf und sah zu wie sein Freund und Partner den kaputten Radfahrer in das Zimmer schleppte.

»Wo ist der Koffer?«, fragte Ollie sanft.

»Unter dem Bett«, antwortete Will abwesend. »Unter dem Bett, aber …«

Ollie bückte sich, schlug die Überdecke zurück und schaute unter das Bett. Der Platz war leer, abgesehen von einem Waschzettel, der von einem Kissen abgerissen worden war, und verschieden großen Staubkugeln. Er wandte sich zu Stanley und Will um, schüttelte den Kopf und fragte, »Andere Vorschläge?«

Wills Augen wurden groß. Er sprang von Stanley weg, als hätte er einen Schlag bekommen, stellte sich aufrecht wie ein Zinnsoldat mitten ins Hotelzimmer und schrie, so laut er konnte.

»Was!?!«

16
Sabotage

Will fiel auf die Knie und spürte eine Schmerzwelle seine Beine hinauf durch das Becken und die Brust rollen, bis sich der Schmerz zwischen seinen Ohren einrichtete. Seinen hoffnungslos verknoteten Magen ließ die Welle zum Glück aus. Will packte die Überdecke, als sei sie lebendig. Er riss sie hoch und schaute unter das Bett. Angesichts der Leere zog er die Luft ein und mit ihr eine Staubkugel.

Er würgte, deswegen und aus vielen anderen Gründen.

Will drehte sich um und setzte sich am Fußende des Bettes auf den Boden, niedergeschlagen, verletzt.

»Dort war also der Koffer, Will?«, fragte Stanley.

Will konnte nur noch nicken.

»Bist du sicher?«, sagte Ollie.

Will nickte wieder. Er war sich nicht ganz sicher, was er sagen sollte oder wie er es sagen sollte.

»Man vergisst nicht, wo man einen Koffer mit so viel Geld hingetan hat.«

»Nein, das vergisst man wohl nicht«, sagte Ollie.

Stanley legte seine Stirn in Falten. Von der Anstrengung des Nachdenkens schmerzte sein Gesicht. »Ein Koffer, hast du gesagt?«

Will starrte die beiden Männer an, die genauso frustriert und kaputt aussahen wie er selbst, und sagte tonlos: »Es ist ein Fahrradkoffer, ungefähr neunzig auf einsfünfzig. Etwa zwanzig Zentimeter breit. Schwarz, stabiles Plastik mit silbernen Kanten und Schlössern.«

»Hat er kleine Räder unten dran?« Stanley illustrierte die Frage mit einer Geste.

»Rollen? Ja, ja, er hat Rollen.«

Stanley nickte kurz und sagte dann fröhlich zu Ollie: »Ich glaube, ich weiß, wo er ist.«

»Wirklich?«, antwortete Ollie ebenso erfreut. »Na, dann denke ich, wir sollten unseren Freund hierlassen, damit er sich säubern kann, und wir gehen unsere Beute verfolgen.«

»In der Tat.«

»In – der – Tat.«

»Hä?«, murmelte Will. Der Ärger darüber, den Schatz nicht gefunden zu haben, löste sich langsam.

Stan und Ollie lächelten einander an und wandten sich zur Tür. Ollie öffnete sie und trat in den Flur. Als Stanley durch die Tür ging, drehte er sich noch einmal zu Will um.

»Du kennst nicht zufällig eine alte Frau, klein, gedrungen, sieht so ein bisschen aus wie eine Mülltonne auf Beinen?«

»Was?«

»Eine kleine Frau. Grauhaarig, mit einem entschlossenen Blick?«

Will schüttelte den Kopf. Stanley begann bereits, sein Gesicht zu verziehen, als Will plötzlich ein Gedanke durch das Gehirn schoss, der ihn aufsitzen ließ, und er sagte: »Warten Sie mal. Heute Morgen. Die Frau im Bus. Die Spaziergängerin. Die Frau, die so viel für die Natur übrig hatte. Hat ständig über die Umwelt geredet. Ein bisschen verrückt. Ja, ja. Da war eine Frau, die sehr großes Interesse an mir hatte. Wer ich bin. Wo ich wohne.«

Ollie lehnte sich durch die Tür.

»Hast du es ihr gesagt?«

Will schnippte mit den Fingern und griff sich an den Kopf, verzweifelt versuchend, sich eine Unterhaltung in Erinnerung zu rufen, die er nur eine Stunde zuvor gehabt hatte.

»Ja, ich glaube, das habe ich. Aus irgendeinem Grund hat sich mich ständig ›Murph‹ genannt. Dann hat sie mich gefragt, wo ich wohne, und ich habe es ihr gesagt. Sie hat mir geholfen, ich war schwer gestürzt. Sie hat mir geholfen. Also habe ich es ihr gesagt. Und dann, als ich aus dem Bus ausgestiegen bin, habe ich ihr gesagt, dass ich gar nicht Murph heiße, sondern Will, und das hat sie richtig aufgeregt. Aber als der Bus losgefahren ist, hat sie am Rückfenster geklebt wie eine dieser Garfield-Saugnapf-Figuren.«

»Hast du ihren Namen mitbekommen?«

»Ja. Das habe ich. Das habe ich.« Will wühlte durch das ganze Durcheinander in seinem Gehirn. »Stump. Marjorie Stump.«

»Marjorie Stump«, wiederholte er, um sich den Namen einzuprägen. »Bist du sicher?«

»Ja«, sagte Will, und nickte immer schneller, während er sich freute, dass er sich tatsächlich noch erinnern konnte. »Ja. Ich erinnere mich daran, weil es so gut zu ihr gepasst hat. Ihre Figur und der Name passen perfekt. Sie ist ihre eigene Eselsbrücke.«

Stanley wandte sich zu Ollie.

»Marjorie Stump.«

»Verstanden.«

»Ab geht's.«

Stanley ging an Ollie vorbei in den Flur und machte sich schnell auf den Weg zur Treppe. Ollie wandte sich zu Will um und sagte leise: »Das vorhin tut mir Leid, mein Freund. Ich hoffe, du kannst das verstehen. Wir unterhalten uns später. Und sag' Cheryl, wir müssen mit ihr reden, okay?«

Sein Lächeln ließ Will bis ins Mark erschauern. Dann zog Ollie die Tür hinter sich zu. Will betrachtete die blassgelbe Tür und die Beschilderung der Notausgänge, die dort schief angebracht war, und spürte, wie er innerlich zusammensank.

»Ich kann's gar nicht erwarten«, sagte er sarkastisch.

Das war wirklich ein irrer Vormittag gewesen, mit einem Puma, Marjorie Stump, Marshall Reed und zwei Typen mit Namen Stan und Ollie. Von all diesen hatte ihn nur der Puma nicht wirklich bedroht. Der Sturz war seine eigene Schuld gewesen.

Er saß immer noch auf dem Fußboden, aber er war endlich allein. Er griff nach oben, stützte sich am Fußende des Bettes ab, und stand auf. Einen Moment lang wankte er und erlangte schließlich ein unsicheres Gleichgewicht. Alles an ihm tat weh. Er brauchte eine Dusche. Nein, er brauchte ein Bad. Ein endlos langes, heißes Bad, bis er weich gekocht war und nachdenken konnte. Er stolperte ins Badezimmer, stöpselte den Abfluss zu und stopfte einen Waschlappen in das Überlaufloch.

Als er das Wasser anstellte, spürte er, wie die Wärme aufstieg und sein Gesicht umschmeichelte. Er bemühte sich wachzubleiben, so lange wenigstens, bis er in die Wanne steigen konnte. Er musste nachdenken. Er brauchte Zeit, um das alles zu verstehen.

Er brauchte Zeit, um zu beschließen, was er tun sollte.

Einsam und allein stand er vor dem Spiegel an der Wand des Badezimmers und starrte den Mann an, den er da sah, zerschlagen, kaputt, und, wenn das überhaupt möglich war, noch fertiger als er selbst. Müde und frustriert winkte er ihm zu.

»Ich hab' jetzt keine Zeit für dich«, murmelte er.

Unter Schmerzen zog Will das Haven-Trikot aus. Blätter, Gras und ein Zweig von der Größe eines Bleistiftes fielen auf den Boden. Er ignorierte sie. Er schüttelte seine Schuhe ab und streifte die durchnässten Rad-Shorts und mit der gleichen Bewegung auch einen seiner beiden Socken ab.

Den anderen ließ er einfach an und stieg in die Wanne. Gleichzeitig drehte er das Wasser ab, gerade, als es am Überlaufloch angekommen war. Langsam senkte er sich in die Hitze der Badewanne, vorsichtig, um seine Männlichkeit nicht zu verbrühen. Als sein Hintern den Boden berührte, streckte er sich aus, nahm ein Handtuch von dem Stapel neben der Wanne und rollte es zu einem Kopfkissen zusammen.

Er machte es sich gemütlich. Dann bemerkte er den zweiten Socken, zupfte ihn mit den Zehen des anderen Fußes ab und ließ ihn auf dem dampfenden Ozean neben der Insel, die sein linkes Knie bildete, schwimmen.

Er ließ seine Gedanken einfach auf dem Dampf davonschweben.

Irgendwie wusste Marjorie Stump von den vier Millionen Dollar.

Und dass jeder Einzelne von ihnen sich in einem Fahrradkoffer in seinem Zimmer befunden hatte.

Und sie wusste, wo dieses Zimmer war. Und wie man dort hineinkam. Und wie man mit dem Koffer verschwand.

Mit dem Koffer, aber nicht mit dem Schlüssel. Das würde sie nicht stoppen, aber es würde sie ganz sicher aufhalten.

Alle Schmerzen und alle Mühen schwebten auf dem Dampf davon, der den Spiegel beschlug. Eine Stille umgab ihn, so vollkommen, dass sie ein ganz eigenes Geräusch von sich gab.

Er schwebte durch all das hindurch, während seine Gedanken Ziel und Zweck verloren.

Eine Erinnerung wanderte durch sein Gehirn und winkte ihm zu.

Sie ließ ihn befriedigt lächeln.

Das war das Einzige, was heute richtig gelaufen war.

»Ich weiß etwas, das ihr nicht wisst«, flüsterte er mit leiser, singender Stimmme in den Raum.

»Du hast ja echt Vertrauen in die Menschheit.«

Hootie Bosco schaute von dem Tablett auf, das er vorsichtig über den unebenen Boden balancierte, und er erschrak sichtlich beim Anblick von Cheryl Crane, die da vor dem offenen Transporter im Liegestuhl saß.

»Mann! Du hast dich aber verändert.«

»Wie meinst du das?«, fragte Cheryl und versuchte, ihre an Wut grenzende Enttäuschung zu beherrschen.

»Na ja, als ich gegangen bin, warst du noch Will. Jetzt, wo ich wiederkomme, bist du du.«

»Was redest du denn da?«

»Wie ich gesagt habe, als ich hier weggegangen bin, hat dein Freund in dem Liegestuhl da gesessen. Er war dabei einzuschlafen, und ich habe gedacht, es wäre gut, mich ein paar Minuten davonzumachen, um mir was zum Essen zu holen. Nebenbei, ich hab' ihm ein Bier mitgebracht, aber da er sich in dich verwandelt hat, gehört es jetzt wohl dir.«

»Nein, danke.« Cheryl machte eine abwehrende Handbewegung. »Ich fahre heute ein Rennen.«

Hootie zuckte mit den Schultern. »Na ja. Dann gehört es mir.«

Hootie Bosco setzte das Tablett auf dem Boden des Transporters ab. Aus einem der Wachspapierbecher schwappte etwas Schaum und rann am Becher entlang hinab. »Mist«, murmelte Hootie. So viel Arbeit, so viel Mühe in der letzten Sekunde zunichte gemacht. Er wischte den Schaum mit der Handfläche ab, bevor er auf das Tablett fließen konnte, und leckte sich die Hand ab.

Es war kalt. Es war gut. Es schmeckte ganz leicht nach Dreck und Schmierfett, was ihm wie keine ganz schlechte Kombination vorkam.

Cheryl erhob sich aus dem tiefen Liegestuhl.

»Also, als du gegangen bist, war Will hier?«

»Ja.«

»Und hat auf die Sachen aufgepasst?«

»Er hatte die Augen halb zu, aber, ja. Ich hab' gedacht, ich wäre schnell genug wieder hier, bevor er komplett in Morpheus' Armen versinkt, aber die Schlange war länger, als ich gedacht habe. Außerdem müsste einer wirklich ultra-frech sein, um einfach was zu klauen, während er da sitzt.«

»Außer er schnarcht.«

»Na ja, das wäre nicht gut.«

»Er ist gegangen. Hat den Wagen offen und das Material draußen stehen lassen. Du hast gesagt, er hat geschlafen.«

»Nicht ganz«, antwortete Hootie und hatte das Gefühl, noch einmal mit einem blauen Auge davongekommen zu sein. »Aber ich kann sehen, dass nichts weggekommen ist.«

»Glück gehabt«, sagte Cheryl leise, aber bestimmt. »Wir hätten eine Menge verlieren können.«

Hootie nickte. Sogar seine Dreadlocks hingen verschämt herab.

Cheryl schaute den Berg hinauf und verzog das Gesicht. Nur noch eine Stunde bis zu ihrem Downhill. Die Offiziellen waren gerade dabei, die Strecke freizugeben. In dem wechselnden Licht des frühen Nachmittags füllte sich die Stadt mit Fahrern und Fans, die sich noch in letzter Minute Essen und Zubehör besorgten, bevor sie zu den besten Plätzen an der Strecke aufbrachen. Sie konnte sehen, wie die Race Marshals vor dem Ansturm der Massen die Absperrungen zurechtrückten.

Jetzt war sie dran. Von jetzt bis Montag früh würde ihr Herz keine Ruhe mehr finden und sie keine Zeit mehr haben.

Sie seufzte. Die Götter des Mountainbiking waren gegen sie. Sie war einen Tag zu spät gekommen und hatte mehr als nur ein paar Dollar zu wenig in der Tasche. Das Wochenende war ihr bereits über den Kopf gewachsen und dabei hatte der Anlass für ihre Anwesenheit noch nicht einmal begonnen.

Cheryl rieb sich die Stirn und schaute zur Seite, wo sie an der Ecke eines Gebäudes eine Bewegung gesehen hatte. Dann ging sie rückwärts zum Transporter und ließ gleichzeitig ihre Sonnenbrille auf die Nase rutschen.

»Hootie«, sagte sie leise, »hast du eine Sonnenbrille?«

»Ja.«

»Setz' sie mal bitte auf, ja?«

Hootie Bosco schaute sie einen Augenblick lang an, dann zuckte er mit den Schultern, zog seine Sonnenbrille aus der Hemdtasche, entfaltete die Bügel und setzte die Brille auf.

»Plaudere einfach mit mir, okay?«

»Okay«, sagte er langsam und leicht besorgt.

»Dreh' dich nicht um, aber während wir plaudern schau doch mal zu der Ecke von dem Lifthäuschen da drüben.«

»Von welchem? Davon gibt's hier eine Menge.«

»Das links von uns, ganz in der Nähe, braun mit abgestoßenen Kanten.«

»Damit schränkst du die Auswahl auch nicht ein, aber ich glaube, ich weiß, welches du meinst«, sagte er.

Er drehte den Kopf etwas nach rechts und deutete auf ein Werkzeug am Boden, aber hinter der Sonnenbrille schaute er nach links zu der Hütte.

In einem leicht jovialen Tonfall sagte er, während er das Werkzeug aufhob: »Also, äh, wonach soll ich da schauen?«

»Ich weiß nicht, vielleicht ist es nichts. Ich habe nur das wirklich seltsame Gefühl, dass mich heute so ein Typ verfolgt.«

»Wirklich?« Er wandte sich ihr zu, den Blick immer weiter auf die Hütte gerichtet. Wie auf Kommando lehnte sich eine große blonde Figur um die Ecke. Der Kopf saß mindestens zwei Handbreit weiter oben, als Hootie erwartet hatte, und zog sich zurück, als Hootie ihn direkt anschaute.

»Sehr unauffällig. Du würdest einen tollen Spion abgeben.«

»Entschuldigung, Entschuldigung. Man erwartet nur nicht, dass ein Kopf so viel höher auftaucht, als der eines normalen Menschen.«

»Er macht mir Angst, Hootie.«

Plötzlich klingelte es in Hootie Bosco's Hinterkopf. Er war sich nicht ganz sicher, was das zu bedeuten hatte oder was das war – vielleicht eine Rückblende auf etwas, das mindestens dreißig Jahre zurücklag – aber es klingelte, und er stand auf.

Ohne ein Wort zu Cheryl ging er durch die Menge von Transportern und Anhängern und sogar den einen oder anderen Wohnwagen im Fahrerlager zu der Hütte.

Cheryl zischte hinter ihm her, um seine Aufmerksamkeit zu erregen und ihn dazu zu bewegen, zurückzukommen und zu verhindern, dass sie sich verrieten. Doch sie hörte damit auf, erstens, weil ihr klar wurde, dass es egal war, ob der Kerl Bescheid wusste, dass es ihn vielleicht sogar abschrecken würde, und zweitens weil es ziemlich offensichtlich war, dass Hootie instinktiv handelte und von irgendeiner unkontrollierbaren magnetischen Kraft, die diese Hütte ausstrahlte, angezogen wurde.

Er ging schnell und leise nahe an der Hüttenwand vorbei, bog um die Ecke und stand Kelvin Stump gegenüber, der in sich in diesem Augenblick nach vorn gelehnt hatte, um einen weiteren Blick auf sie zu werfen.

Erschrocken wich Kelvin zurück, stolperte über einen kleinen Fels und verhedderte sich mit den Füßen in einem Schlauch. Er fiel auf einen Rasensprenger, der sich ihm in den Rücken bohrte und stieß einen Fluch aus.

»Lass' das bleiben«, sagte Hootie leise und beäugte Kelvin misstrauisch. »Versuch' ja nicht, dich an uns anzuschleichen, versuch' ja nicht uns auszuspion- ich kenn' dich doch!«

Kelvin Stump lag stumm auf dem zusammengelegten Schlauch und ging schnell seine Möglichkeiten durch. Er konnte weglaufen, er konnte diesem Kerl eine verpassen oder einfach da liegen bleiben und versuchen, die ganze Sache so elegant wie möglich zu lösen.

»Ich bin ein Fan«, sagte er schließlich und lächelte Hootie Bosco an. »Ich bin ein großer Fan von ihr und, äh, ich traue mich nicht, zu ihr hinzugehen und sie um ein Autogramm zu bitten.«

Hootie nickte.

»Blödsinn.«

»Was? Nein, ich ...«

»Lass' den Scheiß, Freundchen, ich habe keine Zeit und ich habe dich erkannt. Du bist dieser Mistkerl, der neulich Speichen durchgeschnitten hat und kein Fan und gestern bist du mit dieser alten Quasselstrippe hier aufgetaucht, die nach Will gesucht hat.«

Kelvin Stump blickte für den Bruchteil einer Sekunde auf den Fels zu seinen Füßen, aber der half ihm auch nicht weiter. Schließlich lächelte er, zog seine Füße aus dem Schlauch und stand auf. Er war einen ganzen Kopf größer als Hootie.

»Ja, und du hast mich erwischt.«

»Du solltest besser erklären, was das alles soll.«

Kelvin schaute einen Augenblick lang auf den Boden und versuchte beschämt auszusehen, dann seufzte er, schaute Hootie ins Gesicht und nickte schüchtern.

»Du hast Recht. Meine Mutter, der kleine Giftzwerg, von dem du geredet hast – ja, aus irgendeinem Grund sucht sie einen Typen namens Will Ross. Frag' mich nicht, warum. Sie hat mir gesagt, ich soll ihr folgen.« Er deutete auf Cheryl, die immer noch auf der Ladekante des Transporters saß und die beiden beobachtete. »Also hab' ich es getan. Es tut mir Leid, es war nicht richtig, aber man tut, was die Mutter einem sagt, Mann, oder …«

Er hielt inne.

»Oder was?«, fragte Hootie.

»Oder man bekommt so was hier.« Kelvin Stump seufzte noch einmal und lächelte. Er zögerte, dann rollte er sein rechtes Hosenbein hoch.

Hootie Bosco konnte nicht anders, als bei dem Anblick die Luft anzuhalten. Das rechte Knie des Mannes war voller Blutergüsse, manche alt, manche neu, manche weiter oben, andere weiter unten, einige direkt auf der Kniescheibe, die nur noch eine Masse von Knoten und Klumpen war, eine große, wellige, undefinierte Masse um das Gelenk herum.

»Scheiße nochmal.«

»Genau«, sagte Kelvin leise.

»Was zum … was …«, stotterte Hootie.

»Ihr Stock. Ihr Schlehdornknüppel.«

»Herrgott.«

Kelvin nickte.

»Das sag' ich auch immer, wenn sie ihn benutzt.« Er schaute verlegen und rollte das Hosenbein wieder herunter.

»Also mache ich, was sie sagt«, sagte Kelvin und lachte dann. »Was Mama will, bekommt Mama normalerweise auch. Tut mir Leid.«

Hootie Bosco schüttelte nur den Kopf, immer noch schockiert von dem Anblick der Kniescheibe. Schließlich schaute er zu Kelvin hoch und sagte: »Ich verstehe. Ich verstehe. Jetzt tut's mir Leid, dass ich dir gestern eine 'reingehauen habe.«

»Ist schon okay. Sie wollte, dass ich dich fertig mache. Was du getan hast, hat sie zum Schweigen gebracht, und zwar gründlich.«

»Trotzdem tut's mir Leid.«

»Danke.«

»Mein Vater konnte auch ganz schön zulangen.«

»Dann verstehst du also.«

»Ja. Komm' 'rüber zu uns. Dann kannst du auch Cheryl kennen lernen. Vielleicht finden wir einen Weg, wie wir Will und deine Mom zusammenbringen und alle glücklich machen.«

»Alle außer Will.«

Der Satz kam so überraschend, dass Hootie lachen musste. Er unterdrückte es schnell und sagte zu Kelvin: »'Tschuldigung.«

»Hey, macht doch nichts. Bei ihr muss man die Witze feiern, wie sie fallen.«

Hootie nickte und machte eine einladende Geste mit der Hand. »Komm' mit. Du kannst das zweite Bier haben, und dann überlegen wir uns, was wir tun können.«

»Danke.«

Als die beiden sich dem Haven-TW-Transporter zu nähern begannen, stand Cheryl auf, machte zwei Schritte auf sie zu und beobachtete sie misstrauisch. Sie wäre weitergegangen und ihnen vor dem Haven-Bereich begegnet, den sie instinktiv als Sicherheitszone betrachtete, aber sie blieb stehen, als alle, die sich im Fahrerlager befunden hatten, plötzlich an ihr vorbeiströmten.

Sie schaute der Menge hinterher bis zur Ecke Hanson und Bridge Street. Dort demonstrierte ein Fahrer Radakrobatik. Er sprang auf dem Hinterreifen auf einen Picknicktisch, wendete, immer noch auf dem Hinterrad stehend, und hüpfte wieder hinunter. Dann wiederholte er alles noch einmal. Er hatte sich den perfekten Zeitpunkt und den perfekten Ort für seine Show ausgesucht und beinahe alle, die sich in der Stadt befanden, sahen ihm zu.

Cheryl tat es einen Augenblick lang auch, fasziniert von der Bewegung, der Eleganz und der tänzerischen Qualität der Vorführung. Aber als Hootie und Kelvin am Liegestuhl vorbei zur Ladekante des Lastwagens gingen, drehte sie sich wieder um. Hootie nahm eines der beiden Biere vom Tablett und gab es Kelvin, der es mit einem Lächeln nahm und daran nippte.

»Danke, Mann. Das hab' ich gebraucht.«

Cheryl beobachtete ihn misstrauisch.

Hootie wandte sich mit dem anderen Bier in der Hand um und bot es ihr an.

»Wirklich nicht?«

»Nein«, sagte sie mit einem leichten Anflug von Verärgerung in der Stimme. »Wirklich nicht. Was ist das hier, eine Art Klassentreffen oder was?«

»Dieser Mann … dieser … wie heißt du eigentlich?«

»Kelvin.«

»Kelvin hat ein Problem und das Problem ist seine Mutter. Seine Mutter will unglaublich dringend Will sprechen und hat Kel gesagt, dass er dir folgen soll, weil du und Will, na ja, du weißt schon, also hat er es getan.«

»Was will deine Mutter von Will?«, fragte sie leise. Ihr Gehirn war plötzlich hellwach und entschlossen, einen Fahrradkoffer voller Geld zu beschützen, auch wenn sie erst vor kurzem zu der Überzeugung gelangt war, dass das gar nicht ihre Aufgabe war.

»Ich weiß es ehrlich nicht«, sagte Kelvin lachend und schüttelte den Kopf. »Sie kriegt irgendeine Idee über Radfahrer oder die Umwelt oder sonst was, und dann legt sie einfach los. Nichts und niemand darf ihr dann in die Quere kommen. Ganz besonders ich nicht.«

Cheryl beäugte ihn kurz und wandte sich dann an Hootie.

»Weißt du, wo er ist?«

»Hä? Keine Ahnung. Ist ja auch eigentlich nicht meine Aufgabe, auf ihn aufzupassen, auch wenn er hier völlig ruiniert angekommen ist.«

»Ruiniert?«, fragte sie und ihre Stimme wurde lauter.

»'Tschuldigung, 'Tschuldigung«, sagte Hootie und hob die Hände. »Ich hab' Mist gebaut. Ich hätte es dir erzählen sollen. Er hat schon wieder das Colnago zerlegt. Hat gesagt, ein Puma hätte ihn auf dem Weg zum Vail Pass angegriffen.«

»Ein Puma?«, sagte Kelvin. »Hier gibt's schon lange keine Pumas mehr. Die ganze Bebauung.«

Hootie zuckte mit den Schultern. »Das hat er gesagt, und er bleibt dabei.«

Cheryl schaute den Mechaniker erstaunt an. »Geht es ihm gut?«

Hootie grinste. »Gut genug, um Marshall Reed zu verprügeln.«

»Was?« Plötzlich hatte Cheryl wieder das Gefühl, als würde ihr alles aus der Hand gleiten. Den Menschen, die sie liebte oder kannte oder mit denen sie zusammenarbeitete, stießen all diese Dinge zu, und sie hatte keine Ahnung, was eigentlich los war. »Was zum Teufel ist passiert?«

Die drei wandten sich um, als der Jubel der Menge bei dem Radakrobaten ihre Unterhaltung unterbrach. Sie waren jetzt allein im Fahrerlager. Cheryl wandte sich zurück zu Hootie.

»Was zum Henker war das mit Reed?«

Hootie hob die Hände. »Okay. Okay. Will kommt vor ungefähr zwei Stunden hier an, vielleicht ein bisschen mehr, ich weiß nicht mehr so genau, und er ist völlig zerstört. Zweige, Blätter, der halbe Wald überall. Er sieht scheiße aus. Genauso wie das Rad. Das Vorderrad ist im Eimer, zum zweiten Mal, und die Gabel hat einen Riss. Er hat eine verdammte Gabel kaputtgemacht. Weißt du, was für Kräfte …«

Er stoppte. Cheryl ruderte mit den Armen, um die Geschichte voranzutreiben.

»Okay. Okay. Also, Marshall Reed kommt hier an und sieht das Colnago. Du weißt schon, ›sein Rad‹, und er dreht durch. Tickt völlig aus. Macht einen auf Joe Pesci, aus diesem Gangsterfilm, du weißt schon, »Goodfellas«, oder wie immer der geheißen hat …«

Cheryl ruderte weiter mit den Armen.

»Also, Reed wirft sich auf Will. Einfach so. Versucht, ihm den Schädel einzuschlagen. Und schubst Will hierher.«

Hootie ging rückwärts und schlug mit den Händen auf den Boden des Transporters.

»Also greift Will hier ’rüber und packt das hier«, sagte Hootie und griff nach dem schweren langen Schraubenschlüssel. »Und donnert ihn Reed in die Magengrube. Es war unglaublich, einfach Wahnsinn.«

Hootie lächelte seine beiden Zuschauer an. Beinahe hätte er sich nach dieser Vorstellung noch verbeugt.

»Du machst Witze«, sagte Cheryl, und ein kleines Lächeln huschte über ihr Gesicht.

»Nein. Absolut witzfreie Zone hier. Das ist die reine Wahrheit«, sagte Hootie. »Hier, Kelvin«, fügte er hinzu und warf ihm das fünf Pfund schwere Werkzeug zu. »Heb’ das mal hoch. Überleg’ dir mal, ob du das gern in deiner Magengrube hättest.«

Kelvin fing den Schraubenschlüssel ungeschickt auf und verzog sein Gesicht. »Auf keinen Fall, Mann, auf keinen Fall. Weißt du noch, ich hab' den gestern ins Gesicht gekriegt.«

»Oh, Herrgott, das stimmt ja«, sagte Hootie mit einer verlegenen Grimasse.

Er drehte sich zu Cheryl um und lächelte, als von der Menge, die beinahe anderthalb Straßenzüge von ihnen entfernt stand, wieder Jubel aufbrandete. Kelvin warf einen Blick auf die Zuschauer. Hootie folgte seinem Blick. Was danach kam, sah er nicht.

Der Schraubenschlüssel flog herum und traf Hootie Bosco knapp oberhalb des linken Auges. Er blickte überrascht auf. Sein Mund bewegte sich wie der eines gestrandeten Fisches, und dann kippte Hootie nach hinten weg. Mit einer glatten Bewegung hob Kelvin Hooties erschlaffenden Körper auf und warf ihn in den Transporter. Als er auf dem Boden landete, krümmte sich der Mechaniker instinktiv schützend zusammen. Kelvin griff nach oben und zog die Klappe herunter.

Cheryl hatte ebenfalls die Menge beobachtet und nichts gesehen. Als sie sich umdrehte, sah sie gerade noch, wie Kelvin Stump den schweren Riegel zur Seite warf und Hootie somit eingeschlossen war.

»Was zum ...« war alles, was sie noch sagen konnte, bevor ihr rechter Arm so fest umklammert wurde, dass sie auf die Zehenspitzen ging.

»Herrgott.«

»Nicht fluchen, Cheryl, meine Liebe«, knurrte Kelvin. »Was du da in deinen Rippen spürst, ist eine Messerklinge. Sie ist nicht besonders lang, aber lang genug, um sehr unangenehm zu werden. Also halt' die Klappe und komm' mit. Ein Wort, eine Bewegung, und ich schlitz' dich auf wie einen alten Fisch und verfüttere dich an die Vögel.«

»Hootie.«

»Scheiß auf Hootie. Das war die Rache für mein Gesicht. Du solltest dir um dich selbst Sorgen machen. Um dich und deinen Scheiß-Freund und das Geld, das ihr habt.«

»Oh, Scheiße.«

»Genau.«

Er zog sie zur Seite, ging zu einem Loch im Zaun am Rand des Fahrerlagers, weg von der Stadt, und zog sie die Böschung hinunter. Sie wehrte sich zuerst, aber als sie spürte, wie die Messerspitze durch ihr

Trikot drang, entspannte sie sich, soweit das in ihrer Situation möglich war, und ging mit.

Warte auf die Gelegenheit, hatten sie immer gesagt.

Es gibt immer eine Gelegenheit.

Ein einzelnes Auto näherte sich ihnen.

»Lächeln«, befahl Kelvin und drückte ihr die Messerspitze etwas fester in die Rippen. »Lächeln, Cheryl, und zwar so, dass es echt aussieht.«

Cheryl lächelte.

17
Fangen

Mit seinen langen Beinen nahm Stanley auf dem Weg nach unten in die Lobby zwei und drei Stufen auf einmal. Hinter ihm her stolperte und keuchte Ollie. Für einen dicken Mann war er zwar erstaunlich geschmeidig und er hatte den Instinkt und das Bewegungsgefühl eines Tänzers, aber sein Gewicht und sein Alter hatten sich verschworen, ihn aufzuhalten und seine Bewegungen langsamer zu machen.

Die Höhe war auch nicht sonderlich hilfreich.

Ollie schnappte nach Luft, als er die letzte Stufe betrat und rannte durch die Tür in die Lobby. Der Mann am Empfang blinzelte überrascht, als er die beiden komisch gegensätzlichen Gestalten am helllichten Nachmittag durch die Lobby rasen sah, und zwar erheblich schneller, als man es hier oben in den Bergen gewöhnt war.

Sie traten auf die Straße und schauten schnell in beide Richtungen.

»Wohin?«

Es war nicht viel Zeit vergangen, in der Marjorie Stump ohne fremde Hilfe den Koffer aus ihrem Blickfeld hätte entfernen können. Und da war sie, anderthalb Straßen weiter und wartete auf den Bus.

Weitere anderthalb Straßen entfernt war bereits der Bus zu sehen. Das erschwerte die Sache.

Mit schnellem Schritt, fast laufend, überquerten sie die Straße, die voller Fußgänger und vereinzelter Autos war, und verlangsamten auf der anderen Seite ihr Tempo. Der Bus würde knapp gewinnen.

Auch wenn sie jetzt rannten, würden sie diese Tatsache nicht ändern können.

Marjorie Stump hatte im Gehen misstrauische Blicke in die Runde geworfen, aber jetzt war sie so auf den Bus fixiert, dass sie nicht sah, wie die beiden sich von hinten näherten.

Der Bus blieb stehen, die Türen öffneten sich und als Marjorie begann, den Koffer nach vorn zu schieben, traten zwei Männer rechts und links neben sie und sagten beinahe gleichzeitig: »Hier, ich helfe Ihnen.«

»Nein, das geht schon«, schnauzte Marjorie sie an, mehr aus Erschöpfung und Verfolgungswahn als aus Wut.

»Oh«, antwortete Ollie im Tonfall eines Wanderpredigers im Urlaub. »Entschuldigung. Aber natürlich, wenn Sie ganz sicher keine Hilfe möchten.«

Er zog sich höflich zurück. Stanley tat das Gleiche. Marjorie lächelte schwach und kämpfte weiter mit dem Koffer.

Der Busfahrer lehnte sich vor. »Jetzt machen Sie schon«, meckerte er. »Ich muss einen Fahrplan einhalten.«

Stanley trat mit stiller, aber entschlossener Empörung an die Tür.

»Da werden Sie einfach warten müssen, junger Mann. Diese Dame hat einen Koffer, den sie …«

»Ich kann hier keinen Koffer mitnehmen.«

»Wenn das hier ein öffentliches Transportmittel ist«, intonierte Stanley mit tiefer, lauter Stimme, als würde er sich dem Höhepunkt einer Sonntagspredigt nähern, »dann ist es Ihre Aufgabe, die Öffentlichkeit zu transportieren, und zwar den Teil der Öffentlichkeit, der auf den Besitz eines privaten Fahrzeuges verzichtet. Sie sind moralisch dazu verpflichtet, ihr mit ihrem …«, er suchte nach der richtigen Bezeichnung, »… ihrem Gepäck zu helfen.«

Der Fahrer seufzte. Alte Leute. Herr Jesus.

»Ja, ja, ja. Dann kommen Sie. Machen Sie weiter.«

Marjorie hatte den Fahrer sowieso ignoriert und den Koffer auf die erste Stufe manövriert. Es hatte sie völlig ausgepumpt. Sie stand schwer atmend da, die schweißnassen Hände an den Koffer gestützt und ärgerte sich über die schmerzhaften Auswirkungen des Alterns.

Sie atmete tief durch, wandte sich dann schnell zu Ollie um und sagte nur: »Bitte?«

»Aber natürlich«, sagte er mit einem schüchternen Lächeln und packte die Griffe auf der Vorderseite der schwarzen Plastikverschalung.

»Bruder?«

Stanley nickte stumm und legte die Hände auf die Griffe in der Mitte und auf der Hinterseite des Koffers.

»Auf drei«, flüsterte Ollie. Auf Kommando hoben die beiden den Koffer an, machten einen Schritt nach vorn, und brachten so die Unterkante auf die nächste Stufe. Das Ding war schwerer und unhandlicher, als die beiden vermutet hatten. Sein Inhalt verschob sich nach hinten, sodass Stanley gezwungen war, sich für den nächsten Schritt einen neuen Stand zu suchen.

Der Fahrer schaute fasziniert von seinem Sitz herunter.

»Herrgott nochmal, Lady, was haben Sie denn da drin? Steine?«

»Ich möchte Sie bitten, den Namen des Herrn nicht zu missbrauchen, junger Mann«, sagte Marjorie knapp. »Nicht, dass es Sie etwas angeht, aber es sind Zeitschriften. Alte Zeitschriften. Life-Hefte. Aus den Kriegsjahren. Ein beinahe vollständiger Satz.«

Stan und Ollie grinsten. Sie war gut. Verdammt gut.

»Uuuund hoch!«

Die beiden hoben den Koffer auf und setzten ihn auf den Boden des Busses. Sie schoben ihn vorwärts, drehten ihn um und zogen ihn dann vollständig hinein.

»Wo möchten Sie denn sitzen, Ma'am?«, fragte Ollie sanft.

»Hinten bitte«, antwortete Marjorie und stieg in den Bus.

Sie schoben den Koffer durch den Gang, unterstützt davon, dass der Fahrer die Tür geschlossen hatte und kräftig auf das Gaspedal getreten war, um die verlorene Zeit wieder gutzumachen. Sie stellten den Koffer an die Seite, während Marjorie sich auf einen der hinteren Plätze fallen ließ. Ungezwungen setzten sich die beiden auf die Plätze rechts und links von ihr.

»Wow«, stieß Stanley aus. »Ich hasse es einfach, solche Dinger herumzutragen, du nicht auch, Bruder Marcus?«

»Groß, lang, und unhandlich. Wie das Klavier in der Kirche«, sagte Ollie mit einem Glucksen. »Erinnerst du dich noch? Wie Iona uns dirigiert hat und du und ich uns mit dem Ding herumgeschlagen haben? Wie lautete nochmal das Schild, das wir daran gehängt haben? ›Einer trage des anderen Last. Und die anderen sind nächstes Mal wir‹?«

Ollie nickte. »Genau. Das war's.«

Marjorie Stump saß still zwischen ihnen. Ihre Nervosität hatte ihren Blutdruck gefährlich in die Höhe getrieben.

»Geht es Ihnen gut?«, fragte Ollie fürsorglich. »Sie sehen blass aus.«

»Das ist mir auch aufgefallen«, fügte Stanley hinzu. »Sie machen mir Angst, Ma'am.«

»Oh nein, nein, nein«, antwortete Marjorie mit leichtem Singsang. »Es geht mir prima. Ich bin es einfach nicht gewohnt, so schwer zu tragen.«

»Zeitschriften.« Ollie nickte mitfühlend. »Die können ganz schön schwer sein.«

»In der Tat«, fügte Stanley hinzu.

Marjorie atmete tief durch, schaute zwischen den beiden hin und her und sagte, um das Thema zu wechseln: »Also … was bringt Sie nach Vail?«

»Nur ein kleiner Urlaub«, sagte Ollie fröhlich. »Eine Chance, an die frische Luft zu kommen und ein bisschen zu …«

»Angeln? Sie sind doch nicht zum Angeln hier, oder?«, fragte sie scharf, in der Hoffnung, einen Weg gefunden zu haben, die beiden loszuwerden.

»Angeln? Neeein«, sagte Ollie beruhigend. »Nein, nein. Wir angeln nicht.«

»Wir angeln gar nicht«, meinte Stanley.

»Das Leben der Fische ist schon hart genug, ohne dass Menschen sie aus ihrer Heimat reißen und sie ausnehmen.«

»Sie ausnehmen«, fügte Stanley hinzu, »und zu einem Abendessen verarbeiten, das die Kinder nicht einmal essen wollen. Nein, wir sind keine Angler. Nur Touristen, die eine Bergstadt so vorsichtig genießen wollen, wie sie können.«

»Vorsichtig?«

»Öffentliche Verkehrsmittel, leichte Wanderungen, die Stille der Wildnis, Fotografie statt Waffen.« An diesem Punkt machte Ollie eine Pause und schaute so unschuldig er konnte aus dem Fenster. Er wusste, wenn er weiterplapperte, würde sie merken, was für einen kompletten Unsinn er da von sich gab. Sie verließen das Einkaufszentrum von Lionshead und fuhren auf die Hauptstraße.

Stumm fuhren sie in Richtung Cascade Village. Der Bus hielt kurz, dann fuhr er weiter nach West Vail.

Marjorie Stump entspannte sich sichtlich. Ein Teil ihres Gehirns sagte ihr, dass sie unter Freunden war, richtig denkenden Menschen, die ihr nichts Böses wollten. Das Geld, das in seiner schwarzen Hülle gegen eine Sitzreihe lehnte, war in Sicherheit und gehörte jetzt ihr. Aber obwohl sie sich etwas ruhiger fühlte, raste ein primitives Gefühl der Angst durch ihr Rückgrat und versuchte verzweifelt, ihrem Gehirn etwas zu sagen.

Sie war hin- und hergerissen. Sie war verwirrt. Sie war an ihrer Haltestelle.

»Hier! Hier!«, rief sie quer durch den Bus nach vorne. »Hier ist meine Haltestelle!«

»Wir sind zwischen zwei Haltestellen«, rief er zurück.

»Halten Sie an. Halten Sie einfach hier an.«

»Ja«, rief Ollie, »halten Sie an. Diese Frau hat einen Koffer, und dies ist ihr Ziel.«

Der Fahrer rollte mit den Augen und hielt beinahe direkt gegenüber von einem schmalen Weg an, der zu einem kleinen Haus führte, das so gar nicht zu den Luxusvillen passte, die es umringten.

»Lassen Sie uns helfen«, bot Ollie an.

»Nein, es geht schon«, antwortete Marjorie. »Ich schaffe das schon.«

»Wir bestehen darauf«, sagte Stanley.

Sie nickte, als sei es einfach besser, ihnen zuzustimmen und die Sache hinter sich zu bringen, als sie mit ihrem Schlehdornknüppel abzuwehren.

»Fertig?«

»Fertig.«

Die beiden schoben den Koffer durch den Bus nach vorne. Eine kurze Drehung, und der Koffer war die Stufen herunter durch die Tür und krachend auf der Straße gelandet.

»Danke, meine Herren«, sagte Marjorie lächelnd. »Von hier ab übernehme ich.«

»Nein, nein«, sagte Ollie gewinnend. »Wir helfen Ihnen. Dafür sind wir da.«

Marjorie seufzte entnervt und nickte. »Gut. Gut.« Dann sagte sie spitz zu dem Busfahrer: »Wenn Sie zurückkommen, werden die beiden hier stehen. Lassen Sie sie einsteigen. Halten Sie an und lassen Sie sie einsteigen. Haben Sie mich verstanden?«

Mit dem gebotenen Gehorsam, den er schon seiner Lehrerin in der ersten Klasse entgegengebracht hatte, sagte er: »Ja, Ma'am.« Er kräuselte die Mundwinkel zu einem falschen Lächeln und schloss die Tür. Dann trat er wieder aufs Gaspedal, sodass der Bus förmlich auf die Straße zurücksprang.

»Wohin, Ma'am?«, fragte Stanley. Langsam begann das dämliche Grinsen in seinem Gesicht wehzutun.

»Hier entlang. Über die Straße. Das Haus da.«

»Aha.«

Die beiden überquerten die Straße und begannen, den Koffer zu dem kleinen weißen Holzhaus zu rollen, zu schieben und zu ziehen. Ollie drehte sich zu Marjorie um, die, offensichtlich unglücklich darüber, wie sich die Dinge entwickelt hatten, hinter ihnen herstapfte.

»Miss Stump. Haben Sie Telefon?«

»Ja, ich … woher kennen Sie meinen Namen?«

»Wie bitte?«

»Ich habe mich Ihnen nicht vorgestellt«, sagte sie misstrauisch und begann, langsam an ihnen vorbei auf das Haus zuzugehen. »Ich habe meinen Namen nicht erwähnt.«

»Aber, aber, Marjorie«, sagte Stanley. »Natürlich haben Sie das getan. Im Bus. Als Sie uns von dem Geld erzählt haben.«

»Geld?« Das Wort schoss unabsichtlich heraus. Jegliche Farbe, die sich in der Zwischenzeit in ihr Gesicht zurückgestohlen haben mochte, entwich vor Schreck.

»Ja, Marjorie«, sagte Ollie drohend. »Geld. Geld, das Ihnen nicht gehört. Geld, das uns gehört. Geld, das Sie sich nicht hätten nehmen sollen.«

»Ich habe mir kein … ich …« Sie deutete hektisch auf den Koffer. »Das sind Life-Hefte.«

»Beleidigen Sie uns nicht, Miss Stump. Wir wissen, was in dem Koffer ist. Wir wissen, woher sie ihn haben. Sogar die Zimmernummer. Wir wollen nur wissen, woher Sie gewusst haben, dass er da war.«

Vor Schreck antwortete sie, ohne nachzudenken. »Kelvin. Mein Sohn …«

Sie riss sich zusammen und verstummte.

»Calvin?«, fragte Stanley.

»Kelvin«, korrigierte Ollie. »Seltsamer Name.«

»Ihr Sohn?«

»Ihr Sohn.«

Die beiden nickten einander zu und wandten sich wieder zu Marjorie um.

»Ein Telefon, Miss Stump. Wir brauchen ein Telefon.«

Marjorie Stump starrte die beiden Männer an, die auf einmal viel gefährlicher aussahen, als sie es sich hätte vorstellen können. Wie hatte sie nur so dumm sein können, wütete sie innerlich. Sie blickte sehnsuchtsvoll auf den Koffer, der jetzt am Geländer ihrer Veranda lehnte. So nah. So sehr nah. Sie hielt ihren Schlehdornknüppel eng an den Körper gepresst. Ihre einzige Chance.

Warte auf sie, dachte sie. Warte auf sie.

Sie atmete tief durch und wandte sich zum Eingang, öffnete die Fliegengittertür, fummelte das Schloss auf und hielt den beiden, die so bedrohlich hinter ihr standen, die Tür auf.

»Ich habe ein Telefon. Sie dürfen es gern benutzen.«

»Danke, Ma'am.«

»Ja, vielen Dank.«

»Gegen eine Gebühr«, sagte sie.

Die beiden lachten und gingen an ihr vorbei in den kleinen Flur. Marjorie Stump schloss die Türen hinter sich und zeigte ihnen den Weg zur Küche.

Die drei gingen still dorthin, während Marjorie nachdachte.

Das mit der Gebühr war kein Witz gewesen.

18
Das Telefonat

Will riss die Augen auf. Das Wasser war kalt und es war so weit abgesunken, dass der schmutzige Socken verlassen am Wannenrand klebte. Will gähnte, stützte sich am Wannenrand ab und setzte sich vorsichtig auf.

Nichts schwamm mehr vor seinen Augen, obwohl ihm schon noch ein bisschen schwummerig war. Schwummerig. Ein Wort seiner Mutter. Er lächelte bei dem Gedanken an das Vokabular, das sie ihm mitgegeben hatte. Schwummerig, labberig, lottelig.

Langsam drückte er sich hoch und rollte sich steif über die Badewannenkante aus der Wanne. Es tat gar nicht so sehr weh, aber ihm war kalt. Hier in den Bergen konnte es nachmittags 25 Grad haben. Oder auch fünf. Er setzte sich auf die Badematte und lauschte. Es konnte auch an der Klimaanlage liegen. Jemand hatte die Klimaanlage angeschaltet und hochgestellt.

Er zog sich am Waschbeckenrand hoch und schaute in den Spiegel. Wer würde heute Nachmittag daraus zurückschauen? Heute früh war es Will, der Penner gewesen, verdrossen, einsam, bereit, einen Sprung in ein neues Leben zu machen.

Zumindest das mit dem Sprung hatte ja irgendwie geklappt, dachte er.

Jetzt war es ein Mann, der innerhalb eines Tages dreimal knapp dem Tode entronnen war. Irgendwo in seinem Blick konnte er vielleicht ein wenig Trotz erkennen, aber hauptsächlich sah er einfach nur müde aus. Er wollte nur noch ein Bier und ein Bett.

»Wollen wir's angehen?«, sagte er cool, aber dann machte er mit der Hand eine abweisende Geste.

Er nahm eine Bürste und strich sein Haar zurück. Er schnitt eine Grimasse und zeigte sich die Zähne, fuhr mit einem Deostift unter den Achseln durch und tapste dann in das Zimmer.

Er zitterte.

»Herr Jesus«, fluchte er, es war ja wie in einem Gefrierschrank hier drin. Will stellte die Lüftung ab und ging langsam hinüber zu seinem Koffer, der vor den offenen Vorhängen auf einem Tisch am Fenster lag. Als er merkte, dass er splitterfasernackt vor dem Fenster stand und ihn jeder sehen konnte, war ihm das auf einmal peinlich. Traurig.

Als Fahrer in Europa war es ihm nie peinlich gewesen, sich vor anderen Leuten auszuziehen und im Adamskostüm in einer Menschenmenge zu stehen. Es ging einfach nicht anders, denn es gab selten eine Umkleidekabine, sondern bestenfalls den Platz hinter einem Fiat Uno, wo man sich die Rennklamotten ausziehen konnte, die nach sieben Stunden im Sattel einem Experiment mit biologischen Kampfstoffen glichen.

Ein hässlicher Gedanke.

Langsam bückte er sich und zog mit geschlossenen Augen eine Unterhose an. Sie kam ihm enger als normal vor. Nicht viel. Nicht sehr. Nur ein wenig. Sie schnitt an der Hüfte ein kleines bisschen mehr ein.

Vielleicht war es noch nicht an der Zeit, sich Sorgen zu machen, aber sicher musste man mal über die Sache nachdenken.

Er langte noch einmal in den Koffer und zog den rot-schwarz-goldenen Trainingsanzug aus Fallschirmseide heraus, ein bequemes Teil, das er seit der Tunnelfahrt unter dem Ärmelkanal nicht mehr getragen hatte. Da hatte er zusammen mit Bresson gesessen, Henri Bresson.

Wann war das gewesen? Mitte Juli, vor weniger als zwei Monaten. Es war gar nicht lange her, aber trotzdem hatte die Zeit für einige Menschen zum Sterben gereicht.

Irgendwie war er sich nicht ganz sicher, warum er den Trainingsanzug anzog. Die Firma hatte ihm alles Mögliche versprochen und ihn bitter enttäuscht. Er war kein Fahrer mehr, kein Trainer, kein Manager, kein Assistent – alles Jobs, die man ihm in Aussicht gestellt hatte, alles Jobs, die sich mit dem Absturz eines Firmenjets in Luft aufgelöst hatten.

Daran hatte es gelegen, überlegte er. Bergalis war tot. Daran hatte es gelegen, zwang er sich zu denken.

Vielleicht trug er die Farben einfach aus Loyalität, auch wenn die Firma ihm gegenüber keine bewiesen hatte. Vielleicht trug er sie als Erinnerung. Der Gedanke erwärmte sein Herz. Aber vielleicht trug er sie auch, weil mit Logos vollgepflasterte Sportklamotten so ziemlich alles waren, was er besaß.

Er schloss den Reißverschluss der Jacke, zog Socken und Schuhe an und stand auf. Das Badewannen-Nickerchen, auch wenn es nur zwanzig Minuten gedauert hatte, hatte Wunder vollbracht. Er spürte immer noch Schmerzen und eine gewisse Steifheit um die Rippen, aber es war sehr viel weniger schlimm als vorher.

Jetzt vier Schmerztabletten, ein Abendessen und ein Bier, und dann würde er wieder fit wie ein Turnschuh sein.

Fit wie ein Turnschuh.

Während sie – Scheiße. Eine plötzliche Erkenntnis schoss durch sein Gehirn. Ihr Lauf. Ihr Downhill war – er fummelte nach seiner Uhr auf dem Tisch. Jetzt. Ihr Lauf war vor ein paar Minuten gewesen. Und er hatte ihn verpasst.

Er lehnte sich vor und stützte sich auf die Resopalplatte der niedrigen Kommode. Er schaute hoch, starrte in den Spiegel und sah erneut einen völlig anderen Menschen. Dieser Mann war etwas älter, etwas gebrochener, und hatte ein beschissenes Timing. Seine Augen ließen das Licht vermissen, das im Frühjahr und Sommer so oft in ihnen gefunkelt hatte.

Er hatte sie enttäuscht. Nach allem, was sie für ihn getan hatte, nach den vielen Gelegenheiten, bei denen sie dagewesen war, um ihn anzufeuern und zu unterstützen und ihm Leben einzuhauchen, hatte er sie im Stich gelassen. Wofür? Für ein Bad. Für sich selbst. Sicher, man hatte ihn vom Ort des Geschehens weggezerrt, aber nachdem sie weg waren, hätte er sich in die andere Richtung davonmachen sollen, zum Berg.

Für sie.

Super gemacht, du Depp, dachte er. Aber es passte doch, oder? Er war ein Parasit, der sich an Cheryl gehängt hatte und ihr die Energie aussaugte, indem er sie dazu zwang, auf ihn aufzupassen und ihm Räder zu besorgen, während er sich gemütlich Zeit ließ, sich von den

Strapazen der Tour zu erholen und nach einer Zukunft, nach sich und nach seinem Selbstbewusstsein zu suchen. Alles für ihn, keine Zeit für sie.

»Was für ein beschissener Zustand«, brummelte er. Er schob sich von der Kommode weg, begann sich zu strecken und im Zimmer auf und ab zu gehen.

Es war an der Zeit, als Partner mit ihr zusammenzuleben. Es war an der Zeit, aufzuwachen und zu entdecken, was das Leben für ihn, für sie und für sie beide noch auf Lager hatte. Es war an der Zeit, ein Mann zu sein und nicht nur ein Anhängsel.

Plötzlich hörte er etwas im Flur. Will stand gerade auf der anderen Seite des Zimmers und ging leise zurück zur Tür. Er spitzte die Ohren, um die Unterhaltung auf dem Gang zu hören.

Es gab ein kurzes »'Tschuldigung«, in einer Stimme, die er als Cheryls erkannte, dann eine Männerstimme, die sagte: »Hätte ich mir ja denken können, dass du den Schlüssel nicht hast.«

Er warf einen Blick auf seine Uhr. Entweder war das der schnellste Lauf in der Geschichte des Mountainbikesports gewesen oder da stimmte etwas nicht. Der Klang dieser anderen Stimme gefiel ihm gar nicht.

Mit einem Ruck zog er die Tür auf, sodass Cheryl erschrak und Kelvin Stump einen Schritt zurück machte. Cheryl erholte sich zuerst. Sie warf sich auf Will und drängte ihn ins Zimmer zurück. Die Schmerzen, die ihn einige Zeit nicht mehr behelligt hatten, meldeten sich wieder, und Will begann sich zu fragen, ob er heute vielleicht der designierte Prügelknabe für die Stadt Vail war.

Cheryl stürzte zu Boden, wälzte sich herum und versuchte, mit den Füßen die Tür zuzustoßen, um Kelvin Stump auszusperren. Aber der große Mann hatte sich schnell von seinem Schrecken erholt und drängelte sich durch die Tür in das Hotelzimmer.

Während Cheryl sich angeekelt von Kelvin abwandte, aufstand und weiter ins Zimmer hineinging, schloss Kelvin leise die Tür hinter sich.

»Wenn man selbst keinen Schlüssel hat, dann muss man einen Freund mit einem Schlüssel haben, sage ich immer.«

»Ach, sagst du das immer?«, fragte Cheryl barsch. »Wie entzückend, wie unglaublich entzückend.«

Will lag noch einen Moment lang auf dem Fußboden, dann rollte er sich auf die Seite und stand unter Schmerzen auf. Er war es langsam leid.

Dann sah er, wie Cheryl sich an die Seite fasste und wie an zwei Fingern ihrer Hand Blut klebte.

»Mensch, Cheryl«, rief Will. Er ging zu ihr und vergaß einen Augenblick lang seine eigenen Schmerzen. »Was zum Henker ist denn passiert?«

»Er ist passiert«, sagte sie und nickte nach hinten zu dem Mann im Türrahmen. »Er ist passiert, seine Mama ist passiert, meine Onkel sind passiert und alles ist einfach so passiert.« Die letzten Worte quetschte sie wütend durch die Zähne. Sie setzte sich auf die Bettkante. Will setzte sich neben sie, ohne Kelvin Stump zu beachten. Das winzige Taschenmesser, dass Kelvin in seiner klodeckelgroßen Hand hielt, bemerkte er gar nicht. Will beugte sich vor und betrachtete den Riss in ihrem Trikot und den Schnitt in ihrer Haut.

»Was zum … . Na ja, es ist nicht tief. Aber das sieht eher aus wie ein Schnitt als ein Kratzer, wo bist du denn 'reingerannt?« Er wollte die Wunde berühren, aber Cheryl schob seine Hand fort.

»Lass' das. Ist schon okay.«

»Ist es nicht. Denk' an diese Superbakterien.« Er stand auf und ging zum Badezimmer, ohne einen Blick auf Kelvin Stump zu werfen. »Liest du keine Zeitung? Die Superbakterien breiten sich überall aus. Es gibt gar keine stinknormalen Bakterien mehr, nur noch Superbakterien.« Er nahm ein Fläschchen Alkohol, eine Tube Wundsalbe und ein Pflaster und plapperte immer weiter. Aus Erleichterung darüber sie zu sehen und aus Sorge über ihre Verletzung. Er lächelte. In dem Moment, als er ihr Gesicht gesehen hatte, waren seine Wut, seine Zweifel, seine Unsicherheit einfach verschwunden. Egal, was für eine Laune sie hatte, er freute sich, dass sie diese Laune mit ihm teilte.

Nur der Mann, der jetzt vor dem Schrank stand, passte irgendwie nicht ins Bild.

»Entschuldigung.« Er ging an ihm vorbei ins Zimmer zurück und führte seinen Monolog an Cheryl weiter. »Siehst du, es werden seit Jahren zu viele Antibiotika verschrieben und eingenommen und deswegen sind diese Superbakterien entstanden. Sie sind mutiert. Sie sind riesig groß und hässlich geworden.« Er trat zu ihr und wartete darauf, dass sie ihr Trikot öffnete. »Mach' dir keine Gedanken wegen dem da.« Er deutete mit einer Kopfbewegung in Richtung Kelvin. »Mach' auf.«

Ohne ihren Blick von Kelvin Stump abzuwenden, öffnete Cheryl den Reißverschluss und rollte ihr Trikot hinauf. Etwas Blut aus der Schnittwunde war bereits getrocknet, und sie verzog das Gesicht, als es am Rand der Wunde zog, während sie das Trikot abzupfte.

»Das tut jetzt ein bisschen weh«, sagte Will. Er tupfte die Umgebung der Wunde mit Alkohol ab, sah, wie sich ihre Muskeln zusammenzogen und hörte, wie sie schnell die Luft einzog. Er säuberte die Wunde und setzte das Alkoholfläschchen ab. »Also, jedenfalls schreibt Newsweek, dass man mit diesen Bakterien nicht spaßen soll. Die sind wirklich gefährlich und können einen umbringen. Die fressen einem einfach das Fleisch weg.«

»Wirklich? Hast du das etwa gelesen?«, fragte sie geistesabwesend, immer noch den Blick nicht von Kelvin Stump abwendend.

»Nein. Ich hab's nur auf der Titelseite gesehen. Ich hab' das Time Magazin gekauft, da war 'ne Geschichte über Sex drin.«

Er lächelte über seinen eigenen Scherz. Dann zog er die Schutzfolie vom Pflaster und drückte es auf die Wunde. Mit der Hand glättete er das Pflaster und strich dabei ein wenig über Cheryls Haut ... und plötzlich überkam ihn ein Gedanke: Wer zum Henker war denn dieser Typ?

Als er sich umdrehte, um ihn das zu fragen, klingelte das Telefon. Cheryl verkrampfte spürbar, was Will dazu brachte, sich wieder seiner Freundin zuzuwenden.

Was zum Teufel war denn hier eigentlich los?

Das Telefon klingelte ein zweites Mal.

Will sah Cheryl an, die sich nicht rührte, und dann den großen Mann, der an der Wand lehnte.

»Warum gehst du nicht ran?«, sagte der Mann. Die kleine Messerklinge, beinahe ein Spielzeug, lugte aus seiner Hand hervor. Das Gefühl der Bedrohung, das er in Cheryls Augen sehen konnte, bestätigte die Angst, die er plötzlich verspürte.

Will kniff misstrauisch die Augen zusammen und griff nach dem Telefon, das auf dem Fernseher stand. Langsam nahm er den Hörer ab und sagte: »Hallo?«

»Will?«, kam die Antwort.
»Ja. Ich bin's«, sagte er zögernd. »Ähm, wer ist denn da?«
»Hier ist Stanley. Ha. Dein, äh, Onkel Stanley.«
»Oh ja. Hallo, Onkel Stanley.« Die beiden letzten Worte betonte er leicht. Wenn Cheryl es gehört hatte, dann reagierte sie jedenfalls nicht. Sie wandte sich nicht von Kelvin Stump ab.
»Vorsicht«, flüsterte Kelvin.
»Logisch. Also, was kann ich für dich tun, Onkel Stanley?«
»Ich habe mich nur gefragt, ob du immer noch den Schlüssel zu dem Koffer hast, über den wir gesprochen haben.«
»Ja, gleich hier.«
»Gut.«
»Gleich hier, in unserem Zimmer.«
»Großartig.«
»Gleich hier, bei mir.«
»Gut, Will, das ist gut zu wissen.«
»Ja, gleich, gleich hier.«
Kelvin wedelte mit dem Messer.
»Geht's dir gut, Will?«
»Oh, nicht besonders. Aber ich muss auflegen. Wir haben Besuch.«
»Besuch? Angenehmen oder unangenehmen?«
»Letzteres, Onkel Stanley.«
»Hm. Großer Kerl? Will das Geld?«
»Treffer, Sir. Volltreffer.«
»Kapiert, Kleiner. Gib' ihn mir.«
Kelvin bedeutete Will, dass er auflegen sollte. Will nickte.
»Ich muss los. Grüß' Tante Olivia von mir. Wir sehen euch beide am Montag in Denver.«
»Will – gib' ihn mir.«
Will zögerte kurz, atmete einmal tief durch und nickte sich selbst kurz im Spiegel zu, bevor er sich umdrehte und Kelvin Stump den Hörer hinhielt.
»Er will mit Ihnen sprechen.«
»Was?«
»Er will mit Ihnen sprechen.« Will zuckte mit den Schultern, als ob er sagen wollte, dass er auch nicht wusste, was er dazu sagen sollte. Dann wedelte er mit dem Hörer.

Kelvin Stump starrte betreten auf das Telefon. Will schüttelte es noch einmal, bis Kelvin es schließlich zur Kenntnis nahm. Er kam herüber, nahm es langsam in die Hand, als ob es beißen könnte, und legte den Hörer vorsichtig ans Ohr.

»Hallo?«, fragte er vorsichtig.

»Hallo«, sagte Stanley. Jede Spur von Lockerheit, die er Will gegenüber an den Tag gelegt hatte, war aus seiner Stimme verschwunden. »Ich habe gehört, dass Sie gerne etwas hätten, das ich habe.«

»Was denn?«, murmelte Kelvin, immer noch wie vom Blitz getroffen, weil jemand wusste, dass er hier war.

»Jetzt hören Sie mal zu, Freundchen«, sagte Stanley kalt. »Ich habe hier einen Haufen Geld, den so eine kleine alte Dame wegzuschaffen versucht hat. Sie haben nicht vielleicht eine Ahnung, wer das sein könnte?«

»Mama«, flüsterte Kelvin, bevor er sich zusammenreißen konnte.

»Ex-akt«, antwortete Stanley.

Im Hintergrund konnte Kelvin zwei Stimmen hören, die einer Frau und die eines Mannes, die über das Verrichten von Notdurft im hohen Gras diskutierten.

»Die Sache ist die«, fuhr Stanley fort. »Wir haben es. Wir haben sie. Sie wollen beides. Sie haben Freunde von uns. Die wollen wir. So einfach ist das.«

»Die bring' ich um.«

Bei der beiläufigen Erwähnung ihres Todes setzten Will und Cheryl sich mit einem Ruck auf. Kelvin drehte sich zur Wand, um etwas mehr Privatsphäre zu bekommen. Im gleichen Augenblick tippte Will an Cheryls Bein und machte eine Geste mit dem Kopf. So unauffällig wie möglich begannen die beiden, sich auf die Tür zuzubewegen.

»Nein, das werden Sie nicht tun, Söhnchen. Es ist nicht so leicht, einen Menschen zu töten. Ich weiß das aus eigener Erfahrung.«

»Etwa aus dem Ersten Weltkrieg, Opa?« fragte Kelvin scharf zurück, gekränkt von dem herablassenden Tonfall des Mannes. Ein weiterer herablassender Tonfall in einem Leben, das voll davon war, eine weitere Stimme, die ihn nicht ernst nahm, die ihm sagte, dass er keine Ahnung hatte, dass er nichts wusste, dass er nicht auf sich selbst aufpassen konnte. In ihm stieg die Wut auf; wie eine Sturzflut brach sie über sein Gehirn herein und ließ ihn erröten. Ein Arm schoss zur Seite und packte Cheryl Crane, die gerade leise an ihm vorbei schlich, am Trikotkragen.

Der Schreck und die Wucht dieser Attacke ließen sie würgen. Mit einer Hand zerknüllte er das Trikot wie ein Blatt Papier, bis es um Cheryls Hals eng zusammengezogen war und sie keine Luft mehr bekam. Will warf einen sehnsuchtsvollen Blick auf die Tür, der er so nahe war, gab den Gedanken an sie auf und kam schnell wieder zu Cheryl zurück. Er machte den Reißverschluss des Trikots auf und befreite so ihren Hals aus der Schlinge.

In dem Augenblick, in dem der Stoff sich löste, öffnete Kelvin Stump die Hand und Cheryl fiel rückwärts gegen das Bett.

»Ich weiß, wie es ist zu töten, Arschloch«, zischte er in den Hörer, und seine Wut stieg und stieg. »Tiere. Menschen. Scheißegal.«

»Schon gut, mein Freund«, sagte Stanley beschwichtigend.

»Genau gesagt«, fuhr Kelvin fort, und die Wut hatte ihn jetzt endgültig gepackt, »genau gesagt gibt es zwei Menschen, die Mittwoch früh noch am Leben waren und die jetzt nicht mehr am Leben sind, meinetwegen. Zwei. Also verarschen Sie mich nicht. Ich kann ganz leicht vier draus machen, gleich hier, gleich jetzt. Kapiert?«

»Gut zu wissen, mein Lieber, gut zu wissen«, sagte Stanley nickend. Jetzt hatte er den Mann gut im Griff. »Aber jetzt zum Geschäftlichen. Wir haben Ihr Geld und wir haben Ihre Mutter.«

»Wo?«

»Nun, im Augenblick ist es nicht so wichtig, wo wir sind. Wo wir in fünfzehn Minuten sein werden, das ist wichtig.«

Kelvin nickte in den Telefonhörer.

»Also gut. Wo?«

»Augenblick mal, lassen Sie mich nachfragen.« Stanley wandte sich ab und sprach mit den Leuten, die bei ihm waren. Kelvin konnte zwei Stimmen im Hintergrund hören. Die eine war ganz klar die seiner Mutter, und die andere die eines Mann mit tiefer, ernsthafter Stimme.

»Wo wollten die ganzen Leute hin?«, fragte Stanley. »Vorhin, im Bus.«

»Da gibt es eine Radsportartikelmesse«, antwortete die mürrisch und wütend klingende Frauenstimme. Eindeutig Mama.

Es gab eine Pause, bevor die tiefe und ernsthafte Männerstimme fragte: »Wo ist die?«

»Im Eisstadion«, konnte Kelvin seine Mutter antworten hören. »In der Dobson Ice Arena.«

Es gab eine kurze Pause, dann war der Erste wieder am Telefon. »Dobson Ice Arena. Wissen Sie, wo das ist?« Es gab eine weitere kurze Pause, dann war er wieder da. »Kelvin? Kennen Sie dieses Eisstadion, Kelvin?«

»Natürlich kenne ich das. Ich war dabei, als es gebaut wurde. Ich habe da gearbeitet«, antwortete er, ein wenig erschrocken, dass der Mann seinen Namen benutzt hatte. Verdammt, Mama.

»Gut. Wir treffen uns in zwanzig Minuten da. Und bringen Sie Ihre Freunde mit.«

»Das sind nicht meine Freunde.«

»Das verstehe ich, aber Sie bringen sie trotzdem mit. Andernfalls werden Sie Ihre Mama nicht zu sehen bekommen.«

Noch eine lange Pause, bevor Stanley weitersprach. »Und Sie werden nichts von dem Geld zu sehen bekommen.«

Kelvin nickte und sagte schnell: »Ich verstehe.«

»Zwanzig Minuten, Kel, wir sehen uns in zwanzig Minuten.«

»Bringen Sie das Geld mit. Den Koffer und die Tasche. Und keine Tricks.«

»Natürlich, Kel. Natürlich. Ich bin kein Typ für Tricks. Die Tasche?«

»Die Sporttasche. Mama hat sie. Bringen Sie auch die Sporttasche mit, oder die Sache platzt. Und die beiden sind tot.«

»Verstanden«, war alles, was Stanley sagte.

Das Telefon klickte. Kelvin spürte, wie seine Wut wieder anstieg. Die erste Welle war auf dem Strand seines Gehirns aufgetroffen und verlaufen, aber die zweite, die dritte und die vierte kamen kurz dahinter, bis sie so dicht aufeinander aufliefen, dass er nicht mehr richtig denken konnte. Er bekam keine Luft mehr. Mit einem Brüllen schlug er sich die Faust und den Telefonhörer gegen die Schläfen. Er drückte seine Hände hart gegen seinen Schädel, als ob sie das Einzige wären, was sein Gehirn davor bewahrte, durch die Risse in seinem Kopf herauszuspritzen.

Sein ganzes Leben, seine ganze Welt, alles, was er geplant und worauf er so lange hingearbeitet, für das er sogar getötet hatte, verwandelte sich gerade vor seinen Augen in einen Haufen Mist.

Er wandte sich zu Will und Cheryl um.

Wegen dieser beiden. Wegen ihrer Freunde. Wegen Mama. Wegen seiner gottverdammten Mutter.

Will und Cheryl saßen wie vom Donner gerührt auf dem Bett. Der rasende Mann versperrte den Weg zur Tür. Der einzige mögliche Fluchtweg war jetzt durch das Fenster hinter ihnen, ein Fenster, von dem Will durch eigenes Ausprobieren wusste, dass es sich nicht mehr als einen Spalt öffnen ließ. Und wenn er noch so große Angst hatte, so wusste Will doch, dass er nicht durch diesen kleinen Spalt in einem Aluminiumfensterrahmen passen würde.

Kelvins Gesicht sah aus wie eine rot- und weiß-gefleckte Maske. Er zeigte ihnen das Messer mit der kurzen Klinge und zischte sie an: »Mitkommen.«

Keiner von beiden bewegte sich.

»Mitkommen!«, brüllte er. Er packte Cheryl an der Schulter und zog sie beinahe mühelos in den Stand.

»Schon gut, schon gut«, quietschte Will. Verzweifelt versuchte er, seine Stimme, seine Geistesgegenwart und ein paar Testosteron-Reserven zu finden. Er stand auf wackeligen Beinen auf und wartete auf einen Hinweis darauf, wohin er gehen und was er tun sollte.

Kelvin griff Cheryl unter die Achseln und zog sie dicht an sich heran. Sie konnte spüren, wie sich das Messer in die Muskeln zwischen ihrer rechten Brust und der Schulter drückte. Sie machte eine vorsichtige Ausweichbewegung, um den Druck von ihrer Seite zu nehmen, aber er machte die Bewegung mit, um die Klinge noch fester gegen das Pflaster zu drücken, das Will nur Minuten zuvor angebracht hatte. Es schien Jahre her zu sein.

»Pass' auf«, flüsterte sie ängstlich.

»Mach' dir keine Sorgen«, spuckte Kelvin aus. »Ich weiß, was ich tue, und ich werde dir nicht wehtun.«

Das letzte Wort sprach er seltsam aus, dachte sie, und sie beendete seinen Satz, bevor er eine Gelegenheit hatte fortzufahren.

»Noch nicht«, sagte sie.

»Noch nicht«, antwortete er ehrlich.

»Noch nicht?«, fragte Will. Er klang wie Alfalfa bei dem Versuch, eine Opernarie zu singen.

Kelvin stand einen Augenblick lang still, während seine Wut über den Gang der Dinge verebbte. Er hätte jetzt schon das Geld haben sollen, aber seine Mutter, seine liebe Mutter hatte wieder einmal seine Pläne versaut. Sein Leben. Trotzdem gab es noch eine Chance. Er hatte diese beiden. Er mochte zwar eigentlich keinen Ballast bei einem geschäftlichen Treffen, aber wenn er alle Beteiligten davon überzeugen konnte, dass er für dieses Geschäft sein Leben lassen würde oder noch besser, dass er bereit wäre, andere dafür sterben zu lassen, dann konnte er das Spiel doch noch gewinnen. Spiel, Satz, Sieg und das Geld.

»Ich habe keine Zeit mehr, mit euch beiden zu spielen. Tut mir Leid.« Er blickte auf Cheryl herab, die jetzt dicht neben ihm stand. »Versuch' bloß nicht, irgend etwas zu unternehmen, Schwester, oder ich nehm' dich aus wie eine Weihnachtsgans.« Zu Will, der schwitzend neben der Schranktür stand, sagte er: »Und du, Freund, du passt gut auf. Es geht schnell, es gibt eine Sauerei, und dann ist sie tot. Du sagst nichts. Du versuchst nichts. Du läufst nicht weg.«

Will versuchte, ruhig zu bleiben, aber er konnte es einfach nicht. Seine Gedanken rasten in zwei, vier, vielleicht sechs verschiedene Richtungen. Eine von diesen Richtungen hatte mit seiner Blase zu tun. Eine andere wünschte, er hätte die Klimaanlage nicht ausgestellt, denn es wurde langsam stickig im Zimmer. Wieder eine andere hatte mit der Frage zu tun, ob er reden sollte und das Einzige und vielleicht letzte Geheimnis verraten, das er noch wusste, um seine Haut zu retten.

Aber zu dieser Frage sagte sein Gehirn laut und deutlich »Nein.«

Und so blieb er stumm und behielt das Geheimnis für sich. Wills Augen blickten schnell von Cheryls Gesicht zu dem des Mannes, der sie umarmte, als wollte er sie sich einverleiben.

Er nickte. Er hatte verstanden.

Kelvin atmete tief durch und deutete zur Tür.

»Vorsichtig«, war alles, was er sagte.

Will nickte und begann zu dem kurzen Flurstück zu gehen, das zur Zimmertür und dem schmalen Flur und dem winzigen Aufzug führte und zu allem, was die Zukunft bringen würde.

Er fühlte sich auf einmal wie elektrisiert und völlig lebendig, als ob jeder Nervenstrang in seinem Körper nach der letzten Empfindung seines Lebens lechzte. Er war schon früher in Gefahr gewesen, aber niemals so wie jetzt. Jede Faser spürte, dass das Ende nahe war und dass jetzt die Zeit war, das Leben so richtig zu würdigen.

Sein Leben zog zwar nicht vor seinen Augen vorbei, aber er sah Farben, die hellen Gelbtöne im Teppich, das fleckige Messing des Türknaufs, die Staubkörnchen, die beinahe bewegungslos in einem Sonnenstrahl in der Luft hingen.

Will öffnete die Tür und trat hindurch. Er atmete tief durch und wandte sich um, schaute die beiden hinter sich an und sagte: »Sie werden uns umbringen. Nicht wahr?«

Kelvin Stump starrte Will eine Sekunde lang an, dann Cheryl, dann wieder Will und nickte. Am Ende, dachte er, würden sie vielleicht seine Ehrlichkeit zu schätzen wissen.

19
Unterwegs

Das Trio ging durch die Alpendeko-Lobby auf die Straße. Überall waren Menschen und Will war sich sicher, dass irgendjemand irgendwie die Panik auf ihren Gesichtern sehen und etwas dagegen unternehmen würde.

Für kurze Zeit war er tatsächlich davon überzeugt, dass das wirklich passieren würde, bis er merkte, dass selbst die Leute, die ihn direkt anschauten, absolut nichts registrierten. Nicht einmal ein winziger Funke der Erkenntnis war in ihren Blicken zu sehen. Ihre Augen waren tot, als ob sie die Welt um sich herum zwar sahen, aber nicht wirklich wahrnahmen.

»Toller Moment zum Philosophieren«, dachte Will und spürte, wie sein Mut wieder sank.

Sie waren allein in einer Welt voller Menschen.

Während sie unter der Führung von Kelvin Stump stumm die Straße entlanggingen, begann Will sich zu fragen, was ein Passant überhaupt bemerken würde, wenn er sie aufmerksam ansah. Drei Menschen, vielleicht Freunde, anscheinend irgendwie unglücklich. Der große Mann hielt seine Freundin eng umschlungen, als hätte er Angst, sie würde davonlaufen. Die Frau war missmutig und verärgert, vielleicht besorgt. Der zweite Mann sah ein bisschen überflüssig aus und ging dicht neben ihr her, ein Freund, ein Kumpel. Seine Augen bewegten sich schnell hin und her, er schaute auf das Paar, in die Menge, und wieder zurück. Kein Passant würde etwas bemerken, weil es nichts zu bemerken gab.

Sie überquerten die Kreuzung und gingen an einem kleinen Einkaufszentrum vorbei. In einem Kino lief ein Film mit Bruce Willis.

»Wie weit denn noch?«, zischte Cheryl.

»Nicht mehr weit«, sagte Kelvin mit einer falschen Fröhlichkeit, die seine einsetzende Nervosität nicht recht zu verbergen vermochte. »Noch zwei Straßen und dann sind wir da. Gleich hinter dem Krankenhaus.«

»Wie praktisch«, flüsterte Cheryl.

»Du wirst es nicht brauchen«, antwortete Kelvin.

»Oh, keine Sorge«, sagte Cheryl mit einer Ruhe, die Will staunen ließ. »Ich hatte nicht an mich gedacht. Sondern an dich.«

»Mich?«, fragte Kelvin wirklich überrascht.

»Ja, dich. Du begibst dich da in eine Situation …«

»Cheryl, nicht«, warnte Will.

»Doch, Will, ich sage den Leuten gern, wer und was auf sie zukommt. Es ist nur fair. Hast du eine Ahnung, mit wem du da telefoniert hast?«

»Nein.«

»Wie schade. Wenn du es gewusst hättest, dann wärst du jetzt auf dem Weg nach Denver und einem Flug nach Aruba.«

»Oh, ich hab' ja solche Angst, Schätzchen«, sagte Kelvin. Er lachte so laut, dass ein Passant es bemerkte, und küsste Cheryl von oben auf den Kopf.

Sie duckte sich weg.

»Ich mache dir offensichtlich keine Angst, das ist schade. Und tu' das bloß nicht noch einmal«, sagte sie mit einem versteinerten Grinsen. »Ich gebe dir eine letzte Chance, dein Leben zu retten …«

»Du meinst dein Leben.«

»Nein«, antwortete sie, »ich meine dein Leben. Deinen jämmerlichen Arsch. Die Leute, die du gleich treffen wirst, sind Killer.«

»Ich auch.«

»Ich meine jetzt nicht, dass die mal 'ner Hauskatze den Hals umgedreht haben oder dass sie Zielschießen auf Eichhörnchen veranstalten«, flüsterte sie atemlos. »Ich rede von Killern, die einem direkt in die Augen schauen ohne zu blinzeln. Leuten, die lieber zusehen, wie jemand stirbt, als zu einem Baseballspiel zu gehen.« Sie lächelte süßlich einer Frau zu, die einen Kinderwagen an ihnen vorbeischob. Die Frau lächelte zurück. Ihre Augen weiteten sich fast unmerklich beim Anblick dieses so gar nicht zusammenpassenden Paares.

Kelvin schluckte. Dann dachte er an das Geld und zog Cheryl noch dichter an sich.

»Hör' schon auf.« Mehr fiel ihm im Moment nicht ein.

»Du wirst das Geld nicht kriegen, Freundchen«, flüsterte sie. »Du wirst nicht einmal in die Nähe des Geldes kommen.«

»Einen Teil davon habe ich schon«, antwortete Kelvin mit starrem Blick. »Den Rest kriege ich auch noch, mach' dir da mal keine Sorgen. Ich kriege den Rest.«

»Du wirst nicht mal auf hundert Meter an den Rest des Geldes herankommen, mein Lieber. In ein paar Minuten ist dir das Geld sowieso völlig egal. Du wirst zu sehr damit beschäftigt sein, dein Gehirn wieder durch das kleine Loch zurückzuschieben, das sie dir in den Schädel schießen werden.«

»Schnauze«, sagte Kelvin und drückte fester auf das kleine Messer, das durch das Pflaster in Cheryls Haut eindrang.

Sie schnitt eine Grimasse und ging auf die Zehen, um der Messerspitze auszuweichen.

Will trat hinzu und legte seine Hand auf Kelvin Stumps Arm.

»Immer mit der Ruhe, mein Freund«, flüsterte er. Ein ängstliches Lächeln war alles, was er noch an Schauspielerei zustande brachte. »Es klingt vielleicht respektlos von ihr, aber sie ist nur ehrlich. Sie will dich nur vor diesen Kerlen warnen. Ich weiß, wozu die in der Lage sind.«

Cheryl nickte.

Kelvin blieb stehen und schaute die beiden kurz an. Dann entspannte er sich ein wenig, setzte das Lächeln wieder auf und ging weiter in Richtung Dobson Ice Arena, die jetzt nur noch eine Querstraße entfernt war.

»Dann erzähl' doch mal, wozu die in der Lage sind«, sagte Kelvin.

Will versuchte verzweifelt, sich eine Geschichte auszudenken.

»Lass' mich dir was über diese zwei erzählen, Kumpel. Als ich klein war, da gab es in Detroit einen Fall. Zwei Typen wurden in einem Lagerhaus gefunden. Ein Mafia-Mord. Es stand alles in der Zeitung. Die beiden waren Polizeispitzel gewesen. Einer von beiden wurde in Einzelteilen gefunden. Seine Arme und Beine waren ihm abgehackt worden. Die Polizei meinte, so, wie seine Adern abgebunden waren, sei er noch lange am Leben gewesen. Während der ganzen Zeit. Wach. Er hat zugesehen, wie sie es getan haben. Der andere Mann hat dabei zuschauen müssen. Sie hatten ihm wohl ein Geschirrtuch in den Mund gestopft, damit er still blieb. Und das hat er verschluckt. Er hat ein Geschirrtuch verschluckt, Mann. Aus Angst. Aus purer, reiner Angst. Er ist erstickt. Man hat das Geschirrtuch in seinem Magen gefunden.

Das haben sie mir heute erzählt«, sagte Will ernst. »Sie haben mir erzählt, dass sie das waren. Sie haben das getan.«

Cheryls Augen weiteten sich bei Wills Enthüllung.

»Blödsinn«, sagte Kelvin leise.

»Nein, kein Blödsinn«, sagte Will mit ruhiger Stimme. »Ich kann mich daran erinnern. Einer der Typen, die gestorben sind, hieß Virgil Irgendwas. Solotzo oder so. Als ich heute versucht habe, vor ihnen zu fliehen, haben sie es mir erzählt. Als sie das Geld aus meinem Zimmer holen wollten. Sie haben es mir erzählt. Wirklich.«

Kelvin piekste Cheryl mit dem Messer in die Seite. Sie zuckte zusammen.

»Kein Scheiß?«

»Kein Scheiß, Mann. Echt, kein Scheiß«, sagte Will ruhig. »Sie behaupten, sie hätten vierunddreißig Morde begangen und seien nie erwischt worden.«

»Was für ein Pech für mich«, murmelte Kelvin. »Und was für ein Pech für euch, wenn das Geschäft nicht zustande kommt.«

Will wurde blass. Die Geschichte und den Namen Virgil hatte er aus dem Buch Der Pate gestohlen. Kelvin hatte mit einem Zitat aus dem Film geantwortet.

»Hey«, sagte Will. Er ging ein paar Schritte vor und drehte sich dann um. Er hob die Stimme ein wenig, sodass ein paar Passanten sich kurz umdrehten. »Ich will damit nur sagen, das sind knallharte Typen. Sie sind mit ihr verwandt …«

Cheryls Augen wurden groß. Es gefiel ihr nicht, dass er diese Information preisgab.

»… und sie lieben sie sehr. Wenn du sie noch weiter mit dem Messer da verletzt, werden sie wütend. Richtig wütend.«

»Ja, also …«

»Glaubst du denn im Ernst«, flüsterte Will und beugte sich vor, »dass zwei professionelle Killer vor so ’nem Taschenmesser zurückschrecken?«

»Ich laufe nicht davon.«

»Ich weiß das«, sagte Will unbekümmert. Er kicherte. »Die wissen das. Und darauf verlassen sie sich.«

»Was?«

»Hier geht es um eine Menge Geld, auch ohne den Hunderter für das Abendessen gestern. Sie wissen, dass du kommen wirst. Wie ein Lamm zur Schlachtbank.« Sein Tonfall verriet Furcht, aber auch Erleichterung darüber, dass sie endlich da waren. »Hier sind wir jetzt, die Dobson Ice Arena.«

Er zog eine Tür auf und stand vor einem Aufpasser im Teenageralter, der eine gelbe Schürze mit der Aufschrift »Wachschutz« trug.

»Sie können hier nicht 'rein – die Halle schließt in zehn Minuten.«

»Aber nicht doch«, sagte Will fröhlich. »Wir haben noch zehn Minuten Zeit und wir sind da drin mit den Typen vom Richardson Bike Mart verabredet. Jim und Rhonda wollten uns drei zum Essen einladen.«

Will wandte sich zu Kelvin um und fragte: »Die heißen doch Jim und Rhonda, oder?«

Kelvin blieb stumm wie ein Fisch. Die Unterhaltung der letzten Minuten war endlich eingesickert und begann, ihn langsam nervös zu machen, jetzt, da die Konfrontation unmittelbar bevorstand. Er grunzte nur.

»Doch, doch, Jim und Rhonda«, flötete Will.

»Sie können hier nicht 'rein. Ab halb fünf ist kein Einlass mehr.«

»Ah, ich verstehe. Deswegen ist ja bis fünf offen, damit ihr um halb fünf anfangen könnt, die Leute 'rauszuwerfen.«

Die Stimme des Teenagers kiekste leicht. »Schauen Sie, ich hab' die Vorschriften nicht erfunden …«

»Ich verstehe«, antwortete Will ruhig und beugte sich verschwörerisch vor. »Aber schau doch mal, Kumpel. Ich hab' 'ne Chance, zu einem guten Abendessen in Vail eingeladen zu werden. Diese Leute haben einen guten Geschmack, also wird es ein nettes Restaurant. Ein teures. Das bekomme ich nicht sehr oft.« Er machte eine Pause. »Komm' schon, ich gehe nur schnell zu ihrem Stand. Lass' uns 'rein und wir sind in elf Minuten wieder draußen. Eine Minute nach fünf, spätestens zwei. Was sagst du? Hilf' deinem Nächsten und der Herr wird dich zehnfach segnen«, verbog er einen Spruch seiner Mutter.

Er strahlte den Jungen mit einem Hundert-Watt-Lächeln an und neigte den Kopf zur Seite, als wolle er sagen, »Wir leben beide auf dieser Welt, hilf' mal einem Mitmenschen.«

Der Junge schaute ihn an, warf einen Blick auf die Uhr und nickte. Er trat zurück und ließ die drei vorbei.

»Zwei nach fünf.«

»Aber sicher«, antwortete Will im Vorbeigehen. »Jim isst nicht gern später als siebzehn Uhr vierundzwanzig.«

»Danke«, sagte Cheryl ohne große Begeisterung.

»Gern geschehen«, sagte der Junge. Den kalten Schweiß auf Kelvin Stumps Gesicht bemerkte er nicht.

Die drei betraten die große bunte Halle und marschierten an den ersten drei oder vier Ständen vorbei. Zwei davon verkauften Kohlehydrat-Konzentrate, der dritte Titanfelgen. Vor dem Stand mit den Energie-Gels war eine Traube von Menschen, die Gratisproben des zähen Glibberzeugs aus Pumpflaschen tranken. Die Flaschen wurden von Mädels bedient, bei deren Anblick allein die Männer schon zu sabbern anfingen.

Trotz der Deckenbeleuchtung war die Halle irgendwie duster. Will rieb sich die Augen und versuchte, scharf zu sehen, blieb mitten in der schnell dünner werdenden Menge stehen und wandte sich zu Kelvin Stump um.

»Okay, Admiral Byrd, wir haben den Pol erreicht. Was nun?«

»Wir warten«, war alles, was Kelvin einfiel.

Cheryl spürte, wie die Angst an Stumps Arm entlanglief und auf sie überging.

Vielleicht waren sie zu weit gegangen, dachte sie. Ein verängstigter Mensch war ein Mensch, der Fehler machte.

»Weißt du«, flüsterte sie, »noch hast du Zeit. Noch kannst du deine Haut retten.«

»Ich weiß«, antwortete Stump mit einem Lächeln, das sie bis ins Innerste frösteln ließ. »Aber wir warten. Ich bin schon zu weit gegangen. Es steht zu viel auf dem Spiel.«

Sie nickte, schaute auf den Boden und dachte über die Situation nach, in der sie sich befand: Festgehalten von einem geldgierigen Irren, mit der einzigen Hoffnung, von zwei mordlustigen Soziopathen gerettet zu werden, die sie zufälligerweise »Familie« nannte.

Ihr Vater kam ihr in den Sinn. Die Kälte wurde intensiver und legte sich um ihre Seele. Sie schwor sie sich etwas. Sie würde das hier überleben. Sie würde leben. Sie würde sie alle besiegen.

Sie warf einen Blick auf ihre Uhr und ihre Gedanken entfernten sich kurz von ihrer misslichen Lage. Ihr Downhill hatte vor mehr als sechsundneunzig Minuten stattgefunden. Die Uhr tickte.

Kelvin Stump suchte die Menge nach zwei Menschen ab, die er nicht kannte, die jedoch in Begleitung einer Frau waren, die er lieber nicht kennen würde.

»Das ist doch lächerlich«, brummelte er. Mit der linken Hand suchte er in seiner rechten Hosentasche nach seinen Schlüsseln. Durch die Bewegung drückte sich das Messer in Cheryls Seite und sie versuchte, ihm auszuweichen. Er hielt sie fest.

»Hierbleiben, Baby.«

»Baby? Entschuldige mal, Baby?« Cheryl spürte, wie die Wut in ihr aufstieg. Obwohl er den Druck gegen ihre Seite aufrecht hielt, zog sie ihre Hand unter seinem Arm hervor und schob die Klinge weg. »Lass' das bleiben. Ich gehe nirgendwohin.«

»Du bist ganz schön mutig, sie ›Baby‹ zu nennen«, sagte Will angestrengt unverbindlich. »Der letzte Typ, der sie so genannt hat, sucht heute noch in einem belgischen Abwasserkanal nach seinen Eiern.«

Stump ließ sie los, überrascht von ihrer Kraft, und weil er nur so an seine Schlüssel kam. Er klappte das Messer zu und holte mit der rechten Hand einen Schlüsselbund mit vielleicht zehn Schlüsseln heraus. Mit einem Auge beobachtete er Cheryl, mit dem anderen suchte er nach einem bestimmten Schlüssel. Er fand ihn. Dann packte er Cheryl grob am linken Arm und zog sie wieder an sich. Sie seufzte und stellte sich wieder dicht zu ihm.

»Ich fand es noch nie gut, irgendwelche Leute suchen zu müssen, weißt du«, sagte er direkt zu Will. »Ich fand es schon immer besser, wenn man mich suchen musste. Also, wenn du deine Freundin je wiedersehen willst, dann gehst du jetzt deine Onkel suchen.«

»Ihre Onkel.«

»Finde sie. Und bring' sie …« unterbrach er sich und suchte mit den Augen eine entfernt liegende Wand ab, »… bring sie da hin. Da drüben. In die Gästeumkleide.« Er rasselte mit den Schlüsseln. »Ich habe überall in dieser Stadt gearbeitet. Ich kenne Orte, die es gar nicht gibt.«

»Da kannst du aber stolz darauf sein!«

Kelvin ließ den Sarkasmus einen Augenblick lang wirken. »Weißt du was, das bin ich auch. Du hast doch keine Ahnung, Arschloch«, flüsterte er böse und stieß Will mit einem Finger in die Brust. »Du weißt überhaupt nichts.« Er schaute auf die Tür in der Ecke. »Wir sind da drin. Komm' zu uns. Keine Tricks.«

»Keine Tricks«, antwortete Will.

Kelvin richtete sich zu seiner vollen Größe auf und zerrte Cheryl mit. »Komm' mit, Kleine.«

Er sagte das mit leichtem Ton, aber nachdem Cheryl ihren Blick von Will abgewandt hatte, bemerkte Will, dass Kelvin Stump stark schwitzte. Er hatte offensichtlich Angst vor dem, was auf ihn zukam.

Will sah ihnen hinterher. Auf der gegenüberliegenden Seite der Arena warf Stump einen prüfenden Blick hinter sich, schloss schnell die Tür auf und trat hindurch.

Will seufzte und kratzte sich am Kopf. Was für ein Tag.

Stanley rollte mit den Augen, als er und Ollie vor dem Eisstadion den Koffer aus dem Bus wuchteten. Er schulterte die Sporttasche, schob den Koffer vor sich her und überließ die beiden hinter sich ihrer Unterhaltung.

Ollie und die Frau hatten nicht zu plappern aufgehört, seit sie wieder ins Haus zurückgekehrt waren, nachdem sie draußen ihre Notdurft verrichtet hatte. Mittlerweile klang die Diskussion schon eher wie ein Paarungsritual.

»Sie können doch nicht behaupten, der Mensch habe keine Rechte«, meinte Ollie.

»Selbst in Ihrer Philosophie ist der Mensch ein Tier, und Tiere haben das Recht, auf dieser Welt zu leben.«

»Aber der Mensch missbraucht dieses Recht«, hielt sie ihm entgegen, »indem er die Erde missbraucht und ausnutzt, indem er sich wie ein Parasit über die Welt ausbreitet, Biotope zerstört, Regenwälder …«

»Aber die Erde ist erstaunlich widerstandsfähig, das müssen Sie zugeben.«

»Ah, aber wie lange noch? Wie lange noch, bevor nichts mehr lebt außer Kakerlaken? Wir müssen recyclen, wiederverwenden, wiederverwerten. Lebensräume schützen. Sinnloses Zubauen stoppen.«

»Darin stimme ich Ihnen zu, auch in Michigan gibt es zu viel Wachstum«, sagte Ollie traurig und schüttelte den Kopf. »Alter Baumbestand wird für Industriegebiete, Wohnanlagen und angelegte Parks abgeholzt. Es ist unglaublich. Und hässlich.«

»Sie sind vielleicht nicht völlig meiner Meinung«, sagte Marjorie mit einem Lächeln. »Aber Sie verstehen mich. Sie verstehen es.«

»Aber man kann die Menschen nicht aufhalten. Sie bewegen sich. Sie vermehren sich. Sie …«

»Nehmen?«

Er nickte. »Sie nehmen.«

»Vielleicht kann ich sie jetzt nicht aufhalten. Ich bin nur ein einzelner Mensch. Aber damit«, sie nickte traurig in Richtung des Koffers, »damit hätte ich mehr Menschen erreichen können. Überzeugen. Produktiv arbeiten, nicht destruktiv. Aber wir werden es nie erfahren.«

»Es tut mir Leid. Es tut mir wirklich Leid.«

Überraschend nahm Ollie ihre Hand und drückte sie ein wenig.

Marjorie Stump erschrak, als hätte sie einen Stromschlag bekommen. Aber ihre Hand zog sie nicht weg.

Olverio Cangliosi sah sie mit einem aufrichtigen Blick an. Dann bewegte er im Takt seiner Worte ihre Hände. »Ich wünschte … es gäbe einen … irgendeinen Weg … dass wir alle das bekommen könnten … was wir wollen.«

Sie nickte. »Das ist Mafiageld, richtig?«

Er nickte.

»Wir könnten es der Umwelt zugute kommen lassen«, sagte sie mit einem schüchternen Lächeln.

Ollie hielt weiter ihre Hand und lachte auf eine Art, dass Stanley es für angebracht hielt, sich an der Tür zum Eisstadion zwischen die beiden zu stellen.

»Die Scheine sind schon grün genug, meine Lieben. Passen Sie auf mit dem Stock da, Lady. Sie dürfen ihn nur behalten, weil Sie gesagt haben, Sie brauchen ihn zum Gehen. Ollie, können wir unsere Aufmerksamkeit jetzt dem Geschäftlichen widmen?«

Ohne den Blick voneinander zu nehmen, nickten Ollie und Marjorie.

Stanley rollte mit den Augen und trottete zur Tür. Er schob das volle Gewicht des Koffers allein.

Während er auf der Suche nach seinen »Onkeln« und dieser Mrs. Stump durch die Gänge ging, begann Will, leise vor sich hin zu brummeln. Innerhalb kürzester Zeit waren seine Augen von der Neonbeleuchtung und den vielen bunten Ständen völlig überfordert. Er sah Dinge, ohne sie wirklich zu sehen, und ging an Menschen vorbei, ohne jemanden zu registrieren.

Es war eine Art blindes Starren, und er konnte es nur stoppen, indem er irgendwo anhielt und eine ganz konkrete Sache betrachtete. Also blieb er an einem Stand stehen, nahm eine ultraleichte Sattelstütze in die Hand und betrachtete sie.

Eine zierliche Frau mit einem Strohhut und dem breitesten Lächeln, das er je gesehen hatte, trat von der anderen Seite an den Tisch.

»Interessiert?«, fragte sie.

»Was? Oh, ja«, murmelte Will und ein Gedanke formierte sich langsam in seinem Gehirn. »Ja. Haben Sie das auch in Stahl?«

Überrascht klapperte sie einen Augenblick lang mit den Augenlidern, bevor sie sich verschwörerisch über den Tisch beugte. »Nein, Süßer – alle wollen es leichter, nicht schwerer.«

Will wog die Sattelstange in der Hand. Für einen Überraschungseffekt würde es vielleicht reichen, aber er wollte eigentlich mehr Gewicht dahinter.

»Ich hab's mit der Stabilität. Mir ist mal eine gebrochen.«

»Die hier bricht nicht.«

Will lächelte und schüttelte dann den Kopf. »Nein, ich glaube, ich brauche eine, die schwerer ist.«

»Wir haben noch die hier. Die ist zwar nur ein paar Gramm schwerer, aber vielleicht ist sie trotzdem was für Sie.«

Will hob die Stütze aus Aluminium hoch. Sie war schwerer, aber sie fühlte sich anders an. Trotz des geringeren Gewichts vermittelte die Titanstange doch eine größere Autorität.

»Ich nehm' doch die andere«, sagte Will und suchte in der Tasche seines Trainingsanzugs nach seinem Geld.

»Fünfzehn Dollar. Spezieller Messepreis.«

»Ja, ist wirklich ein guter Preis«, sagte er mit einem Nicken. Dann schaute er auf und sah das Schild: »Richardson Bike Mart.« Er hatte sie gefunden.

»Oh, hey, ich hab' mal was über Sie gelesen. Grüßen Sie Rhonda und Jim.«

Sie lächelte und gab ihm das Wechselgeld und eine Quittung. »Ich werd' Jim von Ihnen grüßen.«

Will lächelte und nahm die Sattelstütze in die Hand. Das Wechselgeld steckte er zusammen mit der Visitenkarte, die er reflexartig genommen hatte, in die Tasche und schob die Sattelstütze vorne unter das Gummiband seiner Trainingshose. Dabei wurde ihm bewusst, dass man ihn wahrscheinlich entweder als Dieb oder als Viagra-Süchtigen festnehmen würde.

Dann ging er weiter den Mittelgang entlang. Die Sattelstütze und mit ihr die offensichtliche Wölbung in seiner Hose verschob sich mit jedem Schritt. Je näher fünf Uhr rückte, desto mehr dünnte die Menge aus. Als Will am anderen Ende der Halle angekommen war, sah er plötzlich Stan und Ollie und Marjorie Stump, den schwarzen Koffer in ihrer Mitte. Sie sprachen mit einem anderen Aufpasser im Teenageralter.

»Aber wir müssen das abliefern«, sagte Ollie gerade geduldig. »Wir sind spät dran, das wissen wir ja, aber wir müssen es bei einem der Stände abliefern.«

»Bei welchem?«, fragte der Junge.

»Richardson Bike Mart«, sagte Will kurz. Er griff in die Tasche und hielt dem Teenager autoritär die Visitenkarte vor die Nase.

»Kommt schon, Freunde, ihr seid spät dran. Die von Colnago werden ganz schön sauer, wenn das Rad nicht morgen früh zusammengebaut am Stand steht.« Er trat vor und übernahm von Stanley den oberen Griff. Dann wandte er sich wieder dem Teenager zu und fragte: »Wann wollt ihr die Verkäufer hier raus haben?«

Der Teenager schüttelte den Kopf. »Keine Ahnung, sechs, denke ich.«

Will seufzte.

»Scheiße. Nur eine Stunde für den Aufbau. Kommt mit. Ich werd' eure Hilfe brauchen.« Er begann, den Koffer zur gegenüberliegenden

Hallenwand zu ziehen. »Jetzt kommt schon. Wir haben nur eine Stunde und es wird eng, also hopp«, bellte er.

Die vier sahen ihm hinterher. Eine der Rollen blockierte kurz und hinterließ quietschend einen weißen Streifen auf dem glänzenden grauen Betonboden. Dann zuckte Ollie mit den Schultern und folgte ihm, Marjorie Stump mit sich ziehend. Stanley folgte als Letzter. Er lächelte den Teenager an und wünschte ihm noch einen schönen Tag.

»Ihnen auch«, sagte der Junge und drehte sich wieder zur Tür um.

Olverio schlang seinen Arm um den von Marjorie Stump, die sofort begann, ihn zwischen den Ständen hindurchzuziehen. Instinktiv kämpften die beiden um die Führung bei diesem Tanz. Stanley schüttelte den Kopf und ging etwas schneller, um Will einzuholen.

Als er neben ihm war, flüsterte er: »Okay, also, was gibt's?«

»Er ist im Umkleideraum«, sagte Will und nickte mit dem Kopf zu der Tür, der sie sich näherten. »Er hat Cheryl. Das gibt's.«

»Waffen? Sonst was?«

»Klappmesser«, antwortete Will. »Eins von diesen Dingern, die Karate-Heften beiliegen. Ungefähr sechseinhalb, siebeneinhalb Zentimeter lange Klinge.«

»Cherylann?«

»Es geht ihr gut. Wütend. Hat eine kleine Schnittwunde, aber ansonsten geht's ihr gut.«

»Okay«, sagte Ollie und kam mit Marjorie Stump im Schlepptau zu ihnen. »Wir übernehmen die Sache jetzt. Ich schlage vor, du gehst in dein Hotelzimmer zurück und wartest. Cheryl wird bald kommen.«

Will starrte den Mann an, der ihn vor so kurzer Zeit fast erwürgt hätte und schüttelte den Kopf.

»Nein.«

»Was?«

»Nein. Was immer euer Plan ist, ich bin dabei. Ohne Cheryl gehe ich hier nicht weg. Ich gehe nicht ohne sie.«

Olverio schaute den schlanken Mann mit der seltsamen Erektion an. Er wollte antworten, aber in diesem Augenblick ging ein älterer Wachmann an ihnen vorbei.

»Zeit zum Aufbruch, Leute.«

»Danke, Officer«, rief Will. »Wir liefern den Koffer ab und dann sind wir weg.«

Er lächelte und winkte. Immer weiter lächelnd wandte er sich zu Ollie um und sagte einfach nur: »Ich komme mit. Ob du's willst oder nicht.«

Er wartete einen Augenblick, bis der Wachmann um eine Ecke gegangen war, dann klopfte er an die Tür des Umkleideraums.

Kelvin Stump hatte Cheryl rüde durch die Tür geschoben, sich umgedreht und die Tür hinter sich verschlossen.

»Such' dir 'nen Sitzplatz. Hinten irgendwo.«

Cheryl seufzte. Das wurde langsam ermüdend. Sie ging zum hinteren Ende des Umkleideraums, der mit seinen abgedichteten Fenstern und verschlossenen Türen ein einzigartiges Bouquet aus Schweiß, Schimmel und Luftfeuchtigkeit verbreitete.

Sie ging zum Toilettenraum und zog eine Handvoll Klopapier von einer Rolle. Sie presste sich das Papier an die Seite und zog dabei eine Grimasse, die sowohl Schmerzen als auch die missliche Lage ausdrückte, in der sie sich befand. Eine dunkelbraune verriegelte Tür, die nach draußen zu führen schien, lockte sie kurz, aber schon war die Gelegenheit vorbei. Kelvin Stump trat in den Türbogen.

Ohne sich um seine Anwesenheit zu kümmern, öffnete Cheryl den Reißverschluss ihres Trikots, zog es aus und hob den Arm, um sich die Schnittwunden anzuschauen. Es waren anscheinend drei. Zwei kleine Schnitte neben dem Pflaster und der Erste darunter. Den hatte Kelvin durch das Pflaster hindurch wieder geöffnet.

Um das Pflaster herum befanden sich noch ein paar kleine Stiche, wo die Spitze des Messers in die Haut eingedrungen war. Sie presste das Klopapier gegen die Wunden, zog das Trikot wieder an und schloss den Reißverschluss.

Sie seufzte.

So sollte das Leben eigentlich nicht sein.

Eigentlich sollte sie heute Rad fahren. Sie sollte gewinnen. Sie sollte eine Mannschaft anführen.

Sie tat es nicht.

Sie stand in einer vergammelten, stinkenden Umkleidekabine und versuchte, ruhig zu atmen, während sich fünf Leute um einen Haufen Geld stritten, der sie durchaus beeindruckt hatte, aber der ihr eigentlich nichts bedeutete.

Es war Geld, aber es war nicht ihres.

Und es hatte sie in Kontakt mit ihren Onkeln gebracht, was das Geld sozusagen mit einem Kainsmal versehen hatte.

Sie ging an Kelvin vorbei zurück in den Umkleideraum, der zwischen den Toiletten und den Duschen lag. Sie setzte sich auf eine Holzbank und wartete auf die Rettung.

Auf ihre Helden. Mannomann, wie sich die Dinge entwickelt hatten.

Plötzlich war ihr alles egal.

Dann hörte sie ein Klopfen an der Tür.

Mit dem Klopfen ging Kelvin Stump an ihr vorbei in den Eingangsbereich. Er schob den Riegel zur Seite. Bevor die Tür aufgehen konnte, trat er schnell zurück in den Umkleideraum und setzte sich neben Cheryl. Sie wollte ihm ausweichen, aber als sie die Spitze des Messers an ihrer Schläfe spürte, schmiegte sie sich dicht an ihn.

Sie hörten, wie sich die Tür öffnete und wie der Koffer in den Raum geschoben wurde, dann spürten sie die leise Druckwelle, als die Tür sich hinter den Stimmen schloss.

»Abschließen«, rief Kelvin. »Her mit den Schlüsseln.«

Einer von denen im Nebenraum schob den Riegel wieder vor.

Cheryl konnte hören, wie die Gruppe auf sie zuzugehen begann. Die Messerspitze drückte sich tiefer in ihre Schläfe.

»Pass' doch auf, Mann«, zischte sie.

Kelvin ließ einen Moment lang locker, aber die Anspannung ließ ihn unbewusst sofort wieder fester zudrücken.

Verdammt, dachte sie, ich werd' überall voller Pflaster sein.

Will und Marjorie Stump betraten den Umkleideraum zuerst. Will kam schnell um die Ecke, zuerst erleichtert bei Cheryls Anblick, dann wieder besorgt, als er das Messer an ihrer Schläfe sah.

Marjorie Stump, unsicher, was sie erwarten würde, war zuerst auch vom Anblick des gleichen Messers an der gleichen Schläfe erschrocken, aber als ihr klar wurde, dass Kelvin zum ersten Mal in seinem Leben das Kommando übernommen hatte, lächelte sie.

»Kelvin«, sagte sie und ließ Ollies Arm los. »Der hier hat eine Waffe. Eine Pistole. Sie befindet sich in seiner rechten Jackentasche. Es ist eine kleine Waffe, und ich glaube, ein Schalldämpfer ist auch dran.«

»Danke, Mama«, flüsterte Kelvin und hob seinen Arm in die Waagerechte, bis er auf gleicher Höhe mit Cheryls Kopf war. »Die Waffe. Sofort. Oder deine Nichte ist erledigt. Ist doch deine Nichte, oder? Eine Sekunde, und sie ist mausetot.«

Der Tonfall überraschte Marjorie zwar, aber sie ging zum Toilettenraum, drehte sich im Türbogen um, kreuzte die Arme über der Brust und grinste zufrieden.

»Rechte Jackentasche, Kelvin. Achtung.«

Ollies Gesicht zeigte keinerlei Regung, aber Will konnte sehen, wie seine Augen langsam von Kelvin zu Marjorie und wieder zurück wanderten. Stanley betrachtete währenddessen den Raum, bevor sein Blick wieder bei seiner Nichte landete und auf dem Mann, der sie bedrohte.

Kelvin zuckte mit dem Arm. Ollie hob die Hände und zog mit Daumen und Zeigefinger die Walther TPH am Schalldämpfer aus der Tasche.

Kelvin blinzelte.

»Oh. Wie niedlich.«

Ollie zuckte mit den Schultern. »Es reicht.«

»Darauf wette ich«, flüsterte Kelvin. »Das hier reicht auch.« Er ließ das Messer aufblitzen. »Schieb' sie mit dem Fuß hier 'rüber. Vorsichtig.«

Ollie zögerte kurz, dann ging er in die Hocke und legte die Waffe mit dem Schalldämpfer vorsichtig auf den glänzenden braunen Fußboden. Dann gab er ihr mit der Hand einen Stoß, sodass sie vor Kelvins Füßen landete, und stand wieder auf.

Kelvin umfasste mit den Fingern seiner rechten Hand den Kragen von Cheryls Trikot und drückte ihr das Messer gegen die Kehle. Dann bückte er sich und hob mit der anderen Hand die Waffe auf, ohne den Blick von den drei Männern abzuwenden.

»Tut mir Leid, Jungs«, sagte er und lehnte sich zurück. »Keine Chance für Heldentaten. Lehnt den Koffer da an die Wand. Die Sporttasche daneben. Ich hab' gewonnen. Spiel, Satz, und Sieg.«

Marjorie Stump schien sich sichtbar zu entspannen.

»In der Tat, Kelvin. Wir haben in der Tat gewonnen.«

Es war, als habe er sie nicht gehört.

Ollie schaute traurig auf Marjorie. Sie warf einen entschuldigenden Blick zurück, dann zuckte sie mit den Schultern.

C'est la vie.

Kelvin ließ Cheryl los und stand auf. Mit der Waffe in der Hand beschrieb er einen Bogen. »Jetzt hier entlang. Hier drüben.«

Langsam bewegte sich das Trio vorwärts und tauschte mit dem bewaffneten Mann die Position, bis es neben Cheryl an der Holzbank angelangt war. Marjorie Stump stand weiterhin am Eingang zu den Toiletten. Kelvin beachtete sie nicht.

Will setzte sich so vorsichtig, wie er konnte, neben Cheryl. Die Sattelstütze aus Titan drückte oben gegen seinen Bauchnabel und unten an seinen Penis.

»Alles klar bei dir?«

»Ja, ja, alles klar«, antwortete sie regungslos.

»Na, du klingst jedenfalls so«, sagte Stanley.

»Ganz der Vater«, schnaubte Ollie.

Wütend fuhr ihr Kopf zu ihm herum.

Kelvin wedelte mit der Walther in ihre Richtung. »Schluss mit dem Familiengelaber, okay? Schhh.« Er hob einen Finger an die Lippen und lächelte. Dann beugte er sich in Richtung der Eingangstür und horchte. »Nur noch ein paar Minuten, dann machen wir uns auf den Weg.«

»Wir machen uns auf den Weg?«, fragte Will und richtete sich auf. »Wir gehen?«

»In die Hölle«, sagte Ollie und seine Augen bewegten sich langsam zwischen Kelvin mit der Waffe und Marjorie, die die Toilette bewachte, hin und her.

»Und zwar ohne Umwege«, fügte Stanley hinzu.

»Hä?«

»Will«, sagte Cheryl leise. »Er will uns alle umbringen.«

»Oh.« Das war alles, was Will Ross dazu einfiel.

20
Enthüllung in der Garderobe

Kelvin Stump starrte das Quartett an, das da verdrießlich auf der Bank saß. Er lächelte. Er hatte gewonnen. Der freche Radrennfahrer, die Frau und die beiden »Killer« waren vor ihm aufgereiht wie die Hühner auf der Stange. Sie saßen zusammengesunken und niedergeschlagen da, bis auf den albernen Radfahrer, der sich ständig an den Bauch fasste. Seine Mutter musste ihm das »Sitz' gerade« ganz schön eingebläut haben.

Genau wie bei Kelvin. Er trat zurück in den Eingangsraum, um wieder an der Tür zu lauschen.

»Wer hat den Schlüssel zu dem Koffer?«, fragte Kelvin die vier. Keiner antwortete. Keiner bewegte sich. Keiner schaute zu ihm hoch.

»Na, mal sehen«, überlegte Kelvin laut. »Bitte ich darum oder schieße ich einfach dem Mädchen in die Kniescheibe, damit es mir jemand sagt.« Er senkte die Waffe und zielte auf Cheryls Bein. Will stand sofort auf.

»Ich hab' ihn. Ich hab' den Schlüssel hier.« Er griff in die Hosentasche seiner Trainingshose und holte einen kleinen silbernen Kofferschlüssel heraus.

»Bist du sicher?«, fragte Kelvin und wedelte mit der Waffe in Cheryls Richtung.

»Ganz sicher«, antwortete Will.

Kelvin nahm den Schlüssel und trat zurück. Er schloss die drei Kofferschlösser auf. Will sah ihm dabei zu und spürte, wie ihm der kalte Schweiß auf dem Rücken ausbrach.

»Sehr gut. Sehr gut.« Kelvin lachte. »Ich hoffe, es macht euch nichts aus, wenn ich nicht gleich hier auspacke, aber es ist immer so schwierig, Geld wieder einzupacken, wenn es erst einmal auf dem Fußboden verteilt ist.«

Er warf Will den Schlüssel wieder zu. »Hier. Behalt' ihn. Als Andenken.«

Will fing den Schlüssel auf, steckte ihn zurück in die Tasche und setzte sich wieder auf die Bank. Die Sattelstütze drückte auf seinen Penis und er rückte hin und her.

Kelvin bemerkte sein Unbehagen und sagte: »Wenn du scheißen musst, die Klos sind da drin. Ich will nur nicht, dass es stinkt, okay?«

Kelvin lehnte sich wieder zurück und horchte an der Tür. Die Halle wurde langsam still. Es war beinahe so weit. In drei Stunden würde er in Denver sitzen und unglaublich reich sein. Er würde ein ganz neues Leben leben, ein ganz neuer Mensch sein, und niemand würde etwas von der ganzen Geschichte hier erfahren.

»Kelvin«, zischte Marjorie. »Kelvin!«

»Mutter«, sagte er leise und ruhig.

»Was tun wir jetzt, Kelvin?«

»Wir?«

»Er wird uns umbringen, Mrs. Stump«, unterbrach Will die Familienidylle. »Wollen Sie das wirklich auf dem Gewissen haben, Mrs. Stump?«

Sie wandte sich zu Will oder Murph, wie sie ihn auch kannte, und ließ ihren Blick langsam die Reihe entlanggleiten, bis er auf Ollie ruhte. Auf der einen Seite hatte er sie gekidnappt und gequält, aber auf der anderen war er der einzige Mann, der ihr je auf gleicher Ebene begegnet war. Ihre Unterhaltung über Themen vom Stuhlgang im hohen Gras bis zu Recycling nahmen langsam die Qualität einer von gleichgesinnten Menschen geteilten Kommunikation an.

Seltsam, dass sie innerhalb eines Nachmittags vielleicht einen Seelenverwandten gefunden hatte. Er lächelte sie an, ein mattes, zurückhaltendes Lächeln, das Lächeln einer Ahnung von Liebe, empfangen und verloren im selben Augenblick.

Sie schaute wieder zurück zu Will.

»Nun, es stört mich nicht besonders.«

»Was? Vier Leute tot auf dem Fußboden stören Sie nicht besonders?«

»Schhh, schhh, schhh«, machte Kelvin drohend.

Will schaute ihn kurz an, stand auf und beugte sich zu Marjorie vor.

»Schauen Sie. Ich habe Sie im Wald beobachtet. Ich weiß, was Sie über das Leben denken. Wie Sie empfinden. Was Ihnen das Leben bedeutet und die Natur und alles auf dieser Welt. Wie können Sie auch nur daran denken zuzusehen, wie vier Menschen ermordet werden?«

Alle Augen im Raum blickten zu Marjorie Stump, während sie über ihre Antwort nachdachte.

»Na ja, Murph«, sagte sie rechtfertigend. »Sehen Sie, ich habe die Menschen nie besonders gemocht, obwohl ich auch einer bin. Die meisten sind schmutzig, gemein, rücksichtslos, vermehren sich wie die Karnickel, und das Schlimmste ist, dass sie ihr eigenes Nest beschmutzen.«

»Also …«

»Also sind sie Parasiten, Murph. Parasiten. Vier weniger davon – und es tut mir Leid, dass es ausgerechnet diese vier sein müssen – das stört mich wirklich nicht besonders.«

»Aber Sie sind auch einer, ein Parasit, genau wie wir.«

Jetzt schaltete sich Ollie ein. Er sprach leise und wandte seinen Blick keine Sekunde lang von Marjorie Stump ab. »Das ist sie und das gibt sie auch zu, aber sie hinterlässt keine Spur wie wir anderen. Wenn sie stirbt, wird kaum etwas darauf hinweisen, dass sie je hier war, außer den Dingen, die sie gerettet hat, und den wenigen Erinnerungen, die der Wald an sie haben wird.«

Beinahe unwillkürlich warf sie Ollie ein verliebtes, schüchternes Lächeln zu. Er kannte sie, das wurde ihr jetzt klar. Innerhalb von ein paar kurzen Stunden hatte er in ihre Seele geschaut, in das Innerste ihrer Existenz. Lieber Gott, dachte sie, den müsste man eigentlich doch retten.

Will beobachtete fasziniert die Blicke, die die beiden austauschten. Jetzt fehlen nur noch irgendwo die Geigen, dachte er.

»Das ist alles gut und schön, Mrs. Stump, aber vier Leichen hinterlassen eine Spur. Und anders als im Wald wird diese Spur zu Ihnen führen. Und egal, wie die Behörden das sehen, egal, wer für das Verbrechen zur Verantwortung gezogen wird, ich glaube, dass Mutter Natur sogar ihre Parasiten liebt.« Wills Stimme nahm langsam einen leicht panikhaften Ton an. Die Worte sprudelten immer schneller aus ihm heraus, in der Hoffnung, eines von ihnen könnte zufällig ins Ziel treffen. »Denken Sie mal darüber nach, Mrs. Stump. Wer sind Sie, dass Sie sich über Mutter Natur erheben und über ihre Geschöpfe richten? Hm? Wer sind Sie? Und was würde Ihre Mutter sagen? Selbst die schlechteste Mutter der Welt liebt ihre … die Kinder … ihre undankbarsten Kinder.«

»Ach du Schande«, stöhnte Kelvin.

»Er hat Recht, wissen Sie, Mrs. Stump«, sagte Ollie sanft. »Wir alle sind ihre Geschöpfe. Wir alle sind ein Teil des großen Ganzen.« Er beschrieb mit den Händen einen Kreis.

Sie nickte zustimmend und blickte ihm weiter in die Augen.

»Das ist ja wirklich großartig«, sagte Kelvin. »Und das von einem, der einen Menschen mit 'ner Axt zerteilt und ihm ein Geschirrtuch ins Maul gestopft hat.«

Ollie blickte ihn schockiert an, dann Stanley, der mit den Achseln zuckte, dann wieder Kelvin. »Wo in Gottes Namen hast du denn das her?«

Kelvin lehnte sich etwas zurück. Die Reaktion überraschte ihn.

»Na ja, von ihm.«

Er deutete mit der Waffe auf Will, der lächelnd die Schultern hob.

»Er hat gesagt, ihr seid Killer«, sagte Kelvin.

»Killer?« Ollie lachte. »Wohl kaum. Wir können manchmal ein bisschen deutlicher werden, das gebe ich zu.« Er wandte sich um, als wollte er Majorie mehr überzeugen als Kelvin. »Wir können böse werden, wir drohen den Leuten, um das zu bekommen, was wir haben wollen, aber wir haben noch nie im Leben jemanden umgebracht. Und ganz bestimmt nicht mit einer Axt.«

»Ganz bestimmt nicht«, stimmte Stanley ihm nickend zu.

Alle schauten auf Will, der auf der Holzbank unbehaglich von einer Pobacke auf die andere rutschte.

»Ich … äh … ich hab' das aus 'nem Buch.« Will zuckte betreten mit den Achseln.

Kelvins Miene spannte sich. Er ließ sich gar nicht gern hinters Licht führen.

»Du.« Er deutete auf Will. »Dich bring' ich zuerst um.«

»Kann ich vorher noch auf's Klo gehen? Ich will mir heute nicht nochmal in die Hosen pinkeln.«

Von der Frau, die im Türbogen zum Toilettenraum stand, kam ein

Scharren und ein Luftholen. Marjorie Stump hatte zugesehen und zugehört und sie hatte nachgedacht. Nachgedacht über die Leute, mit denen sie hier zusammen war. Nachgedacht über das Geld im Koffer.

Sie richtete sich auf und wandte sich zu ihrem Sohn um.

»Nein. Niemand stirbt heute.«

»Wie bitte?«

»Ich sagte, Kelvin – und ich wünschte, du würdest mir zuhören –, dass niemand hier heute stirbt.«

»Mutter …«

»Kelvin! Niemand stirbt heute. Verstehst du nicht? Hör' mir zu: Du wirst diese Leute nicht umbringen.«

Sie ging zu Kelvin hinüber und baute sich trotzig vor ihm auf.

»Gib' mir die Waffe, Kelvin. Gib' sie mir.«

»Nein, Mutter«, antwortete Kelvin ruhig. »Auf keinen Fall gebe ich das Geld in diesem Koffer auf oder auch die halbe Million in der Tasche. Auf gar keinen Fall, Mutter.«

»Kelvin, hör' mir zu. Hier ist genug für uns alle drin. Zuerst wollte ich auch alles haben, genau wie du, für meine Pläne. Aber selbst die Hälfte«, sie drehte sich schnell zu Ollie um, »die Hälfte?«

Er nickte. »Die Hälfte. Mit der Hälfte wären wir zufrieden.«

Will nickte zustimmend, während Cheryl starr nach vorne blickte. Stanley nickte ebenfalls langsam.

»Die Hälfte würde uns einen guten Schritt nach vorne bringen.«

»Kommt nicht in Frage.«

»Kelvin. Du machst mich wütend. Die Hälfte würde viele der Dinge retten, die ich retten will …«

»Aber es würde mir nicht die Hälfte von dem bringen, was ich will.«

»Was denn, Windrädchen und Comics? Bier in dieser Kneipe in Edwards? Hm?« Sie näherte sich ihm. »Meinst du denn, ich weiß nichts davon? Deine regelmäßigen Fahrten nach Denver, um die Widerlichkeiten zu kaufen, die du in deinem Zimmer versteckst? Diese schmutzigen Heftchen? Ach, Kelvin. Du musst mich für unglaublich dumm halten. Die Hälfte.« Sie nickte Ollie zu. »Die Hälfte geht in Ordnung.«

Ollie lächelte sie an, aber er rührte sich nicht. Er beobachtete Kelvin. Als er den Kiefer des jungen Mannes mahlen sah, wusste er, dass es für den nicht in Ordnung ging.

»Mutter. Ich bin vierzig Jahre alt. Vierzig. Und ich sage es dir nur ungern, aber ich habe Pläne mit diesem Geld, die dich nicht erfreuen werden. Geh' zurück.«

Sie starrte ihren Sohn ungläubig an.

»Geh' zurück, habe ich gesagt.« Seine Stimme nahm einen tiefen, autoritären Tonfall an, als ob er sein ganzes Leben lang eine Rolle gespielt hatte und jetzt der letzte Vorhang gefallen war.

Sie hob die Hand, als ob sie noch etwas sagen wollte, aber urplötzlich setzte ihr Kelvin Stump den Schalldämpfer mitten auf die Stirn und verstärkte den Druck auf den Abzug. Cheryl schloss instinktiv die Augen.

Will beobachtete diese völlig irreale Szene so fasziniert, dass er einen Augenblick lang alles andere um sich herum vergaß und nach dem Popcorn greifen wollte.

Zum ersten Mal in vierzig Jahren wusste Marjorie Stump nicht mehr weiter. Sie hatte keine Ahnung, was sie sagen, was sie tun, wie sie reagieren sollte. Als ihr Sohn die Waffe wie einen metallenen Finger gegen ihre Stirn gedrückt hatte, war sie rückwärts in den Türbogen zu dem Toilettenraum zurückgewichen. Ihre Welt war völlig durcheinander geraten, ihr Selbstverständnis zerstört.

»Kelvin«, murmelte sie traurig.

»Ja, Mutter«, antwortete er bitter. »Kelvin.« Vierzig Jahre Zuhören und Nachgeben hatten einen Druck aufgebaut, der zur Explosion drängte. »Nimm's nicht persönlich, meine Liebe, aber ich will dich und deinen verdammten Stock so weit wie möglich von mir und dem Rest meines Lebens weg wissen.«

»Sohn …«

»Schhh, schhh, schhh«, flüsterte er. »Schluss jetzt. Jetzt nicht. Ich will es nicht hören.«

»Er hört Ihnen nicht zu, Marjorie, weil er andere Pläne mit dem Geld hat. Nicht wahr, mein Sohn?«

»Sohn? Nennen Sie mich nicht Sohn. Ich bin nicht Ihr Sohn. Mein Vater war Elmo Stump, und ich habe ihn nie kennen gelernt. Ich habe ihn nie kennen gelernt, weil jemand«, sagte er und seine Stimme wurde mit der lange zurückgehaltenen Wut immer lauter, »weil ihm jemand in einem Krankenhauszimmer die Eier zerquetscht hat.«

Will verzog sein Gesicht und schloss instinktiv die Beine.

»Das war ein Unfall, Junge«, sagte Marjorie. »Es war die gedankenlose Tat einer Frau während der Geburt. Ich wurde freigesprochen.«

»Erzähl' mir keinen Scheiß«, sagte Kelvin böse. »Ich habe die Artikel gesehen. Ich habe die Artikel gelesen. Sogar den Polizeibericht. Das sind die Widerlichkeiten, die in meinem Zimmer versteckt sind. Nicht das neueste Tittenblatt. Das ist das Widerliche. Dass du mit einem Mord davongekommen bist.«

»Sag' nicht so was über mich«, sagte Marjorie traurig, als sie von dieser vierzig Jahre alten Wahrheit, die sie schon lange verdrängt hatte, eingeholt wurde.

»Leck' mich am Arsch.«

»Nicht fluchen, Kelvin«, sagte sie und versuchte, ihr inneres Gleichgewicht wiederzuerlangen.

»Halt's Maul.«

Alle Augen im Raum richteten sich wieder auf den großgewachsenen Mann mit der Waffe, der an der Tür stand.

Will hatte völlig vergessen, dass eine der Kugeln in dieser Waffe für ihn vorgesehen war.

Kelvin stand da und starrte seine Mutter an, die anderen vier vergessend, und die Waffe direkt auf Marjorie Stump gerichtet.

»Mutter«, sagte er schließlich ruhig. »Ohne das Geld gehe ich hier nicht raus. Ich habe es verdient.«

»Wir brauchen nicht ...«

Ollie unterbrach sie ruhig: »Marjorie, meine Liebe, von ›wir‹ war nicht die Rede. Nicht wahr, Sohn?«

»Nein, Papa«, sagte Kelvin sarkastisch. »Und nenn' mich nie wieder so, Arschloch.« Er wedelte mit der Waffe in Ollies Richtung, was Will an das erinnerte, was ihm bevorstand.

»Aber das stimmt, ich habe nicht an uns gedacht. Ich habe einmal in meinem Leben an mich gedacht. Ja, an mich. Und ehrlich gesagt, ich hab's verdient. Diesen Arschlöchern verdanke ich eine rote, geschwollene Nase.«

Er deutete mit der Waffe auf Will und Cheryl. Will unterdrückte die Versuchung, Hootie Bosco für Kelvins nasales Unglück verantwortlich zu machen.

»Jahrelang haben du und alle anderen in dieser Stadt mich wie ein Stück Scheiße behandelt. Ich hab's verdient. Ich hab's wirklich verdient. Ich brauche das Geld. Die ganzen viereinhalb Millionen Dollar. Ich brauche es. Und ich gehe nicht ohne. Denn, verstehst du, liebe Mutter, ich habe Rechnungen zu begleichen. Hypotheken abzuzahlen. Baukosten. Ich stecke bis zu den Augenbrauen in Schulden.«

»Du hast gar keine Rechnungen, Kelvin. Ich zahle alles.«

»Ja, du bezahlst für die große Ehre, in Glanz und Gloria in deiner Holzhütte wohnen zu dürfen.«

»Das hat nichts mit Glanz und …«

»Halt die Klappe, Mutter. Was denkst du denn, wie das für mich war, hier aufzuwachsen und zuzusehen, wie dieser Ort gewachsen ist? Ich, ohne irgendwas, mal hier und mal da arbeitend. Für die ganzen reichen Säcke aus Denver die Kotze und den Dreck wegzuwischen. ›Junge, wisch' das doch mal weg, ja? Du meine Güte, Johnny hat mit Essen geworfen. Bring' ihm einen neuen Teller, ja, Junge?‹

Deswegen habe ich mein Geld gespart. Ich habe jeden Penny gespart, den du mir nicht aus der Hand genommen und irgendeiner gottverdammten Umweltorganisation gespendet hast. Ich habe gespart. Und als ich genug zusammen hatte, bin ich mit dem Bus nach Denver gefahren und habe es in die Baufirma eines Mannes gesteckt, den ich hier kennen gelernt hatte. Ich habe klein angefangen und ein Vermögen verdient. Meine elftausend haben mir Tausende eingebracht. Wir haben in Grand County gebaut, in Routt und in Summit. Und dann, als wir dachten, wir seien so weit, haben wir angefangen, hier zu bauen.«

»Was redest du denn da, Kelvin?«, brach es aus Marjorie heraus. Die panische Angst vor der Antwort überwältigte sie schier.

»Ich rede von Vail Mountain Terrace, Mutter, ein MSC-Bauvorhaben im Herzen von Vail Mountain.«

»Oh mein Gott«, flüsterte sie.

"Oh mein Gott, richtig. Manfra Skell Construction. Sie gehört zum Teil mir. Für meine Geschäftsfreunde bin ich eine große Nummer. Manfra gibt es allerdings nicht mehr. Er war misstrauisch geworden, von wegen Doppelleben und so. Schreckliche Tragödie in Denver am Donnerstag. Er wurde von einem Einbrecher erschossen. Schlimm, schlimm, schlimm. Ich werde wohl mit der Polizei darüber sprechen müssen, schließlich war er mein Partner. Muss wohl auch eine Rede bei der Beerdigung halten.«

Kelvin schaute Ollie und Stan an.

»Seht ihr, Leute? Ihr seid nicht die einzigen harten Kerle hier.«

»Du hast deinen Partner umgebracht?«

»Oh nein. Ganz und gar nicht. Das war ein Einbrecher. Das ist meine Geschichte und bei der bleibe ich. Hat ein bisschen Geld gestohlen, einen CD-Player und so dies und das. Das war nicht ich. Es war ein Ein-brech-er.«

Marjorie Stump hatte sich von ihrem Schock inzwischen so weit erholt, dass sie flüstern konnte: »Kelvin … du?«

»Ja, Mutter. Ich. Und ich brauche dieses Geld, um die nächste Rate für das Land und die Baukosten zu zahlen. Mit steht das Wasser bis zum Hals. Viereinhalb Millionen sind, nachdem ich sie gewaschen habe, ungefähr dreieinhalb. Das sollte bis zur Fertigstellung und den ersten Verkäufen reichen, und dann werden mir die reichen Texaner ihre Knete 'rüberschieben.«

»Manfra Skill«, murmelte Cheryl.

»Genau gesagt, heißt es Skell. S-k-e-l-l. Skell.«

»Der Name deiner anderen Großmutter.«

»Ihr Mädchenname. Ja, Mutter, ich weiß. Ich weiß eine Menge über die Familie, die du vor mir zu verstecken versucht hast.«

»Ich kann nicht glauben, dass du …«, flüsterte Marjorie. Langsam realisierte sie, dass das, was sie jahrelang geglaubt hatte, eine Täuschung war. Sein leerer, dümmlicher Gesichtsausdruck, der blinde Gehorsam. Alles Tarnung.

Und jetzt war er ein Gegner, dem sie Angesicht zu Angesicht gegenüber stand. Der Besitzer einer Baufirma. Einer der Menschen, die ihre Mutter zerstören wollten. Ihren Berg. Ihr Leben.

Die Erkenntnis brannte in ihrem Inneren. Sie stärkte Marjorie, verdrängte den Schock und die Trauer und gab ihr den Willen, das zu tun, was getan werden musste. Was mit ihrem eigenen Fleisch und Blut geschehen musste.

»Kelvin. Kelvin«, sagte sie, und ihre Stimme wurde immer lauter, während sie sprach. »Ich schwöre dir. Ich schwöre es auf ewig. Ich werde dich bekämpfen. Ich werde dich mit allen Mitteln bekämpfen, die mir zur Verfügung stehen. Gesetzliche, ungesetzliche, was auch immer. Ich werde dich bekämpfen, wie ich in meinem Leben noch niemanden bekämpft habe. Und du wirst verlieren, mein Sohn. Du wirst verlieren. Du wirst das Geld verlieren und deine kleine Firma und deine Freiheit. Denn ich werde dich an die Polizei verraten. Ich werde die Behörden hinführen, wo immer es sein muss, um dich zu Fall zu bringen. Denn du wirst als Letzter auf der Welt meine Träume für diesen Berg zerstören. Das nicht … niemals.«

Mit diesen Worten hob Marjorie Stump kochend vor Wut den Schlehdornknüppel hoch, den sie eigentlich auf den Köpfen ihrer Kidnapper niedergehen lassen wollte, und ging auf den Sohn zu, der ihr so wenig Vertrauen entgegengebracht hatte, so wenig Loyalität, so wenig Liebe.

Aber bevor sie ein weiteres Wort sagen konnte, senkte Kelvin ruhig die Waffe und schoss sie in den Bauch. Der Schuss schleuderte sie rückwärts auf den Fußboden des Toilettenraums, wo sie hinter dem Türrahmen verschwand.

Einen Moment lang herrschte eine schockierte Stille. Dann sprang Will auf. »Herrgott nochmal«, schrie er, »das war deine Mutter!«

Beim Aufstehen rutschte ihm die Titan-Sattelstütze aus dem Hosenbund und durch die Hosenbeine nach unten. Sie landete mit zwei deutlichen Geräuschen auf dem Betonboden des Umkleideraums.

Kelvin Stump lächelte.

»Ding Dong, jetzt ist die Hexe tot.«

Will sank wieder auf die Bank.

»Du Hurensohn«, knurrte Cheryl und schaute zu ihm hoch. »Du mieser Hurensohn.«

»Genau«, stimmte Kelvin ihr zu.

»Du solltest jetzt besser schnell weitermachen, Freundchen«, fuhr Cheryl fort. »Bring' uns um, und mach' schnell, denn sonst werde ich dir bis ans Ende der Welt folgen und dich zerstören.«

»Klar, Schätzchen. Die Enkeltochter, nicht wahr?«

»Nichte«, sagte Stanley ruhig, und die Stimme klang ein wenig ängstlich. Er tätschelte Cheryls Handgelenk, um sie zu beruhigen.

»Die Nichte, danke«, sagte Kelvin sarkastisch. »Die Nichte von zwei kleinen Gangstern aus Detroit wird mich finden und mir das Leben zur Hölle machen. In der Tat. Du wirst bald feststellen, dass dein eigenes Leben zur Hölle wird, meine Liebe, denn ungefähr an der Ausfahrt nach Evergreen werde ich die Polizei von Vail anrufen. Sie werden dich hier finden, mit dieser Waffe und den ganzen Leichen hier hinter einer verschlossenen Tür. Stell' dir das mal vor. Was mich betrifft, ich habe ein Alibi in Denver. Ein hübsches auch noch. Arbeitet beim Fernsehen. Eine angesehene Persönlichkeit. Schlau genug, um das zu sagen, was ich will, damit das Leben weiter schön bleibt. Was sagst du jetzt, hä? Was sagst du jetzt?«

»Woher weißt du denn, dass die Polizei uns nicht glauben wird?«, fragte Cheryl und maß mit den Augen den Abstand zwischen ihr und der Tür und der kleinen, aber erwiesenermaßen tödlichen Waffe in seiner Hand ab.

»Weil ich ihnen von dem Geld erzählen werde. Und das Geld wirst du ihnen erklären müssen. Es ist nicht leicht, vier Millionen Dollar Bargeld zu erklären. Oder, Jungs? Besonders nicht, wenn ihre Geschichte nur teilweise stimmt.« Er deutete mit dem Kopf auf Cheryl. » Ihr seid sicher polizeilich bekannt, Jungs? Die Polizei wird sich sehr freuen, mit euch zu sprechen.«

Stan und Ollie reagierten nicht. Cheryl erschrak, wie klein und alt und furchtsam sie aussahen.

»Ist auch egal«, fuhr Kelvin fort. »Vielleicht kannst du noch eine Weile drumherum reden. ›Ich hab' meinen Fahrradkoffer verloren.‹ Aber früher oder später wird es ans Licht kommen, das Geld. Denn ich werde es ihnen sagen. Die Polizei wird dich lieben.«

Cheryl schaute Will an, dann Kelvin, und in ihren Augen brannten Hass und Wut.

»Woher hast du von dem Geld gewusst?«, fragte sie direkt.

»Dein Freund oder sein Freund«, Kelvin deutete vage mit der Waffe in Richtung Will. »Der Mann, der mit dem Geld auf der Flucht war, er hat es mir erzählt. Kurz, bevor er gestorben ist.«

»Gestorben?«, fragte Will, und seine Stimme klang verängstigt, matt und unsicher.

»Oh, Mr. Leonard weilt leider nicht mehr unter uns. Tut mir Leid. Er ist von uns gegangen. Jetzt liegt er tot in einem Kofferraum. Ich habe ihn erstochen. Dann musste ich ihm fast den Hals brechen, damit er in den Kofferraum passte.«

»Aber du …«

»Ich? Ich doch nicht. Ich kenne diese Leute gar nicht. Nicht einmal meine Mutter. Kelvin Stump hat das alles getan. Und bald wird Kelvin Stump nicht mehr existieren. Ich habe eine kleine Versicherungspolice im Haus meiner Mutter.« Er warf einen Blick auf die Uhr. »In ungefähr fünfundvierzig Minuten wird dort ein Brandsatz zünden. Ich verschwinde und lebe ruhig und friedlich von meinen Millionen. Es ist alles viel einfacher, als ihr vielleicht denkt.«

»Du bist nicht gerade ein unauffälliger Typ.«

»Oh, das stimmt nicht. Ich beherrsche die Kunst, mich unsichtbar zu machen. Ich bin groß, aber ich falle nicht auf. Die Leute bemerken mich einfach nicht. Das hat mich die ganzen Jahre hindurch am Leben gehalten. Und ich habe in Denver Alibis bis zum Abwinken. Wem werden die wohl glauben, zwei Gaunern in Vail oder dem Besitzer einer Baufirma in Denver und seiner Freundin, der Nachrichtensprecherin?«

Will nickte zustimmend, ohne es zu merken. Was Kelvin sagte, stimmte. Selbst der größte Mensch konnte in einer Menge untertauchen, die nicht nach ihm suchte, der es egal war, die nicht gestört werden wollte. Die Polizei würde die offensichtlichste Version glauben.

Kelvin lächelte die vier an, machte einen Schritt zurück, bückte sich und nahm die Sporttasche in die Hand.

»Fünfhunderttausend Dollar, die ich meiner Mutter verdanke«, sagte er mit einem Nicken in Richtung des Türbogens, der zum Toilettenraum führte. »Danke, Mom. Und vier Millionen Dollar, die ich euch netten Menschen verdanke. Das finde ich wirklich klasse.«

Kelvin Stump lächelte und ging rückwärts zur Tür. Er lauschte einen Augenblick, bevor er den Riegel zurückschob, die Tür öffnete, und in die dunkle Halle trat, den Radkoffer hinter sich herziehend.

»Meine Freunde, und das meine ich ehrlich, es war mir ein Vergnügen.« Er schubste die Waffe mit dem Fuß über den Boden, sodass sie vor Ollies Füßen landete. »Amüsiert euch gut. Denkt euch eine hübsche Geschichte aus. Aber denkt immer dran, egal, wie gut sie ist – meine wird besser sein. Nebenbei, ich könnte hier Hilfe gebrauchen … oder besser doch nicht.«

Er nickte und drehte sich um. Dann drehte er sich wieder zurück und sagte leise, beinahe bedauernd: »Wisst ihr was, es ist schade, dass ihr nicht besser wart. Ich hätte mich gern mit euch gemessen. Schade.« Er lächelte und schloss die Tür hinter sich. Man hörte einen Schlüsselbund rasseln und das Geräusch der beiden Riegel, die von außen verschlossen wurden, und dann ein Quietschen, als die Räder des Koffers zu rollen begannen.

Ollie stand auf und wandte sich Stanley zu. Cheryl war von seiner erneuten Verwandlung wie vom Donner gerührt. Er war viel jünger, lebendiger, frischer. Den Anschein von Alter und Gebrechlichkeit hatte er abgelegt wie eine billige Faschingsmaske.

»Na, da hast du ja wieder was Schönes angerichtet.«

»Ich?« Stanley stand schnell auf. Sein Ego verlangte Satisfaktion. »Ich kann überhaupt nichts dafür. Du – du hast doch auf Teufel komm' raus mit der alten Dame geflirtet und zugelassen, dass der da«, er zeigt auf Will, »vier Millionen Dollar unter seine Matratze gestopft hat.«

»Ich muss das fragen«, sagte Ollie und deutete auf die Metallstange auf dem Fußboden. »Was ist das?« Ohne die Antwort abzuwarten, wandte er sich zum Toilettenraum um.

Will schaute nach unten. »Das ist eine Sattelstütze. Ich hab' gedacht, ich könnte sie als Waffe benutzen.«

Stanley lachte.

Cheryl starrte mürrisch vor sich hin. Sie fand weder die Gesellschaft noch die Situation irgendwie amüsant.

»Oh Gott«, sagte Will, als ihm plötzlich bewusst wurde, was in den letzten paar Minuten passiert war. »Marjorie. Was ist mit Marjorie Stump?«

Ollie stand im Türbogen, der zu den Toiletten führte. Er schaute auf den Fußboden und wieder hoch, wieder herunter und wieder hoch.

»Was ist mit ihr?«, rief Will ihm zu, aber er bekam keine Antwort darauf.

»Was ist mit ihr?«, rief er noch lauter. Cheryl und Stanley folgten seinem Blick zu der Silhouette von Olverio, der stumm in der Tür stand.

»Sie ist nicht mehr«, sagte Ollie leise.

»Verdammt«, sagte Stanley mit ehrlicher Trauer in der Stimme. »Du meinst, sie ist tot?«

»Nein, das meine ich nicht«, antwortete Ollie bedächtig. »Ich meine, sie ist nicht mehr da.«

»Nicht mehr da?« fragten alle drei gleichzeitig.

»Ja. Sie ist weg.«

21
Überraschung

Kelvin Stump marschierte selbstbewusst zu seinem Wagen, einem neuen Saab 9000, den er im öffentlichen Parkhaus von Lionshead untergestellt hatte. Der silberne Wagen mit den schwarzen Ledersitzen wurde zwar im Sommer unglaublich heiß, er sah aber einfach wahnsinnig gut aus.

Er nahm den Aufzug zu Ebene 2, rollte den Koffer zur Rückseite des Wagens und öffnete mit der Fernbedienung die Hecktür. Der angenehme Duft von teurem Leder stieg in seine Nase. Er schob den Koffer über den Lederbezug hinein, was den Geruch noch verstärkte. Dem Verlangen, den Koffer aufzumachen und hineinzusehen, widerstand er, so schwer es ihm auch fiel. Das Vermögen zu betrachten, das jetzt endlich und gerechterweise ihm gehörte – das musste warten. Schließlich bestand die dringende Notwendigkeit, so schnell wie möglich Distanz zwischen sich und die Eissporthalle zu bringen, zwischen sich und den Tag, zwischen die Leiche seiner Mutter und seine Hand, die geschossen hatte, zwischen vier Überlebende und sein Alibi, zwischen die Gegenwart und das Leben, das hinter ihm lag.

Es war Zeit zu fahren.

Er setzte sich ans Steuer und ließ den Wagen an. Das tiefe Brummen des Motors erinnerte ihn daran, wie weit er bereits gekommen war und wie wenig er nur noch vor sich hatte. Er hatte die Schlacht und den Krieg gewonnen.

Die kalte Luft, die aus der Klimaanlage geschossen kam, tat ihm in der Nase weh, also drehte er die Heizung auf. Na ja, dachte er sich, was ist schon ein kleines Wehwehchen in einem solchen Augenblick?

Er war ein reicher Mann.

Er legte den Gang ein und warf einen Blick auf das glänzende schwarze Plastik des Koffers. Er lächelte, schaltete hoch und brauste in die oberste Ebene, aus der Garage hinaus und auf die Straße zu dem Kreisel, der auf die Autobahn führte, nach Denver, ins Glück.

Ein Gedanke durchzuckte ihn wie ein Blitz. »Hinterlasse keine Zeugen.« Aber er verwarf diesen Gedanken schnell wieder. Alle und alles in diesem Raum waren irgendwie miteinander verbunden, genauso wie der Tod des Sportagenten und selbst der Tod seiner Mutter.

Zwei Kriminelle am Tatort zu hinterlassen konnte für die Zukunft nur hilfreich sein.

»Ich will dich ja nicht anzweifeln, Ollie«, sagte Will und rieb die Druckstelle, die die Sattelstütze auf seiner Bauchdecke hinterlassen hatte, »aber wohin zum Teufel soll sie denn gegangen sein?«

»Vielleicht hat sie sich in Luft aufgelöst«, antwortete Stanley ganz ernsthaft und starrte auf den Punkt, an dem Marjorie Stump noch vor wenigen Augenblicken gelegen hatte, einen Punkt, an dem jetzt nur ein einziger Blutstropfen zu sehen war. »Das hab' ich schon mal im Kino gesehen.«

»Ja, im Kino«, bellte Ollie frustriert und wütend. Er drückte sich mit einem Grunzen hoch. »Wir sind aber nicht im Kino.« Was auch immer für ein Herz in dieser unglaublichen kleinen Person schlug, dachte er, es schlägt noch immer, irgendwo, nur nicht hier.

Er starrte auf den einzelnen Blutstropfen und schaute nach oben. Stanley folgte seinem Blick zu der grauen Feuerschutztür aus Stahl am hinteren Ende der Toilette. Mit einem Blick auf die Art, wie die Tür im Türrahmen hing, konnten beide Männer sehen, dass sie aufgeschlossen war.

»Herrgott«, sagte Stanley mit nicht geringem Respekt. »Das ist ja 'ne knallharte Lady. Wie ist sie denn an den Riegel 'rangekommen?«

Ollie nickte zustimmend mit dem Kopf.

»Wohl wahr«, murmelte er.

Cheryl ließ Will auf der Bank zurück und stellte sich zu den beiden, wenn auch mit einigem Abstand. Ihr Hass auf sie war unvermindert. Sie hatte ihn nur aufgrund der Situation, in der sie alle zusammen steckten, unterdrückt.

»Wo ist sie?«

Ollie schaute seine Nichte an und bemerkte sofort die Mauer, die sie zwischen sich und ihnen aufgebaut hatte.

»Weg«, sagte Ollie einfach. »Durch die Tür da. Wahrscheinlich ins Krankenhaus. Ich glaube, wir sollten ihr hinterhergehen.«

»Und was ist mit dem Geld?«, fragte Cheryl in einem sarkastischen Tonfall.

»Das kann warten.«

»Was, müsst ihr noch ein paar Leute umbringen, bevor Zahltag ist?«

Olverio wandte sich um und starrte seine Nichte an. Trauer berührte sanft sein Herz. Er redete nie über seine Arbeit, aber hier würde er gern eine Ausnahme machen, um den Hass zu beenden, den sie empfand, aber er wusste nicht, was er sagen sollte, wenn er je die Chance bekäme.

Er schaute sie einen Augenblick lang an. Alles, was er war, alles, was er wusste, und die schiere Freude darüber, noch am Leben zu sein, trieben ihm die Farbe puterrot ins Gesicht und füllten seine Augen mit Tränen.

Ihr Gesicht verzog sich zu einer misstrauischen Miene. »Was hast du denn?«

»Nichts. Gar nichts.«

Ollie atmete tief durch und warf einen Blick auf Stanley.

»Hol' ein Papierhandtuch und mach' es nass – nur ein bisschen – und wisch' das Blut auf. Wirf' es nicht weg, wir brauchen es für den Türknauf.« Er sah durch den Umkleideraum zu Will. »Bist du bereit?«

Will stand auf und streckte sich mühselig. »Ja, es kann losgehen.«

»Gut. Wenn wir die Tür aufmachen, schaltest du mit dem Ellbogen das Licht aus.«

»Mit dem Ellbogen?«

»Tu's einfach.« Er sah zu, wie Stanley mit dem Papiertuch vorsichtig den Blutstropfen aufwischte und dann das Tuch faltete. Ollie ging zurück in den Umkleideraum, zog ein Taschentuch heraus, fasste die Walther damit am Schalldämpfer, hob sie hoch und steckte sie in die Tasche.

»Fertig an der Tür?«

»Fertig an der Tür«, antwortete Stanley.

»Mach' sie auf.«

Die Tür gab ein leises »Swusch« von sich, als sich die Wetterbarriere vom Türstock löste. Gleichzeitig machte Will mit dem Ellbogen das Licht aus und ging schnell durch den dunklen Raum zu dem schwachen Licht, das durch die Türöffnung schimmerte. Stanley warf einen kurzen Blick hinaus, dann ging er durch die Tür, gefolgt von Cheryl, Ollie und schließlich von Will.

Stanley zog die Tür zu und hörte, wie das Türschloss einrastete.

»Das Krankenhaus ist da drüben«, sagte Ollie und zeigte die Richtung an. »Schauen wir mal nach Mrs. Stump und versichern uns, dass sie dort angekommen ist.«

»Und ob sie nette Gedanken an ihre Freunde aus Detroit hat«, sagte Stanley mit einem Lächeln.

»Tja, nette Gedanken für nette Kerle«, sagte Cheryl spontan.

Beide drehten sich zu ihr um.

Der Saab flitzte durch den Verkehr. Die Lenkung war perfekt eingestellt; selbst bei 185 Stundenkilometern sauste er mit nur federleichten Berührungen des Lenkrades zwischen den anderen Wagen hindurch.

Auf der Bergkuppe, in der Kurve nach Copper Mountain hinein, nahm Kelvin etwas Tempo heraus. Hier wurde gern geblitzt, aber heute blieben seine beiden Radardetektoren still.

Er zuckelte mit 130 an der nächtlichen Ausfahrt vorbei und beschleunigte dann auf dem Flachstück auf 200. Er konzentrierte sich auf das Fahren und dachte über seine aufregende Zukunft nach.

»Was hast du denn?«, fragte Ollie. Stanley dachte das Gleiche, Will versuchte, es nicht zu denken, als sie in Richtung West Meadow Drive gingen.

»Ich werd' mal ... zum Krankenhaus gehen und ... nach Mrs. Stump schauen ... äh ... ja«, sagte Will zu den dreien, die sowieso nicht auf ihn achteten. Dann wedelte er locker mit der Hand in die allgemeine Richtung des Krankenhauses, drehte sich schließlich um und trottete zur Notaufnahme davon.

Cheryl starrte die beiden Männer an, zwei Männer, die sie jahrelang geliebt hatte und die sie jetzt hasste. So lange hatte sie ihnen ihre Meinung sagen wollen und nie hatte sie die Chance dazu gehabt, wegen ihrer Mutter, wegen ihrer Angst. Heute jedoch war niemand in der Nähe und ihre Angst war von ihr abgefallen.

Sie stand vor ihnen und es war ihr völlig egal, was sie empfanden oder wie sie auf ihre Wut reagieren würden. Sie hatte heute schon einen Killer überlebt. Vielleicht konnte sie endlich die beiden überleben, die sie auf der Welt am meisten fürchtete.

»Was ist dein Problem, Cherylann?«

»Ihr. Ihr seid mein Problem. Ihr beide. Ich kenne euch. Ich habe euch gesehen. Ich weiß, wozu ihr imstande seid. Ich schäme mich dafür, mit euch verschwägert, verschwistert und verwandt zu sein.«

»Warum?«, fragte Stanley.

Die Frage war so einfach, so direkt, dass sie Cheryl ein bisschen verwirrte. Sie war sich nicht sicher, wie sie reagieren sollte.

»Wir müssen es von dir hören, Cheryl«, sagte Ollie ruhig. »Nicht von deinem Freund. Wir müssen es von dir hören. Wir müssen alles hören.«

Sie schaute vom einen zum anderen. Ihre Gefühle schnürten ihr Herz in der Brust zusammen. Sie beugte sich ein wenig vor, als müsse sie sich übergeben, um ihre Gefühle, ihre Befürchtungen und ihren Hass aus sich herauszutreiben. Dann richtete sie sich wieder auf und starrte die beiden an. Ihr Gesichtsausdruck war furchterregend, selbst für die beiden Männer, die dem Tod schon so direkt gegenübergestanden hatten.

»Ihr«, wiederholte sie und ihre Stimme klang stark und lebendig. »Ihr. Ich kenne euch. Ich weiß, wer ihr seid. Ich weiß, wozu ihr beiden imstande seid. Ich habe euch gesehen.«

»Du hast uns wobei gesehen?«, fragte Ollie scharf.

»Ich habe euch gesehen ...« Sie zögerte, und die Furcht hatte die Worte gepackt, die sie sagen wollte, sagen musste, »... mit meinem Vater.«

»Wie?«, fragte Ollie.

»Was? Wie? Ich weiß nicht, wie … ich hab' die Augen aufgemacht und, peng, da wart ihr. Du«, sie zeigte mit dem Finger anklagend auf Stanley, »auf einer Seite von ihm, und du«, sie zeigte auf Ollie, »du hast dich von der anderen Seite über ihn gebeugt.« Sie blickte nach unten und die Tränen begannen, unkontrolliert zu fließen. »Er hat auf dem Boden gelegen. Auf dem Fußboden. Seine Füße, in seinen Schuhen, diesen dunkelbraunen Schuhen mit diesen schicken schwarzen Kappen …« sie hielt die Hände vor sich ausgebreitet wie zwei Flügel, »seine Schuhe lagen da und haben sich nicht bewegt.« Sie schweifte ab. Plötzlich konnte sie ihre Erinnerungen an ihren Vater nicht mehr kontrollieren, ihren toten Vater auf dem Boden seines Büros. Umgebracht von … sie schaute die beiden an und ihr Hass stieg wieder. Sie verschluckte ihre Tränen.

Die drei blickten einander einen Augenblick lang stumm an.

»Als er es uns heute Nachmittag erzählt hat«, sagte Ollie leise, »da habe ich ihm nicht geglaubt. Ich wollte ihn umbringen.«

»Wen?«

»Will. Deinen Freund.«

»Was – habt ihr vor, jeden Menschen in meinem Leben umzubringen? Soll ich ein Schild vor die Tür hängen, ›Verbringen Sie einen Nachmittag mit mir und kommen Sie noch am gleichen Tag in den Himmel‹?«

Es war gesagt, bevor sie nachgedacht hatte, bevor sie sich stoppen konnte, im gleichen Augenblick, in dem Ollie ihr eine harte Ohrfeige verpasst hatte, bevor er nachgedacht hatte, bevor er sich stoppen konnte.

»Das reicht. Schluss mit dem Blödsinn. Du kannst uns hassen, so viel du willst. Du kannst auch deinen Namen ändern. Du kannst weglaufen, so lange du willst. Aber das hier … das werde ich nicht weiter dulden. Diese … diese Wut, dieses Selbstmitleid, diese Nummer vom armen Mädchen, das seinen Vater sterben sah …«

»Also …«

»Du hast es nicht gesehen, du verdammtes kleines Biest.«

Die Beschimpfung überraschte Cheryl, besonders, da sie von einem Mann kam, der nie … der niemals … der immer andere dafür schalt, dass sie fluchten.

»Du hast nie gesehen, wie wir deinen Vater umgebracht haben …«

»Weil wir deinen Vater nicht umgebracht haben«, unterbrach Stanley ihn.

»Du hast uns da gesehen«, fuhr Ollie fort, »aber wir waren zu spät. Wir wollten die Sache verhindern, aber wir haben es nicht mehr rechtzeitig geschafft. Wir hatten davon gehört, dass die ihn abknallen wollten, weil dein Vater für Buster No Knuckles ein paar rechtliche Probleme aus dem Weg geräumt hat.«

»Und Buster No Knuckles mochte das nicht«, fügte Stanley hinzu, »er mochte es gar nicht, wenn jemand was über seine Geschäfte wusste.«

»Es war eine schlechte Entscheidung, irgendetwas für Buster zu tun, auch wenn es ein Gefallen war«, fuhr Ollie fort. »Wir haben versucht, deinem Vater zu sagen, dass er es nicht tun soll, dass es gefährlich war.«

»Aber dein Dad«, sagte Stanley, »dein Dad war sich sicher, dass er es schaffen würde. Er war noch mit jedem zurechtgekommen. Er war beliebt. Er wurde respektiert.«

»Niemand ist je mit Buster zurechtgekommen«, sagte Ollie.

Stanley nickte, dann schaute er seine Nichte an. Zum ersten Mal in ihrem Leben bemerkte Cheryl Tränen in seinen Augen. »Es tut mir Leid, meine Süße. Wir haben es versucht. Wir sind zu spät gekommen. Wir sind einfach verdammt zu spät gekommen.«

»Ich weiß einfach nicht«, sagte Ollie und bewegte den Kopf hin und her. »Wir sind dort hingekommen und haben es gesehen, dann haben wir einen Freund bei der Polizei angerufen und dann haben wir dich gesehen. Später wollten wir mit dir reden, aber deine Mutter hat gesagt, wir sollen dich in Ruhe lassen, du hättest einen Schock. Du würdest allein damit zurechtkommen wollen. Aber das bist du wohl nie. Weil du von Anfang an nicht gewusst hast, womit du zurechtkommen solltest.« Ollie senkte den Kopf und murmelte, »Es tut mir Leid, meine Kleine. Wir hätten mit dir reden sollen. Wir hätten gleich mit dir reden sollen.«

Cheryl stand schockiert da. Sie starrte die beiden Männer an, die sie so lange gehasst hatte, und spürte, wie dieser Hass langsam verebbte. Obwohl die Möglichkeit bestand, dass sie logen, glaubte sie ihnen. Es waren ihr Tonfall und ihre Offenheit, eine Offenheit, die sie von den beiden bisher nicht gekannt hatte. Der Schmerz, den sie so lange mit sich herumgetragen hatte, verblasste langsam und hinterließ ein Herz, das schwer war von Traurigkeit.

Sie atmete tief durch und stellte die Frage, die vor ihr in der kalten Septemberdämmerung hing.

»Was, äh, was ist mit Buster, äh, Buster No Knuckles passiert?«

Ollie lächelte.

»Wir sind passiert. Wir sind Buster No Knuckles passiert.«

»Ihr?«

Stanley nickte schnell, und ein Grinsen breitete sich über sein Gesicht aus.

»Das kannst du laut sagen.«

»Verstehst du, Cherylann«, erklärte Ollie, »wir, Stanley und ich, wir haben einen schrecklichen Ruf in Detroit.«

»Ich weiß.«

»Nein, das tust du nicht«, korrigierte er. »Wir haben einen Ruf als irre Killer. Auftragsmörder. Schlägertypen. Jeder in der ganzen verdammten Stadt hat Angst vor uns.«

»Sogar Leute, die wir gar nicht kennen«, fügte Stanley hinzu. »Diese Geschichte, die Will erzählt hat, ist gar nicht so weit von dem entfernt, was die Leute über uns sagen.«

»Aber wir sind Geschäftsleute«, fuhr Ollie fort. »Geschäftsleute. Und in unserem Geschäft lässt man seinen Ruf für sich sprechen, und dann erledigt meistens der, auf den man angesetzt ist, die Arbeit selbst.«

Stanley nickte. »Das stimmt. Charlie Munk. Erinnerst du dich noch an den?«

»Wir waren bereit«, sagte Ollie. »Wir sind auf die Straße gegangen, um ihn kaltzumachen. Er hat uns gesehen, ist in Panik geraten, in sein Auto gesprungen und frontal gegen eine Straßenlaterne gefahren. Der Tank ist explodiert. Man hat es unserem Konto gutgeschrieben.«

»Dieser Farmer«, sagte Stanley, »dieser Farmer, der Raymond umgebracht hat? Den wollten wir wirklich umbringen. Er hat uns gesehen, ist auf dem Heuboden ausgerutscht und hat einen Sprung in diese Häckselmaschine gemacht, die er gerade sauber machen wollte.«

»Er hatte sie eingeschaltet, um sie sauberzumachen. Ist mit dem Gesicht zuerst darin gelandet. Ein schrecklicher, fürchterlicher – Unfall.«

»Und was ist mit Buster?«, fragte Cheryl langsam.

»Buster war ein Wahnsinniger«, sagte Ollie ruhig, »auch ohne die Geschichte mit deinem Vater, Buster war wie ein tollwütiger Hund.«

»Und einen tollwütigen Hund schläfert man ein«, meinte Stanley. »Also …«

»Also, Cherylann«, fuhr Ollie fort, »Buster No Knuckles saß in einer Bar in Michigan. Beim Tiger-Stadium. Er war allein. Es waren nicht viele Leute in der Bar. Nicht viele. Aber doch ein paar. Zeugen. Aber das war egal. Dafür hätte es sich schon gelohnt, erwischt zu werden, nicht wahr, Stanley?«

»Ganz sicher«, antwortete er und nickte.

»Wir sind 'reingegangen, haben ihm unsere Kanonen an den Kopf gehalten, eine rechts, die andere links, und haben ihm zwei Löcher 'reingeschossen.«

»Zwei Löcher«, stimmte Stanley zu.

»Die Leute in der Bar waren ganz still, und dann haben wir uns zu ihnen umgedreht. Dein Onkel Stanley hat gesagt …«

»Ihr habt nichts gesehen. Das hab' ich gesagt.«

»Das hat er gesagt. Und die Jungs von der Abteilung für organisiertes Verbrechen der Detroiter Polizei auch …«

»Alle drei«, lachte Stanley.

»Die waren so froh, dass Buster nicht mehr die Straßen unsicher machte, dass sie ihn für den Mord an deinem Vater verantwortlich gemacht, Busters Tod als Selbstmord verzeichnet und ihn unter zwei Tonnen Zement haben begraben lassen.«

»Wirklich?«, fragte Cheryl fast erleichtert.

»Stimmt alles, außer das mit dem Zement. Den haben sie sich gespart und von dem Geld neue Autos gekauft.«

Die drei standen einen Augenblick lang stumm da. In der Abendbrise wiegten sich die Gräser und Wildblumen zu ihren Füßen.

Cheryl drehte ihr Gesicht in den Wind und ließ ihn Furcht und Hass davontragen und ihr ein neues Freiheitsgefühl geben, die Fähigkeit, sie selbst zu sein, wo immer sie auf der Welt sein wollte. Vor ihrem inneren Auge konnte sie das wütende, enttäuschte Gesicht ihres Vaters sehen, das so viele Träume, so viele Nächte ausgefüllt hatte. Sie hatte immer geglaubt, er sei enttäuscht darüber, dass sie seinen Tod nicht gerächt hatte. Aber das war es gar nicht gewesen. Sie hatte nichts weiter tun müssen, als sich ihrer Angst zu stellen und die Wahrheit herauszufinden. Und nachdem sie das getan hatte, spürte sie den Geist ihres Vaters um und in sich. Er machte sie frei und er führte sie nach Hause.

»Cherylann«, fragte Stan leise. »Cherylann … bist du noch bei uns, meine Kleine?«

»Hm, oh, ja, ja, Onkel Stanley«, sagte sie mit einem Lächeln. »Ich bin bei euch.«

Will kam auf sie zugerannt, achtlos gegenüber dem, was er da unterbrach.

»Ich bin froh, dass du bei ihnen bist.«

Cheryl wandte sich um, die Stimmung ruiniert, die Stimme hart. »Was zum Teufel soll das denn …«

»Das soll heißen«, fiel Will ihr eifrig ins Wort, »dass ich froh bin, dass du bei ihnen bist. Denn die Frau, die wir suchen – sie ist nicht bei denen.«

Er deutete über die Schulter zurück zum Krankenhaus.

Kelvin Stump fuhr langsamer, als er sich dem Eisenhower-Tunnel näherte. Es gab hier immer genug Verkehrspolizisten, um das Leben interessant zu machen, obwohl seine Radardetektoren die ganze Fahrt lang keinen Mucks von sich gegeben hatten.

Das war ungewöhnlich, denn normalerweise konnte man sich darauf verlassen, dass eine Alarmanlage in einem Einkaufszentrum oder einem Hamburgerladen den Detektor auslöste, den Fahrer aufweckte und ihn dazu brachte, den Bruchteil einer Sekunde auf den Tacho zu schauen, nur um dann wieder mit unverminderter Geschwindigkeit weiterzurasen.

Kelvin ging auf 130 herunter und reihte sich in den Verkehrsfluss ein. Als er in den Tunnel einfuhr, überwältigte ihn seine Gier. Er beugte sich hinunter, hob die Sporttasche auf den Beifahrersitz. Der Wagen schlingerte von einer Spur auf die andere. Mit seinem Körper kam er gegen das Lenkrad und der Wagen rutschte in Richtung Tunnelwand. Er schnitt einen Ford und musste wütendes Gehupe und Geschimpfe über sich ergehen lassen. Er schaute wieder nach vorn, zeigte dem Fahrer hinter sich den Mittelfinger und brauste davon. Wie ein geölter Blitz schoss er aus dem Tunnel hinaus.

»Scheiße, das war zu knapp«, sagte er zu seinen Ledersitzen. »Ich spiele lieber hier draußen mit meinem Geld.«

Er zog den Reißverschluss der Tasche auf und entspannte sich, während er bergab auf 160 Stundenkilometer beschleunigte. Er lag ausgezeichnet in der Zeit.

»Nein?«, fragten Stan und Ollie gleichzeitig.

»Was, nein?«, fragte Cheryl.

»Nein, sie ist nicht da«, antwortete Will außer Atem. »Sie ist nicht im Krankenhaus, sie ist nicht auf dem Parkplatz. Sie liegt nicht auf dieser oder auf der anderen Seite des Krankenhauses auf der Erde. Sie ist weg.«

»Weg?«

»Weg.«

»Menschen«, flüsterte Ollie, »ganz besonders Menschen, die angeschossen worden sind, verschwinden nicht so einfach.«

»Na ja, Marjorie offensichtlich schon. Und denkt dran, sie ist vielleicht alt, aber sie ist nicht gebrechlich. Sie wandert jeden Tag durch die Berge.«

Stanley lachte. »Und scheißt im hohen Gras.«

»Hör' auf, lass sie in Ruhe«, sagte Ollie gereizt.

»Entschuldige, mein Freund, tut mir Leid.«

»Es gibt zwei Möglichkeiten, wo sie hingegangen sein könnte«, überlegte Ollie laut. »Ins Krankenhaus oder nach Hause.«

»Im Krankenhaus ist sie nicht«, sagte Will.

»Dann ist sie zu Hause«, entschied Ollie mit einem Nicken. »Nach Hause also. Komm' mit, Stanley.«

»Vergisst du da nicht etwas?«

»Was?«

Cheryl half ihm aus. »Was ist mit dem Geld?«

»Das Geld? Oh, das Geld. Der Koffer mit dem Geld«, murmelte Ollie. Das passte ihm jetzt gar nicht ins Bild.

Stanley meldete sich zu Wort. »Na ja, er hat einen Vorsprung, aber man muss wissen, dass dieser Kerl eine Spur hinterlässt wie ein Dinosaurier mit Durchfall. Kelvin Stump. Skell. Es wird nicht schwer sein, ihn in Denver zu erwischen.«

»Nein, aber es wird schwer werden, das Geld zu finden. Vielleicht wird es auch schwierig, an ihn 'ranzukommen, wenn er wirklich eine so große Nummer ist, wie er behauptet.«

Stanley nickte und nahm den Tonfall seines Partners an. »Das sind sie selten, aber wenn doch, dann haben wir es verloren.«

»Wir haben noch nie was verloren.«

»Es gibt immer ein erstes Mal.«

Will starrte sie einen Moment lang an. Dann schaute er Cheryl an, die sich vorbeugte und zum ersten Mal seit Jahren ihren Onkel Ollie bei der Hand nahm.

»Leute ...«

»Jetzt nicht«, mahnte Cheryl sanft.

»Nein, Leute ...«

»Will«, sagte Cheryl scharf, »die haben eben vier Millionen Dollar verloren – in bar. Lass' sie in Ruhe.«

»Aber das ist es doch gerade«, murmelte Will schüchtern.

»Was?«

»Sie haben das Geld nicht verloren.«

Kelvin Stump warf einen Blick auf die Uhr. Er lag wunderbar in der Zeit. Selbst wenn sie sich jetzt durch irgendeinen Geniestreich befreien konnten – bis sie die Polizei von Denver erreicht hatten, würde er schon zu Hause sein und mit seinem schönen Nachrichtensprecherinnen-Alibi im Bett liegen.

Vierzig Minuten war er schon unterwegs, und bei seiner Geschwindigkeit waren es noch höchstens dreißig Minuten bis zur Freiheit und finanziellen Sorglosigkeit.

Der silberne Wagen schoss mit unverminderter Geschwindigkeit an Silver Plume vorbei. Die Straße führte jetzt geradeaus, bis zu der weit gezogenen Kurve oberhalb von Georgetown.

Kelvin griff nach unten, öffnete den Reißverschluss der blauen Tasche weit und erhaschte einen Blick auf etwas Grünes. Neue Scheine, dachte er, etwas heller als die alten. Aber selbst in der trüben Innenbeleuchtung des Wagens kam ihm etwas am Aussehen der Scheine seltsam vor. Er griff mit der rechten Hand hinein und fasste einen Stapel glattes Papier, das zwar in die Form von Geldscheinen geschnitten war, sich aber als Broschüren für ein Treffen der Grünen Organisation der Treuhänder des Tales herausstellte.

»Mutter«, krächzte er. Die Erkenntnis schnürte ihm die Luft ab. »Meine gottverdammte Mutter!«

Als ihm plötzlich klar wurde, dass seine Mutter, seine liebe, nette, gottverdammte Mutter, ihn reingelegt hatte, wurde er immer wütender. Sie hatte ihn reingelegt und hatte irgendwo fünfhundert Riesen versteckt, wo er sie nicht finden würde. Jedenfalls nicht vor den gottverdammten Öko-Freaks.

Seine Geschwindigkeit steigerte sich proportional zu seiner Wut.

Er warf die Tasche auf den Wagenboden. Seine Aufmerksamkeit war völlig von der Straße abgelenkt, vom Tacho, dessen Nadel sich immer weiter der roten Linie näherte.

Kelvin Stump atmete schnell. Ein Grauen überkam ihn, ein Gedanke, ein schrecklicher, undenkbarer Gedanke, der ihn ausfüllte. Er wandte sich um, eine Hand am Lenkrad, während er mit der anderen Hand an den Schnappschlössern des Radkoffers herumzufummeln begann. Das erste bekam er auf, korrigierte seine Fahrspur, dann griff er weiter nach hinten nach dem zweiten, dem mittleren Schloss, und fuhrwerkte daran herum, bis auch das aufging. Er griff in den Koffer, packte eines der Blätter, das darin lag, und zog es zu sich heran.

Statt in Benjamin Franklins Gesicht sah er in das Gesicht eines einsamen matschverspritzten Mountainbikers in voller Farbpracht, das ihn vom Titelblatt des Vail Daily anblickte. Er griff noch einmal hinter sich und wühlte verzweifelt durch die Zeitungen, auf der Suche nach dem Geld, nach seinem Geld, nach dem Geld, das ihm zustand. Das war sein Geld, sein Geld allein. Er raste im wörtlichen Sinne vor Wut und merkte gar nicht, dass er mit über 220 Sachen auf eine Leitplanke zufuhr, die kein wirkliches Hindernis am Rand des steilen Abhangs oberhalb von Georgetown, Colorado, war.

Kurz bevor er auf die Leitplanke traf, brüllte Kelvin Stump mit voller Lautstärke. »Wo zum Teufel ist mein Geld!?!«

»Ich hab's weggeschafft.«

»Du hast was?«, fragten die drei anderen im Gleichklang.

»Ich hab' das Geld weggeschafft. Es hat mir nicht gefallen, dass es in meinem Zimmer lag, also habe ich es weggeschafft.«

»Wohin weggeschafft?«, fragte Ollie schnell und beugte sich vor, um zu hören, was eine sensationelle Antwort sein musste. »Du hast uns gesagt, es sei in deinem Zimmer.«

»Hat nicht gestimmt. Tut mir Leid. Es ist nicht da«, sagte Will. »Es ist … es ist …«

»Wo, Will?«, spornte Cheryl ihn an.

»Es steckt in diversen Papiertüten im Kofferraum unseres Mietwagens.«

Das Krachen und Knirschen ließ Mike Cogdall von den dunklen Straßen von Georgetown zu den beiden Lichtern aufblicken, die von der entfernten Autobahn in einer Linie direkt auf ihn zuflogen.

»Wow, Schatz. Das sieht man nicht oft.«

»Was denn, Liebling?«, murmelte seine Frau Kim, die gerade mit den pinkfarbenen Vorgarten-Flamingos aus Holz kämpfte.

»Fliegende Autos.«

Als Cogdall auf die Erscheinung zeigte, krachte sie gerade auf den Abhang. Beim zweiten Aufprall explodierte der Wagen und wurde zum Feuerball.

Der Krach ging eine ganze Zeit lang weiter, aber die Cogdalls konnten ihn nicht mehr hören. Sie hatten sich bereits aufgemacht, um die zuständigen Behörden zu alarmieren. In der Zwischenzeit waren vier rosafarbene Flamingos aus Holz die Einzigen, die das Feuer beobachteten, das in der Entfernung munter vor sich hin prasselte.

Ollie lachte sehr lange.

Trotz all der Dinge, die heute Abend passiert waren, und trotz der Sorge um die Frau, die noch immer mit einer Schusswunde im Bauch durch die Straßen von Vail wanderte, konnte Cheryl nicht anders, als ebenfalls zu lächeln. Stanley grinste und kratzte sich gedankenverloren am Kopf.

Will grinste dümmlich mit ihnen mit.

»Oh Gott, Will – dafür hast du dir ein Weihnachtsgeschenk verdient«, sagte Ollie kichernd. »Oh Herr, in diesem Augenblick würde ich für eine Sache mein Leben geben.«

»Und das wäre?«, fragte Will.

»Dafür, das Gesicht von diesem Typen zu sehen, wenn er den Koffer aufmacht. So etwas bekommt man nicht oft zu sehen.«

»Was hast du da 'reingetan?«, fragte Stanley.

»Zeitungen«, sagte Will grinsend. »Stapelweise Zeitungen.«

Als die Rettungsmannschaften aus Georgetown am Unfallort ankamen, wussten sie sofort, was passiert war. Der Notarzt warf einen Blick in das versengte Auto, auf den bis zur Unkenntlichkeit verbrannten Körper von Kelvin Stump. Ein Polizist starrte auf die Lücke in der Leitplanke der Autobahn I-70 hoch über ihnen. Er fragte sich, wie schnell der wohl gefahren sein musste, um durch die Leitplanke zu krachen und so weit über die Kante des Abhanges hinauszuschießen.

Verdammt schnell jedenfalls.

Er bückte sich und nahm eine Ausgabe des Vail Daily hoch, die von einer Brise an seinen Fuß geweht worden war. Er betrachtete das Foto des Mountainbikes auf der Titelseite, faltete die Zeitung sauber in der Mitte und steckte sie sich in die hintere Tasche seiner Hose.

22
Suche in der Nacht

Die vier standen stumm im hohen Gras neben dem Eisstadion. Jeder schaute gedankenverloren in eine andere Richtung. Schließlich begann Ollie zu sprechen.

»Wir gehen Mrs. Stump suchen. Bei ihr zu Hause. Sie wird einen Arzt brauchen.«

»Hoffen wir, dass sie noch einen Arzt braucht«, meinte Stanley.

Ollie warf ihm einen vorwurfsvollen Blick zu und nickte dann.

»Ja, hoffen wir.«

Er wandte sich an Will und Cheryl.

»Ihr beide geht zurück in euer Hotelzimmer. Entspannt euch. Ruht euch aus. Wir melden uns heute Abend.«

Cheryl lächelte, nickte, wandte sich um und begann, in Richtung Hotel zu gehen. Will blieb stehen und scharrte mit den Füßen.

»Was er da gesagt hat«, flüsterte Will, als ob er sich vor der Frage fürchtete, »was er über Leonard gesagt hat. War das …«

»Wahr?« Ollie nickte. »Ja, Will. Es tut mir Leid. Irgendwie seltsam. Leonard ist mit ihm mitgerannt, weil er dachte, das sei sicher. Bei uns wäre er sicherer gewesen. Wir wollten nur das Geld.«

»Egal, was Angelo wollte«, fügte Stanley hinzu.

»Egal, was«, sagte Ollie. »Ein Ruf wie Donnerhall, hä, Kleiner?« Er lächelte und knuffte Will am Arm.

Will konnte nur zustimmen. Er drehte sich um und gesellte sich zu Cheryl. Die beiden gingen langsam zur Straße und begannen ihren zehnminütigen Spaziergang zum Hotel. Nach ein paar Schritten schaute Will sich um, aber der Platz, an dem die vier vor Sekunden noch gestanden hatten, war bereits leer.

»Wer waren denn diese zwei seltsamen Typen?«, witzelte er.

Cheryl lächelte. »Die? Das waren die bösen Onkels.« Sie nahm seine Hand und sie gingen still weiter. Die angenehme Berührung, die Nacht und die Befreiung von einer Anspannung, die sie jahrelang mit sich herumgeschleppt hatte, gaben ihr ein Gefühl, als sei sie wiedergeboren worden.

Es würde ein wunderbarer Abend werden. Es würde …

»Hootie!«

»Was?« Will erschrak und zuckte zurück.

»Hootie, Herrgott nochmal!«

»Was? Was?«

»Hootie. Hootie, dieser Kerl, das, oh Gott. Bevor er mit mir losgerannt ist, um nach dir zu suchen, hat er Hootie mit diesem verdammten Schraubenschlüssel eins übergebraten … oh Scheiße.«

»Wo ist er?«, fragte Will und versuchte, ihre Panik zu besänftigen.

»Im Transporter.« Und schon war sie auf und davon. Sie rannte in Richtung Stadt, zu Hootie und zu ihrem Job. Ein Problem war gelöst, jetzt war es an der Zeit, die anderen anzupacken.

Sie war der Manager. Das waren ihre Leute.

Sie war im Dienst.

Will galoppierte schwerfällig hinter ihr her, schwankend wie ein neu geborenes Fohlen. An der Abzweigung der Vail Road spürte er ein Ziehen in der Wade und blieb stehen. Dann ging er mit schnellem Schritt über die Brücke, um durch die Abkürzung hereinzuholen, was er an Tempo gegenüber Cheryl verlor. Er konnte sehen, wie sie in der Entfernung weiterrannte.

Sie nahm den längeren Weg.

Wie üblich.

Aber sie sah verdammt gut dabei aus.

In der Dunkelheit der Nacht bogen Stan und Ollie auf die schmale, nicht markierte Straße ein, die zu dem kleinen, einsam gelegenen weißen Holzhaus führte. Sie bewegten sich schnell, aber nicht hektisch, und suchten im Gehen den Boden, den Straßenrand, und die Grasfelder nach einem Zeichen von ihr ab.

»Schhh«, befahl Ollie. »Hör mal.«

»Ist was?«, fragte Stanley nach einer kurzen Pause leise.

»Nichts, mein Freund«, antwortete Ollie. »Gar nichts. Ich denke.«

»Ich weiß.«

»Ich denke, dass sie gar nicht hierher gekommen ist«, sagte Ollie.

Stanley nickte nur.

Die beiden gingen zur Rückseite des Hauses. Ollie zog ein Taschentuch aus der Tasche, öffnete leise die Hintertür und trat schnell in die Dunkelheit der Küche.

»Hast du deine kleine Taschenlampe dabei?«, flüsterte er über die Schulter zurück.

»Hm-hm«, grunzte Stanley und schloss die Tür hinter sich.

Eine Sekunde später bewegte sich ein kleiner Lichtkegel über den Fußboden, systematisch nach einer Spur von Marjorie Stump suchend.

»Schau' im vorderen Wohnzimmer nach. Bei der Eingangstür«, sagte Ollie beinahe andächtig. »Schau' nach einem Anzeichen dafür, dass sie hier war.«

Stanley legte die Hand über das Licht der Taschenlampe und ging ins Nebenzimmer. Ollie sah ihm hinterher und ging dann in Marjories Schlafzimmer.

Genug Licht von Mond und Sternen schien durch das Fenster, sodass er erahnen konnte, was in dem Zimmer zu finden war, und eine Ahnung von ihr bekam.

Er konnte sie spüren. Das Zimmer atmete Marjorie, selbst wenn sie nicht in der Nähe war.

Nicht in der Nähe. Ollie nickte.

Das Haus, das wusste er, war leer.

Er bückte sich und schaute unter das Bett, aus keinem besonderen Grund. Hinter der Kante des Nachttisches steckte eine große vollgestopfte Einkaufstüte zwischen Gestell und Matratze.

Ohne groß nachzudenken, griff er danach und zog sie an sich.

Er rollte die Tüte auf, warf einen Blick hinein, und lächelte.

Was er sah, sah aus wie der Tresorinhalt einer sehr kleinen Bank.

»Bingo«, flüsterte er.

Er zog die Tüte dicht an seinen Körper und umarmte sie. Auf gewisse Weise brachte ihn das mit Marjorie in Berührung.

Während er da still auf dem Fußboden saß, in ihrem Zimmer, in ihrem Haus, umgeben von ihrem Geist, wusste er es plötzlich. Er wusste, wer sie war und was sie tat, und warum.

Er spürte, wie die Wärme in sein Gesicht aufstieg und seine Augen müde wurden. Er schloss sie, um dieses Gefühl zu verdrängen, und drückte das Geld enger an seine Brust. Wenn du es schaffst, dachte er, dann gehört es dir. Es gehört dir. Ich überlasse es dir.

Durchhalten, Marjorie. Wo immer du bist, bitte, halte durch.

Aber er wusste, es war nur ein Traum. Sie war weggegangen, um zu sterben.

Ein dünner Lichtstrahl schien ins Zimmer, gefolgt von Stanley. Der Lichtstrahl blieb bei Ollies Beinen stehen. Er bewegte sich nicht hoch bis zu seinem Gesicht.

»Alles klar bei dir?«

Ollie nickte. Dann fiel ihm ein, dass Stanley ihn nicht sehen konnte, und er sagte, »Ja. Alles klar.«

Er drehte sich um, stützte sich auf die Bettkante und stand auf.

»Wir haben den Rest des Geldes.«

»Was meinst du damit?«

»Das Zeug aus der Tasche. Die halbe Million, von der unser netter Schlauberger denkt, dass er sie in der Sporttasche mitgenommen hätte. Nichts in der Tasche. Nichts in dem Koffer. Er hat kein Geld.«

»Scheiße.«

»Nicht fluchen. Obwohl ich wette«, lachte Ollie, »dass er das auch gerade tut.«

»Er wird zurückkommen«, flüsterte Stanley.

»Das wird er. Dann sind wir aber weg.«

Die beiden nickten und schlichen dann wortlos durch die Küche und die Hintertür aus dem Haus. Auf dem Weg machte Ollie nur eine kurze Pause, um die Walther TPH mit dem Schalldämpfer, die immer noch die Fingerabdrücke von Kelvin Stump trug, unter das Kopfkissen eben dieses Kelvin Stump zu legen, im Hause seiner Mutter Marjorie Stump, die, wenn sie gefunden würde, ein Geschoss aus genau dieser Waffe im Körper haben würde.

Er dachte an sie und lächelte. Wenn er sie nur an einem anderen Ort getroffen hätte.

Zu einer anderen Zeit.

Dann marschierten die beiden Männer zum Schuppen im Garten,

um einen letzten Versuch zu machen, Marjorie zu finden. Stanley öffnete die Tür, und wurde von dem Gestank zurückgedrängt.

»Bingo«, flüsterte er.

Ollie leuchtete mit der kleinen Taschenlampe durch die Tür und auf die Leiche eines großen schweren Mannes, der mit dem Gesicht nach unten neben einer Tonne voll Benzin lag.

»Was zum Teufel …«, überlegte Stanley laut. »Himmel nochmal, in dieser Stadt sind ja überall Leichen verteilt.«

»Seine Versicherungspolice«, antwortete Ollie leise. »Das ist Kelvins Versicherung.« Er trat vor und zog einen Geldbeutel aus der Hosentasche des Mannes. Er öffnete ihn. Darin steckte der Führerschein eines gewissen Kelvin Stump.

Er leuchtete mit dem winzigen Licht über die Tonne. In einem kleinen Loch im Deckel steckte ein Spielzeugraketenbausatz, der mit einem Timer und einem Zünder verbunden war.

»Wenn der bis zur Unkenntlichkeit verbrennt, wird die Polizei einfach annehmen, dass es Kelvin Stump ist. Ich wette, überall im Haus sind Fingerabdrücke von dem armen Kerl.«

Stanley nickte zustimmend, während Ollie die Drähte aus dem Timer zog.

»Todesursache?«

»Ich weiß es nicht, aber ich nehme an, er hat ihn erwürgt.«

»Was machen wir jetzt?«

»Wir lassen alles so, wie es ist. Ein weiteres Indiz, das gegen Kelvin Stump spricht. Je mehr die ganze Geschichte in seine Richtung deutet, umso besser für uns.«

Ollie richtete sich auf, machte das Licht aus und ging rückwärts aus dem Schuppen. Sie schlossen die Tür und begannen, ruhig und gelassen nach Vail zurückzugehen.

Auf dem Weg betrachtete Ollie die Sterne und dachte an sie.

Cheryl war zuerst da. Sie rannte, so schnell sie konnte, an der Skihütte vorbei, wo sie kurz die Orientierung verlor. Aus den Straßen und Kreuzungen war ein Irrgarten von dunklen Läden, dunklen Figuren und noch dunkleren Gedanken geworden.

Als sie schließlich die Rückseite des Haven-TW-Transporters erreichte, kam Will ihr schon vom Rand des Fahrerlagers entgegen. Sie schlug mit der flachen Hand gegen die Transportertür.

»Hootie«, rief sie. »Hootie. Alles klar?«

Will kam zu ihr gestolpert und fummelte in der Dunkelheit an dem Riegel herum.

»Ich hab's, ich hab's«, bellte er. »Zurücktreten.«

Er warf den Riegel zur Seite, packte den Riemen und beugte die Knie, um die ganze Kraft seiner Beine und seines Rückens in den Zug zu legen. Mit einem Donnern hob sich die Ladeklappe des Transporters und krachte gegen die Metallstopper am oberen Ende der Schienen.

Das Geräusch erschreckte beide, ebenso das, was sie jetzt sahen.

Durch dicke, blaue, süßliche Rauchschwaden wurden sie Hootie Boscos ansichtig. Er saß in einem Liegestuhl, einen monströsen Joint zwischen den Lippen, die Haare streng zurückgebunden, und zwei Büchsen Coca Cola Classic mit Klebestreifen an eine riesige dunkelblaue Beule auf der Stirn geklebt. Er hatte die Beine ausgestreckt, er lächelte und in den Händen hielt er eine Ausgabe von Moby Dick. Sein Leselicht war eine Gaslaterne, die unter einem Luftloch an der Decke des Transporters hing.

Will bückte sich ein wenig, um nach seinem schnellen Lauf durch die Stadt nach Luft zu schnappen, verschluckte sich an dem dicken Rauch, spuckte hinter sich und drehte sich wieder zu Hootie um.

»Wir machen uns verrückt vor Sorgen, und er macht sich 'nen netten Abend.«

Cheryl stand schockiert und stumm daneben.

»Hi, Kinder«, flötete Hootie. »Ich wusste, dass ihr kommt. Irgendwann.«

»Also, du hättest wenigstens tot spielen können, als du uns an der Tür gehört hast«, meinte Will.

»Oh nein. Kein Totspielen. Nicht, seit Jerry gestorben ist.« Er schüttelte den Kopf, wobei sein Dreadlock-Pferdeschwanz hin- und herflog, als wolle er damit Fliegen verscheuchen. »Es war ein ordentlicher Schlag, aber nicht tödlich. Für seine Größe war der Typ ein ziemlicher Schlappschwanz, was? Jedenfalls, er hat mir eine verpasst. Ich bin ohnmächtig geworden. Dann bin ich aufgestanden und hab'

’ne Weile lang ’rumgebrüllt, aber alle waren weg, einen saufen, also hab’ ich gedacht, feiere ich eben hier. Ihr habt länger gebraucht, als ich gedacht hatte, aber ich hab’ ’ne Menge geschafft.« Er lächelte und hielt zur Verdeutlichung das Buch hoch.

»Herrgott«, sagte Cheryl mit einem Seufzer der Erleichterung. »Wenigstens geht’s dir gut.«

»Ich hab’ brüllende Kopfschmerzen. Langsam verstehe ich, was Ahab durchgemacht hat, ganz besonders jetzt, wo ich meinen eigenen weißen Wal habe, den ich verfolgen und zerstören muss.«

»Tut mir Leid, der ist weg«, sagte Cheryl. »Aber es ist kein Wunder, dass du Kopfschmerzen hast, wenn du dieses Zeug rauchst und gleichzeitig eine Gaslaterne in einem geschlossenen Raum brennen lässt.«

»Quatsch, ich hab’ doch ’nen Abzug«, sagte er und deutete nach oben. »Ich vermute, es ist der Schlag auf den Kopf, der die Ursache für die meisten meiner augenblicklichen Schmerzen ist.«

»Na ja, bringen wir dich ins Krankenhaus, Partylöwe«, sagte Cheryl. »Tut mir Leid, dass wir deine Lesewut unterbrechen müssen.«

»Oh Mann, da kommen wir doch gerade her«, jammerte Will.

»Dann gehen wir eben wieder zurück«, sagte Cheryl und half Hootie aus dem Stuhl. Sie griff nach oben und machte die Laterne aus.

In der Dunkelheit sagte sie zu Wills Silhouette: »Schließlich bin ich für meine Teammitglieder verantwortlich.«

Die einsame Figur quälte sich angetrieben von Schmerzen, von Hass und von der Entschlossenheit, auf ihre Art zu sterben, durch die Dunkelheit. Sie war in der Stadt unter der Autobahn hindurchgegangen und hatte dann kleine Nebenstraßen den Berg hinauf genommen. Von den Nebenstraßen ging es über Reitwege zu ihren eigenen Pfaden, die sie in jahrelangen Wanderungen ausgetreten hatte. Wanderungen allein. Und mit Kelvin.

Ihrem Sohn.

Ihrem Mörder.

Sie blieb einen Moment lang stehen und lehnte sich an einen Baum. Vor ihren Augen leuchteten bunte Farben wie in einem Kaleidoskop.

Marjorie Stump holte tief Luft, schüttelte die Neonvision ab und kämpfte sich weiter durch den Bergwald.

Sie machte gar nicht erst den Versuch, leise zu sein. Sie versuchte nicht, keine Spuren zu hinterlassen. Das hier war keine Wanderung durch den Wald, sondern ein Todesmarsch. Ein Todesmarsch, den sie zu beenden entschlossen war.

Und sie hatte noch einen weiten Weg vor sich, bevor sie schlafen konnte. Einen sehr weiten Weg.

Sonntag

23

Gesellschaft

Cheryl kicherte.

Die Leute im Krankenhaus waren angesichts von Hootie Boscos Version eines Kühlpacks zunächst schlicht sprachlos. Dann würdigten sie seine originelle Art und Weise, die Schwellung an seinem Kopf in erträglichen Ausmaßen zu halten.

Trotzdem hatte der Schraubenschlüssel eine eigenartig geformte Beule auf der Stirn des Mechanikers hinterlassen. Eine Beule, die das Vail Medical Center nach Röntgenaufnahmen und einer Untersuchung und einer anständigen Rechnung als Beule bezeichnete. Eine große, hässliche Beule, darauf zurückzuführen, dass fünf Pfund Schraubenschlüssel auf acht Pfund Kopf hinabgesaust waren.

»Eine Beule? Das ist die Beule des Jahrhunderts!«, hatte Hootie gebrüllt und nach etwas Stärkerem gegen die Schmerzen verlangt als ein paar Aspirin. Die Doktores hatten die Köpfe geschüttelt und darauf verwiesen, dass seine Klamotten noch so viele chemische Rückstände enthielten, dass sie in Kalifornien rezeptpflichtig wären.

Auf dem Weg zurück ins Hotel besorgte Hootie ein Sixpack Bier, machte eine Dose für sich auf und warf Will und Cheryl je eine zu.

»Nur zu medizinischen Zwecken natürlich«, sagte er mit einem Lächeln.

»Bist du sicher, dass das gut ist?«, fragte Cheryl, öffnete ihre Büchse und nahm zur Belohnung für einen langen Abend einen tiefen Schluck. »Ich glaube, ich habe irgendwo gelesen, dass man Schmerzmittel nicht mit Alkohol mischen soll, oder so was.«

»Hast du wahrscheinlich auch. Aber zu diesem späten Zeitpunkt in meinem Leben ist es wahrscheinlich das Beste, was ich meinem Gehirn und meiner Leber je angetan habe, also werde ich mir keine Sorgen darüber machen. Noch eins, Will?«

Will schaute verlegen herüber, nachdem er die erste Büchse in zwei langen Zügen geleert hatte. Er hatte es gar nicht richtig gemerkt, aber sie war tatsächlich leer. Er überlegte, dass er seit seiner Abfahrt heute Nachmittag nichts gegessen oder getrunken hatte.

Lange her, der Nachmittag,

Er schaute auf die Uhr. Der gestrige Nachmittag.

Er streckte die Hand aus. »Ja, bitte.«

Hootie lächelte und warf ihm eine weitere Dose zu.

»Mach' sie nur nicht in meine Richtung auf.«

Will zog den Ring zurück, rülpste laut und nahm noch einen großen Schluck.

»Mann, langsam, Cowboy – das sieht ja aus, als würdest du das wirklich dringend brauchen«, murmelte Hootie.

Will antwortete nicht, sondern trank einfach weiter.

Cheryl beobachtete ihn, dann wandte sie sich zu Hootie um.

Einen Augenblick lang überlegte sie, was sie sagen sollte, dann flüsterte sie: »Schlechter Tag – er hat heute einen Haufen verloren.«

»Einen Haufen Geld?«

»Einen Haufen Geld. Einen ziemlich großen Haufen Geld.«

»Wie in der Sage, mit Drachen oben drauf, oder einer wie man ihn im Geldbeutel 'rumträgt?«, forschte er nach.

Cheryl lachte. Sie schaute zurück zum Eisstadion, wo sie ihre Onkel zuletzt gesehen hatte. »Einer mit Drachen.«

Will rülpste.

»Da wärst du auch deprimiert«, brummelte er, und der Alkohol und die Höhe wirbelten seine Gehirnzellen durcheinander. »Das Schlimmste daran ist, dass ich es an ihre Familie verloren habe.«

Er deutete mit wackeligem Finger auf Cheryl und rülpste noch einmal laut und diesmal auch schön lang.

»Ja, das mag ich an ihm«, sagte Cheryl traurig. »Er hat eben Stil.«

Hootie schüttelte nur den Kopf.

»Mann, das meiste, was ich je an meine Familie verloren habe, war eine Partie Mogeln.«

Dann gingen die drei mit dem einen oder anderen Rülpser den Rest des Weges zum Hotel. Einen wohlgesetzten Dreier gaben sie von sich, als sie an der elegant gekleideten Dame vorbeigingen, die gerade von einer Party im Haus von Ex-Präsident Ford kam.

Sheila Burns schüttelte nur den Kopf und dachte über den Niedergang von Sitte und Anstand auf der Welt nach.

Hootie hatte zwar einmal gefragt, was mit Kelvin passiert war, aber Cheryl hatte nur den Kopf geschüttelt. Als Will ihre Abenteuer zum Besten geben wollte, hatte sie ihn gestoppt und einfach zu Hootie gesagt: »Eines Tages wirst du es erfahren, aber jetzt sagen wir erst einmal nur: Selig sind die, die nicht wissen.«

Hootie nickte. »Verstanden.«

Er hob einen Finger. »Aber – eines Tages, nach einer Menge Alkohol, werde ich es wissen wollen.«

»Du wirst es erfahren, ich versprech's dir.«

Den Rest des Weges zu ihren Zimmern legten sie stumm zurück. Hootie trug vorsichtig seinen schmerzenden Kopf auf den Schultern, während Will und Cheryl über den vergangenen Abend nachdachten, mit sorgenvollen Gedanken an Ollie und Stan und seltsamerweise auch an Marjorie Stump, Gedanken an Kelvin, wo er wohl sein mochte und was mit ihm passieren würde, und Schuldgefühlen wegen Leonard Romanowski. Dass sie ihn nicht vor Kelvin hatten retten können. Und vor sich selbst.

Was konnte man erzählen, wenn überhaupt etwas, wem, wenn überhaupt jemandem und wann, wenn überhaupt irgendwann.

Will seufzte und ließ den Kopf nach hinten fallen während Cheryl die Schlüsselkarte durchzog. Sie winkte Hootie zu, der die Tür zu seinem eigenen Zimmer hinter sich zuzog, dann machte sie ihre Tür auf. Will stand stumm im Flur und rang mit einem unangenehmen moralischen Dilemma.

Okay, Angeber. Kleines Quiz. Dein fieser kleiner Agent liegt tot in einem Kofferraum, während eine fiese kleine alte Dame angeschossen durch die Nacht wandert. Den einen kannst du nicht mehr retten, die andere aber vielleicht schon. In jedem Fall sollte die Polizei Bescheid wissen, das ist deine Bürgerpflicht ... aber ... du hast nichts direkt mit all dem zu tun, jedenfalls noch nicht. Nicht, bis du redest. Was tust du jetzt? Was sollst du tun?

»Himmel nochmal!«, rief Cheryl im Zimmer. Will riss sich von seinen philosophischen Überlegungen los und rannte hinein, um ihr zur Seite zu stehen.

Auf ihrem Bett lagen Stan und Ollie, warteten geduldig auf ihre Rückkehr und verknautschten dabei die Überdecke.

»Heiliger Herr Jesus, ihr habt mich zu Tode erschreckt«, japste Cheryl und griff sich an die Brust.

»Nicht fluchen«, sagte Ollie leise.

»Wir wussten wirklich nicht, wohin wir heute Abend gehen sollten.«

»Was ist mit euren Zimmern?«

»Wir haben schon ausgecheckt. Wir fliegen heute Abend zurück nach Detroit.«

»Was ist mit dem Geld?«, überlegte Will laut.

»Wir haben das Geld, Will. So ein Kofferraum ist bekanntlich leicht aufzubrechen.«

»Woher habt ihr gewusst, welches ... vergesst es«, sagte Will und akzeptierte einfach, dass diese beiden mehr über ihn und Cheryl und ihren Mietwagen wussten, als sie je verraten würden.

»Habt ihr alles bekommen?«, fragte er mit einem leichten Hoffnungsschimmer in der Stimme.

»Dein Freund ist aber ein wenig gierig, Cherylann«, bemerkte Stanley mit einem Kichern.

»Das ist er in der Tat«, antwortete sie konspirativ und warf einen Blick auf Will.

»Was denn? Was hab' ich denn gesagt?«, jammerte er. »Mann. Ich hab' mich doch nur gefragt ...«

»Ob wir was für dich übrig gelassen haben?«, beendete Ollie seinen Satz. »Keine Sorge. Wenn du in der Familie bleibst«, er zögerte und warf erst einen Blick auf Cheryl, dann auf Will, »dann wird es dir nie schlecht gehen. Wir kümmern uns um unsere Leute.«

»Ja, ich weiß«, sagt Will und dachte an den armen Fredo am Ende des zweiten Teils von Der Pate. »Das ist es ja, was mir Sorgen macht.«

»Du hast zu viele Gangsterfilme gesehen. Kintopp, alles Kintopp«, sagte Stanley mit einem breiten Grinsen.

»Stimmt, ich hab' zu viele Filme gesehen. Aber sagt mir mal eins – was soll ich tun? Ich habe das Gefühl, ich sollte die Polizei rufen.«

Ollie schüttelte den Kopf. »Ich würde mir keine Gedanken machen. Wir erzählen der Polizei von unserem Freund Stump. Die werden wissen, was mit ihm zu tun ist. Und glaub' mir. Vertrau' mir …«

»Was?«

»Vertrau' mir bei dieser Sache. Wenn das alles hochkocht, wirst du nicht wollen, dass dein Name auf irgendeine Art und Weise damit in Verbindung gebracht wird.«

»Aber das ist er doch schon. Er war mein Agent.«

»Es kann Wochen dauern, bis die das 'rausfinden«, sagte Ollie langsam. »Wer weiß, ob die überhaupt jemals die Liste seiner Klienten überprüfen. Und wenn sie das tun und an deine Tür klopfen, dann sagst du einfach ›Hä?‹.«

»Hä?«

»Ja, genau so.«

»Nein, nein«, stammelte Will. »Ich wollte sagen, hä, das verstehe ich nicht.«

»Schau mal, Will«, sagte Stanley sanft. »Es geht doch alles auf - Cherylanns Namen, oder? Auto, Zimmer, Essen …«

»Ja«, nickte Cheryl.

»Was die angeht, bist du überhaupt nicht in Vail gewesen. Dich zu verdächtigen wäre ziemlich weit gedacht. Und die denken nicht gern weit«, sagte Ollie ruhig.

»Außerdem, ein paar wohlgesetzte Worte und die New Yorker Polizei schreibt es als einen Mafiamord ab. Vail nickt, und die Ermittlungen sind abgeschlossen«, fügte Stanley hinzu.

»Trotzdem fühle ich mich nicht gut. Ich fühle mich schuldig.«

»Das liegt an deiner katholischen Kindheit. Es ist ein gutes Gefühl. Benutze es, um Gutes in der Welt zu tun. Aber halte dich aus dieser Sache raus. Du hast nichts getan. Du weißt nichts.«

Die beiden drehten sich gleichzeitig um und stiegen rechts und links aus dem Bett.

»Also, mein Liebe, wir müssen jetzt los.«

Sie überraschte die beiden. Sie überraschte sich selbst.

»Müsst ihr wirklich? Könnt ihr nicht bleiben und mir beim Rennen zusehen?«

Die beiden Männer lächelten einander an. Cheryl schaute auf Ollie, dann zu Stanley hinüber. Zwei Onkel, die sie so lange verleugnet hatte. Sie atmete tief ein, ihr Herz ging auf und ihre Augen füllten sich mit Tränen. Sie machte einen Schritt nach vorn und umarmte den kleinen, rundlichen Mann.

Der wusste zuerst nicht, wie er reagieren sollte. Es war so lange her, es hatte so viel Wut und Durcheinander gegeben. Dann spürte er, wie er sich entspannte, als ob so eine Umarmung eben zum Leben dazugehörte. Dann umarmte er sie und drückte sie fest an seine Brust.

»Es tut mir Leid«, flüsterte sie. Ihre Stimme klang belegt. »Es tut mir Leid, was ich gedacht habe.«

»Ist schon gut, Liebes«, sagte er und seine eigene Stimme zitterte leicht. »Ist schon gut. Es ist alles gut.«

»Ja«, sagte Stanley, »vielleicht brauchtest du etwas Abstand, damit du deinen Weg allein gehen konntest. Vielleicht hat dir deine Wut großen Mut gegeben. Richtigen Mumm.«

Cheryl löste sich von Olverio und ging schnell um das Bett herum, ihr Gesicht rot und nass von Tränen. Sie umarmte Stanley fest.

Er schniefte ein wenig.

»Willkommen daheim, Cheryl Crane. Ich hab' dich vermisst. Ich hab' dich jeden Tag vermisst, den du weg warst.«

In der Stille des Zimmers, in dem man nur die Lüftung der Heizung und ein vereinzeltes Schniefen hörte, heilte ein Herz, und eine Entscheidung wurde getroffen.

Stanley löste sich von Cheryl und hielt sie eine Armeslänge vor sich.

»Du siehst aus wie deine Mutter«, sagte er und seine Lippen zitterten bei dem Gedanken. »Wie aus dem Gesicht geschnitten.«

»Nur, dass Cherylann knallharte Muskeln hat«, sagte Ollie mit einem Lachen.

»Und sie kocht nicht so gut«, fügte Will hinzu.

Alle drehten sich um, als habe Will gerade eine Kuh in die Kirche getrieben.

Er erschrak.

»'Tschuldigung. Stimmt aber doch. Niemand auf der Welt kocht so gut wie Rose.«

Stanley entspannte sich etwas und nickte. »Da hat er Recht.«

»Hm«, sagte Ollie und ließ die zunächst vermutete Beleidigung vorbeiziehen. »Schon möglich. Schon möglich.«

Die beiden Männer sahen einander an und nickten.

»Zeit zu gehen«, flüsterte Ollie. Er nahm Cheryls Hand und drückte sie. »Pass' gut auf dich auf.« Er warf einen Blick auf Will. »Du bleibst still.« Er schaute zurück auf Cheryl. »Fahr' gut dieses Wochenende. Wir haben auf alles geachtet. Du hast nichts mit all dem zu tun. Du bist für nichts verantwortlich. Du musst dich nicht darum kümmern. Es ist dein Job, gut zu fahren. Mach' uns stolz. Mach' deine Mutter stolz.«

»Mach' deinen Vater und Raymond stolz«, sagte Stanley.

»Ja«, stimmte Ollie zu. Er atmete tief durch und seufzte. Die Erinnerung tat immer noch weh. »Ja, mach' deinen Vater und Raymond stolz.«

Will stand allein auf der Seite und senkte den Kopf. Die Erinnerung an seinen besten Freund, an den Unfall und den Verlust, daran, was geschehen und was aus ihm geworden war, trieben ihm die Röte ins Gesicht und die Tränen in die Augen.

Cheryl weinte bereits. Die Erwähnung ihres Vaters hatte einen neuen Ausbruch ausgelöst, und sie hielt Olverios Hand fest an ihr Gesicht gepresst.

»Er ist stolz auf dich, Cherylann. Wo immer er auch ist, er ist stolz auf dich.«

Stanley nickte zustimmend. »Und wir sind es auch.«

Die beiden traten langsam zurück und gingen zur Tür.

»Wir sehen uns in Detroit. Zu Thanksgiving?«, fragte Stanley hoffnungsvoll.

»Schon früher«, sagte Cheryl. »Ende der Woche.«

»Gut, Gut.«

»Das wäre schön«, sagte Ollie. »Bringst du ihn mit?«

Cheryl drehte sich um und sah Will, der jetzt richtig weinte.

»Ja, das muss ich dann wohl tun. Er ist so ein lustiger Kerl.«

»Ja«, sagte Stanley, »das ist er, nicht wahr?«

Will grinste die drei an und wischte sich die Augen.

Stanley öffnete die Tür und trat in den Flur. Ollie folgte ihm und Cheryl dicht dahinter. An der Tür selbst blieb Ollie stehen und wandte sich zu seiner Nichte um. Beinahe hätte er etwas vergessen.

»Nebenbei, während wir hier auf euch gewartet haben, hat ein Typ namens Reed angerufen, Marshall Reed. Er hat gebrüllt wie ein Stier. Er hat gesagt, dass er das Team endgültig verlässt, weil du nirgendwo zu finden bist, und dass du deinen Lauf verpasst hast. Dann hat er irgendwas davon erzählt, dass niemand beim Transporter ist und dass das Ganze hier eine billige Amateurkiste sei, dass du ihn, entschuldige bitte, mal am Arsch lecken könntest, und dass es ihm egal ist, was in seinem Vertrag steht, und dass er jetzt für jemand anderen fährt. Kannst ihn ruhig verklagen, hat er gesagt, weil niemand auf der Welt ihn dazu zwingen könnte, für eine Frau zu fahren.«

Cheryl seufzte. »Nachricht erhalten.« Sie schüttelte beinahe erleichtert den Kopf. »Was hast du zu ihm gesagt?«

»Ich? Ich hoffe, ich hab' dir nicht vorgegriffen, aber ich habe ihm gesagt, dass es scheißegal ist, was er macht.«

»Ha!«, sagte sie laut. »Ha! Ich hab' gedacht, du fluchst nicht?«

»Tu' ich auch nicht. Wenn, dann nur geschäftlich. Wie schon gesagt, ich hoffe, ich hab' dir nicht ...«

»Mach' dir keine Gedanken«, lachte sie. »Das ist ungefähr das, was ich auch gesagt hätte. Ich hätte es ihm schon lange sagen sollen. Mit den gleichen Worten und dem gleichen Nachdruck. Mit diesem miesen Scheißkerl befasse ich mich morgen.«

»Pass' auf, was du sagst, junge Dame«, warnte er. »Die Leute beurteilen dich nach deiner Ausdrucksweise.«

»Außerdem«, fügte Stanley aus dem Flur hinzu, » bist du eine Führungspersönlichkeit. Die Leute erwarten gewisse Dinge von dir.«

Sie lächelte, nickte und legte ihren Kopf auf Olverios Schulter.

»Ich hab' dich lieb.«

Er lächelte zurück. »Das höre ich gern. Wir haben nie aufgehört, dich lieb zu haben.«

Er löste sich von ihr, lächelte und zwinkerte ihr zu. Dann schloss er die Tür hinter sich. Cheryl stand einen Moment lang da und dachte über die Entscheidung nach, die sie vor wenigen Augenblicken gefällt hatte. Es war eine gute Entscheidung. Es war die richtige Entscheidung. Es war die einzige, die sie hatte treffen können.

Sie würde sich morgen damit beschäftigen.

Sie drehte sich zu Will um, der mit verquollenen Augen dastand und ihr mit einer Hand schüchtern zuwinkte.

»Ich hasse Abschiede«, murmelte er.

»Wer hat was von Abschied gesagt?«, sagte sie, und beim Anblick seiner Tränen musste auch sie wieder weinen. Sie ging zu ihm und sie nahmen sich in die Arme und standen sehr lange in stiller Umarmung da.

Cheryl zog ihn fest an sich, bis sie seine Brust an ihrer spürte.

In einem Zimmer, das weit weg von allem war, was sie kannte, fühlte sie sich endlich zu Hause.

Nach einem emotionalen Ausbruch, in dem Angst und jahrelanger Hass von ihr abfielen, fühlte sich Cheryl Cangliosi Crane schließlich wie neugeboren, befreit, voll Feuer und Lebensmut. Sie packte Will beim Hemd und zog ihn mit sich aufs Bett. Sie riss ihm die Kleider vom Leib und verbrachte die nächste Stunde damit, ihn in einen schwächlichen und erschöpften Bewusstseinszustand zu manövrieren.

Obwohl seine Augen sich mehrfach weiteten – später erinnerte er sich vage, in einem dieser Momente tatsächlich »Vorsicht« gebrüllt zu haben – wehrte Will sich ganz und gar nicht.

Die beiden Männer traten aus dem Hotel auf die Straße, die an diesem frühen Sonntagmorgen dunkel, still und kalt war. Unbewusst und völlig simultan stellten sie die Kragen ihrer Windjacken hoch, denn die dünnen Hawaiihemden darunter wärmten sie kaum.

»Wohin jetzt, Kumpel?«, fragte Stanley leise.

»Nach Denver zum Geldmann. Der wird das Geld zu Angelo zurückschicken. Dann zum Flughafen, dann nach Hause.«

»Erster Klasse?«

»Erster Klasse, wie immer.«

»Und die?«

»Was soll mit denen sein?«

»Du hast den Eindruck erweckt, als würdest du ihnen ein Geschenk hinterlassen.«

»Wir sollten Will unsere Hawaiihemden hier lassen«, sagte Ollie mit einem Lächeln.

»Heben wir die für jemand anderen auf«, sagte Stanley. »Und was ist mit …«

»Cherylann? Mach' dir keine Sorgen um Cherylann. Wenn sie zu Thanksgiving nach Hause kommt, werden fünfhunderttausend Dollar aus einer Papiertüte frisch gewaschen und gebügelt sein.«

»Das ergibt ein hübsches Treuhandvermögen.«

»Das ergibt ein hübsches Hochzeitsgeschenk.«

»Meinst du?«

Während er einen Blick zurück auf das Hotel warf, konnte sich Olverio Cangliosi ein Lächeln nicht verkneifen.

»Ich glaube schon. Ja, wirklich. Ich glaube schon.«

Die beiden gingen stumm weiter zu ihrem Wagen, beide mit ihren eigenen Gedanken beschäftigt. Stanley dachte an Frühstück, Ollie dachte an sie.

Sie war fies. Sie war verbittert. Sie hatte ein großes Mundwerk und war starrsinnig.

Aber sie hatte ein Feuer, das man bei älteren Frauen nur selten fand.

Und es hatte ihn fasziniert.

Er überlegte kurz, sich die Zeit zu nehmen und nach ihr zu suchen, aber er wusste instinktiv, was sie getan hatte.

Er hoffte, sie würde es schaffen. Er hoffte, dass sie ihren Frieden finden würde.

Trotzdem würde er sich das immer fragen.

Wohin bist du gegangen, meine Liebe?

Wo bist du jetzt, Marjorie Stump?

Sie hatte sich durch die Nacht gekämpft und gequält, um an diesen Ort zu kommen. Sie hatte nie aus den Augen verloren, wohin sie gehen musste, zu diesem einen Ort, den sie mehr liebte als irgendeinen anderen auf der Welt. Am Fuß des Berges, weit abseits von dem Asphaltband, das auf seinem Weg zum alten Vail Pass hinauf die Erde spaltete, da fand sie endlich ihren Frieden, hier auf der Lichtung, auf der Espen und Kiefern ihre Kathedrale bildeten.

Die Stille war ihre Musik und der Atem der Natur ihre Hymne. Sie lehnte sich gegen eine alte Espe, die wie sie selbst diese Welt bald verlassen würde, und fühlte sich getröstet. Sie rutschte immer weiter abwärts, bis ihre Füße kleine Gräben in das Laub vor ihr gegraben hatten.

Endlich hatte sie den Ort gefunden, an dem sie ruhen würde.

Sie atmete tief durch und spürte, wie die süße Luft durch sie hindurchströmte und die Schmerzen in ihrem Bauch und in ihrem Herzen stillte, die sie seit gestern Abend ertragen musste.

Undankbares Kind, wütete sie im Stillen. Undankbares Kind! Nach allem, was sie ihm gegeben, für ihn geopfert, was sie ihm beigebracht hatte. Er war nichts weiter als eine größere Ausgabe seines Vaters, oder sogar noch schlimmer. Ein Parasit. Ein Bauherr. Ein Schänder des Tales. Sie driftete auf der Morgenkühle davon und kehrte zurück. Was für eine Tragödie. Von all den Dingen, die aus ihm hätten werden können. Diese Schmerzen. Es war, als hätte der Geist seines Vaters über die Jahrzehnte und die vielen Meilen hinweg die Seele ihres Sohnes befleckt.

Seines Sohnes. Am Ende war Kelvin doch sein Sohn gewesen.

Sie war nicht weit genug vor ihrer Vergangenheit davongelaufen. So viele Meilen, so viele Jahre, und es war nicht weit genug gewesen.

Sie hatte nie aufgehört wegzulaufen.

Sie blinzelte und riss die Augen weit auf. Über den Waldboden hinweg sah sie ein Durcheinander in der Lichtung, als ob etwas dort gelandet wäre. Murph? Hatte sie Murph hier gefunden? In der Tat, ja. Murph. Ein ulkiger Junge. Ich glaube, Kelvin hat ihn auch erschossen. Vielleicht. In der Umkleide. Oh, wie traurig, in einem Umkleideraum zu sterben. Ein stinkender Waschraum mit Toiletten für überbezahlte Athleten. Sie stöhnte und spürte, wie es in ihrem Bauch brannte. Die Schmerzen, die wirklichen Schmerzen waren schon vor einiger Zeit verflogen. Aber jetzt, da die Sonne aufging, kehrten sie zurück, nicht als Schmerzen an sich, aber als eine Art brennende Erinnerung.

Sie bewegte sich ein wenig und atmete noch einmal tief durch. Instinktiv wusste sie, dass sie nicht mehr viele Atemzüge hatte.

Undankbar.

Noch einen Atemzug.

Hatten die anderen entkommen können? War er entkommen? Sie hatte alle anderen ihrem Schicksal überlassen, und das machte ihr ein schlechtes Gewissen. Aber sie hatte sie alle verlassen, damit sie auf ihre eigene Art sterben konnte. Nicht in einem Krankenhaus. Nicht mit Medikamenten vollgepumpt und allein, einen Fernseher und unsägliche endlose Gameshows als einzige Gesellschaft. Nein. Sie hatte das

Mädchen verlassen müssen und den großen, dünnen Mann und, wie hatte er sich genannt, Ollie, nein, Oliver. Nein. Sie kämpfte mit ihrem Gedächtnis. Olverio.

Ein schöner, starker Name für einen feinen, starken ... sie rang nach Luft ... Mann.

Es tut mir Leid, mein Lieber, ich wäre gern geblieben. Ich hätte mich gern länger mit dir unterhalten. Es tut mir Leid, dass ich dich dort zurückgelassen habe, wo du von Kelvin umgebracht worden bist. Entschuldige.

Marjorie Stump spürte Wärme auf ihrem Gesicht.

Sie lächelte, als die aufgehende Sonne begann, die Welt um sie herum zu beleuchten. An den Espen, die schon früh ihre Farbe von Grün zu Gold änderten, glühte jedes Blatt, bis die Kathedrale voller goldener Lichtstrahlen war.

Und durch die Kathedrale spazierten die Tiere ihrer Mutter. Sie erschienen und verschwanden. Der Wolf. Der Bär. Der Elch. Und der Löwe. Der stolze Berglöwe, der anders ging als die anderen, die einzige Kreatur, die sich für die verwundete Frau interessierte, die da neben dem Baum lag.

Sie lächelte und streckte die Hand aus zu diesem Traum-Tier, einem Geschenk der Mutter, der sie so lange und so gut gedient hatte.

Das Tier betrachtete sie mit hellen, bernsteinfarbenen Augen, die wie die Blätter scheinbar von innen heraus leuchteten.

Marjorie Stump lächelte über die Schönheit der Dinge um sie herum, das letzte Geschenk ihrer Mutter. Ein wunderschöner Ort zum Sterben.

Denn auch sie war eine Löwin gewesen im Schutz der Wildnis, im Kampf gegen die Gier der Bauherren, indem sie sich gegen die Konstrukteure und die Bauarbeiter gestellt und immer wieder den Stadtrat und seine Pläne blockiert hatte, die so kurzsichtig gewesen waren, so kurzsichtig. Sie selbst war eine Löwin gewesen, angreifend, beißend, nie zurückweichend, nicht, wenn ihr Land bedroht war, ihre Heimat, ihre Existenz.

Sie hatte sie mit ihren eigenen Mitteln bekämpft. Sie hatte brandgeschatzt, zerstört, sabotiert, und zwar alles, was ihr Tal bedrohte. Ihr Tal.

Den Ort, an den sie gekommen war, um zu leben. Den Ort, an den sie gekommen war, um zu sterben.

Die Wärme des Tages und der Frieden des Ortes gaben ihr Trost. Sie seufzte und hob die Arme, um den Traum von Natur zu umarmen, der vor ihr hin- und herschritt.

Dann stand der Löwe über ihr.

24
Das Grollduell

Der Morgen dämmerte. Goldene Sonnenstrahlen ragten wie Säulen in einer grünen Kathedrale in den Himmel. Es war verdammt kalt.

So kalt, dass Cheryl Crane die Gänsehaut unter ihrem Trikot spüren konnte.

Will trottete hinter ihr her. Sein hölzerner Gang kündete noch immer davon, dass er eigentlich einen Gips und eine Beinschiene tragen sollte. Während er hinter ihr her stolperte schüttete er sich Kaffee über die Hand, das Handgelenk und auf den Boden.

Bis zum Transporter würden höchstens noch zwei Schlucke in den Tassen sein.

Ihr Rennen war erst in knapp drei Stunden. Um elf. Im Moment waren noch die Hobbyfahrer auf dem Cross-Country-Kurs. Sie hatten erst vor einer Stunde angefangen. Es war also eigentlich noch genug Zeit zu essen, zu schlafen oder zuzusehen, wie der Tag begann, aber er gab heute früh nicht den Takt an.

Sie marschierte mit gleichmäßigem Schritt vor ihm her.

Er schüttete sich noch einen Schluck Kaffee über das Handgelenk, fluchte leise und versuchte, ruhiger und gleichzeitig schneller zu gehen, um sie einzuholen. Seit dem Telefonat heute morgen war sie irgendwo anders.

»Marshall Reed? Cheryl Crane.«

»Herrgott, es ist sieben Uhr früh!«

»Du hast scheinbar kein Problem damit gehabt, mich um zwei Uhr früh anzurufen. Warum sollte ich mir Gedanken darum machen, dass du ausschlafen kannst?«

»Leck' mich. Ich hab' dir nichts zu sagen, blöde Kuh!«, antwortete er mit noch vom Schlaf schwerer Stimme.

»Oh, das ist ganz falsch. Ich habe einen Vorschlag.«

Am anderen Ende der Leitung war es einen Augenblick lang still, dann raschelten die Laken, als Reed klar wurde, was sie gesagt hatte, und sich aufsetzte.

»Ich höre.«

»Halb zehn. Ein Rennen. Deine Wahl. Der Sieger kriegt alles«, sagte Cheryl mit ruhiger Entschlossenheit.

Will saß kopfschüttelnd im Sessel in der Ecke. Privatfehden kurz vor dem Renntag waren eine schlechte Idee. Privatfehden am Renntag gab es nicht.

»Meine Wahl«, sagte Reed mit einem Lächeln in der Stimme.

»Deine Wahl. Ein Lauf. Wenn du gewinnst, verschwinde ich. Wenn ich gewinne, verschwindest du.«

»Wann?«

»Acht Uhr am Transporter. Hootie gibt dir, was du brauchst. Jedes Rad, das du willst. Du wählst den Kurs. Das Rennen ist um halb zehn.«

»Ich hab' heute Nachmittag ein Rennen.«

»Erst um halb zwei. Das ist genug Zeit zur Erholung. Meins ist um elf. Was sagst du, Marshall?«

Einen Moment lang war es still in der Leitung, bis Cheryl sich schon fragte, ob die Verbindung vielleicht unterbrochen war.

»Also?«

»Ich mach' mit. Lass' mich noch überlegen, wo. Der Sieger kriegt alles?«

»Der Sieger kriegt alles.«

»Ich seh' dich dann am Transporter. In einer Stunde. Das wird lustig, Crane. Ich kann dich fertig machen und gleichzeitig aus dem Team werfen. Das wird ein klasse Vormittag.«

»Das werden wir ja sehen.«

Ohne ein weiteres Wort legte sie auf und schaute zu Will hinüber.

»Schlechte Idee, so ein Privatrennen am Renntag«, brummelte er.

»Du hast es auch schon mal gemacht.«

»Nicht am Renntag.«

»Ich hab' keine Zeit mehr. Es muss heute sein.«

»Ja, aber es gibt keinen Grund der Welt, dein Rennen oder deine Karriere zu riskieren, um ein einziges Arschloch zu schlagen.«

»Ich muss es tun, Will.« Sie seufzte. »Es ist bescheuert, ich weiß, aber es kommt eine Zeit, wo man den Maulhelden am Schwanz packen und sich der Situation stellen muss.«

Sie stand auf und ging ins Badezimmer.

Will starrte einen Augenblick lang an die Wand. Er verstand, was sie meinte, aber das Bild war ihm irgendwie nicht geheuer.

Hootie Bosco rieb mit dem roten Lappen an der Radnabe herum wie ein Pilger an seinem Rosenkranz. Noch fester, und die Nabe würde sich verbiegen wie Uri Gellers Löffel.

»Du solltest das nicht tun, Cheryl Crane. Du solltest das nicht tun.«

»Ich kenne alle Argumente, Hootie. Will hat jedes einzelne davon schon heute morgen 'runtergerasselt. Ich weiß, was ich tue.«

»Blödsinn. Du hast keine Ahnung, was du tust, Fräuleinchen. Wenn du gewinnst, geht das Leben weiter. Aber wenn du verlierst, denkt dieses Arschloch, er sei der Boss. Und das bedeutet, dass ich mich nach einem neuen Job umsehen muss und ehrlich gesagt, mir gefällt der hier.«

Wütend nuckelte er an dem Plastikschlauch, der aus einer Flasche Snapple herausragte, die er sich an den Kopf geklebt hatte. Der Anblick ließ sie lächeln.

»Mach' dir keine Sorgen, Hootie. Ich werde nicht verlieren.«

»Mein Gefühl sagt mir da aber was anderes, Schätzchen«, antwortete er und drehte wütend am vorderen Laufrad ihres Rades.

Marshall Reed kam um die Ecke. Er warf einen Blick auf Hootie, dann auf Will, der im Liegestuhl saß, und ließ dann seinen Blick langsam zu Cheryl herüberschweifen.

»Na, Mädel, bist du bereit?«

»Bin ich bereit wozu?«

»Bist du bereit für's Arbeitsamt?«

»Das werden wir sehen. Wo geht's los, Marshall?«

»Ohhh. Eiskalt. Das gefällt mir bei Opfern.« Er kicherte.

»Lass' den Psycho-Scheiß. Wo, Marshall?«

»Dual Slalom, Fräulein Crane. Dual Slalom.«

»Ich bin noch nie Slalom gefahren«, sagte sie und verfluchte sich sofort dafür, dass ihr dieses Geständnis herausgerutscht war.

»Ach wirklich? Also, wenn man nicht schießen kann, sollte man dem Gegner vielleicht nicht die Wahl der Waffen überlassen, oder?«

Hootie und Will starrten die beiden stumm an. Beide wollten etwas sagen, sich in die Konfrontation einschalten, aber das war ihre Show, ihr Duell, ihr Rennen.

Sie hatten nichts damit zu tun.

»Abgemacht«, sagte Cheryl nur.

»Gut. Der Kurs ist frei. Die Rennen waren gestern. Die Tore stehen noch.« Er lachte und nickte sie an, dann Will, dann Hootie. »Das wird ein Vergnügen.« Er schaute in den Transporter hinein und betrachtete das Rad, das er fahren wollte.

»Gib' mir das Colnago.«

»Bist du sicher?«, fragte Hootie.

»Ja, ich bin sicher. Du hast die Felge ausgetauscht? Die Gabel überprüft?«

»Ja. Es ist bereit.«

Marshall Reed warf einen Blick zu Will hinüber. »Dann fahr' ich es. Ich zeig' diesem Tour-de-France-Fatzke, wie man solche Räder fährt. Räder, die in fünfundvierzig Minuten meine Räder sein werden. Um sie meinen Kumpels zu schenken. Ich seh' dich dann oben, Teuerste.«

Er warf Cheryl ein fieses Grinsen zu und schob das Rad in Richtung Lift davon. Über die Schulter rief er zurück, »Ich seh' dich oben, Baby, und dann seh' ich dich unten wieder.«

Will stand aus dem Liegestuhl auf, ging zu Cheryls Rad hinüber, drehte das Vorderrad, dann einmal wütend an der Kurbel, öffnete dann die Klemme des Montageständers und nahm das Rad heraus.

»Was tust du denn da?«, fragte Cheryl.

»Nenn' mich von jetzt ab Sancho Panza, Don Quijote. Lass' uns gegen ein paar Windmühlen kämpfen.«

»Will«, sagte sie verdrossen. »Ich bin noch nie Slalom gefahren.«

»Ist doch nichts dabei«, sagte Hootie mit einer Entschlossenheit, die sie noch nie in seiner Stimme gehört hatte. »Gar nichts«, wiederholte er, griff nach der Rennbibel und schlug die Kursbeschreibung für den Slalom auf.

»Zwölf Tore, die Pfosten stehen jeweils ungefähr zwölf Meter auseinander. Die ersten drei sind steil und eng, ungefähr zehn Meter breit. Dann kommt ein schnelles Flachstück vor den Toren vier, fünf und sechs. Die sind jeweils zwölf Meter auseinander. Dann geht's runter in die Rinne zu den Toren sieben, acht und neun. Zehn, elf und zwölf sind im oberen Teil des Zielschusses. Nimm' das letzte und flieg'.«

»Gibt's besondere Regeln, die ich kennen muss?«

»Fahr' zwischen den Torpfosten durch. Lass' kein Tor aus. Fahr' wie verrückt. Das ist alles.«

»Ja, und dabei geht's direkt nach unten.«

»Da ist nichts dabei. Frannie Draa macht es dauernd. Jettman. Reed. Und, verflucht nochmal, wenn Reed es kann, dann kann es jeder. Ich hab' noch nie so einen Tollpatsch auf dem Rad gesehen.«

»So ungeschickt ist der gar nicht«, warf Will ein.

»Ja, das sind Affen auch nicht. Hab' schon mal einen im Zirkus Rad fahren gesehen. Ich würde ihn trotzdem nicht in meiner Mannschaft wollen.« Hootie schüttelte den Kopf zur Bestätigung und seine Haare tanzten herum wie eine Explosion in einem Pelzmantel.

»Da wir schon die Tradition brechen«, sagte er, »sollte ich zum Ishmael-Zelt 'rübergehen und denen sagen, dass wir heute morgen ihren Slalomkurs brauchen.«

»Die flippen doch aus.«

»Vielleicht. Die Offiziellen bestimmt. Aber das ist doch scheißegal. Mach' dir keine Gedanken. Ich kenne den Promoter. Er liebt so was, besonders, wenn er es auf Video kriegt.«

»Auf Video?«, fragte Cheryl überrascht.

»Ja. Das kann er an ESPN verkaufen, um denen zu zeigen, was für ein lockeres, cooles Generation-X-Rennen hier abgeht.« Er begann, zum Offiziellen-Zelt zu gehen. Über die Schulter warf er zurück: »Tolle Zielgruppe. Damit verkaufen sie eine Million Flaschen Clearasil.«

Sie sahen zu, wie Hootie und seine Haare den unebenen Weg zwischen den Transportern und Zelten, Tischen und Wohnwagen bewältigten, der zum Ishmael-Zelt führte. Nach einem langen Augenblick des Schweigens sagte Cheryl zu Will: »Heute früh schien das noch eine bessere Idee.«

»Das ist immer so«, antwortete er. »Aber Hootie hat Recht. Reed ist ein Clown. Du kannst ihn schlagen.«

»Ich kenne den Kurs nicht und ich bin noch nie einen Slalom gefahren. Der wird mich fertig machen.«

»Vielleicht schon. Ich kann dir keine magische Pille geben oder einen weisen Rat. Ich kann nur sagen, nicht nachdenken, einfach fahren. Darauf kommt es an, Cheryl. Nicht nachdenken, fahren.«

Am Lift blieb sie stehen und überschaute den Hang. Sie betrachtete die Schilder, die unten das Ende des Laufes markierten, dann schaute sie wieder nach oben. Sie atmete ganz tief durch, aber das beruhigte sie kein bisschen.

Hootie Bosco stellte sich leise neben sie.

»Schau mal, Cheryl, ich bin schon lange bei dem Spiel hier dabei. Und das eine, was ich über Kurse weiß, die man nicht kennt, ist Folgendes: Du fängst oben an und hörst unten auf. Um von einem Ort zum anderen zu kommen, wirfst du dein Herz den Berg hinab und rast ihm hinterher.«

»Das ist wunderschön, Hootie«, sagte sie.

»Danke. Hab' ich aus 'nem Lassie-Film.«

Sie starrte ihn eine Sekunde lang an und brach dann in Lachen aus.

Der Sessel des Lifts kam herum. Will gab das Rad dem Mann, der es einhängte. Cheryl Crane setzte sich auf den Sessel und wurde in Richtung Startlinie gehoben.

Will sah zu, wie der Sessel den Berg hinauf verschwand. Er wandte seinen Blick nicht von ihr ab. Sie schaute nicht zurück.

Das hatte er auch nicht erwartet.

»Soll ich euch starten?«

Cheryl schüttelte das Bild des White River National Forest ab, der sich bis zum Horizont vor ihr ausbreitete. Sie hatte sich in eine tiefe

Ruhe hineinmeditiert und war sich einen Moment lang nicht sicher, wo sie war und was sie vorhatte.

»Hä? Ja, denke schon.«

Marshall Reed rollte in das Starthäuschen neben ihr. Er starrte den jungen Mann mit dem rot-blauen Kopftuch an.

»Wo zum Henker kommst du denn her?«

»Vom Cross Country. Ich wette, die sind stinksauer, weil ihr beiden alle Fans abgezogen habt.«

»Was redest du denn da?«

»Wenn du über die Kuppe kommst, wirst du sehen, was ich meine. Ungefähr beim achten Tor, hinter der Rinne, da wartet die ganze Familie. Ein Duell. Sieger kriegt alles. Ist doch geil.«

»Wie hast du … Hootie. Hootie Bosco.«

Cheryl nickte lächelnd.

»Keine Ahnung. Ich hab's einfach gehört. Dachte, ihr braucht vielleicht einen Starter. Außerdem …«

»Halt's Maul«, bellte Reed, plötzlich viel nervöser als noch im Tal. »Mach' uns den Start und dann lass' uns in Ruhe.«

»Okay, Alter. Immer locker bleiben. Alles cremig.« Er lehnte sich dicht zu Cheryl hinüber. »Kurz vor dem vierten Tor ist 'ne tiefe Rille. Halt' dich scharf links.« Er zwinkerte ihr zu.

Cheryl hatte keine Ahnung, was er meinte.

»Okay, Leute, seid ihr so weit?«

Cheryl nickte.

Reed zischte nur: »Na mach' schon.«

Cheryl drehte das rechte Pedal nach oben und brachte Druck auf die Kurbel …

»Drei …«

… spannte alle Muskeln an …

»… zwei …«

… stand im Sattel auf …

»… eins!«

… und warf ihr Herz den Berg hinab.

»Yeah!«

Aus dem Augenwinkel konnte sie das Kopftuch flattern sehen. Cheryl stieß einen Schrei aus und schoss mit Wut und Macht aus der Box. Marshall Reed war dicht links neben ihr. Mit seinem ersten Tritt kam er ihr ganz nah, mit dem nächsten entfernte er sich wieder. Sie fluchte leise, dann warf sie sich in das erste Tor. Adrenalin, Schwerkraft und ein dicker Gang machten sie schneller, als sie es je für möglich gehalten hatte.

Die Zuschauer säumten das untere Drittel der Strecke, und es wurden immer mehr.

Auf dem Cross-Country-Kurs wurde noch gefahren, aber das schien jetzt völlig egal zu sein. Die Offiziellen blieben dort bei den Hobbyfahrern, während die Menge hierher kam, zum Duell, dessen Austragung wie ein Lauffeuer die Runde gemacht hatte. Hootie Bosco lächelte. Es klappte besser, als er gedacht hatte.

Er stellte sich auf die Zehenspitzen und sah zwei Videofilmer vom Fernsehen die Strecke hinaufrennen, um ein paar Tore Action und ein paar schöne Aufnahmen zu bekommen.

Der Renn-Promoter zeigte auf sie und lächelte. Er wusste, jede Publicity dieses Wochenende war gute Publicity, und wenn es klappte, würde ESPN anrufen, und wenn der Sportsender anrief, dann wäre sein Job die nächsten sechs Monate sicher.

So war die Welt.

Will stellte sich ebenfalls auf die Zehenspitzen, aber er konnte die erste Kuppe nicht überblicken.

Er schaute nach einer Möglichkeit, um zu sehen, was los war. Aber es gab keinen guten Aussichtspunkt, keine …

»Da kommen sie!«, rief eine piepsige Stimme.

Will blickte zu dem kleinen Mädchen mit dem hellroten, auf die Strecke gerichteten Teleskop auf dem Dach eines kleinen Lagerschuppens. Sie schaute wie gebannt auf das, was sie sah.

Will wollte sie nach Informationen fragen, aber instinktiv wandte er sich wieder der Strecke zu, stellte sich auf die Zehenspitzen, blickte nach vorn und zwang seine Augen, das zu sehen, was sie im Augenblick noch nicht sehen konnten.

Er musste es sehen.

Überrascht von der Geschwindigkeit, mit der das dritte Tor auf sie zukam, verlor sie für den Bruchteil einer Sekunde den Rhythmus und wurde aus der Spur getragen. Die standen zu eng, zu nah beieinander. Es war unmöglich.

»Wie machen die das nur«, dachte sie, »wie machen die das nur.«

Das kurze Ausruhen auf der Kuppe war schon vorbei und das nächste Tor da. Sie zog wieder 'rüber und zählte im Geiste die Tore durch. Nummer vier. Über die Nummer vier hatte er irgendetwas gesagt.

Aus dem Augenwinkel konnte sie sehen, dass Marshall Reed dicht hinter ihr lag. Dicht.

Sehr dicht.

Ohne die Rille überhaupt zu sehen, erinnerte sie sich plötzlich an den Tipp des Starters. Sie schnitt die Torstange an und beobachtete, wie ihr Reifen auf dem Rand der Rille entlangtanzte. Sie berührte die Flagge und schwang zurück. Die Waschbrettoberfläche der Strecke schüttelte ihre Hände, ihre Arme, ihre Zähne und sämtliche inneren Organe durch.

Sie kämpfte um die Kontrolle über das Rad, kam auf ein glatteres Stück und flog weiter. Ihr Herz. Ihr Herz war irgendwo da unten. Die Tore standen immer noch so eng wie vorher, aber langsam bekam sie ein Gefühl für den Kurs und seinen Rhythmus.

In diesem Wahnsinn lag trotz allem irgendwie Methode.

Der Berg schien direkt vor ihr abzufallen, und sie konnte spüren, wie der Schweiß der Anstrengung und der Angst durch ihr Trikot drang und seine Farben verdunkelte. Instinktiv verlagerte sie ihr Gewicht und schoss durch das nächste Tor.

Knapp hinter sich konnte sie Marshall Reed fluchen hören und auch, wie der Fluch hinter ihr zurückblieb. Er hatte Tempo verloren. Sie konzentrierte sich wieder, entschlossen, sauber zu fahren und keine Fehler zu machen.

Für das nächste Tor nahm sie ein wenig Tempo heraus. Sie fuhr eine enge Kurve durch eine Rinne und kam dann zurück auf den eigentlichen Abhang. Immer noch donnerte sie abwärts wie eine Lawine.

Sauber fuhr sie durch Tor Nummer sieben, verlagerte ihr Gewicht und spürte das Rad, den Berg, die Strecke durch ihre Hände, ihre Füße und ihren Hintern. Sauber durch acht und neun und plötzlich setzte sie sich erschrocken auf.

Marshall Reed.

Reed war direkt neben ihr.

Was sie auch in den drei Toren erreicht oder verloren hatte, es war ausgelöscht. Sie war deklassiert worden und plötzlich wurde ihr das sonnenklar.

Sie hatte kein Recht, hier zu sein. Sie hatte kein Recht zu fahren. Sie hatte kein Recht, auf diesem Kurs irgendjemanden herauszufordern. Oder auf einem anderen Kurs. Sie hatte kein Recht.

Sie spürte, wie die Kraft sie verließ. Das Verlangen. Das Feuer. Der Hunger.

»Nicht nachdenken!«, brüllte sie laut, als die beiden Räder über die Kuppe auf die letzten drei Tore und den Zielschuss zufuhren.

»Nicht nachdenken, faaaaaaahr!«

Marshall Reed warf einen kurzen Blick über die Schulter, dann konzentrierte er sich wieder auf die Strecke und fuhr knapp am nächsten Torpfosten vorbei.

Cheryl nutzte die Wut ihres Aufschreis, um sich noch einmal voll ins Rennen zu werfen.

Sie raste über die letzte Kuppe hinweg, durch die Tore zehn und elf, Kopf an Kopf mit Reed, dann schaltete sie in den höchsten Gang, den sie finden konnte, schoss durch das letzte Tor und donnerte den Abhang hinunter, ganz tief geduckt und stromlinienförmig wie ein Pfeil.

Sie kurbelte, ihr Herz klopfte ein Trommelfeuer, ihre Lunge brannte, ihre Beine traten wie von allein und wie wahnsinnig. Sie flog weit über den letzten Buckel, kam hart auf, kippte leicht nach rechts weg, richtete sich wieder auf und brauste auf die Ziellinie zu.

Sie hörte nichts, bis sie die Linie überquert hatte. Dann durchbrachen laute Jubelrufe ihre Konzentration.

Marshall Reed hatte gewonnen.

Mit einer halben Radlänge Vorsprung.

Sie schloss die Augen, packte die Bremsen, rutschte mit dem Hinterrad zur Seite und kam zum Stehen. Sie öffnete die Augen wieder und schaute auf die Menge, die dicht hinter der orangefarbenen Plastikabsperrung stand.

Es gab Jubel, Beifall und Applaus.

Und zwar für Marshall Reed, der vom Rad gesprungen war und ein

Tänzchen hinlegte. Er zeigte auf Cheryl, er zeigte in die Luft, er zeigte auf sein Rad, er zeigte auf Cheryl. Er, der Sieger.

Der Gewinner und Champion.

Der Sieger kriegt alles.

Will war der Erste, der sie hörte.

Eine kleine Stimme, hinter und über ihm, beinahe wie die Stimme eines Engels, die immer und immer wieder sagte »Nein … Nein … Nein!«

Will drehte sich um und schaute zu dem kleinen Mädchen auf dem Schuppen hoch. Sie schüttelte wild den Kopf und schrie so laut sie konnte: »Nein! Nein!«

In dem Tumult von Marshall Reeds Siegestanz hörte sie niemand.

Will betrachtete Reed, dann schaute er wieder zu dem Mädchen hoch, tippte Hootie auf die Schulter und zeigte auf sie. Hootie sagte ein stummes »Was?«, dann folgte er Will zu dem Schuppen.

Als sie näherkamen, winkte Will dem Mädchen zu, bis sie sich schließlich von der Menge abwandte, die sie zu beeindrucken versuchte.

»Was sagst du?«, brüllte er.

»Nein!«, brüllte das Mädchen zurück, und ihr dünnes Stimmchen kämpfte darum, sich durch die Menge Gehör zu verschaffen. »Er hat nicht gewonnen! Er hat nicht gewonnen!«

»Was? Was meinst du damit?«, rief Hootie.

»Ich meine, dass er nicht gewonnen hat!«, rief sie zurück, und vor Frust darüber, dass sie klein und schüchtern war und ignoriert wurde fing sie fast an zu weinen.

»Ja, Herrgott nochmal. Sag' das doch nicht mir«, rief Hootie. »Sag' das denen!« Er drehte sich um und legte die Hände an den Mund, um »Ruhe« zu brüllen.

Das kleine Mädchen kam ihm zuvor.

»Iiiiiiiiiiik!«

Mit dem hohen Quietschen fuhren Wills Hände an die Ohren und Hooties Hände an die Eier. Beide schützten etwas Wichtiges vor diesen explosiven 115 Dezibel.

Die Menge duckte sich, dann drehten sich alle zusammen zu dem Schuppen um und richteten sich langsam wieder zu voller Größe auf, aber vorsichtig, falls das kleine Mädchen einen weiteren Audio-Blitz schleudern würde.

Plötzlich waren alle mucksmäuschenstill.

Das Mädchen lächelte und stand aufrecht da. Endlich hatte sie die Menge in der Hand.

»Er hat nicht gewonnen!«, rief sie und zeigte auf Marshall Reed.

»Was? So ein Quatsch!«

»Er hat nicht gewonnen!«, sagte sie noch einmal, und ihre Augen spiegelten ihre Furcht vor dem cholerischen Fahrer wider.

»Blödsinn!«

Sie ließ die Hand sinken. Die Angst vor der Auseinandersetzung mit einem Erwachsenen überwältigte sie, auch wenn sie wusste, dass das, was sie sagte, die Wahrheit war.

Ihr Vater schaute hoch und lächelte.

»Dev – bist du sicher?«

»Daddy, ich bin sicher.«

»Dann sag's. Ich bin hier. Er kann dir nichts tun.«

Will warf dem Mann neben sich ein Lächeln zu und schaute zu dem kleinen Mädchen hoch.

»Ich auch. Sag's ihnen. Ich steh' hinter dir.«

Hootie Bosco nickte.

»Ich auch.«

Sie schaute Hootie an und musste lächeln. Die blaue Beule über seinem Auge wurde nur teilweise von einer herabhängenden Dreadlocke verdeckt.

Er bemerkte ihren Blick und lächelte.

»Meine Haare stehen auch hinter dir, Kleine.«

Sie lachte und nickte, dann schaute sie über die Menge von Teenagern und Erwachsenen.

Eine Fernsehkamera war auf sie gerichtet.

Sie atmete tief durch und begann.

»Man muss durch alle Tore durch, um zu gewinnen. Stimmt's? Richtig?«

Ein paar Leute in der Menge nickten unwillkürlich.

»Aber er hat zwei von ihnen ausgelassen. Ich hab's gesehen. Genau vor der Kuppe, bevor sie weiter 'runtergefahren sind und ich sie nicht mehr sehen konnte.«

»So ein Blödsinn«, rief Marshall Reed. »Einen Scheiß kannst du sehen ...«

»Halt' die Klappe!«, rief eine Frau in der Menge. »Lass' die Kleine reden.«

»Er hat einen Buckel getroffen und sein Vorderrad hat gewackelt und dabei hat er ein Tor verpasst. Cheryl ist durch zwei durch und hat vorne gelegen, aber dann hat er das nächste ausgelassen und ist einfach weitergefahren und hat sie eingeholt. Kurz vor dieser ... dieser ...«

Sie konnte das richtige Wort nicht finden.

»Dieser Rinne«, rief Hootie Bosco, während er die Beschreibung des Mädchens anhand der Rennbibel nachvollzog. »Kurz vor der Rinne. Genau da, wo ein Fahrer,« rief er vorwurfsvoll in Richtung Marshall Reed, »wo ein Fahrer denken könnte, dass ihn niemand sieht. Weder von oben noch von unten.«

»Blödsinn. Ich hab' die Tore genommen. Die Göre hat doch keine Ahnung. Von da kann sie gar nichts sehen. Du bist draußen«, er zeigte auf Cheryl. »Der Sieger kriegt alles. Deine eigenen Regeln. Du bist draußen.«

»Nein«, rief das Mädchen.

»Ich hab' gewonnen.«

»Nein!«, keuchte eine Stimme hinter ihnen.

Die Menge wandte sich um und sah einen jungen Mann mit einem rot-blauen Kopftuch, der nach Luft rang und sich gegen einen Pfosten des Zielbanners lehnte.

»Nein. Er ist vorbeigefahren. Er hat zwei verpasst. Kurz vor dieser Rinne. Nachdem ich ... sie gestartet hatte ... bin ich ihnen hinterhergerannt, den Berg 'runter. Ich hab' gesehen, wie sie Nummer vier genommen hat, aber ... uff ... er hat die Fünf verpasst und die Sechs ausgelassen, um sie einzuholen. Er hat zwei ausgelassen.«

»Hab' ich doch gesagt!«, rief das kleine Mädchen vom Schuppendach herunter.

»Hat sie doch gesagt!«, rief Hootie.

»Hat sie doch gesagt!«, rief Will.

»Hat sie doch gesagt!«, rief ihr Vater.

Die Menge nahm den Spruch auf. Das Mädchen stand oben auf dem

Schuppen, das Teleskop in der einen Hand und die andere Hand in die Hüfte gelegt, ein stolzes Lächeln auf den Lippen. Der Mann, der den Kurs hinuntergerannt war, sank zu Boden und fragte sich, warum ihm niemand applaudierte.

Cheryl Crane schaute zu Devon hoch, lächelte und blies ihr einen Luftkuss zu. Dann drehte sie sich zu Marshall Reed um.

»Der Sieger kriegt alles«, sagte sie.

Und lächelte.

Er zeigte ihr den Mittelfinger.

Nachdem die dramatischen Ereignisse somit also vorbei waren, begann die Menge sich zu zerstreuen und langsam wieder zum Cross-Country-Kurs zurückzugehen.

Hootie sah ihnen zu.

»Ich hätte einen Hut 'rumgehen lassen sollen. So eine Show kriegt man nicht oft zu sehen.«

Cheryl nickte und ging dann zu dem Schuppen hinüber, wo das kleine Mädchen immer noch über allen anderen thronte.

»Danke für's Zuschauen. Danke, dass du was gesagt hast.«

»Keiner wollte zuhören.«

»Dann musst du es einfach lauter sagen.«

»Hab' ich ja gemacht.«

»Und ich danke dir. Komm' nachher beim Haven-Transporter vorbei, Devon. Du kannst dir aussuchen, was du willst.«

»Du weißt meinen Namen noch«, sagte das Mädchen glücklich.

»Wie könnte ich den vergessen?«, antwortete Cheryl.

»Ich geb' dir sogar meinen Schraubenschlüssel«, sagte Hootie grinsend.

Das Mädchen lachte und Cheryl auch. Das war ein nettes Kind. Ein tolles Kind. Gut zu wissen, dass es die noch gibt. Sie wandte sich um, um ihr Rad zu holen, und schaute direkt in Marshall Reeds Gesicht.

»Das ist alles Blödsinn, und das weißt du, oder? Ich hab' dich nass gemacht.«

»Komisch, was? Ich bin ganz trocken.«

»Ich hab' dich geschlagen.«

Reed zuckte erschrocken zusammen, als Will hinter ihm zu reden begann.

»Zwei Zeugen sagen, dass du es nicht getan hast. Die Zuschauer sagen das jetzt auch. Dein Gesicht, Reed, selbst dein Gesicht sagt, dass du nicht gewonnen hast. Gib' auf, Freundchen.«

Cheryl warf einen Blick auf ihre Uhr.

»Weißt du was, ich hab' noch eine Stunde bis zu meinem Rennen. Wenn du hochfahren willst und es nochmal versuchen, bei Gott, ich fahr' mit. Gleich hier, gleich jetzt. Ich lass' den Cross Country sausen und trete nochmal gegen dich an. Und nochmal. Und nochmal. Bis es durch deinen dicken Schädel geht. Bis du akzeptierst, dass ich gewonnen habe.«

»Ich …«

»Herrgott nochmal«, rief Hootie, »gib's auf, Marshall. Du bist schon angezählt. Sie hat dich beim Lügen erwischt. Akzeptier's und hau' ab. Verschwinde, Mann.«

Marshall Reed stand einen Augenblick stumm da, packte das Colnago und begann, zurück zum Transporter zu gehen.

»Lass' das Rad hier«, sagte Hootie. »Ich mach' das jetzt.«

»Lass' gut sein«, sagte Cheryl leise.

Sie legte Reed die Hand auf die Schulter und drehte ihn zu sich herum.

»Die Abmachung war, der Sieger kriegt alles.«

»Schon gut«, antwortete er erbost. »Ich geh' ja schon.«

»Da ich gewonnen habe, bin ich immer noch der Chef hier. Und da ich immer noch der Chef hier bin, sage ich auch, wer bleibt und wer geht.«

»Was willst du damit sagen?«

»Wenn du gehst, wird dich nach diesem Wochenende niemand mehr haben wollen. Du brichst einen Vertrag. Ob sie Recht haben oder nicht, die Leute denken, du hast hier zu betrügen versucht. Damit hast du dir keine Freunde gemacht. Du bist diese Saison nicht gerade herausragend gefahren. Du bist Fallobst, mein Freund. Also, wenn du das bedenkst, warum bleibst du nicht?« – »Was?«

»Warum bleibst du nicht und fährst weiter? Die Saison dauert nur noch ein paar Wochen. Fahr' für uns. Schau, wie es läuft. Entscheide dich im November, ob du zurückkommen willst. Lass all das hier …«, sie machte eine Geste mit der Hand, »… etwas zur Ruhe kommen.«

Marshall Reed zögerte. Er schaute Cheryl an, hinter ihr Will, dann Hootie, dann wieder sie.

Er nickte.

»Okay. Dieses Mal. Ja. Danke.«

»Du musst dich auf ein Rennen vorbereiten«, sagte Cheryl. »Tu's.«

Marshall Reed begann, zum Transporter zurückzugehen, das Rad immer noch auf der Schulter. Dieses Mal forderte Hootie ihn nicht auf, es stehen zu lassen.

Nach etwa zehn Schritten drehte er sich noch einmal um.

»Du hast mich geschlagen«, sagte er leise. »Du hast mich geschlagen, Cheryl Crane. Sauber und korrekt. Du hast die Rille gesehen. Ich nicht. Du hast es richtig gemacht. Ich nicht. Du hattest mich geschlagen und ich konnte das nicht ertragen.« Er zögerte einen langen Moment. »Entschuldige.«

»Danke.«

»Ja.« Er nickte langsam und drehte sich um. »Ja.«

»Gib's ihnen heute Nachmittag, Marshall«, rief Cheryl ihm hinterher.

Reed nickte und winkte mit den Fingern der Hand, mit der er das Oberrohr des Colnago festhielt.

Will wandte sich zu Cheryl um und nickte.

»Gut gemacht.«

»Danke«, freute sie sich über das Kompliment. Locker drehte sie die Uhr am Handgelenk herum und erstarrte. »Heiliger Strohsack. Nur noch fünfzig Minuten bis zum Start.«

»Keine Angst, keine Angst«, murmelte Hootie und klang wie eine besorgte Mutter. »Iss' was, trink' was, und dann läuft's von alleine.«

»Ich muss pinkeln.«

»Auch das geht vorbei.« Er grinste. »Du bist schon okay, Cheryl Crane.« Er nahm ihr das Rad aus der Hand und begann, es zum Transporter zurückzuschieben. »Du bist okay.«

»Da kann ich ihm nur aus vollem Herzen zustimmen.« Will lächelte. »Du bist okay, Cheryl Crane.«

»Danke.«

Sie schaute den Berg hinauf. Eine leichte Brise spielte mit ihrem Haar, sodass es in der Sonne in immer neuen Farben wunderschön schimmerte. Selbst wenn sie ganz still stand, dachte Will, sie sah immer so aus, als sei sie in Bewegung.

»Könntest du mir einen Gefallen tun?«

»Klar, schieß los«, sagte er, und bedauerte seine Wortwahl sofort.

»Meinst du, du könntest dich daran gewöhnen, mich wieder Cangliosi zu nennen?«

»Ja. Glaub' schon.«

»Danke.«

»Ich würd' dich aber lieber Ross nennen.«

Sie errötete, aber sie widersprach nicht.

»Versprechen, Versprechen«, flüsterte sie.

»Eines, das ich halten werde.«

Er nahm sie am Arm und sie begannen, gemeinsam durch eine wunderschöne grüne, braune, goldene, blaue, und klare weiße Welt zurück zum Transporter zu gehen, am Ende eines langen, brutalen Wochenendes. Während sie so gingen, erhaschte Will in einem Schaufenster einen Blick auf ihr Spiegelbild. Zwei junge Leute, Sportler, Liebende, die Arm in Arm zu einer neuen Startlinie gingen.

Er starrte auf das Bild des Mannes, der ihm aus dem Fenster entgegensah.

»Geht's dir gut?«, fragte sie besorgt.

»Ja«, sagte er und betrachtete beide Gesichter. »Ja. Mir geht's prima.«

Er lächelte und nickte.

»Mir geht's prima.«

Epilog

Da stimmt was nicht.« – »Wie bitte?«

»Da stimmt was nicht«, sagte der kleine Mann mit den dicken Fingern und dem schlechten Haarschnitt.

Stanley richtete sich zu voller Größe auf und antwortete barsch: »Bei mir stimmt alles.«

»Nehmen Sie das doch nicht gleich persönlich«, sagte der kleinere Mann und warf einen Hilfe suchenden Blick hinüber zu Ollie, der ihm keine Hilfe anbot. Der andere kleine Mann im Raum starrte einfach nur auf die Geldstapel, die in der schweren gepolsterten Kiste lagen und sagte kein Wort.

»Es sollten sein«, sagte Tommy Wells und schaute auf einen Zettel, den er aus der Hosentasche zog, »wenn's hiernach geht jedenfalls, lassen Sie mal sehen, 3.965.470 Dollar. Keine Cents. Hier fehlen 534.530 Dollar. Keine Cents.«

»Kann schon sein«, sagte Stanley, wandte sich von dem schmierigen kleinen Mann ab und ging an das Fenster im ersten Stock des uralten kleinen Lagerhauses. Er zog den Vorhang beiseite und sah zu, wie ein Arbeiter drei Straßen weiter ein dünnes Drahtseil über die Rückseite der Kuppel des Denver-City-Verwaltungsgebäudes spannte, innehielt, auf die Uhr blickte und im Gebäude verschwand.

Stanley schaute auf seine eigene Uhr. 16 Uhr 45. Feierabend.

»Da fehlt das, was unsere Zielperson ausgegeben hat«, sagte Ollie erklärend. »Für seine Reisekasse.«

»Was machen die denn da, Lichter aufhängen?«

»Das sind 'ne Menge Spesen«, murmelte Tommy Wells und versuchte, beiden gleichzeitig zu antworten. »Ja, die hängen Lichter auf.«

»Kann ich nicht ändern«, sagte Ollie mit einem Schulterzucken. »Angelo hat sich ganz schön viel Zeit gelassen, bis er uns angerufen hat, und Leonard hatte einen teuren Geschmack.«

»Weihnachtsbeleuchtung?«

»Ja, Weihnachtsbeleuchtung«, sagte Wells kurz. Sein Kopf bewegte sich vom einen zum anderen wie bei einem Tischtennis-Spiel. »Das ist die verfluchte Weihnachtsbeleuchtung, die anderthalb Monate lang hier 'reinleuchtet und mich grün aussehen lässt. Sie wissen, dass Sie das Mr. Genna erklären müssen. Es wird ihm nicht gefallen, dass er fünfhundert Riesen verliert.«

»Kann schon sein.«

»Ist sie schön?«

»Die Beleuchtung? Ja. Macht einen blind, aber die Leute kommen von überall her, um sie anzuschauen und zu fotografieren. Dieser ganze blöde Weihnachts-Zinnober. Ich werd' für den Verlust nicht die Verantwortung übernehmen.«

Ollie breitete die Arme in einer Geste der Kapitulation aus und nickte.

»Wir denken, dass Leonard ziemlich großzügig war – er hat 'ne Menge verteilt. Aber was immer er damit auch getan hat, jetzt ist es weg. Geben Sie uns einfach eine Quittung für das, was Sie hier haben, und machen Sie sich keine Sorgen darum. Mr. Genna weiß, wo er uns finden kann, wenn er damit ein Problem hat.«

»Und er wird ein Problem damit haben«, sagte Wells und kritzelte eine Quittung auf ein dünnes Papier. »Er hat ein Problem damit, Geld zu verlieren, wenn ich mich da richtig erinnere.«

»Geht uns doch allen so«, sagte Ollie mit einem Schulterzucken und schaute auf die Quittung, während Wells sie unterschrieb.

Stanley schaute aus dem Fenster auf das Gebäude und seufzte. »Die fangen ganz schön früh an.«

»Ja, muss dieses Jahr wohl besonders groß sein«, sagte Wells, während er den Blick weiter auf Ollie gerichtet hielt. »Normalerweise fangen die nicht vor Oktober damit an.«

»Ich wünschte, die Lichter wären an. Das würde ich gerne sehen.«

Tommy Wells nickte.

»In der ersten Dezemberwoche machen sie die an.«

Er klappte den Deckel der schweren Kiste zu. »Das ist wirklich ein toller Anblick.«

»Hier, bevor Sie zumachen, werfen Sie das mit 'rein«, sagte Ollie und warf Tommy Wells eine zerknautschte Papiertüte zu.

Wells konnte sie nicht richtig fangen, ließ sie fallen, bückte sich und hob sie auf. Beim Aufrichten rollte er sie auf und schaute hinein.

»Hemden?«

»Hemden. Ein Geschenk für Angelo.«

Am Fenster kicherte Stanley und schaute weiter hinaus.

»Kapier' ich nicht.«

»Er wird's kapieren. Er wird auch kapieren, dass er uns keinen Ärger wegen der fehlenden Kohle machen sollte. Das war Leonard. Und wenn wir ein Problem kriegen …«

»Irgend ein Problem …«, fügte Stanley hinzu.

»Dann fahren wir nach New Jersey, suchen ihn auf und putzen ihm mit diesen Hemden den Rachen aus.«

Stanley drehte sich vom Fenster weg und sagte nur: »Der Lastwagen ist hier.«

Wells stand still da und hielt die Hemden über die Kiste, unsicher, ob er bei dem Witz mitmachen sollte. Trotzdem, er war schließlich zweitausend Meilen von Angelo Genna entfernt, aber nur einen Schritt von »Westentasche« Cangliosi. Eine Entscheidung musste getroffen werden, und es war eine einfache Entscheidung. Wortlos ließ er die beiden bereits getragenen Hawaiihemden in die Kiste fallen, setzte die Schaumpolsterung vorsichtig in die Öffnung und schloss den schweren Pappdeckel. Dann umwickelte er das Ganze mit breitem Klebeband. Er warf einen Blick auf die Versandpapiere, ging zur Tür, öffnete sie und rief nach unten: »Larry, der Lastwagen ist hier. Holst du eine Sackkarre und kommst das Ding abholen?«

»Wie verschickt man denn ein solches … Paket?«, fragte Stanley und beobachtete, wie der Fahrer des Lastwagens die Kappe auf seinem beinahe kahlen weißgrauen Schädel zurechtrückte und mit einem lauten Rumms die hintere Tür öffnete.

»Normale Luftfracht. Mr. Genna bekommt es morgen Nachmittag.«

»Haben Sie keine Angst, dass es, na ja, verschwindet?«, fragte er.

»Nicht wirklich. Auf den Versandpapieren steht, das sind Dokumente. Stimmt ja auch. Ich hab' ein legales Geschäft, ich bin Kautionssteller, ich hab' immer mit solchen Sachen zu tun. Es ist wahr. Es passt zusammen. Es ist sicher, wenn nicht gerade das Flugzeug abstürzt. Ich mach' das schon seit Jahren. Außerdem bin ich nicht derjenige, der fünfhundert Riesen verloren hat.«

»Ich auch nicht. Wie ich schon gesagt habe, wenn Mr. Genna ein Problem damit hat, weiß er, wie ich zu finden bin.« Er betrachtete einen Augenblick lang die Kiste. »Ich bin froh, dass Sie mit diesem System zufrieden sind, Tommy«, murmelte Ollie. »So viel Bares würde ich lieber per Hand abliefern.«

»Ich kann's Ihnen ja wiedergeben und die Quittung zerreißen.«

»Nein. Nein, danke. Zeit, nach Hause zu kommen. Machen Sie es auf Ihre Art. Geben Sie mir den Quittungsblock.«

Wells händigte ihn aus.

Ollie nahm ihn, schaute sich die Quittung an, nickte, als alles korrekt aussah, und setzte neben Tommy Wells' unleserliche Unterschrift ein unauffälliges Zeichen.

Mann, dachte er sich, unterrichtet denn heutzutage keiner mehr Schönschrift? Oder ist das zu seiner Sicherheit, so wie dieses Zeichen zu meiner Sicherheit ist?

Er riss die obere Kopie ab, die auf 3.965.470 Dollar ausgeschrieben war, zog das Kohlepapier hoch, um darunter nachzusehen, zog die Kopie und ein paar weitere Quittungsvordrucke darunter heraus und gab Wells den Block zurück. Er steckte die zusammengefalteten Quittungen in die Brusttasche seines neuen weißen Hemdes.

»Hey, das war ein neuer Block.«

»Sie brechen mir das Herz.«

Es gab ein Klopfen an der Tür und Wells öffnete sie. Ein Mann trat ein. Er schob eine Sackkarre vor sich her und plapperte sofort los.

»Mann, Leute, habt ihr die Nachrichten gesehen?« Wells schüttelte den Kopf, während er die Kiste auf dem Fußboden verschob, bis sie direkt vor der Sackkarre stand. »Mann, die haben da echt einen irren Tag in Vail, das ist mal sicher.« Wells starrte Larry an und hob eine Kante der Kiste hoch. Dann warf er einen Blick auf Ollie. Keine Reaktion, absolut gar keine.

»Fünf Leichen, ist das zu fassen? Fünf Leichen. Einer erschossen. Einer erstochen. Einer erwürgt. Einer in einem fiesen Autounfall in Georgetown Sonntag früh und eine Frau, die halb aufgefressen im Wald gefunden worden ist. Mann.«

»Aufgefressen?«, sagte Ollie überrascht. Er wandte sich zu Stanley um, der ihm einen kurzen Blick des Mitgefühls zuwarf, den Wells bemerkte, der Arbeiter nicht.

»Aufgefressen. Berglöwe. Ganz schön Scheiße. Ist das zu fassen?«

Der Arbeiter schob die Kante der Sackkarre unter die Kiste. »Aufgefressen. Oh Mann, schon der Gedanke daran ist ekelhaft. Echt, Mann.« Wells nickte und schob die Kiste auf die Sackkarre. Larry balancierte sie aus und rollte die Kiste zur Tür, den ganzen Weg plappernd.

»Gott, ich wette, diese Kleinstadt-Bullen drehen total durch.« Er blieb an der Türkante hängen. »Die haben so was nicht mehr gehabt, seit diese berühmte Tussi ihren Freund, diesen Skifahrer kaltgemacht hat.« Er rollte die Kiste rückwärts in den Raum zurück und schob sie dann glatt durch die Tür. Die Tür fiel von alleine hinter ihm zu.

»Das war in Aspen«, korrigierte Ollie den verschwundenen Arbeiter leise.

»Ihre Arbeit?« Die Worte waren draußen, bevor Wells sie stoppen konnte. Er zuckte zusammen und wartete auf eine Reaktion, die nicht kam. Der große Mann schaute weiterhin aus dem Fenster, während der kleine rundliche, der, der wirklich gefährlich zu sein schien, am Tisch lehnte und gedankenverloren durch den Raum starrte. Seine Augen sahen feucht aus, als ob sie sich mit Tränen füllten.

Herrgott. Die müssen ein ganz schönes Wochenende hinter sich haben.

Olverio seufzte tief, schüttelte den Kopf und stand auf.

Je schneller die weg sind, desto besser, beschloss Wells.

»Wann fliegen die Herren?«

Stanley schaute auf die Uhr. »Unser Flieger geht um halb neun. Wie weit ist es bis zum Flughafen?«

Ollie schaute seinen Partner kritisch an. Verrate niemals dein Vorhaben oder deinen Zeitplan.

Wells bemerkte das nicht. Er sagte nur: »Ungefähr eine halbe Stunde, fünfundvierzig Minuten von der Innenstadt aus. Ich rechne normalerweise eine Stunde fünfzehn Minuten bis zum Gate. Sollte montags nicht sehr voll sein. Mit welcher Airline fliegen Sie?«

Stanley bemerkte Ollies Blick, wandte sich einfach wieder zum Fenster um und zog den Vorhang zur Seite.

Wells verfolgte die Frage nicht weiter.

Stanley sah zu, wie Larry die Sackkarre in den Lastwagen fuhr und dann vier Blätter auf dem Klemmbrett des kahlen Speditionsfahrers unterschrieb. Aber er registrierte das alles nicht, weil er damit beschäftigt war, was er sagen würde, wenn Ollie ihn beim Essen wegen seines Ausrutschers schimpfen würde.

Er sah zu, wie der Fahrer die Lastwagentür mit einem lauten Knall schloss, genau, als Larry die Tür zum Lagerhaus mit dem gleichen Krach zufallen ließ. Es war wie ein Wettstreit. Beide brachten schwere Schlösser an den unteren Riegeln der Türen an. Dann winkte Larry, während sich der Lastwagen von der Laderampe entfernte, wendete und durch die beleuchtete Einfahrt neben der Laderampe in das Gebäude hineinfuhr. Das ganze Manöver beruhigte Stanley, denn es schien, als taten sie so etwas ständig.

Stanley drehte sich wieder in den Raum zurück, gerade als Ollie sagte: »Danke für alles, Tommy« und seine Hand ausstreckte.

Tommy Wells griff vorsichtig danach, ohne so richtig zu wissen, was er erwarten sollte. Er arbeitete seit Jahren ohne Probleme mit solchen Männern, aber dieser ganze Job war von Anfang bis Ende unangenehm gewesen.

Er war offensichtlich unschön verlaufen, wenn man die Nachrichten bedachte und die Tatsache, dass sie nur eine der Waffen zurückgebracht hatten. Die MPK5. Die Walther flog noch irgendwo in Vail herum. Ein unangenehmes loses Ende.

Es gab zwar keine Verbindung zu ihm, wenigstens keine direkte, aber es hasste lose Enden.

Wells streckte Stanley die Hand entgegen.

Stanley ignorierte ihn und schaute auf Ollie, der offensichtlich von den neuesten Nachrichten berührt war. Er ließ die schwitzige Handfläche des Kautionsstellers einen Augenblick in der Luft hängen, bevor Wells sie fallen ließ.

»Komm' schon, Kumpel«, sagte Stanley ruhig. »Wir müssen das Flugzeug erwischen.«

Ollie nickte und wandte sich zur Tür. Die beiden gingen hinaus. Wells folgte ihnen kurz, dann blieb er an seiner Bürotür stehen und lehnte sich gegen den Türstock. Er beobachtete die beiden, wie sie die Betontreppe zu der Laderampe hinunter- und zur Tür hinausgingen.

Als sie verschwunden waren, spürte Wells, wie eine große Last von ihm abfiel. Fünf Leichen. Der Erschossene, der Erwürgte und der Erstochene gingen ganz sicher auf ihr Konto. Der Autounfall, das waren sie nicht. Wahrscheinlich auch der Löwe nicht. Aber wer wusste das schon so genau? Diese Typen waren schließlich für ihre Originalität bekannt.

Er wischte sich die Hände an den Hosenbeinen ab.

Sie waren feucht genug, um eine Spur zu hinterlassen.

Als sie draußen in der Dunkelheit des kühlen Septemberabends standen, schaute Stanley Ollie an und sagte leise: »Es tut mir Leid, mein Freund. Das mit ihr tut mir Leid.«

»Ich weiß. Mir auch, Stan. Sollte es nicht, aber das tut es doch.«

Ollie ging zur Beifahrertür des Mietwagens, schloss die Tür auf und warf Stanley den Schlüssel zu.

»Du fährst.«

»Ich kenn' den Weg nicht.«

»Einen Block hoch zur Colfax, dann nach Westen auf die I-25 Nord, dann den Schildern nach.«

»Alles klar.« Stanley öffnete die Tür, stieg ein und ließ den Wagen an.

Ollie stand stumm an der offenen Tür und betrachtete die Berge im Westen. In der untergehenden Sonne glühten die Bergspitzen rot und golden, und der Himmel war tiefblau, beinahe schwarz. Er lächelte, während er so schaute, und sein Herz erfüllte sich mit dieser Schönheit.

»Auf dich, meine Liebe«, flüsterte er. »Auf das, was hätte sein können. Ich wünschte, wir hätten es erfahren.«

Er nickte den Bergen zu. Beinahe war es eine Verbeugung, ganz sicher ein Zeichen des Respekts, dann setzte er sich auf den Beifahrersitz des kleinen Mietwagens.

Sie fuhren vom Parkplatz herunter und machten sich auf den langen Weg zum Denver International Airport.

Die Polizei kam zu dem Schluss, dass der Telefonbuchkrieg (benannt, so sagt man, nach den ungefähr zwanzig Exemplaren der Gelben Seiten für Denver und Umgebung, die anstelle von etwa vier Millionen Dollar in einer Kiste an Mr. Angelo Genna aus Newark, New Jersey, geschickt worden waren), der kürzeste offiziell erklärte Bandenkrieg seit dem Waschpulverkrieg von 1947 war. Innerhalb von zwölf Stunden, nachdem er erklärt worden war, war der Mann, der ihn erklärt hatte, der bereits erwähnte Mr. Genna, ein angeblicher Mafia-Boss, tot, nachdem er schreiend aus seinem Schlafzimmer direkt vor die Visiere seiner eigenen schwer bewaffneten und übernervösen Bodyguards gelaufen war, die im Wohnzimmer gedöst hatten.

Er trug nichts außer einem Hawaiihemd.

Die Polizei hat keine Erklärung dafür, wer oder was Mr. Genna derart erschreckt haben könnte, und es ist ihr auch ziemlich egal.

Mr. Genna ist tot.

Der Fall ist abgeschlossen.

Sechs Monate nach dem Ende des Telefonbuchkrieges wurde mit einem Eigenkapital von dreieinhalb Millionen Dollar in Denver die Firma Bosco Bikes gegründet.

Es dauerte beinahe zwei Jahre, bis Hooties Haare wieder nachgewachsen waren.